The Novel

James A. Michener

МИРОВОЙ **МБ** БЕСТСЕЛЛЕР®

ДЖЕЙМС МИЧЕНЕР

РОМАН

НОВОСТИ

Москва, 1998

УДК 820 (73)-31
ББК 84.7 (7 США)
    М 70

*Перевод с английского Юлии ГАЛКИНОЙ и
Валентина ПУРЕСКИНА*

Книга издана в суперобложке

По вопросам оптовой закупки книг серии «Мировой бестселлер» обращаться по телефонам (095) 265-50-53 и 265-56-62.

Служба **«Книга-почтой»** Издательства: (095) 265-54-44.

На книги серии «Мировой бестселлер» можно подписаться в Агентстве **«Книга-Сервис»** по адресу: 117168, г. Москва, ул. Кржижановского, д. 14, корп. 1 (ст. метро «Профсоюзная»), тел. (095) 129-29-09, 124-94-49.

Наложенным платежом книги этой серии можно заказать через ЗАО **«Бета-Сервис»** по адресу: 111116, г. Москва, а/я 30, «Мировой бестселлер».

ISBN 5-7020-0895-2

I
ПИСАТЕЛЬ

Этим утром, во вторник 3 октября 1990 года, в половине одиннадцатого, я допечатал последнее предложение романа, завершающего так называемый «Грензлерский октет» (так нарекли это критики), как будто я с самого начала намеревался написать восемь книг, связанных одной темой. Хотя все получилось случайно.

В 1967 году, когда мне было сорок четыре года, я представил себе местечко на территории немецкоговорящей Пенсильвании в шестнадцать миль* с востока на запад и десять с половиной миль с севера на юг, приютившееся между тремя хорошо известными немецкими городами: Аллентауном — на севере, Редингом — на западе и Ланкастером — на юге. Это была четко ограниченная местность, населенная очаровательными сельскими жителями, которые строго хранили древние немецкие обычаи и язык. И, после того как я довольно подробно описал этих селян в моем первом романе, я продолжал следить за их судьбами и в последующих книгах. Назвав это местечко «Грензлер», я настолько реально представил самого себя его жителем, что ко времени написания последней книги (ее название — «Каменные стены» — олицетворяло упрямую натуру любимых мною немцев) я не мог уже

---

* В 1 миле — 1,609 км. — *Прим. ред.*

7

писать о какой-либо другой части мира — будь то Соединенные Штаты или даже другая часть Пенсильвании. Как это часто случается с авторами, моя воображаемая местность стала для меня более реальной, чем та, которая меня окружала.

Одобрив окончательный вариант рукописи, я спустился из кабинета в кухню и провозгласил великую новость: «Эмма! Я закончил роман! Мы снова начинаем жить».

Однако жена не разделила мою радость, так как помнила нудную, тяжелую работу по шлифовке семи предыдущих романов: «Я знаю, что будет дальше. Сейчас октябрь девяностого. На то, чтобы рукопись стала книгой, то есть от работы над рукописью с редактором в Нью-Йорке до корректуры, нужен год, и, может быть, к октябрю следующего, 1991 года, книга будет напечатана».

Но, не желая омрачать мою радость, она с веселой улыбкой указала на духовку, откуда исходил один из тех бесподобных запахов, что превращают немецкую кухню в место священное. Среди этих запахов и аромат яблочного повидла, и благоухание начинки из изюма и миндаля, и духовитость тыквенного пирога с мускатным орехом, и — а это, по-моему, самый замечательный запах — запах рисового пудинга — традиционного национального немецкого блюда.

Открыв духовку при помощи толстых шерстяных прихваток, Эмма вытащила великолепный темно-коричневый керамический горшок высотой шесть и диаметром четырнадцать дюймов*, с широким горлом. В этом горшке Эмма приготовила одно из восхитительных блюд немецкой кухни — покрытый хрустящей корочкой золотисто-коричневый рисовый пудинг с изюмом.

Этот йодерский пудинг был не из тех бесхитростных смесей вареного риса и сладкого молочного крема, без изюма, разве что чуть-чуть сдобренный кори-

_____
* В 1 дюйме — 2,54 см. — *Прим. ред.*

цей. Эмма рис не варит, а запекает, и требуется много времени и внимания, когда пудинг подходит. Именно поэтому горшок должен быть глубоким. После того как твердые зерна очищенного риса в течение нескольких часов размягчаются и смешиваются с изюмом и корицей, начинается основное действо, и через десять—пятнадцать минут образуется великолепная, золотистая от жженого сахара, корка, покрывающая верхушку. Затем длинной ложкой Эмма разрушает корку, чтобы хрустящая янтарная вкусность смешалась со светлым пудингом.

Секрет приготовления настоящего немецкого рисового пудинга — в правильных пропорциях сырого риса и жирного молока. Сначала смесь выглядит очень жидкой, но, по мере того как она готовится, лишняя влага испаряется, а молоко, яйца и сахар как по волшебству превращаются в превосходный крем. А что еще делает немецкий пудинг таким удивительно вкусным, так это смесь жженого сахара и изюма. Подобный союз продуктов, конечно же, не случаен.

— Сделай холодильник открытым, — скомандовала Эмма, обращаясь к диалекту своего детства, проведенного в немецкоговорящей Пенсильвании, несмотря на то что она преподавала английский недалеко от Саудертона почти с тех пор, когда началась наша семейная жизнь.

— Сейчас сделаю, — поддразнил я ее. Перед тем как поставить пудинг в холодильник, она наполнила две чашки. Поедание пудинга будет частью ритуала, почитаемого нами с момента окончания моего первого романа много лет назад. Усевшись в нашей уютной кухне, где мы проводим, наверное, бо́льшую часть жизни, в ожидании празднества Эмма спросила:

— На этот раз редактирование будет проще?

— Тяжелее. Когда стареешь, того, что можешь потерять, становится больше.

— Ты серьезно считаешь, что это твой последний роман?

— Определенно последний. У меня нет ни энергии, ни мужества на еще одно большое произведение.

Понимая, насколько этот момент значим для меня, Эмма остановилась позади моего стула и положила мне руки на плечи:

— Восемь романов. Первые четыре были приняты довольно вяло. Зато последние — это триумф.

— Не торопись. Что-то я в этом сильно сомневаюсь.

Она хмыкнула:

— При твоих-то победах?

— О писателе судят по его заключительному произведению. А насчет него я не уверен.

— Неужели оно так сильно разнится с теми тремя, что принесли тебе удачу?

— Да. На этот раз нет ни личного антагонизма, как в «Изгнанном», ни пенсильванско-немецкого мистицизма, как в «Нечистой силе».

— Ты отказываешься от того, что делает твои книги популярными? Разумно ли это?

— Я долго об этом думал и уверен, что так надо. Эта книга о Грензлерской земле и о том, как мы, немцы, обкрадываем самих себя, относясь к ней потребительски, отдаляясь от нее, разрушая свои исторически сложившиеся каменные стены, стены своего же амбара.

— Экологический протест? Ты уверен, что твои читатели готовы к этому?

— Это не моя забота — подготовить их.

— Что ж, в добрый путь, Роджер Тори Петерсон.

Со стороны, пожалуй, может показаться странноватым, что я так долго работал над книгой и при этом моя жена не имела понятия о ее содержании. Но наша семья придерживается строгих традиций. Я писал мои книги один, никому, даже редакторам, не раскрывая сюжет рождающегося романа. Поэтому и Эмма ничего не знала о нем до самого его завершения.

— Я дам тебе копию, как только отправлю экземпляр Цолликофферу и в «Кинетик пресс» в Нью-Йорке.

— Еще не читая, я уверена, что это будет что-то потрясное.

— Что за оригинальный лексикон?

Она слегка надавила мне на плечо, пододвигая мой стул к себе:

— Когда общаешься с детьми, заимствуешь их язык, а то не сможешь понимать их.

— По-моему, работа учителя — это как раз обучение детей правильной речи.

Она рассмеялась:

— Ты — истинный представитель своего поколения.

Ожидая, пока стынет наш пудинг, я понял, как сильно люблю эту маленькую, ростом всего пять футов* два дюйма (а во мне — пять футов пять дюймов), немочку. Ведь в наши трудные дни, когда я ничего не мог продать из того, что написал, она давала мне возможность творить дальше, работая в школе в Саудертоне. И после каждой из четырех неудач она говорила: «Лукас, ты — настоящий писатель, и это хорошая книга. Рано или поздно Америка поймет это». На протяжении всех лет она никогда не колебалась в своей решимости поддерживать меня, и ее слова были так же важны для меня, как и ее скромный доход от учительства. Эмма была выпускницей одного из лучших женских колледжей — Брайн Мауер. Она понимала, что такое книга. Порой, когда я в одиночестве работал в своем кабинете, а она трудилась в классе, слезы навертывались мне на глаза, ведь я знал, что она мечтала о лучшей доле, чем преподавание в старших классах местной школы, но я не слышал от нее ни

---

* В 1 футе — 0,3048 м. — *Прим. ред.*

слова упрека. Она поставила задачу: создать для меня условия, чтобы я смог реализовать свой писательский талант, и она шла по этому пути, не сетуя на судьбу.

В последние годы меня раздражали истории молодых врачей, заразившихся одной и той же болезнью. Перед поступлением в медицинский институт будущий доктор женится на молоденькой медсестре, которая немного зарабатывает и поддерживает его, пока он не заканчивает учебу. Затем, когда он начинает сам неплохо зарабатывать и оказывается наверху социальной лестницы, то вдруг осознает, что его жена — всего лишь деревенская девушка без образования и совершенно не подходит ему в его новом положении. Он разводится, ничего ей не оставляя, а ее место занимает молодая дама, имеющая более высокое положение в том обществе, к которому он теперь причисляет себя.

Эмма делала в точности то, что и те молодые сестрички: она давала мне возможность совершенствовать мастерство писателя. Я уже не говорю о том, что она была лучше меня во всех отношениях. Она училась в лучшем колледже, а я посещал ближайшую немецкую школу в Мекленберге, неплохую, но до Брайн Мауер ей далеко. И Эмма обладала гораздо большей внутренней одержимостью и решительностью. Сотворенная из лепестков розы и гранита, она поддерживала наше житье-бытье.

В значительной мере Эмма сумела изменить нашу жизнь. Это было в тот момент, когда я почти ничего не получил за свой четвертый роман, во всяком случае, этого было недостаточно для нас обоих. Тогда она воскликнула: «Мы прокляты, Лукас». Я, помню, проговорил, что не верю в эту чепуху с проклятьями, и добавил: «Наши немцы верят во всяких ведьм и прочую нечистую силу не от большого ума и украшают свои амбары мистическими знаками, стараясь отпугнуть дьявола». Это было началом духовного спора.

История семьи Эммы весьма любопытна. В середине XVII века ее предки, Столцфусы, жили в Палатайне, районе Западной Германии, между Рейном и французскими территориями Эльзасом и Лотарингией. Вдохновленные культовыми кострами, зажженными в предыдущем веке Мартином Лютером и Ульрихом Цвингли*, они стали горячими анабаптистами, проповедовавшими, что глупо и неправедно крестить детей при рождении: «Только в возрасте семнадцати или восемнадцати лет, когда человек становится достаточно взрослым, чтобы осознавать значение христианства, только тогда его или ее можно крестить». И для поддержки своей точки зрения они цитировали Иоанна Крестителя, самого Иисуса и святого Павла.

Вследствие этого их учения, а также из-за их пацифистских настроений и политических столкновений с официозом клан Столцфусов преследовался, некоторые его члены были уничтожены. Столцфусы бежали из Палатайна вместе с несколькими тысячами Йодеров, Бейлеров и Цуков. Уильям Пенн**, вдохновенный английский квакер, прослышав об их судьбе, предложил беглецам обосноваться в Пенсильвании, что они и сделали в 1697 году, когда внезапно разделились на две радикально противоположные религиозные секты. Амиши*** в Ланкастере твердо придерживались самых суровых библейских условностей: запрета на пуговицы в одежде (так как ими пестрели солдатские формы), на отход от канонов в платье и домашней обстановке, на механические приспособления, совершенствующие то, что Бог предназначил делать беспомощному человеку, и на образование, так как знания делают человека тщеславным. В то время остальные

---

* Цвингли Ульрих (1484—1531) — деятель Реформации в Швейцарии. — *Прим. ред.*

** Пенн Уильям (1644—1718) — основатель английской колонии в Северной Америке, получившей название Пенсильвания. — *Прим. ред.*

*** Амиши — одно из направлений меннонитства. Существует со второй половины XVII в. Название получило по имени проповедника Якоба Аммана. — *Прим. ред.*

члены клана, обосновавшиеся в моем Дрездене, стали меннонитами*. Как и их братья амиши, они носили черное, предпочитали бороды усам, но позволяли себе более свободный образ жизни. Они не отвергали пуговицы, использовали музыкальные инструменты во время богослужения в церкви, применяли в сельском хозяйстве механические приспособления и, как в мое время, автомобили, которые все еще так неистово отвергаются амишами.

Столцфусы — предки Эммы — с 1693 по 1890 год были истыми амишами. Мои же — Йодеры — с того времени и по сей день — меннонитами. И они не возражали, когда я в возрасте семнадцати лет сказал: «Хочу поступить в Мекленбергский колледж». Как Эмме удалось покинуть своих суровых амишей в Ланкастере и поступить в Брайн Мауер — это просто фантастика, но об этом я здесь не буду распространяться. Но факт остается фактом — она сделала это. Мы встретились, выяснили, что у нас общее происхождение, и поженились. Это был самый лучший поступок в моей жизни.

И вот, когда я подтрунивал над ее верой в магические символы, отвращающие дьявола, и особенно над культовыми кострами, она проговорила: «Знаешь, Лукас, если эта тема стала занимать так много места в наших беседах, почему бы тебе не исследовать ее в своей следующей книге, а?»

Поначалу я не воспринял ее слова всерьез, но Эмма все время возвращалась к этой идее, и постепенно те доводы, которые она приводила, запали в мою голову. Однажды весной, когда Дрезден был околдован цветением и журчащими ручейками, я принял твердое решение: «Я буду писать роман о нечистой силе. И посвящу его Эмме». Но и тогда я не позволил ей читать написанное мною, пока все не закончил.

Четвертый мой роман — «Изгнанный», — идея написания которого принадлежит мне, был распродан

---

* Меннониты — протестантская секта. Основана в 30—40-с гг. XVI в. Менно Симонсом. — *Прим. ред.*

14

в количестве 1607 экземпляров. Мой пятый, «Нечистая сила», на который меня вдохновила жена, — в количестве 871 896 экземпляров. Я был удивлен и с тех пор стал прислушиваться к ее советам.

Сейчас, когда мы готовились отведать остывший пудинг, я предупредил:

— Этот год сулит стать нелегким. Думаю, он будет очень напряженным.

Когда она спросила почему, я ответил:

— Люди будут подозревать, что это моя последняя книга, и захотят как-то отметить событие.

— Я не думаю, что ты говоришь серьезно. Значит, и правда прощание?

— Ты же знаешь, что говорит по этому поводу наш друг Цолликоффер: «Чуть больше — это уже слишком много». — В предвкушении погружая ложку в золотистое кушанье, я проговорил: — Поверь мне, это мои последние усилия. Я хочу выплеснуть в новый роман все, на что я способен.

— Довести его до совершенства, как и три последних?

— Меня совсем не интересует, как он будет продаваться. Пусть об этом волнуется «Кинетик пресс». Меня беспокоит то, как публика оценит завершение моей серии.

Когда Эмма поднялась, чтобы собрать посуду, я поймал ее руку, притянул к себе и поцеловал:

— Спасибо за то, что ты помогла мне закончить этот роман. — Затем я принялся за осуществление ритуала, знаменовавшего завершение каждого моего романа: — Наполни три чаши оставшимся пудингом. Одну — для Цолликоффера, вторую — для Фенштермахера, третью — для Дифендерфера. Они — мои магические символы жизни. Они приносят мне удачу.

Было десять часов утра, когда я направил свой «бьюик» 1986 года выпуска на север к ферме Германа Цолликоффера, свернув с автострады. Я вез с собой не только три чашки пудинга, но также и две копии своего завершенного романа.

Приносить все, что я написал о немецкоговорящей Пенсильвании, для изучения Герману вошло в привычку с самого начала моей карьеры. Тогда я попросил его: «Пожалуйста, прочти и проверь каждое слово. Верно ли и не оскорбительно ли все, что я написал о нас, немцах». Герман с радостью согласился, так как был истинным патриотом своей нации и считал нужным поведать миру о языке и традициях своего народа.

Сейчас, вновь подъезжая к его ферме, я припомнил свои предыдущие визиты, когда Герман ожидал меня с законченной рукописью. Она, эта рукопись, будет прочитана экспертом — им для меня являлся Цолликоффер, — а уж потом подвергнется критике редактора. Если она содержит спорный материал, за дело возьмутся юристы. И, наконец, какой-нибудь чародей должен будет выверить каждое слово, каждую букву. Когда же в конце концов появляется книга, после всего долгого внимания, которое ей было оказано, не исключено, что она может не найти своего читателя. Я содрогался при мысли о знаменитых американских писателях, чьи последние книги не имели успеха. И с усмешкой вспоминал рекламу моего соседа Оскара Хаммерстейна, за которую он заплатил газете, после того как несколько постановок его пьес, среди которых «Оклахома!» и «Король и я», не принесли ожидаемых сборов. Набранное крупным шрифтом объявление оповещало: «Я сделал это однажды. Я могу это сделать снова». А под ним он перечислил названия и даты первой и последней постановки семи или восьми предыдущих неудачных пьес. Если бы я был склонен к подобным штукам, я мог составить похожее объявление с рекордами моих ранних книг. Все это доказывает, что у меня были веские причины для беспокойства за мой новый роман, готовый к печати.

Тревожные мысли рассеялись, как только в поле моего зрения показались постройки фермы Цолликоффера, символизирующей все, чем дорожат пенсильванские голландцы*. Интересный термин! У меня язык не поворачивается сказать «пенсильванские голландцы». Душа и ум отвергают это. Мы были немцами, и, насколько я знаю, в наших краях никогда не было ни одного выходца из Голландии, поэтому наше название можно считать ошибкой. Это случается. Герман Цолликоффер и я — типичные «молчаливые пенсильванские немцы», правда, может быть, не такие уж мы молчаливые, как многие думают.

Мое сердце всегда билось сильнее, когда я приближался к владениям Цолликоффера, ведь его ферма была предметом мечтаний каждого пенсильванского немца. Амбары — сердцевина фермы — стояли по одну сторону дороги, а дом и прилегающие к нему постройки — по другую. Два амбара, конечно же, покрашены в красный цвет и были они гораздо больше самого дома, который представлял собой простую прямоугольную трехэтажную белую постройку. Дом стоял близ дороги, и к его фасаду примыкала терраса о четырех колоннах. Три строения поменьше теснились рядом с домом: старомодная кухня-сарай, глубокий погребок для хранения продуктов и зернохранилище, каждое из этих строений покрашено, но не в красный и не в белый цвет. На той стороне, где был амбар, находилась силосная яма, а за домом тянулся огород, где миссис Цолликоффер выращивала овощи, из которых каждое лето и осень делала домашние заготовки для зимних нужд.

К западу от построек высились семь великолепных голубых елей удивительного оттенка — их пышность напоминала пухлых немецких хозяюшек. Неожиданное присутствие этих красавиц во владениях Цолликоффера многое объясняет как в нем, так и в других моих немецких соседях. И, так как я был причастен к

---

* Dutch — голландцы, *амер.*, часто немцы. — *Прим. ред.*

истории появления этих елей на ферме, могу объяснить, как это произошло.

Если бы вы проследили за образом жизни Цолликофферов, вы бы сказали: «Эта пара толстокожих немцев не ценит красоты». Герман — крупный мужчина, около шести футов роста и весом две с половиной сотни фунтов*. У него были рыжеватые волосы, густая борода, но усы отсутствовали, близко поставленные глаза и огромный живот, на котором брюки могли держаться без подтяжек и ремня, но предусмотрительный Цолликоффер имел на себе и то и другое. Он носил плотные носки и тяжелые башмаки, в которых при своей походке вперевалку напоминал селезня.

Его жена, Фрида, была не так высока, как он, и очень полная. Она носила туфли наподобие башмаков своего мужа, плотные черные чулки и юбку, доходящую до щиколоток. Я редко видел ее без фартука, который она завязывала над круглым животом. Раньше она носила кружевной белый платок меннонитки, но, вскоре после того как я с ней познакомился, она стала предпочитать платку твердый накрахмаленный капор. Наблюдая обоих Цолликофферов в течение дня, вы бы заключили, что все, чем они интересуются, — это еда. И отчасти будете правы — на отсутствие аппетита они не жаловались.

Но Цолликофферов отличало не только это. Однажды, в 1938 году, когда мне было пятнадцать, я приехал в Росток забрать нашу семейную корреспонденцию на почте, а миссис Цолликоффер покупала там марки. И, так как она была лучшей поварихой в нашей округе, а я одним из тех счастливчиков, которым удалось отведать блюда ее кухни, я всегда был очень вежлив с ней. Когда мы разговаривали, к нам приблизился незнакомый мужчина и спросил:

— Извините, вы не миссис Цолликоффер?

Она недоверчиво отпрянула, а тот объяснил:

_____
* В 1 фунте — 0,453 кг. — *Прим. ред.*

— Меня зовут Ганс Драксел. Я — владелец питомника.

— Ах, да. Вблизи Дрездена.

— Совершенно верно. У меня есть местечко, где посажены удивительные деревья, которое наши работники называют «Унылым участком».

— Что же это значит?

— Деревья продаются уже в течение восьми лет. Но ни у кого не было денег. Они вытянулись. Это последний сезон для их продажи. И, если у меня их не купят, мне придется их спилить.

— Если они такие великолепные, зачем же их спиливать?

— Нужно освободить место молодым, которые мы сможем продать.

— А почему вы говорите все это мне?

— Разве вы не жена Германа Цолликоффера?

— Жена.

— Мне сказали, он один из немногих в этих краях, у кого есть деньги.

— Мы не бедны.

— У меня есть семь великолепных экземпляров, лучших в Америке, стоимостью в пятьдесят долларов каждый...

Фрида рассмеялась:

— Пятьдесят долларов за дерево! Это безумие.

— А я предлагаю их вам за три с половиной доллара каждое.

Когда все, кто находился на почте, раскрыли от удивления рты, мистер Драксел добавил:

— Да. Мы прозевали те годы, когда должны были продать их. Теперь или их возьмете вы, миссис Цолликоффер, или мы их спилим.

— Но...

— Я знаю ваши владения. Деревья там будут прекрасно смотреться. Они — высокие, голубые, красивые.

Он предложил проводить ее домой и показать, где

эффектнее всего будут смотреться ели. Она ответила:

— У нас решение принимает хозяин.

Но он не обратил внимания на ее слова и попросил меня — а я был на велосипеде — показать ему дорогу к ферме Цолликоффера. Когда Герман услышал историю мистера Драксела, он сразу проникся ситуацией, и я видел, что он переживает за судьбу семи деревьев. Но никакого интереса к их покупке у него не было.

— Что я буду делать с голубыми елями?! Я же не миллионер!

— Вы можете посадить их вдоль дороги, — предложил мистер Драксел, — они будут служить преградой ветру.

Но Цолликоффер был упрям и проводил бы мистера Драксела ни с чем, если бы его жена вдруг не поддержала того:

— Герман, возьмем их. По три пятьдесят. Мы можем себе это позволить.

— Но для чего они нам нужны? — рыкнул Герман, а его жена ответила:

— Просто для красоты.

И Герман сказал Дракселу:

— Сажай. Если Фрида хочет их, пусть берет.

Сделка была совершена, и на следующий день Цолликоффер и я поехали в питомник, где следили за тем, как двое мужчин выкапывают семь великолепных елей, чьи бело-голубые иголки искрились на солнце. Мистер Драксел приехал к Цолликофферам помочь посадить деревья, и, в то время как мы втроем копали ямы, миссис Цолликоффер удивила нас всех: внезапно появившись, она громко крикнула: «Слишком тесно!» — подразумевая, видимо, что мы сажаем ели слишком близко друг к другу. Мы не послушали ее совета, но, как оказалось, миссис Цолликоффер была права, так как спустя три года, когда мне было восемнадцать, я помогал мистеру Цолликофферу пересаживать три дерева так, чтобы расстояние между ними стало больше, — точно так, как советовала миссис Цолликоффер еще тогда.

Теперь, когда я вижу эти ели, господствующие над дорогой, как семь королей в голубых платьях, я думаю о том дне, когда толстая Фрида — женщина, лишенная физической грации, прокричала: «Герман, мы посадим их просто для красоты». Она понимала красоту и знала, что маленькие деревца, на которые вовремя не обратили внимания, когда-нибудь превратятся в величавых красавиц, радующих глаз.

Герман тоже понимал красоту, но его внимание приковал другой уголок его владений, где покоились пять огромных камней, валунов-гигантов, что появились здесь сорок тысяч лет назад, когда ледник дошел не только до Канады, но покрыл и большую часть сегодняшней Пенсильвании. Морены (так называются эти гигантские булыжники) были южной границей великого ледникового панциря, полностью покрывшего территорию, на которой сегодня расположены такие штаты, как Вермонт, Нью-Хэмпшир и Нью-Йорк. Это были красивые камни, и Герман любил их с детства — так же, как и все его предки с начала XVIII века. Но его любовь проявилась довольно необычно: он скосил всю зелень, окружающую камни, и превратил это необычное место в сад камней.

Он сделал даже больше. Между полями, примыкавшими к дому, и камнями был маленький пруд, питавшийся весенними водами; на берегу его он соорудил небольшую беседку, которую окрестили в округе «Уголком Германа». Его соседи устраивали там пикники. А Герман приходил туда один. На исходе дня он любил посидеть в своем бельведере и полюбоваться на птиц, слетающихся на водопой к его прудику, и на огромные величественные камни. Подобно своей жене с ее привязанностью к елям, Герман прикипел сердцем к этой части своих владений и превратил ее в гигантский сад. Он тоже любил и понимал красоту.

Герман очень помогал мне в моей работе, настаивая, чтобы я никогда не использовал то, что он с насмешкой называл «бредни о нас, немцах». Когда-то, еще в начале нашего сотрудничества, я спросил его, что он имеет в виду. В ответ он фыркнул: «Эти юмористы, что живут за Ланкастером и что не знают ни слова по-немецки, придумывают о нас анекдоты, чтобы потешать туристов. Никогда ни один немец не мог сказать ничего подобного».

Уже спустя годы я составил список того, что мы оба называли «нельзялки». Возглавляло список несомненно забавное объявление на двери дома амишей, которым вера запрещала иметь электрические звонки: «Кнопка не звонит. Попробуйте достучаться». Когда Герман убеждал меня, что по правде этого никогда не было, я возражал: «Но ведь могло быть».

Такими же бреднями он считал байку о том, какое выражение употребила немецкая девочка, чтобы сказать, что отпуск королевы Елизаветы закончен: «Ее отсутствие можно считать целиком завершенным». Герман был против, если я использовал подобные казусы. А мне думается, что это все равно что отказаться от чего-либо, без чего не представляешь себе жизнь, вроде как поставить перед выбором фермера из анекдота, имеющего жену и любовницу, о котором говорят: «Он держит Рейчел, чтобы было кому приготовить обед, а Бекки — просто для красоты». Герману претило выражение, которым часто украшают глиняные плошки ланкастерские гончары: «Мы так быстро стареем, но так поздно умнеем». А еще Герман считал, что, чтобы человек что-то понял, достаточно сказать один раз, и нет ничего хорошего, когда родители постоянно твердят своему чаду: «Не забудь вымыть руки перед едой!»

Я как-то рассказал ему об изречении, которое слышал от моего дяди: «Все тороги короши, но требуется снать всех их досконально». Мне представлялось, что действительно к истине ведут разные дороги, но он отверг мои искания как ложный путь: «Эти поиски истощают силы, и только».

Его запреты не могли ограничить меня в стараниях передать колорит языка моего детства, так как я имел в своем распоряжении уйму определенных слов, оригинально использовавшихся в моей семье. Например, слово «делать» было универсальным и использовалось во многих выражениях, таких, как «Сделай дверь закрытой» или даже «Дождь делает как из ведра». Слово «всё» постоянно напоминает мне, что родители употребляли его бесконечно: «С хлебом — всё, сейчас буду печь новый».

Начальный звук «дж» они произносили как «ч» — «джем», «джокер», «джунгли» превращались у них в «чем», «чокер», «чунгли». Подобным же образом искажались у них слова, где была буква «г». «Чермания» — так звучало название их прародины на их английском. Выражение «уже как-то» или «единожды» заменяло слово «однажды», а знаком одобрения был эпитет «зергудный», например: «Он зергудный ребенок». В моей семье бытовала короткая фраза: «Это делает меня удивленным», и, хотя мы далеко не всегда звук «в» произносили как «ф», бывало, мы говорили «феник» вместо «веник», а «ворс» у нас становился «форсом». «Друголюбивый» — это употребляемое нами прилагательное имело какую-то особую, труднообъяснимую словами окраску и обозначало человека, которому до всего есть дело. Да и вообще, мы многие английские слова произносили по-особому, так, как только нам, немцам, свойственно.

Если Герману Цолликофферу и претили многие забавные примеры, которые я мог бы использовать, то его жена, Фрида, более чем компенсировала эту потерю богатством своей речи. Я редко уходил от них без приобретения нескольких жемчужин синтаксиса из ее лексикона, так как воспитывалась она в семье, где почти не говорили по-английски, и в школе училась с детьми, объясняющимися дома по-немецки. Ее речь была нашпигована немецкими словами, многих из которых я никогда и не слышал, но я решил, что все-таки не буду вставлять такие слова в свои романы, а попытаюсь ограничиться английской речью, по-немецки построенной. И Фрида Цолликоффер оказалась мне в этом бесценным помощником. Как только я вынимал свой блокнот, чтобы записать за ней греющие сердце варваризмы, она кричала громким голосом: «Смотри сюда, Герман, он уже снофа за сфое». И она предостерегала меня: «Не делай меня игрушкой себе» — и прыскала смехом.

Она употребляла, например, такие выражения: «Сделай кошку вон», «Это делает меня удивленной, что она так много ест» или «Ну и ойкнулось мне» — это когда она порезалась, очищая яблоко от кожуры. Ее особое — как у всех немцев — произношение отдельных слов делало ее типичным персонажем моей воображаемой местности Гренцлер. Она произносила «в» как «ф» и «дж» как «ч», как это делали все мои родные. Этот особый язык (я называл его про себя «нофая ферсия») был настолько своеобразен, что вызывал у непосвященных изумление или даже смех. Порой она пропускала буквы, даже в самых простых словах. Так, слово «овощ» в ее устах было даже не «офощ», ее губы затягивали первую гласную и получалось «о-о-ощ». Она говорила, что «телефизор» ей словно компас и помогает понять, где «сапад, а где фосток». Она произносила «брич» вместо «бридж», «фаза» вместо «ваза», «зуп» вместо «суп».

Кухня Цолликофферов была моей библиотекой и университетом, и, когда я сидел у них в это утро, наблюдая, как аппетитно ели они пудинг Эммы, я понимал, что я у них в долгу.

— Герман, — сказал я, протягивая ему экземпляр рукописи, — я принес тебе свое последнее. Прочти повнимательнее. Мне это очень важно.

— Сделаю. Не волнуйся!

— Здесь не все так просто. Это роман о наших немцах, сталкивающихся со многими проблемами.

— Но ты же все написал как надо, не так ли? И для беспокойства нет причины.

— Надеюсь. Первый экземпляр я сегодня отправляю в Нью-Йорк. Его там должны получить к полудню. Посмотрим, какими будут отзывы.

— Мужу крепко нравится тебя читать, — вмешалась миссис Цолликоффер.

— А вам? — спросил я ее.

— Мне? — Она от души рассмеялась и облизнула ложку. — По чтению у меня муж.

Покинув Цолликофферов, я стал думать, как лучше добраться к ферме моего следующего клиента — Отто Феништермахера, где в обмен на порцию пудинга, приготовленного Эммой, получу возможность попробовать лучшую дрезденскую свинину с кукурузой. Для этого мне надо было либо вернуться на Рениш-роуд и направиться на запад, либо следовать по нашему шоссе до самых его владений.

Наша деревенская дорога очень живописна, и я выбрал ее. Вскоре справа показалась простая церковь (мы с Эммой являемся ее прихожанами). Она именовалась Церковью Меннонитской Долины, другого названия для нее и быть не могло, ведь находилась она в центре долины, приютившись между двумя цепочками невысоких холмов, защищавших Дрезден с севера и юга. С переднего крыльца церкви можно было видеть бесконечные дали самого великолепного уголка Пенсильвании.

Местоположение церкви было выбрано еще первыми Цолликофферами и Йодерами, которые обосновались в этом месте. И они сделали удачный выбор. В моей семье сохранилось по этому поводу предание:

«В 1677 году, в тот год, когда Йост Йодер был освобожден из тюрьмы, с лицом, исполосованным шрамами от пыток, слова Господа пришли в наш Палатайн в лице высокого англичанина с изящными манерами, принесшего нам известия, в которые мы с трудом смогли поверить. Его имя было Уильям Пенн, и сказал он: «В Новом Свете английский король дал мне княжество больше Баварии, Вюртемберга, Бадена и вашего Палатайна вместе взятых. Там мы живем в мире. У каждой семьи есть своя земля, которую она возделывает и может ею распоряжаться по своему усмотрению. У нас нет ни армии, ни насильной вербовки, ни обременительных налогов, ни лордов, которым мы должны кланяться. Вольный ветер дует с наших гор, а дома жителей в безопасности и ночью. И что еще должно обнадежить вас, меннонитов, больше всего, так это то, что на моей земле каждая семья может быть настолько религиозной, насколько пожелает, так как у нас нет епископов, насаждающих порядки, которым все должны следовать. Мы живем по Божьим законам, а Бог — у каждого в сердце».

Хотя этот Пенн и показался нам честным парнем, но мы не могли на слово поверить всем его обещаниям и послали за океан Генриха Цуга обследовать этот новый рай. И в 1681 году он вернулся с новостями, отнявшими у нас сон: «У англичанина действительно есть земля. Она даже больше, чем он говорил. Там на самом деле царит свобода, и они пригласили пятьдесят наших семей с хорошей репутацией, каждая из которых получит большую ферму на самых лучших землях». В ту же ночь семья моих предков — Йодеров — решила ехать в Пенсильваниш, как мы ее окрестили, и мы никогда не пожалели о нашем решении.

Более поздний отрывок, отличавшийся большой

простотой и благочестием, поведал, как была учреждена Меннонитская Долина:

«Самое первое, что сделали Йост Йодер и Урих Цолликоффер, когда они добрались до нашей Долины в 1697 году, это выбрали место для своей церкви на пустыре. И это был Йодер, вставший на небольшое возвышение, на котором потом была построена церковь, и прокричавший: «Давайте строить здесь, дабы видеть всю нашу долину, когда мы будем возносить хвалу Господу за наше спасение».

Мои предки были великие люди, поэтому я пишу о наших меннонитах с глубоким пиететом.

Сегодня, глядя на старую церковь, история которой восходит к 1698 году, я вижу современное здание превосходной конструкции: одноэтажное, построенное в форме удлиненной буквы «L», с широким крыльцом на пяти белых колоннах. Это шедевр архитектуры. Я часто размышляю над тем, почему наши меннониты, которые так консервативны по части многих жизненных аспектов, становятся либералами и даже радикалами, когда дело касается строительства их церквей. Наша церковь — это чудо красоты. И я возношу ей хвалу каждый раз, когда проезжаю мимо.

К северу, на берегу озера Ванси, расположился Мекленбергский колледж. Затем идет деревня Ньюманстер, населенная самыми горячими представителями нашей нации в округе. Затем шоссе заканчивается, и бегущая вниз тропинка приводит нас к ферме Фенштермахера. Это, пожалуй, самый замечательный отрезок моего маршрута. Оттуда, где оканчивается шоссе, можно увидеть необыкновенную красоту западного Дрездена: череду холмов, просторную долину, узкие дорожки, фермы — одна великолепная картина сменяется другой, олицетворяя собой богатство и стабильность немецких поселений. И здесь резко выделялась из всей окружающей прелести неказистая ферма Фенштермахера.

У владений Отто было самое ценное местоположение в Дрездене — конец Рениш-роуд. На этих плодородных землях бережливый хозяин построил бы огромное владение, но беспомощных Фенштермахеров, обосновавшихся в далеких 1850-х, все время преследовали неудачи, и, чтобы удержаться на плаву, они вынуждены были кусок за куском распродать большую часть своей ценной земли. В 1709 году у их предков было двести акров* земли, предоставленных Уильямом Пенном, к этому ранние владельцы добавили еще три сотни акров, но так случилось, что впоследствии их владения превратились в то, что можно обозначить как «небольшое хозяйство».

Следующие поколения Фенштермахеров женились неудачно и сыновей рожали хлипких. И, в то время как бережливые Цолликофферы и Йодеры преумножали доходы со своих небольших и не очень-то плодородных земель, Фенштермахеры все беднели и беднели. В это утро, наслаждаясь восхитительным видом окрестностей, я с тоской спускался к их ферме. Коровник был в ужасном состоянии. Дом нуждался в покраске. А небольшие постройки потихоньку превращались в руины. Во всем Дрездене трудно было бы найти более неряшливое хозяйство. И мне было стыдно за моего товарища-меннонита.

Я любил Отто, мне импонировало его остроумие и восхищали его кулинарные способности. Я часто говорил соседям: «У Отто лучше получается свинина с кукурузой, чем у меня книги». Въехав на захламленный двор с неопрятным домом, я на минуту остановился. На стене коровника, который чуть не шатало при каждом дуновении ветра, были навешаны три магических знака, немного поблекшие от времени, но все же очень красивые. Я уже давно положил на них глаз и все ждал, когда Фенштермахер решится их мне продать. Теперь, когда я закончил книгу, а коровник

---

* В 1 акре — 4046,86 м². — *Прим. ред.*

грозит на глазах развалиться, я хотел заручиться, что смогу приобрести их.

Поэтому, когда я вошел в кухню — неуютную, если сравнивать ее с кухней Эммы или кухней Фриды Цолликоффер, я начал с места в карьер:

— У меня три дела. Эмма прислала вам свой рисовый пудинг. Она хочет также купить три горшочка твоей свинины с кукурузой. А мне надо поговорить с тобой о тех магических знаках на твоем старом коровнике.

Как и следовало ожидать, вопрос о пище в немецких семьях всегда ставился на первое место, что миссис Фенштермахер и подтвердила:

— Пудинг Эммы мы любим. И, так как сейчас обеденное время, садись с нами, Лукас, и я разогрею свинину нашего Отто.

Такое приглашение нельзя было отклонить, потому что если и есть такое блюдо, которое я просто обожаю, то это дрезденская свинина — тонкие, поджаренные в кукурузной муке с обеих сторон ломтики мяса. Отто Фенштермахер лучше всех мог готовить это блюдо в нашей долине. Невзирая на то, хорошо ли шли его дела, плохо ли, он не забывал стряпать свое коронное блюдо, да так вкусно, что, будь он чуть-чуть сообразительнее, мог бы сделать на нем неплохой бизнес.

Секрет блюда состоял в том, что говядина перемешивалась со свининой, туда Отто добавлял кукурузную муку, соль, перец, специи и ставил это на медленный огонь. Затем он заливал варево в удлиненные формы для пирогов — и, затвердевая, кушанье превращалось в один из вкуснейших деликатесов нашей провинции. Кулинарные эксперты, которым не довелось попробовать это блюдо в детстве, впервые вкусив его, предложили окрестить кушанье «свиным паштетом бедняка» или «закуской: дешево и со вкусом».

Мы же, пенсильванские немцы, считаем блюдо

своим национальным, и нам жаль те штаты, где о нем не знают.

Пока миссис Фенштермахер разогревала обед, аромат которого заполнил всю кухню, мы с ее мужем сидели за столом.

— Зачем тебе нужны эти знаки? — спросил Отто.

— Каждый раз, когда я заканчиваю книгу, мне необходимо сменить вид деятельности. Вот я и стараюсь привести в порядок магические знаки. Но они должны быть очень старыми, — объяснил я.

— Насколько старыми? — спросила миссис Фенштермахер, обернувшись от своей плиты.

— Сделанными еще до Второй мировой войны. Даже задолго до нее. Настоящие немецкие, а не недавние подделки.

— На коровнике моего отца было четыре магических знака, — сказала она.

А я дополнил:

— Ты стояла рядом с ним в тот день, когда я купил их у него.

— Верно, — воскликнула она. — Но ты никогда не говорил, что ты с ними сделал.

Обращаясь к обоим Фенштермахерам, так как я не мог предположить, с кем из них я смогу договориться по поводу знаков, я объяснил:

— Я почистил грани, заделал трещины...

— Чем? — поинтересовалась миссис Фенштермахер.

— Очень крепким новым клеем. Затем острожно нанес краску взамен облупившейся и обработал края так, чтобы они казались отломанными, а не отпиленными.

— Ну а потом?

— Потом я приклеил их на деревянную панель, оставив поля шесть—восемь дюймов.

— А это зачем? — спросил Отто.

— Чтобы нанести узор. Но сначала я шкуркой или пемзой придаю поверхности доски шероховатость — она должна выглядеть столь же старой, как и сами знаки.

— А что за узор? — спросила миссис Фенштермахер, она все еще стояла у плиты, дожидаясь появления золотистой хрустящей корочки.

Я раскрыл и эту интересную часть процесса:

— Узор немецкой Пенсильвании — старые символы.

— Как на свидетельствах о рождении? — воскликнул Отто. — Тюльпаны, сердечки с подписями?

Наши немцы были не искушены во всех видах искусства: они плохо знали музыку, за исключением длинных гимнов и несложных мелодий, не рисовали портретов и пейзажей, не ваяли. Библейский аскетизм запрещал такие занятия. Но чем мы увлекались с чрезмерной старательностью, так это малеванием узоров с бесконечно повторяющимися рисунками: птичками, буквами и человеческими фигурами. Подобные картинки в старые времена использовали на свидетельствах о рождении, школьных дипломах, в изображениях генеалогических древ и других важных бумагах.

— А почему ты совмещаешь знаки и картинки? — не унимался Отто.

— Потому что я создаю художественное произведение. Старое и новое — великолепная смесь и очень по-немецки.

— А что ты со всем этим делаешь?

— Продаю или отдаю в музеи, в публичную библиотеку.

— Тогда ты — художник, такой, как их показывают по телевизору? — спросила миссис Фенштермахер.

— Только любитель. Просто после столь долгого сидения за машинкой я люблю поработать руками.

— А люди покупают то, что ты делаешь? Эти амбарные художества?

— Я чаще дарю. Но иногда покупают.

— Я думал, что ты сумасшедший, — рассмеялся Отто, — предлагать мне деньги за это старье! Но если ты их продаешь, то я еще запрошу вдвое больше того, что ты мне предлагал в прошлый раз.

Я не успел ничего ответить, так как миссис Фенштермахер накрыла на стол. Она поставила не только
аппетитное мясное блюдо с кукурузой, по краям об-
рамленное яблочной подливкой, но также сковородку
с деликатесом — золотистой кукурузной запеканкой,
поджаренной в масле до темно-коричневого цвета и
политой густым сиропом «каро». Это была еда ферме-
ров-работяг, с массой холестерина, но ведь мы, немцы, считаем: «если не жарена — это не еда».

Вкус обоих кушаний был такой необыкновенный,
что я счел своим долгом похвалить поваров:

— Я теряюсь в догадках, Ребекка, что вкусней —
мясо или запеканка.

— Мясо — мужнино, запеканка — моя, — пояснила миссис Феншмермахер.

Удовольствие от трапезы было несколько испорче-
но прибытием сына Феншмермахеров, хамоватого тол-
стого парня девятнадцати лет, получившего необычное, но, безусловно, подходящее ему прозвище —
Повидло. В немецкой общине, где всего несколько
вариантов фамилий и еще меньше — имен, привезен-
ных из Европы, нередко встречались мальчики-ровес-
ники — полные тезки. Так, в моей семье было три
Лукаса Йодера, а у Феншмермахеров — три Отто.
Однако существовал обычай обращаться друг к другу
Большой Отто, Рыжий Отто или в случае с неуклюжим
Отто — Повидло.

Оба родителя сразу же налетели на сына. Мать с
криками:

— На обед нельзя опаздывать!

И отец:

— Ты должен был помочь мне с деревяшками для
мистера Йодера!

Совершенно не обращая внимания на родитель-
ские упреки и полностью игнорируя меня, Отто-По-
видло жадно заглотнул все, что было на тарелке, и
пододвинул ее в сторону матери:

— Еще мяса.

Насытившись наконец, Повидло рыгнул, отодвинул стул и буркнул:

— Пошли к деревяшкам, — тяжело поднялся и, прихватив топор, а также лом, направился к тому самому ветхому амбару. Вслед за ним туда пошли и мы с Фенштермахером-старшим.

Вскарабкавшись на лестницу и сделав первый удар, Повидло прогремел сверху:

— Не понимаю, на кой вам нужны эти штуковины.

Я старался не раздражать его, уверяя, что он делает очень полезное дело, но мои ухищрения не подействовали, так как в тот момент он вонзил топор в самый лучший из трех знаков. Силясь предотвратить последующие повреждения, я сказал:

— Ничего страшного. Это можно исправить. Ты все делаешь правильно.

Последний из знаков он отсоединил уже без повреждений.

— Спасибо, что помог достать мне три отличных знака для моей работы, — поблагодарил я спустившегося с лестницы Повидло, но его было невозможно расположить к себе. Он и не подумал помочь мне донести «деревяшки» до машины, а оседлал свой мотоцикл и с ревом умчался.

— Повидло — без царя в голове, — извинился за него отец. — Но он стал лучше, чем был три года назад. Жена его испортила, когда он был ребенком, — слишком сладко кормила.

— Нас с тобой она кормила точно так же, но нам это пошло на пользу, — засмеялся я.

Когда я собрался уезжать, Ребекка вынесла три чугунка с мясом, которое покоилось в застывшем свином жире, и я подумал: «Видимо, символ моего края — обильность, питательность, старомодность и добродетельность».

Третья остановка моего традиционного тура была,

пожалуй, самой важной. Это — передача моей аккуратно запакованной рукописи начальнице почтового отделения в Ростоке, миссис Дифендерфер.

— В «Кинетик пресс», как обычно. И расписка в получении обязательна.

Последние слова прозвучали привычным рефреном: я так делал всегда — мне надо, чтобы моя посылка попала лично в руки адресата, а его расписка даст мне полную уверенность, что именно так и будет. И мне не жалко дополнительных 90 центов за эту услугу.

— Еще одну книгу закончили? — спросила миссис Дифендерфер, и я улыбнулся. А потом протянул ей горшочек с рисовым пудингом.

— Мы съедим его на ужин. — И она, закрыв окошко, покинула свое заведение с зарешеченными окнами и повела меня в свой дом, он находился поблизости. Мы расположились на кухне. — Сейчас отпразднуем.

Она пронзительно свистнула, позвав таким образом своего мужа с улицы домой, и поставила на стол стаканы с холодным молоком и розеточки с густым яблочным вареньем. Подняв стакан с молоком, она предложила тост:

— За нашего хорошего друга Лукаса Йодера и за успех его книги!

— За это выпью, — согласился я, доедая вторую порцию варенья, и, откинувшись на спинку стула, добавил: — Я теперь целую неделю не захочу есть.

Завершение рукописи и отправка ее в Нью-Йорк отняли много сил. И как только я доехал до дома, то, поцеловав Эмму, направился прямиком в постель, чтобы хорошенько выспаться, и, перед тем как забыться сном, успел подумать: «Сегодня я был в четырех домах на своей родине. У Йодеров, Цолликофферов, Фенштермахеров и Дифендерферов. И никогда я не входил с парадного входа. И не видел ни одной комнаты, кроме кухни. И никогда не ел ничего

34

вкуснее, чем здесь. Такова она — моя немецкая Пенсильвания».

Вечером того же дня, показав Эмме три моих магических знака, я уверил ее, что после сегодняшнего обжорства я не нуждаюсь в ужине. Мы склонились над ежедневником на 1990—1991-й годы, дабы определить, что нам предстоит в ближайшее время. Эмма указала на излишек, по ее мнению, мероприятий, связанных с публикацией «Каменных стен», но я напомнил:

— Это моя последняя книга, и это последний год, когда мы всем этим будем заниматься. Я хочу обеспечить моей книге достойный выход и хочу сделать все, чтобы она имела больший успех.

— А моя обязанность проследить, чтобы ты остался после этого живым, — отпарировала она. Здесь Эмма была непоколебима. — Никакого турне по одиннадцати городам. Это в твои-то годы!

— Согласен. Да и сомнительно, что оно принесет много пользы, — смирился я.

Но я добавил еще одно мероприятие, о котором Эмма не была осведомлена, — визит в Музей народного искусства в Уильямсбурге, получивший почетное имя Эбби Рокфеллера.

— Там хотят, чтобы я показал им восемь-девять моих работ с магическими знаками. Вот почему я так страстно добивался возможности заполучить три таких знака у Фенштермахера.

Мгновение подумав, она сказала:

— Это должно быть весьма приятной поездкой. Они поселят нас в гостинице?

— Лучше. В этом прекрасном дворце с колоннами — владении Девитт-Валлайсов, который недавно отремонтировали.

— Что ж, очень мило.

Я написал несколько статей о немецких поселениях для «Ридерз дайджест», и Валлайсы, которым они очень понравились, пригласили меня с супругой жить в доме, известном под названием «Валлайс-хаус», когда бы мы ни приезжали в Уильямсбург.

— Из уважения к приличиям мы должны посетить Нью-Йорк, когда книга будет опубликована, — сказал я, и Эмма кивнула. — И, если сюда приедет команда с телевидения, что очень даже может случиться, принимая во внимание успех предыдущих книг, мы тоже должны дать согласие на съемку.

— Они просто обязаны приехать сюда. Ты не можешь каждую неделю таскаться в Нью-Йорк и обратно.

Откинувшись, я проронил задумчиво:

— Сомневаюсь, будто обладаю властью диктовать Эн-би-си, что они обязаны сделать, а что нет.

Эмма рассмеялась.

Дело в том, что я произнес слово, которое замаячило в нашей жизни, когда нам перевалило за пятьдесят. Мы оба верили, что в Америке общество наделяет представителя любой сферы искусства некоей властью, которую он и должен использовать. Эмма, получившая более серьезное образование в Брайн Мауер, чем я в Мекленберге, в простой церковной школе, искренне верила, что такой писатель, как я, тяжким трудом добившийся всеобщего признания, должен воспользоваться своим общественным влиянием для проталкивания разного рода социальных прожектов, будь то кампания помощи студентам или, как она это называла, «создание общественного резонанса, когда общество дает крен не в ту сторону».

Но я по натуре был сдержанным и скромным, и, когда Эмма впервые заговорила об этой моей власти, мне и в голову не приходило, что она мне дана. Но Эмма популярно мне это разъяснила, особо подчеркивая, что я не обязан ждать, пока рассосется двухчасовая очередь из охотников до моих автографов, которым я раздавал письменные пожелания с указанием их, моих поклонников, имен.

— Ради Бога, ставь только свою подпись, — умоляла она.

Но я не мог так поступать.

— В конце концов, Эмма, мы обязаны нашим читателям всем.

Даже Эмме я не мог поведать истинную причину, почему я старался быть внимательным к незнакомцам, просившим мой автограф. Когда печатался мой четвертый роман «Изгнанный», редакторша из «Кинетик пресс» изводила отдел по связям с общественностью: «Черт возьми, этот человек написал три хороших романа, но ведь его с места не сдвинешь. Умоляю, организуйте ему какую-нибудь встречу с читателями в его округе — в Ланкастере, в Рединге или Аллентауне».

Когда они выяснили, что население самого маленького среди этих городов, Ланкастера, составляет 54 тысячи человек, Рединга — 78 и самого крупного, Аллентауна, — 100 тысяч, «Кинетик» решило попросить большой аллентаунский книжный магазин «Хесс» устроить для меня что-то вроде презентации. Они сказали, что я могу быть представлен как местное дарование, так как наша ферма находилась всего лишь в тридцати милях к югу от города.

— Должен сказать, — признавался я уже позже, возвращаясь к печальному зрелищу, которое представляло собой то мероприятие, — магазин все сделал верно. Реклама, афиша в витрине, столик, заваленный моими книгами. Единственным их провалом был я сам. Так как почти никто не читал ни одной из трех моих первых книг и никто не имел понятия, кто я вообще такой, никто ничего покупать не собирался. До сих пор содрогаюсь, вспоминая этот день. Я сидел, как Папа Римский, ожидая, чтобы кто-нибудь попросил моего благословения, но никто не обращал на меня ни малейшего внимания. По истечении сорока минут моего горького одиночества я услышал, как администратор магазина обратился к нескольким клеркам: «Выстройтесь в очередь, как будто вы покупаете книги, и приободрите его». И чуть позже, когда ни одна из моих книг все еще не была продана, он обратился к двум своим сотрудницам: «Вот вам каждой по с мь долларов. Пойдите купите хотя бы одну из этих чертовых книг. И чтобы все видели, что вы тратите деньги на эти книги». Две книжки были проданы, только две. Но я прекрасно знал, что и это — фикция...

И я сказал Эмме, склонившейся над ежедневником:

— Отметь на декабрь следующего года презентацию в «Хессе».

— Ты устраиваешь ее там каждый год. А почему не сделать это в каком-нибудь другом городе? — удивилась Эмма.

Я знал причину, но не стал ее объяснять. Тогда, давно, «Хесс» сделал со своей стороны все, что от него требовалось, но так и не продал ни одной книги. Поэтому, когда публиковалась «Нечистая сила» и я вновь запросил «Хесс», не хотят ли там опять организовать презентацию, администратор магазина ответил: «Спасибо, не надо». Но, когда там продали более двух тысяч моих книг по восемнадцать долларов каждая, администратору пришла интересная идея: торжественно отметить факт продажи трехтысячного экземпляра моей книги в городе Аллентаун. Счастливчик, оказавшийся трехтысячным покупателем, был удостоен чести сфотографироваться рядом со мной и награжден стодолларовым кредитом в этом магазине. В ту ночь я сказал жене: «В «Хессе» умеют ценить людей!»

Как только рукопись моего последнего романа перешла под контроль «Кинетик пресс», она стала жить своей собственной жизнью, отдельной от меня. Было сделано множество копий, которые раздали тем, кого моя редакторша называла «создателями общественного мнения». «Кинетик» надеялось, что высказывания этих людей будут сведены к следующему: «Новая вещь Йодера — то, что надо!»

С октября и до Нового года многочисленные компании вели переговоры о возможном участии в новом проекте — публикации моей книги, которой моя редакторша предсказывала судьбу сенсации сезона. Я надеялся, что она окажется права.

В январе, за девять месяцев до публикации, я начал ежедневно получать по телефону сводки о том, как продвигается моя рукопись. Их давали две женщины, которые вели мои дела и которых Эмма называла «наши златокрылые ангелы». Первая из них — миссис Ивон Мармелл, редактор «Кинетик пресс», отвечала за то, чтобы все, что я писал, было грамотно и литературно. Вторая — мисс Хильда Крейн, вела делопроизводство. Обеим было что-то около сорока, обе были симпатичные, стройные, энергичные и инициативные. Единственное, что их отличало друг от друга, — это то, что редактор предпочитала, чтобы ее называли миссис, а делопроизводитель — мисс, правда, причину этого я не знаю, но совершенно уверен, что у мисс Крейн есть муж, которого она где-то скрывает, а вот у миссис Мармелл — нет.

С того времени, как я подписал с «Кинетик» контракт о продаже рукописи зарубежным издателям, первые восторженные отзывы стали поступать по телефону от миссис Мармелл. Потом последовали переговоры по поводу оплаты. У меня выработалось стойкое отвращение к разговорам о деньгах, связанных с моей писательской деятельностью. Но Эмма, всегда бывшая в курсе того, сколько мы получили и сколько недополучили, очень интересовалась, как у нас идут дела в этом направлении. Следовательно, все звонки донимали ее: «Эмма! Грандиозная новость! Только что «Каменные стены» купила Англия — 75 тысяч долларов». Через несколько дней пришло восторженное сообщение из Германии — 110 тысяч долларов. Во Франции имели успех три предыдущие книги, и она пожелала купить эту тоже. Это же сделали Швеция, Испания и Япония. К середине февраля еще шесть зарубежных издательств пожелали приобрести права на публикацию. Об одном из них миссис Мармелл захотела со мной поговорить лично: «Помните, как я расстроилась, что Италия не взяла ни одного из последних трех романов? Теперь они не только берут «Каменные стены», но и эти три предыдущие тоже. Их опубликуют чуть позже, но все выплаты произведут сейчас».

Не кичась своими победами — я помнил те времена, когда мои первые книги никого не интересовали, — и скрывая свою радость, что Италия все-таки признала меня, я спросил:

— Как идет редактирование?

— Да забудьте вы о работе хоть на минуту! Дайте порадоваться нашим успехам.

— У меня впереди год тяжелой работы, — напомнил я, — внесение правки по вашим примечаниям, стилистические исправления...

— Ну какой же вы зануда, мистер Йодер, — никому не даете и на минуту расслабиться, даже услышав хорошие новости. Не волнуйтесь, работа идет по графику. Я буду рада увидеть вас на следующей неделе, мы обсудим первые пять глав. Если согласитесь с моими замечаниями, я вас не задержу и вы снова займетесь своей писаниной.

— На этом этапе каждая моя поправка чуть-чуть улучшает книгу. Это не просто писанина.

— А несколько минут назад по вашему настроению мне показалось, что это именно так. Но сейчас я хочу, чтобы вы наполнили рюмку. Моя уже готова. Мы выпьем за старушку Италию.

И я подчинился: мне все-таки нравилась эта дерзкая говорливая женщина, и, чокнувшись с телефонной трубкой, мы оба прокричали: «Салют!» Если бы у меня не было миссис Мармелл, я даже не знаю, что бы я делал.

За четыре дня до моей поездки в Нью-Йорк мисс Крейн позвонила дважды и в своей сдержанной манере проинформировала Эмму, что «Ридерз дайджест» планирует «Стены» для популярной серии «Сокращенный вариант» и что какая-то мистическая японо-израильская кинокомпания проявила интерес к «Стенам» и ко всему моему творчеству в целом.

— За этим я прослежу особо. Каких-либо успехов за ними не числится. Но у них есть средства.

По случайному совпадению в этот же день миссис Мармелл сообщила, что «Кинетик» еще раз переговорило с израильским издательством, пожелавшим приобрести «Каменные стены», но они просят скидки, мотивируя, что перевод на иврит очень дорогостоящий.

— Уступите им, — ответила Эмма, даже не спросив меня. — Мы ценим тех, кто любит книги, а их народ создал одну из самых великих.

Добирался я до Нью-Йорка к моим «златокрылым ангелам» по уже давно установленному маршруту. В молодости мне нравилось вскакивать в машину и нестись по «сверхскоростному шоссе» (так его тогда называли) из Бетлехема через туннель в Манхэттен, где я парковался каждый раз в одном и том же гараже за 2,5 доллара в день и 50 центов чаевых. Я старел, машин на дорогах становилось все больше, а плата за парковку взлетела до пяти, а потом и до семи долларов. И я стал пользоваться тем способом, к которому прибегали многие благоразумные водители. Я доезжал в моем старом «бьюике» до ближайшей стоянки на Рениш-роуд, оставлял машину там и садился в автобус, который доставлял меня прямо на 42-ю улицу, откуда я легко мог добраться до здания «Кинетик пресс» на Восьмой авеню на метро. Лифт поднимал меня на одиннадцатый этаж — и вот я уже сижу в удобном кресле в кабинете моего редактора миссис Ивон Мармелл.

Это был цивилизованный способ путешествовать. Обычно почти всю двухчасовую поездку в автобусе я коротал с книгой о происхождении меннонитов или о причинах эмиграции немцев в Пенсильванию в XVIII веке. Но в это январское утро я не читал. Я мысленно сравнивал, как по-разному провели три недели после сдачи рукописи редактору нынешний мистер Йодер и Йодер-новичок — каким я был двадцать четыре года назад, когда делал первые шаги в литературе. Боже, я тогда не находил себе места, с ужасом ожидая результатов. Моя книга не понравилась, но тем не менее было предложено: «Давайте все же встретимся и посмотрим — может быть, можно из этого что-то сделать». Я выехал из дома в семь часов в полной уверенности, что сумею улучшить свое произведение, но к моменту, когда передо мной встали небоскребы Манхэттена, моя уверенность улетучилась. Мою редакторшу, женщину яркую, я боялся, хотя она всегда старалась помочь мне. Мы вместе доводили мою рукопись до нужного уровня. Но, после того как книга вышла из печати, я понял, что такое настоящий ужас. Читатели не желали читать мою книгу, а критики — писать на нее рецензию.

Это адские муки — наблюдать, как книга появляется и, словно мотылек-однодневка, умирает. И такое пережить четыре раза подряд! Это были невеселые времена.

Грустные воспоминания о тех прошедших годах, когда мои книги одна за другой терпели неудачу, оросили слезами мои глаза, и, чтобы никто этого не заметил, я прислонился лбом к автобусному стеклу. Доставая носовой платок, я подумал: «Если бы Эмма не работала, что бы мы делали? И еще — если бы «Кинетик» отказало мне тогда, как бы сложилась моя жизнь?» Когда исчезли последние фермы близ Сомервилла в центре Нью-Джерси, уступив дорогу более современным строениям, которые и будут тянуться до самого Манхэттена, меня посетила довольно циничная мысль: «Что происходит сегодня? Ведь еще до того, как рукопись отредактирована, ее судьба уже определена: публикации за рубежом, продажа местным агентствам. Пожалуй, будет напечатано около трехсот тысяч экземпляров, притом большая часть тиража уже распродана!»

Сегодня книга может иметь успех еще до того, как она вышла из печати. Книжные клубы, кино, телевизионные сериалы... Невероятно! И... несправедливо. В Америке, как и повсеместно, бедные становятся еще беднее, богатые еще богаче. Это нехорошо. Не-хо-ро-шо!

Несмотря на мою уверенность, что с американским книгоиздательским делом творится что-то не то, я совершенно не представлял себе, как эта тенденция может быть преодолена, мне оставалось только стенать: «Сумасшедшее время!»

Когда я вошел в знакомое здание «Кинетик», я почувствовал себя членом их большой семьи, так как в последнее время в их преуспевании был и мой вклад, сторицей окупивший долг за те годы, когда книги мои еще не имели успеха. На одиннадцатом этаже на одной из дверей красовалась металлическая табличка «Ивон Мармелл». Здесь мой второй дом.

Постучав, я открыл дверь и увидел женщину, которой был так обязан. Стройная и ухоженная, истинная дочь Нью-Йорка, выросшая на его улицах. В ее внешности, так же как и в ее имени, было что-то французское, но манеры и речь — манхэттенские.

Увидев меня, она вскочила навстречу и заключила меня в объятия:

— О, мистер Йодер, и десяти минут не прошло, как звонили из «Книги месяца». Они выбрали «Каменные стены» для октябрьского выпуска!

Она пританцовывала, радуясь этой новости, которая внушила нам уверенность, что книга уже застрахована от неудачного старта.

Ее скоропалительность меня смущала, особенно теперь, когда меня посетили мысли о «дутом» успехе. Я посмотрел через ее плечо на замечательную репродукцию, которая мне объясняла, что такое книгоиздательское дело. Это была картина Моне, по идее ничего общего с книгоизданием не имеющая. Я подошел к картине Моне, снял ее с гвоздя и перевернул. На обратной стороне человеком, знающим свое дело, был начерчен план:

Редакторская памятка

Год Название	Аванс	Количество проданных экземпляров	Гонорар за издание в твердой обложке
1967 Грензлер	500	943	- 2119
1970 Ферма	700	1107	- 3147
1973 Школа	800	1304	- 4246
1976 Изгнанный	900	1607	- 5210
1980 Нечистая сила	1300	871896	1307844
1984 Маслобойня	200000	917453	2477126
1988 Поля	500000	1000000	4263191
1991 Каменные стены	?	?	?

Так как мы были теми самыми персонами, которые отвечали за достижение этих результатов, изучив цифры, я недоверчиво покачал головой. Миссис Мармелл обратила мое внимание на цифры, те, что я не видел, когда был здесь в последний раз, — ткань обивки закрывала три последние строчки. Это были данные о книгах, последовавших за «Нечистой силой».

— Не хочу, чтобы другие наши авторы знали, сколько мы вам платим, тем более что мы утверждаем: мы не можем позволить себе заплатить более одиннадцати тысяч. К тому же не хотелось бы, чтобы молодым писателям кружила голову возможность заработать столько, сколько заработали вы. В последней строчке необходимо добавить еще одну колонку — «Общие выплаты». Но я уверена, что вы уже посчитали примерную сумму, включая доходы, поступившие из-за границы от книжных клубов, и оплату за уступку прав на издание. Это выливается в кругленькую сумму.

Сказав это, она прикрыла тканью конец списка, и мы снова оказались перед первыми пятью строчками. К ее чести, она никогда не напоминала мне, как она боролась с правлением «Кинетик», чтобы оно дало мне еще один шанс, затем еще и еще один. Но язык цифр недвусмысленно свидетельствовал об этом.

Иногда какие-то фразы из наших с ней разговоров давали мне понять, что она постоянно ведет борьбу за мое писательство:

1967 год: «Мистер Йодер, я сделала все возможное, чтобы протолкнуть «Грензлер», так как я знаю, что это прекрасная книга. Но потерпела неудачу».

1973 год: «Мистер Йодер, самое большее, что было в моих силах, это заплатить вам еще семьсот долларов. Но я предложила начальству: «Давайте я приплачу ему сотню долларов из моих доходов», — и тогда они подняли ставку до восьмисот долларов».

1976 год: «Мистер Йодер, послушайте меня внимательно: вы будете одним из самых лучших наших писателей. Однако мистер Макбейн не очень-то в это верит. И наши агенты по продаже в это не верят, да, я думаю, и ваша жена тоже. Но я верю. Доходы от продажи «Изгнанного» плачевны. Но к черту их! Идите домой и начинайте вашу новую книгу, о которой мы говорили. Заставьте петь каждое слово. Вы — писатель. Верьте мне».

1980 год: «Мистер Йодер, я не могла заснуть прошлой ночью. Если мы упустим наш шанс, «Кинетик» может отказаться от ваших услуг. Но я обещаю вам, что, если они это сделают, им придется расстаться и со мной. Я возьму вас с собой в другое издательство, и в конце концов мы пробьемся. Но к утру я все-таки уснула. Мне снилось, что «Нечистая сила» должна произвести фурор! Будем уповать на то, что сон вещий».

Нам понадобилось тринадцать лет, чтобы опубликовать книгу, оправдавшую надежды «Кинетик». И, если бы миссис Мармелл не подвергла сомнению мою упрямую настойчивость излишне подробно описывать происхождение героев, я никогда бы не научился писать так, чтобы мои книги нравились читателям.

— Хотите посмотреть цифры, что я наметила по вашей последней книге?

— Не сглазьте!

— Мои прогнозы очень оптимистичны.

Но она все-таки убрала свои записи, так как уже давно уяснила, что я не любил выслушивать ни плохие, ни хорошие новости. Как я говаривал в ту пору, когда дела мои шли не очень-то хорошо: «Я пишу книги. Они начинают жить своей жизнью. Как это происходит — я не могу понять». Я старался никогда не злиться на равнодушие, с которым публика встретила мои ранние произведения, но и особо не ликовал, когда она с восторгом принимала мои последние произведения: «Я пишу книги и позволяю им быть более или менее популярными».

Но у миссис Мармелл в запасе была еще одна новость, которая — она была уверена — порадует меня настолько же, насколько она порадовала и ее, — она получила факс от лондонского агентства «Кинетик»: «Интерес публики, вызванный «Грензлерским октетом» Йодера, так его книги называют в Европе, дает нам возможность продать первые четыре романа трем странам, которые ранее от них отказались, а «Изгнанного» (это одно из лучших произведений) — еще четырем издательствам. Думаю, могу гарантировать, что «Нечистая сила» станет бестселлером в Европе».

Мы не почивали на лаврах от подобных новостей, так как не были новобранцами на книгоиздательском фронте, знали, что опасность может ожидать всегда. Мне известно, что о писателе судят по его последнему произведению, хотя мы и знаем бесчисленное множество издателей, работающих весьма успешно, но

46

чьи постоянные авторы в последнее время ни строчки нового не написали. Каждый из нас слишком много поставил на «Каменные стены», и мы оба прекрасно осознавали это.

Поэтому я очень внимательно отнесся к замечаниям миссис Мармелл по поводу моих «Стен», которые она зачитывала со своего листочка:

— Мне очень нравится эта история, мистер Йодер, но думаю, что ваш акцент на «болезни общества» помешает нам ее продать.

Последнее слово раздражило меня:

— Я сто раз уже говорил вам, что меня не волнует, можно ли это продать или нет.

— Зато волнует *меня*. Но дайте мне изложить это в том ракурсе, который, я знаю, вас взволнует. Если то, о чем я говорю, не будет отредактировано, то может случиться, что наших читателей ожидает разочарование.

Я внимательно слушал ее.

— Ваша сюжетная линия крепка, но уж слишком «заоблачна». Вы забыли о необходимости поддерживать внимание читателей. А причина, я думаю, в том, что, вместо того чтобы сконцентрировать основное внимание на характере героев, вы гоняетесь за абстракциями. И поэтому я думаю, что роман только выиграет, если читатели будут увлечены подсюжетом.

Хотя ее идеи и раздражали меня и казались мне вторжением в мою сферу, у меня были точно такие же дискуссии с миссис Мармелл по моим предыдущим книгам, и она всегда оказывалась права. Поэтому я вынужден был слушать, хотя и не был согласен с тем, что слышал.

— Как это сделать?

— Во-первых, надо сокращать. Надо изъять здоровый кусок в середине. Это освободит место для подсюжета.

— У меня его нет. Что вы имеете в виду конкретно?

— Ничего конкретного. Я всего лишь прошу вас обдумать то, что я сказала.

— М-м-м-м. Хорошо, я подумаю.

— И еще, — продолжала она, — замечание технологического характера: вы недостаточно рельефно даете женские образы. Проблема, я думаю, в том, что вы их подробно не описываете и не даете им характеристики, когда упоминаете о них впервые. Я не сторонница концепции Фенимора Купера «белокурая красавица и черноволосый негодяй», но мне кажется, что к ней в конце концов прибегают все. Используйте уловку Купера, но только замаскируйте ее по-своему.

— Согласен. Дальше?

— Дальше вам опять не понравится. Но я говорю только то, что чувствую. И я чувствую предостерегающие сигналы. Если ваши читатели уже прочли семь или хотя бы три последних ваших романа, то они достаточно хорошо знают всю грензлерскую округу: как выглядят фермы немецкой Пенсильвании, как окружающий пейзаж влияет на их обитателей. У вас слишком много земли и слишком мало людей. Вам, возможно, следует сократить или вообще выбросить такие вещи, как длинное описание геологических особенностей округа Беркс в связи со строительством дамбы. И, когда Тракселов заставляют продать их ферму, мы знаем, что они подавлены. Покажите их эмоции, их переживания в связи с потерей земли, которая принадлежала им с 1690 года. Думаю, надо сократить описания и заняться людьми.

— Не могу согласиться. Это роман о разрушении «каменной ограды», символизирующей наши владения, об уничтожении наших амбаров, которые символизируют нас, немцев.

— Вы думаете, ваши читатели настолько интересуются экологией? Им нужен роман, знаете ли.

— Я ненавижу эти слова — *«ваши читатели»*, как будто это какая-то особенная порода людей. Если распродается миллион экземпляров, это значит, что книгу читают.

— Надеюсь.

— Я думаю, что у «моих читателей», как вы их называете, тоже возникают серьезные идеи.

Вот так было всегда. Она ничуть не колебалась, когда предлагала мне урезать что-нибудь или что-то изменить, а я не просил извинения, когда чувствовал, что не смогу воспользоваться ни одним из ее предложений. Это не было упрямством. Просто за все эти годы у меня уже выработалось представление, какой должна быть книга, ее объем, количество героев, в чем важность тематики, каковы должны быть характеры, фабула, построение сюжета, композиция. И как книга будет выглядеть — переплет, цвет обложки, каждая страница. Я не обсуждал эти вопросы ни с кем, даже с моей женой и миссис Мармелл, но я постоянно размышлял об этом. Эти мои фантазии поддерживали меня в те годы, когда никто, кроме миссис Мармелл, не верил, что я буду писать.

Конечно, я не всегда был абсолютно прав. Ведь миссис Мармелл тоже знала, какой должна быть книга, этот предмет всеобщего поклонения, стоящий на полке в магазине и ожидающий своего покупателя. Она часто говорила своим авторам: «Книга ничего не стоит, если хотя бы один человек не оценит ее и, купив и прочтя ее, не скажет: «Интересно, что этот парень преподнесет нам в следующий раз».

Писатель и издатель — у нас был прекрасный тандем, мы часто спорили, но каждый вносил в наш союз свою интуицию, любовь к слову — и этот союз рождал хорошие книги. В одном лишь мы неизменно сходились во мнениях: «Грензлерский октет» должен закончиться апофеозом. Наши разногласия возникли по поводу основной концепции романа. Она считала, что нужно сделать акцент на характерах и фабуле, а я хотел описать нашу землю, ее особенности, то, что так хорошо у меня получалось в моих первых семи романах.

В половине второго мы устали от утренних дискуссий, с удовольствием вышли на воздух и направились в итальянский ресторанчик, расположенный где-то между Лексингтон и Третьей улицей. Там миссис Мармелл порекомендовала мне одно из итальянских блюд, которое, по ее словам, было совершенством кулинарии. Пока мы поджидали официанта, она поднесла мою руку к своим губам:

— Сегодня у нас праздник. — И я испугался, что она снова начнет говорить о рекордных продажах «Каменных стен», но она думала о том, что — и она это знала — было для меня много важнее. — Подумать только, прошло целых пятнадцать лет после публикации «Изгнанного», прежде чем мир его наконец признал. Честно говоря, мистер Йодер, я боялась, что он пройдет незамеченным. И я просто счастлива, что Европа открыла его для себя.

Внезапно она вскинула руки и закричала на весь ресторан: «Ура!!!» И, когда посетители обернулись на нас, застыв с немым вопросом в глазах, она объяснила: «Хорошим ребятам только что очень повезло!» И несколько человек подняли свои бокалы, чтобы выпить за нашу победу.

Я рассмеялся, но не от ее выходки, а вспомнив, как рождался «Изгнанный». Ведь он целиком был основан на семейной истории моей жены. Ее девичья фамилия была Столцфус. Это были чистокровные амиши, проживающие в районе Ланкастера, несколько странноватые и своеобразные люди. Отдельные случайные замечания, сделанные Эммой, были доказательством, что ее родственники некогда принадлежали к клану амишей. Но они уже не были амишами, когда я ее встретил. Эмма была типичной меннониткой, ведь ее отец владел заправочной станцией в Рединге, где когда-то, в свою очередь, работал его отец. Думаю, что гараж пополам принадлежал отцу Эммы и ее дяде. Но, как бы то ни было, ее семья имела достаточно средств, чтобы отправить Эмму в Брайн Мауер, что

50

было довольно необычно и для меннонитов, а уж для амишей и подавно.

После того как мы с Эммой поженились и я написал первые два романа, мы поехали в Ланкастер. И те, кто нас знал, шептали: «Ага, он собирается писать об амишах и изобразить нас дураками». Вовсе нет. Я давным-давно решил, что никогда не буду писать об амишах: слишком просто было скатиться до грубой насмешки над их аскетическим образом жизни.

Однако за время нашего пребывания в Ланкастере, навещая родственников Эммы, я часто слышал о двух суровых мужчинах, которых в округе называли «столцфусские парни». И благодаря моим усилиям я узнал их тайну. В последние годы прошлого столетия дед Эммы Амос и его брат Урих принадлежали к самой консервативной ветви амишей. К несчастью, братья оказались впутанными в религиозные споры. Урих придерживался фундаменталистского течения, которое среди прочего утверждало, что, если мужчина носит подтяжки, он повинен в тщеславии и греховной попытке самоукрашательства. Поэтому мужчины подвязывали штаны веревками, использовали вместо пуговиц желуди и не брили бороды.

Амос, будучи «вольнодумцем», уже с четырнадцати лет не желал вести себя подобным образом. Поэтому между братьями возникла вражда. Была и другая ветвь амишей, которая отличалась большей либеральностью и предлагала компромисс: «Так как подтяжки более удобны, чем веревка, чтобы поддерживать штаны, мы принимаем их, но мужчина должен носить только одну помочь через то плечо, через которое пожелает, потому что носить две помочи — это все-таки тщеславие». Если бы Амос согласился на это, все было бы хорошо.

Но, к несчастью, он настаивал на подтяжках с двумя помочами и начал носить одежду, купленную в магазине, вместо того чтобы надевать то, что шила его жена. Такой беспардонный мятеж был недопустим.

Война между консерватором Урихом и либералом Амосом стала известна всей округе. И скандал между «братом без подтяжек и братом в подтяжках» не мог остаться незамеченным в обществе амишей.

Я спросил у того, кто мне это рассказал: «А что было дальше?» И он поведал мне: «Урих был так возмущен, что брат пошел поперек его воли, что возглавил движение за изгнание Амоса из их семейства. «Изгнанный» — так его назвали, и это было страшным наказанием, ведь изгнанному запрещалось общаться с кем бы то ни было из их общества. Амосу было запрещено общаться с членами семейного клана, встречаться, трапезничать с ними, что-либо покупать у них или продавать им, молиться с ними. Остракизм был полным, а хуже всего было то, что изгнан был лично Амос, а его семья нет. Его жене запрещалось с ним спать. Дед и бабка Эммы с этим смириться не могли. Они в ярости покинули и ферму, половиной которой владели, и вообще Ланкастер и переехали в Рединг. Амос стал бриться, присоединился к церкви меннонитов, и так как он очень любил лошадей, то открыл конюшню, и дела его наладились. Но шли годы, Амос и его семейство все меньше нуждались в деньгах и все чаще вспоминали те счастливые дни, когда они жили в своей большой семье.. Теперь каждую осень, когда поспевал урожай, Амос стал посылать покаянное письмо в церковь амишей, прося принять его вновь в ее лоно. Когда в 1901 году пришло первое письмо, глава общества ответил: «Согласно правилам амишей, изгнанный член общины может быть прощен, но только в том случае, если он вернется, падет на колени пред главой церкви и, раскаявшись в своих грехах, попросит о помиловании». Когда Амос получил этот вердикт, то сказал жене: «Все правильно. Я был слишком строптив в прежние годы, и, если таков наш закон, я ему подчиняюсь». А кто же был тем самым главой общества и церкви, перед которым должен пасть на колени Амос? Да им стал его брат Урих — тот, из-за кого его и изгнали. И, так как Амос отказался смириться перед своим праведным братцем, он так и остался изгнанным, отлученным от всех добропорядочных амишей, которые не носили подтяжек».

Было совсем не до смеха, когда мне рассказывали эту удивительную историю, так как я знал от моей жены, что тень проклятия никогда не оставляла Амоса и его семью. Он процветал, помог своему сыну превратить конюшню в гараж и вполне сроднился с «либеральным» меннонитским обществом. Но ностальгия грызла его сердце. В душе он все же был амишем, который хотел умереть в лоне своей церкви. Но, с каждым годом все больше богатея, он все больше отдалялся от веры. И тем не менее продолжал посылать письма в свою старую церковь, и каждый год его собственный брат напоминал ему о правилах: «Возвращайся, падай на колени перед главой церкви, покайся в своих грехах и молись о помиловании. А мы обсудим с членами нашей общины, принять ли тебя назад». В этих ежегодных письмах не упоминалось, что глава церкви, который будет судить Амоса и перед которым он должен преклонить колени, — это его брат Урих. Но Амос знал это и умер в изгнании.

Миссис Мармелл, редактировавшая «Изгнанного», не знала в то время, что я писал о своих собственных предках и — в большей степени — предках своей жены.

— Меня всегда привлекал этот роман, — призналась она. — После наших неудач с двумя первыми книгами я предлагала вам написать об амишах. Эта тема была заманчивой — традиции, обычаи седой старины и все такое. Но вы отказались, сказав, что никогда не будете высмеивать хороших людей и превращать историю их жизни в комедию. А потом вы все же написали о них...

— Но не высмеял. История «Изгнанного» поразила меня. Я чувствовал, что ее необходимо описать.

— Мне кажется, причина, по которой роман переживает свое второе рождение, это последние сто страниц, где Амос, достигнув материального благополучия, переживает духовную трагедию. Лучшее, что вы написали, мистер Йодер, это сцены, где он тайно приезжает в Ланкастер, чтобы посмотреть на ферму, которой владела его семья целых четыре века и на которой работал он сам. Где он признаётся самому себе, что только его упрямство из-за тех злосчастных подтяжек является причиной отлучения от его прекрасной родной земли.

Я всегда чувствовал себя не в своей тарелке, когда кто-нибудь хвалил мою работу. Мне было неловко, но сегодняшние воспоминания подействовали так, что эмоции взяли верх:

— Хорошая сцена в самом конце. Когда он переделывает конюшню в гараж. Прощается с лошадьми, последним, что у него ассоциировалось с землей. Он больше не амиш и даже не меннонит. Он перешел в какой-то другой мир... — Я замолчал, радуясь в душе, что моя редактор не стала давать никаких комментариев. — Вы знаете, миссис Мармелл, Эмма никогда не считала себя меннониткой. Во всяком случае с тех пор, как стала учиться в колледже.

— Мне нравится ваша смелая маленькая жена, хотя мы общались с ней только по телефону. Надеюсь, что вы когда-нибудь познакомите нас.

Я кивнул, и она положила свою руку на мою:

— Я знаю, что сейчас вы не хотите узнать, какие потрясающие новости взбудоражили весь «Кинетик». Но Эмма должна узнать их. Эти новости так важны для меня, что мне просто необходимо с кем-нибудь поделиться. — И она показала мне сметы, взбудоражившие «Кинетик». — Все внеплановые контракты на вашу книгу либо уже оплачены, либо будут оплачены в самое ближайшее время. И каждый из них приносит вам еще миллион долларов. Например, контракт с «Книгой месяца». И параллельная публикация в мягкой обложке — это наверняка. Нет никаких сомнений, что ваша книга в течение трех месяцев будет в списке бестселлеров, опубликованном на страницах «Таймс». А как вы думаете, каков будет начальный тираж? Семьсот пятьдесят тысяч!

— Придется нанять новых агентов по продаже, — смутившись, попытался пошутить я.

— Можете передать Эмме, что, по моим подсчетам, вы получите не меньше пяти миллионов от «Каменных стен», а может быть, и шесть, если роман экранизируют.

— Лучше бы вы мне этого не говорили, — еще больше смутился я.

— А я это вовсе и не вам говорю, — засмеялась она. — Я говорю себе и Эмме. Мы эти вещи понимаем. — Внезапно она наклонилась ко мне и понизила голос. — Как вы относитесь к гипотетическим вопросам?

— Положительно, если они не на политические темы, — ответил я озадаченно.

— Могу я задать один? — Когда я кивнул, она продолжила: — Это самый гипотетический из всех гипотетических вопросов. Предположим, что «Кинетик» завтра продадут, а новые боссы меня уволят, как вы думаете, уйдете ли вы вместе со мной?

— Уйду, если причиной вашего увольнения будет не растрата фондов.

— А как в случае, если меня не уволят, а я сама почувствую, что новые порядки мне не по нутру?

— Ваши этические принципы для меня святы. Конечно, я буду с вами.

— А теперь вопрос вопросов. Предположим, новые владельцы не американцы. Например, японцы или немцы. Я с ними не могу сработаться и ухожу...

— Я уйду с вами.

— Понятно. Пусть наша беседа останется между нами, а мои вопросы можете считать только игрой воображения.

— А мои ответы — нет. Я гораздо серьезней воспринимаю книгоиздательство, чем представляется Эмме. Для меня это не игра, не цифры, это один из самых величайших процессов в мире. И я счастлив принимать в нем участие. — Я был слишком многословен и поэтому смутился. И последние слова произнес шепотом: — Я не смог бы работать, если бы вы так не помогли мне, и я никогда этого не забуду.

В этот свой визит в Нью-Йорк я не стал возвращаться домой, а остался здесь ночевать, так как на следующий день мне надо было встретиться с моим агентом, с которым меня связывали чисто деловые отношения. Я имел довольно печальный опыт общения с агентами. Один из них, довольно известный в своих кругах, будучи должником миссис Мармелл, с большой неохотой взялся за мои дела. Я стал его клиентом только благодаря моему редактору. И когда он почувствовал, что мои первые книги идут ко дну, и понял, что у меня нет дара писать короткие яркие статьи, бросил меня, послав соответствующее письмо, даже позвонить не счел нужным. Затем меня подобрал молодой человек, который, закончив обучение у Уильяма Морриса, организовал собственное агентство. Говорил он очень много, но делал крайне мало. Как только он увидел, что от меня никогда не дождешься того, что он называл «значительными успехами», он тоже меня покинул. Теперь, когда мои успехи стали не просто «значительными», а «потрясающими», я хотел бы узнать, что думает этот молодой человек, вспоминая день, когда он от меня отказался. Но тогда, на мое счастье, свои услуги мне предложила Хильда Крейн, которой понравился мой четвертый роман «Изгнанный». Она предлагала его везде: в Голливуд, на телевидение, в газеты, но никто к нему не проявлял интереса.

Но она верила в успех нашего предприятия и убеждала меня, что рано или поздно эта или какая-то другая из моих книг будет замечена. Как радовалась она, когда «Нечистая сила» стала бестселлером. Ликуя в душе, она предложила ее все тем же агентствам, и в этот раз ответы были положительными.

У мисс Крейн был трехкомнатный офис на Бродвее. Никакой роскоши, только картотеки и бумаги. Она шутила: «Боюсь, что придется переезжать в более просторное помещение, столько работы из-за успехов ваших последних трех книг и, будем надеяться, следующей». Эта сорокачетырехлетняя женщина, которая могла в зависимости от времени суток или обстоятельств выглядеть на двадцать четыре или шестьдесят четыре, была мне настоящей опорой. С самого начала она предупредила меня о своем стиле поведения: «Я своих авторов не балую, не помогаю им в их бракоразводных делах, не покупаю им билетов в театр, не организую скидок в отелях. Я не поправляю их и не помогаю им, когда они пишут свои произведения. Что я делаю, и делаю хорошо, это принимаю все, что они напишут, и прикладываю все силы, чтобы это продать. Если есть хоть какая-то возможность продать, я ее использую. Порой они приходят в изумление, когда узнают, кому и куда я продала их вещь. Ведь я обращаюсь, наряду со всем прочим, и в фабричные, фермерские, университетские журналы — я все их курирую. Моя страсть — видеть вещи моих клиентов напечатанными. Иногда я продаю статью за пять долларов только для того, чтобы ее автора напечатали. Вот что для меня важно».

Я платил ей десять процентов со всех видов моих доходов, мы полностью доверяли друг другу, и я не принимал наличных или чека на свое имя, не проинформировав ее и не послав ей эти десять процентов. За эти десять процентов она предоставляла ряд фантастических услуг. Но самое важное — она вела переговоры об объеме всех моих гонораров, хотя в писательском бизнесе не было редкостью, когда писатель сам разбирался со своим издателем в вопросах продвижения своей рукописи и суммах гонорара. Гораздо удобнее, когда автору предлагалось волноваться о качестве своей рукописи, а агенту о том, сколько можно за нее получить.

Кроме переговоров о гонорарах, мисс Крейн также занималась вспомогательными продажами, поисками новых контрактов, когда это было необходимо, контролем за соблюдением авторских прав и многим другим. Иногда она посылала мне по три-четыре письма в неделю, каждое по поводу какой-нибудь сделки, о которой я почти ничего не знал, но организация которой было делом серьезным. Обычно мисс Крейн получала свои десять процентов, а в этом году, если надежды миссис Мармелл оправдаются, она получит как минимум полмиллиона долларов от того, кого она называет «мой скромный маленький немец». И к тому же ей для этого не придется прикладывать почти никаких усилий. В то время как миссис Мармелл носится с моей рукописью, словно нянька с младенцем. Успех моего нового романа будет ее личной заслугой. А получит она лишь полагающуюся ей скромную зарплату от «Кинетик».

Пожалуй, это несправедливо, однако я слышал рассказ мисс Крейн о том, как она зарабатывала на другом своем авторе: «Я возилась с ним, как с собственным ребенком, следила, чтобы он писал для нужных журналов в нужное время, и радовалась, что его писательская репутация неизменно растет. А без меня бы он как слепой продвигался на ощупь».

Тот, кому она все это объясняла, спросил: «А не могла бы всем этим заниматься его жена?» Вопрос насторожил меня, так как я подозревал, что Эмма тоже могла бы всем этим заниматься. Но мисс Крейн сухо ответила: «Когда писатель использует свою жену в качестве агента, это ведет к неуспеху. Писателю нужна не любящая, а жесткая рука».

А вот что она еще рассказала своему собеседнику: «Десять процентов, которые я имею от таких писателей, как Йодер, дают возможность моему агентству

58

вывести в люди начинающих писателей, еще мне доходов не приносящих. Лукас Йодер поддерживает их, пока они сами не станут Йодерами». Пока я слушал, меня заинтересовал такой факт. В первые тринадцать лет моей писательской деятельности все три мои агента вместе взятые заработали на мне четыреста девяносто шесть долларов десять центов. На почтовые издержки и телефонные звонки они наверняка потратили в пять раз больше. Я не завидовал сегодняшним огромным доходам мисс Крейн и надеялся, что она делает то, что говорит, а именно — тратит часть моих денег на молодых авторов.

Сегодня мисс Крейн показалась мне гораздо более сдержанной, чем обычно. Но, уловив мое замешательство, она оживилась:

— Очень рада вас видеть, мистер Йодер. Нам надо многое обсудить. — И, не успел я как следует усесться, как она сказала своим профессиональным тоном: — Есть хорошие новости, но есть и плохие. С чего начнем? — Я пожал плечами, и она продолжила: — Ладно. Начнем с хороших.

Скороговоркой она прочла данные о предварительных продажах, набросанные на листке бумаги. Я любовался ею, слабо вникая в детали — они меня мало интересовали. Всегда ухоженная, одета в дорогой, но не экстравагантный костюм, левый отворот которого всегда украшен какой-нибудь брошью, она была красивой женщиной, с волосами, не тронутыми сединой, и свежей кожей. Дела она всегда вела спокойно и четко, и мне представлялось, что она похожа на добропорядочную английскую учительницу, заботящуюся о хороших манерах своих учеников.

— Но это только преамбула, мистер Йодер. Вы видели тот многосерийный фильм об амишах? По-моему, он получил «Оскара», его название — «Очевидец»?

— Слышал о нем, но не видел.

— Он всех потряс. Превосходные актеры — вы не

могли об этом не слышать, хороший сюжет, действие происходит в одной из амишских деревень. Поля, деревенские постройки — все это выглядит на экране восхитительно.

— Я слышал, они отнеслись к амишам с уважением. Нет дешевых шуток.

— Но что самое главное — успех этого фильма разбудил интерес к вашему творчеству. Компания под названием «Аргос филм» — оригинальный союз японского финансиста и израильского кинематографического гения — хочет купить права на «Изгнанного». И, если я правильно их поняла, они предполагают снять фильм в лучших традициях: последовательное развитие характеров, сцены, показывающие красоту земли, духовный триумф брата, оставшегося амишем, и духовный кризис другого, преуспевшего в делах, но потерявшего душевный покой.

— По крайней мере, они поняли смысл. Если бы это была еще одна компания из Голливуда, из тех, что хотят снять что-нибудь на тему «Нечистой силы», я бы отказался.

— И вот что я собираюсь еще вам сообщить. — Чуть улыбнувшись, мисс Крейн взяла в руки еще один листок. — Совершенно новая голливудская кинокомпания на этот раз на немецкие деньги хочет заполучить не новые авторские права на «Нечистую силу», а самого автора, заключить с ним контракт, чтобы он сам написал сценарий.

— Но мы же слышали об этом сотни раз.

Мисс Крейн усмехнулась, так как я затронул один из не столь успешных, но любопытных моментов нашей деятельности. «Нечистая сила» имела такой большой успех, что различные кинокомпании, существовавшие в те времена (многих из них уже нет), начали борьбу за право снять по мотивам этого романа фильм. И когда в конце концов одной компании удалось купить это право за сто восемьдесят пять тысяч долларов, она обнаружила, что в книге было больше описаний и рассуждений, чем действия. Сцены были раздроблены, характеры негибки, в общем, снять картину оказалось практически невозможно. От проекта отказались, деньги записали в главу «издержки». Но эти деньги остались у меня, впрочем, как и права на экранизацию.

В последующие одиннадцать лет различные компании время от времени пытались что-нибудь выжать из «Нечистой силы», и каждая, покупая права, платила пять—десять тысяч за эксклюзивное право на съемку фильма.

После успеха «Нечистой силы» одна за другой три кинокомпании заключали с нами договоры, чтобы экранизировать одну из книг грензлерской серии. Каждая из этих компаний принесла нам по нескольку тысяч долларов. Но ни одного фильма так и не получилось. Я так часто заводился идеей создания фильма и так часто меня спускали с небес на землю, что я уже не мог больше слышать, как мисс Крейн в очередной раз договаривается с очередной компанией о правах на «Нечистую силу» или на какой-нибудь другой мой роман. Я всегда советовал в таких случаях — в шутку, конечно: «Дайте им права, а на следующий год заберите их и отдайте другой компании». Но все же я лелеял надежду, что фильм по моей книге будет когда-нибудь снят.

— Мистер Йодер, советую вам всегда помнить: все разнообразные вещи, во что можно превратить книгу — пьесы, мюзиклы, кинокартины, телесериалы, — все начинается с инициативы трех талантливых парней, их встречи за бутылкой. Один из них вдруг говорит: «Эй, а было бы здорово, если бы мы смогли достать права на эту книгу Йодера и уговорить Ньюмена на главную мужскую роль, а Стрип — на женскую. И пригласить Казана поучаствовать в ударной сцене?» А другой ему отвечает: «Я знаю Стрип. Ей нравится Йодер. Она сказала, что она спит и видит себя в этой роли». А третий добавляет: «А я знаю Джерри Хермана. Он как раз искал что-нибудь из американской истории. Он подпрыгнет до потолка, если узнает, что есть возможность поработать над «Нечистой силой». Затем тот, кто знает Ньюмена, говорит: «Но Пол не умеет петь». А друг Джерри Хермана отвечает: «Ну так мы найдем кого-нибудь, кто умеет». Все наши начинания, — продолжала она, — всегда возникали с этих самых трех парней, которые говорили: «А было бы здорово...» И помните, все хорошее, что когда-либо случалось, именно так и начиналось. Один говорил: «Эй, я прочитал книгу «Анна и Король Сиама», она очень интересна. И если бы нам найти сорокалетнюю дамочку английского типа и актера восточного типа...» И второй перебивает: «Я знаю одного парня — Юла Бриннера. Может быть, он подойдет». А третий добавляет: «Нам наверняка понадобится музыка. А муж моей сестры знает личного адвоката Роджерса и Хаммерстайна...» Все это оказалось не пустой болтовней. В результате получился шедевр. Поэтому не советую вам смеяться над этим. Уважайте этих парней.

— Я очень заинтересован в тех ребятах, которые хотят заняться «Изгнанным», но только в том случае, если они собираются делать все так, как вы мне об этом рассказали.

— Мистер Йодер, помните, что я говорила *предполагают*, а не *собираются*.

— Я понял, но в ваших устах это звучит очень заманчиво. Поддержите их.

У нее было еще много вопросов по поводу «Каменных стен», которые она хотела обсудить со мной. Но, как всегда, я скоро потерял интерес к деталям, предоставив мисс Крейн и миссис Мармелл самим разобраться с этим. Я еще в незапамятные времена объяснил мисс Крейн: «Самое большее, что может сделать писатель, — это полностью сосредоточиться над своей печатной машинкой. Это произойдет, если он полностью доверяет своему агенту, и я полностью доверяю вам».

Я пытался наладить такие же отношения и с «Кинетик пресс». Его последние контракты со мной были весьма серьезным делом, если иметь в виду денежные суммы. Но на заключение каждого из них у меня уходило не более трех минут. «Кинетик» или мисс Крейн звонили мне доложить о деталях, жена передавала мне трубку, я выслушивал, отвечал «О'кей» — и дело было сделано. Конечно, я не вдавался во все мелкие детали — этим занимались юристы «Кинетик» и мисс Крейн. В последнее время в «Кинетик» наблюдалось повальное увлечение всякими новыми формами работы, инновациями типа «звучащей книги», передовыми технологиями в полиграфии и другими подобными «заоблачными идеями», которые были призваны способствовать коммерческим победам «Кинетик». Когда наконец маркетинговый план был полностью составлен, он представлял собой шестнадцатистраничный документ, большинство пунктов которого для меня были новостью, однако позже я не без удовольствия отмечал, что коммерческому успеху моей книги во многом способствовал какой-то особенный метод продажи, изобретенный мисс Крейн, который она обсуждала со мной год назад.

Прослушав серию хороших новостей, я спросил мисс Крейн:

— Все так замечательно. А каковы же плохие новости?

— Не то чтобы плохие, мистер Йодер. — Она нервно кашлянула. — Скажем так, не очень приятные.

— Валяйте, говорите, я не дитя — выдержу.

— Три серьезных предупреждения, и все касаются одного и того же. Первое: вчера был звонок из «Дайджеста». Они отказались от «Каменных стен». Их редколлегия высказала мнение, что их читателям роман не понравится — слишком много проповедей и мало действия.

Я поднес ладонь к губам, ожидая следующего удара.

— Сегодня позвонили из «Книги месяца», — продолжала мисс Крейн, — они не будут публиков... роман в октябре, да и позднее навряд ли. Причина же: «Йодер не смог подкрепить удачу предыдущ... трех книг. Новый роман нашим читателям не понравится». И последнее. Магазины Далтона и Уалдена сократили свой заказ на две трети. Их эксперты высказали суждение, которое грозит принести большие убытки, если его подхватят другие: «Йодеру изменил успех». Это нехороший симптом.

Она откинулась на спинку стула, ее пальцы вцепились в край стола, а в ее глазах встал немой вопрос: «Что делать будем, мистер Йодер?» Я посмотрел на нее, попытался улыбнуться и тихо проговорил:

— Три бомбовых удара, да?

— Так точно. И, если предположить, что это мнение разделит еще кто-нибудь в Нью-Йорке и в Калифорнии, у нас могут возникнуть большие трудности.

— Я пока не вижу повода для трагедии. Ну, потеряли трех больших клиентов в Соединенных Штатах, найдем новых — в Европе.

— Мистер Йодер! Ну вы и сравнили! Это словно океан и ручеек! Если книга не завоюет Америки, она умирает. И повторяю, это очень серьезно.

— Мне так не кажется. В любом случае, если все так плохо, как вы говорите, почему же миссис Мармелл не предостерегла меня?

— Потому что, когда вы виделись с миссис Мармелл, у нас еще не было этой информации. Она поступила вчера поздно вечером и сегодня утром. И вчера миссис Мармелл еще не знала, что ее «Кинетик» уменьшил свой первоначальный заказ с семисот пятидесяти до двухсот пятидесяти тысяч экземпляров.

Когда я услышал эти цифры, я засмеялся:

— Боже мой! Только двести пятьдесят тысяч! А известно ли вам, что бы эти цифры значили для меня в те ужасные годы, когда вы еще не были моим агентом? Я бы прыгнул до небес!

— Да, но, как вы только что сказали, вы уже не дитя. Вы серьезный писатель, от которого ждут больших свершений. «Кинетик» возлагает на вас большие надежды. И я тоже. Если книгу можно спасти, мы для этого должны сделать все возможное. Через десять минут в соседней комнате у нас совещание.

— У кого это у нас?

— У вас, у меня, Ивон и мистера Макбейна.

Я был изумлен, что мисс Крейн решила организовать эту встречу, не посоветовавшись со мной. Но она объяснила:

— Я ничего не организовывала. Это инициатива «Кинетик». И тот факт, что они приходят сюда, а не мы к ним, доказывает, что они относятся к происшедшему гораздо серьезней, чем вы.

Так как до сегодняшнего дня она никогда не разговаривала со мной подобным тоном, я понял, что в этот момент она была уже не только моим представителем, а профессиональным агентом, который не может позволить, чтобы в книгоиздательских кругах один из ее клиентов угодил лицом в грязь. На предстоящем совещании она будет защищать наряду с моими и свои интересы.

Меня очень смутило, когда миссис Мармелл начала извиняться, что наговорила мне накануне лишнего:

— Мистер Йодер, мне очень жаль. Я не знала об этих печальных новостях до сегодняшнего утра.

— Не думаю, что новости столь печальны. Ведь большие заказы в Европе — это успех. Для меня, во всяком случае.

— Но не для нас, — резко перебил мистер Макбейн. И, когда я посмотрел на его суровое бесстрашное лицо, лицо человека, чья улыбка или хмурый взгляд так много значили для меня на протяжении всей моей писательской жизни, мне стало стыдно, что я поставил свои интересы выше интересов «Кинетик». На критических разборках моего творчества, коих за всю мою карьеру было устроено с полдюжины, он всегда был готов поддержать миссис Мармелл, которая не щадя себя боролась за меня. Другие в «Кинетик» всегда хотели свалить меня. Лишь он всегда один среди всех был тверд, и я чту это.

Ему было под шестьдесят. Ходили слухи, что он находится в ситуации не из приятных, так как три или четыре крупные компании хотели купить «Кинетик». Каждый из них рассуждал так: «Мы будем качать из «Кинетик» деньги — и его руководство, не выдержав напряжения, подаст в отставку. Тогда мы поведем дела так, чтобы «Кинетик» приносил пусть небольшие, но гарантированные доходы». Заявки на покупку издательства еще не поступили. Но закулисные подсчеты уже проводились, и все выглядело так, что, если поступит какое-нибудь более или менее выгодное предложение, держатели акций соблазнятся неожиданной прибылью и проголосуют за продажу «Кинетик», кем бы покупатель ни был и каковы бы ни были его издательские планы. Если это случится, мистер Макбейн, несмотря на все его заслуги в управлении «Кинетик», окажется за бортом.

Провал моего романа на американском рынке, самого важного для «Кинетик», может обернуться для него катастрофой и подорвет его авторитет в издательских кругах. Этого-то я и боялся: если мои «Каменные стены» будут спасены, а это произойдет, когда кто-то из трех самых крупных покупателей проявит к ним интерес, то «Кинетик», Макбейн — его президент, миссис Мармелл — старший редактор, и мисс Крейн — мой агент, будут избавлены от позора. Всматриваясь в их лица, я понял, что эта встреча не сулит ничего приятного. Я еще не знал, что они мне могут посоветовать и как мне реагировать на их предложения.

Мистер Макбейн начал с того, что коротко изложил ситуацию:

— Неприятные вести с трех основных рынков сбыта отрицательно сказались на предварительных продажах. Почему мы так ошиблись, когда оценивали рукопись? Боюсь, мы предположили, что любое произведение мистера Йодера застраховано от провалов. Короче, мы его переоценили.

Оскорбленный столь откровенным обсуждением меня в моем присутствии, я вынужден был протестовать:

— А я думаю, что результаты предстоящих продаж будут вполне удовлетворительными. Я не обязан каждый раз достигать сумасшедших высот.

Мистер Макбейн холодно перебил меня, обращаясь к присутствующим:

— Вы бы лучше проинформировали автора о пересмотре заказов. С семисот пятидесяти тысяч...

— Я уже говорила, — прервала его мисс Крейн, — до двухсот пятидесяти тысяч.

— Зловещий факт. Объясните мне, что же их всех отпугивает в этой рукописи?

К моему удивлению, ответила не моя редактор, а мисс Крейн:

— В центре всех четырех романов мистера Йодера, начиная с «Изгнанного», — сильные характеры, вовлеченные в мощные человеческие драмы. Мы все помним драму двух братьев, каждый из которых защищал свой принцип. В «Нечистой силе» в семейную драму вмешиваются и колдовские силы. В «Маслобойне» была почти смертельная схватка из-за собственности, и, наконец, в «Полях», которые так всем понравились, повествовалось об отчаянной решимости Хаддла Амоса защитить свою ферму от двоюродного брата, предъявляющего на нее права по фальшивому свидетельству представителей церкви. Читатели могли выбирать, на чью сторону им встать. Всегда был герой, за которого они переживали.

Макбейн поразил меня своими словами:

— А в «Каменных стенах» я переживал за трех фермеров, которые не хотели продавать свои фермы, не хотели, чтобы их постройки снесли бульдозерами.

— Да, но здесь их трое, — поправила мисс Крейн. —

Эффект уже не тот. Читатель уже особенно не переживает ни за кого из этой компании.

— И что же, в этом весь изъян? — поинтересовался мистер Макбейн.

Нарушив молчание, заговорила миссис Мармелл. В ее голосе явно слышалось сомнение:

— Боюсь, что налицо синдром обманутых ожиданий. Все ждут привычных йодерских историй о пенсильванских немцах. И никому нет дела до лекций по экологии. Поэтому читатели чувствуют себя обманутыми. Все очень просто.

Все молча смотрели на мистера Макбейна, и после мучительной паузы он сказал:

— Мистер Йодер, мы не можем потерять этот роман.

— А вы и не теряете его, — возразил я, но тут же осекся, подумав, что я нахожусь в более выгодном положении, чем они, и поэтому не чувствую себя несчастным из-за возможных последствий. Но мистер Макбейн перебил меня:

— Скажите мне, мистер Йодер, что вы думаете о некоторых изменениях, которые могли бы немного сгладить реакцию разочарования наших рецензентов? — И, не давая мне ответить, он добавил: — Я не имею в виду полную переделку романа. Мне он нравится. Я думаю, что вполне возможно, внеся небольшие изменения, сделать его больше похожим на привычный йодерский роман, на то, чего ожидает публика. Ведь она имеет на это право.

Передо мной сидели три человека, перед каждым из которых я был в большом долгу. Они сделали меня писателем и поставили на верную прибыльную тропу. Я видел, что каждый из них очень хотел, чтобы я переделал роман так, чтобы он был удобным и понятным для читателя. Но я написал «Каменные стены» как кульминацию всей моей грензлерской серии, показывая возвращение людей к земле, то, как люди злоупотребляют ею, утилитарно используя ее, вместо того чтобы заботиться о ней так, как она того требует.

Обвинение было верным. Взамен героев я вывел негодяев. Но иногда ведь и негодяев надо показывать. Я не мог переделать это громадное сооружение, которое я построил.

Но, прежде чем я успел облечь мои мысли в слова, заговорила миссис Мармелл:

— В период редактирования я уже предвидела, что могут возникнуть трудности, как раз те, что мы сейчас обсуждаем, и я предложила варианты возможных изменений, которые приведут к более удачному балансу между литературой и публицистикой. Но мистер Йодер отклонил мои предложения, и я скрепя сердце с ним согласилась. Это ведь его, а не мой роман.

Президент «Кинетик» спросил меня напрямую:

— Мистер Йодер, можно ли все-таки рассчитывать, что вы согласитесь на внесение поправок, не нарушающих замысла романа?

— Нет, — ответил я твердо, и это означало, что разговор окончен.

Мистер Макбейн поднялся, поклонился мисс Крейн и сказал:

— Итак, нам остается одно — продолжить начатую работу и сделать все от нас зависящее.

Он покинул комнату в сопровождении миссис Мармелл и мисс Крейн. Я последовал за ними. В ожидании лифта мистер Макбейн отозвал меня в сторону и тихо произнес:

— Я, конечно, разочарован. Эта книга очень много значит для меня. Но я все-таки рад, что работаю с автором, который может постоять за свое произведение. Таких сейчас немного.

И он поспешно вошел в лифт еще до того, как я успел что-либо ответить.

Я возвращался домой в довольно мрачном настроении. Благополучно забыв все то, что радостно сообщила мне миссис Мармелл в первый день, я мучился двумя вопросами. Первый: не был ли я слишком дерзок и эгоистичен с «Кинетик»? А второй еще серьезнее: правы ли рецензенты — и я дейстзительно потерял чутье, превратившись в дряхлого хозяина, который уже не справляется со своим хозяйством?

Первый из вопросов страшно изводил меня, и я постоянно возвращался к нему, пока автобус вез меня через Нью-Джерси. Если «Кинетик» так хорошо относилось ко мне все эти годы, не обязан ли я вернуть им свой долг? И, если Макбейну так нужен сейчас успех моего романа, не обязан ли я помочь ему удержать уровень продажи любой ценой? Оба вопроса требовали положительного ответа. И я спрашивал самого себя: не стоило ли принять во внимание все прошлогодние замечания миссис Мармелл? Я считал, что нет. Но мне необходимо было все это обсудить с Эммой.

И второй вопрос. Нет, у меня не было сомнений, что я в состоянии писать так же хорошо, как и во времена «Изгнанного». Способность писать меня не покинула. Но я должен признать, что время от времени, прогуливаясь, я задавался вопросами: «Неужели мое время ушло? И не пошел ли я по ложному пути? И, возможно, существуют другие, более свежие литературные резервуары, которые я еще для себя не открыл? Может быть, «Стены» были занудны и неинтересны?» Ужасные мысли для писателя со стажем.

К тому времени, когда автобус подошел к остановке, где меня ждала моя машина, я так ничего и не решил. Тревога моя была сильнее, чем когда я покидал Нью-Йорк. Вдохнув свежий морозный январский воздух, я испытал только одно желание — скорее домой, за утешением, которое я всегда там находил: успокаивающее присутствие Эммы, моя старая печатная машинка — все на своих местах. Я не хотел нарушать безмятежность этого рая сегодня вечером обсуждением неприятных нью-йоркских новостей. Но завтра утром я хотел бы откровенно поговорить с Эммой и Цолликоффером — двумя людьми, которым я полностью доверял.

На следующий день, тепло укутавшись, мы все трое сидели среди валунов, за домом Цолликофферов, где он устроил себе беседку.

— Мне нужно знать, что вы оба думаете о новой книге, — начал я, — вы оба читали рукопись, и у вас должно было сформироваться какое-то мнение. Хочу услышать ваш приговор. Но сначала позвольте рассказать вам, что было в Нью-Йорке.

Я рассказал только о плохих новостях: что заказы снижены и что три крупных издательства отказали мне. Закончил я так:

— Вчера на торжественной встрече «в верхах», все, включая и мисс Крейн, согласились с критиками. Новый роман не такой интересный, как предыдущие, которые так понравились читателям, и они все считают, что мне следует переписать его, чтобы добиться читательского интереса.

— Что же сказала мисс Крейн? — почти зло спросила Эмма.

— Ее точные слова: «Я должна согласиться с ними, мистер Йодер. Это не лучшее, на что вы способны».

— Лучше бы ей вообще было промолчать.

— Проблема в том, была ли она права? Может быть, и правда, что с рукописью что-то неладно?

Несколько минут мы сидели молча, рассматривая замерзшие островки воды и гигантские валуны, которые словно подавляли нас. Это была та самая земля, о власти которой я писал. И, видимо, это чувство и побудило Цолликоффера сказать:

— Лукас, это лучшее из того, что ты написал. В конце концов, ты писал как честный немец, который знает, где он и что он. Ничего не меняй.

Эмма была еще более категоричной:

— Я читала рукопись, когда ты был в Нью-Йорке, и не могла оторваться. Я видела реальных людей, которые сталкиваются с реальными проблемами. Другие романы у тебя связаны с историей. «Маслобойня» — с двадцатыми годами. Действие в «Полях» могло бы произойти и сейчас, но ты перенес его в тридцатые годы. А это — история сегодняшнего дня. Это наша кровь и плоть. Я согласна с Германом. Ничего не надо менять. — И через мгновение она добавила: — Ну, конечно, отредактируй, как всегда. Я нашла несколько грамматических ошибок. Но все остальное оставь как есть. Этот роман так же целен, как эти камни.

Меня очень ободрили их уверенные высказывания, но я не мог положиться на них полностью, так как они исходили от непрофессионалов. Жила в Грензлере одна женщина, чье мнение в литературе я очень уважал и часто выслушивал. Ее звали Марта Бенелли. Это была тридцатипятилетняя женщина, выгнавшая из дома своего мужа-алкоголика и поступившая работать библиотекарем в Дрездене. Выпускница с дипломом по американской литературе, она обладала поистине заражающей любовью к книгам, особенно к романам. Урожденная меннонитка — ее девичья фамилия была Цигенфуссер, — она знала всю литературу о пенсильванских немцах лучше меня и с удовольствием знакомила меня со старыми источниками.

Когда я передавал ей экземпляр своей рукописи, я сказал:

— Вы так помогли мне с этой вещью. Не знаю, смогу ли я упросить вас прочесть рукопись и высказать свое мнение... Мне нужно знать мнение профессионала, и вы сделаете мне честь, согласившись на чек в двести долларов.

К моему восторгу, она изъявила готовность, просто и бесхитростно:

— Знаете, я бы это сделала и бесплатно, но деньги мне все-таки не помешают.

Должно быть, она читала роман ночами, потому что ее звонок раздался через два дня:

— Смена направления, не так ли? И смена очень удачная.

— А как воспримут это читатели?

— Они будут в восторге. Особенно те, кто с вашим

творчеством уже знаком. Они воспримут этот роман как логическое движение вперед.

— А не слишком ли заумно написано? — не унимался я.

— Мистер Йодер, большинство читателей гораздо умнее, чем думают большинство критиков. В списке бестселлеров всегда можно найти по-настоящему хорошие книги.

— Могу я заехать и поговорить с вами?

— За ваши двести долларов вы имеете право на целый семинар.

Я прямиком направился в библиотеку, расположенную на окраине города, и обнаружил миссис Бенелли, ожидавшую меня с рукописью в руках, некоторые страницы которой пестрели пометками и замечаниями на полях. До того как она высказала свое мнение, я поведал ей о неодобрительной реакции на мое произведение.

— По-моему, я знаю, в чем дело. То, что вы написали, не безупречно и, несомненно, очень отличается от всего, что выходило из-под вашего пера ранее. Но это по-настоящему хорошее и многообещающее произведение. Жители нашей округи наверняка зачитают эту книгу до дыр, но, думаю, она заинтересует читателей всей страны.

Я рассказал ей, что три довольно знающих эксперта порекомендовали мне переписать роман, чтобы сделать его более приемлемым для читателей, и она фыркнула:

— К черту их! Вы создали нечто новое и очень многообещающее. Если им не нравится это сейчас, они оценят его позже.

Она продолжала и дала ряд своих рекомендаций, и, слушая ее, я думал: «Какая цельная, удивительная немецкая девочка! Льняные волосы, светлая головка. Наша земля действительно способна производить достойных людей, и вот об этом-то и мой роман. Если ей и Цолликофферу он понравился, хотя и по абсолютно разным причинам, он не так уж_плох, как считают в Нью-Йорке».

Покинув библиотеку, я все уже для себя решил. Я позвоню в Нью-Йорк и повторю, что не буду переписывать роман. Но звонок пришлось перенести на следующий день, потому что, когда я вернулся домой в половине двенадцатого, Эмма сообщила:

— Герман так помог нам вчера, да и вообще все эти годы, и я пригласила его и Фриду позавтракать в городе. Он сказал, что не хочет есть в ресторане, но ты же знаешь Фриду! Она всегда готова хорошо покушать на новом месте. Мы заедем за ними по дороге.

Наш маршрут в город проходил мимо того самого тупика, за которым дорожка спускалась к ферме Фенштермахера. Там нас ожидало ужасное зрелище: огромный бульдозер сносил тот самый амбар, с которого я спасал совсем недавно магические знаки.

Никто из нас не был шокирован тем, что разрушались деревянные части амбара, так как несколько поколений Фенштермахеров не ремонтировали их. Но когда бульдозер начал подступаться к каменным частям, к которым в свое время и подстраивались деревянные, Фрида закричала:

— Нет, нет! Оставьте хотя бы это! — Но огромная машина продолжила свою работу, разрушая стену, на ее глазах появились слезы. — Ну, зачем они ее трогают?!

Мое же внимание привлекло другое. За стеной — так, что его почти не было видно, — работал другой красный бульдозер, поменьше первого и гораздо проворнее. Им управлял сын Фенштермахеров Повидло. Он доводил до завершения работу большой, более неуклюжей машины, его задачей было сровнять все с землей. Глядя на него, я думал, что он-то как раз и представляет большинство тех, о ком я писал в «Каменных стенах». Такой дурачок, как он, не пойдет первым рушить камень. Он выберет для себя более легкую, «непыльную» работу. И вдруг, неожиданно даже для себя, я закричал:

— Нет! Остановись! Нет! — И выскочил из машины, так как бульдозер Повидло направился прямо к поваленной деревянной стене, на которой красовался красно-зеленый магический знак, прекрасно подходивший по размерам для одной из моих поделок. — Повидло, не трогай этот знак! Мне он нужен!

Он должен был услышать меня, ведь я был довольно близко, а то, что он видел, как я бегу и размахиваю руками, — это уж точно. Но он направил машину прямо к этому месту и раздробил на кусочки все, что еще можно было спасти.

За завтраком я молчал. В моем сознании бродили идеи, образы. Мне казалось, что этот только что увиденный мною пример оскорбления земли и всего, что есть на ней, как раз и был квинтэссенцией моей рукописи, и это во многом обусловило то, что я сказал миссис Мармелл по телефону:

— Я вчера всю ночь не спал, обдумывая наш разговор в Нью-Йорке. Мне кажется, что я вполне понял все, о чем говорили вы с мистером Макбейном, и могу вас заверить, что с болью воспринял все вами высказанное. Я думаю, что вы были абсолютно правы, когда сказали Макбейну: «Сюжет можно изменить с минимальными вмешательствами. И я, и мистер Йодер, мы знаем, как можно это сделать». Да. Все это можно сделать. Но было бы ошибкой даже попытаться. Мы оставим все как есть. — И, добавив несколько вежливых фраз, я повесил трубку.

Мои встречи в Нью-Йорке, мои размышления, когда я возвращался оттуда, и, наконец, мое твердое решение относительно рукописи помогли мне осознать, что я стал писателем-профессионалом. В этот вечер, когда я сидел, уставившись на печатную машинку, я думал: «Как странно! Я живу, словно в коконе, который оберегают три женщины: Эмма, миссис Мармелл и мисс Крейн. Я сижу в своем кабинете за пишущей машинкой и позволяю им принимать за меня все решения. И они превосходно справляются со всем этим, и я не сомневаюсь, что любой другой был бы доволен таким ведением дел».

Я живу в мире, который так стремительно меняется, что я за ним не поспеваю. Не люблю задумываться о том, как будут печататься и распространяться книги через двадцать лет. Эти мысли пугали меня. Взять, например, мою статью для одного из калифорнийских журналов. В Дрездене она была записана на флоппи-диск. По компьютерным сетям она попала в Лос-Анджелес, где ее отредактировали. Опять-таки через компьютер она оказалась в типографии в Пало-Альто, там ее и напечатали. Потрясающе!

Допустим, я печатаю на машинке букву «м», символизирующую некую идею, которой я сейчас увлечен. Мой секретарь вводит при помощи микропроцессора это на флоппи-диск — и вот это уже не просто буква «м», а часть некоей концепции — издательского процесса. По телефонной связи этот символ преодолевает весь континент и оказывается на экране компьютера где-нибудь в Южной Калифорнии, где редакторы это «причесывают» (так они это называют) и так же — по каналам телесвязи — направляют печатать в Северную Калифорнию.

Там типографский работник получает сигнал электроники: «В данном месте надо несколько акцентировать это «м». Неизвестно, какая гарнитура, какой кегль, какие пробелы будут использованы, какова будет длина строки, сколько строк будет на странице, но известно, что в этом месте будет стоять строчная «м», а не прописная «М», потому что для прописной «М» существует иной компьютерный пароль.

Потом типографский работник из Пало-Альто переводит калифорнийскую версию, что запечатлена на флоппи-диске, в свою печатную машину и добавляет целый пакет директив: какой должна быть гарнитура, какой шрифт (обычный, полужирный или курсив), каков будет пробел между строками и т.д. Машина примет эти директивы, уяснит их и выполнит — только тогда ее оставят в покое. Таков путь моего «м» до печатной страницы. Электронные сигналы помогают мне общаться с моими читателями.

Если вся моя книга в том виде, в котором она была задумана, полностью входит в память флоппи-диска, легко предположить, что можно разнообразить и формы распространения написанного. В самом деле, время идет, и, думаю, очень скоро отпадет необходимость в некоторых посредниках — и тогда оригинал на флоппи-диске (непостижимым для меня путем) попадет прямо на дом тому, кто в этом нуждается. Хотя мне, писателю, сегодня, в 90-х годах, трудно вообразить себе, в каком виде предстанет перед читателем книга в конце нынешнего века.

В раздумье смотрел я на свою молчащую машинку и чувствовал, что, может быть, я не вполне разбираюсь в этих технических чудесах, но твердо убежден в одном: независимо от того, как в будущем будет выглядеть книга, все равно для ее создания в первую очередь понадобятся мужчина или женщина, которые сумеют подобрать нужные слова, определят стиль повествования и смогут рассказать о чем-то так, чтобы вызвать читательский интерес.

Я получил удар по самолюбию в Нью-Йорке, но если я оттолкну от себя пишущую машинку, то не смогу принести многим людям утешение: писатель всегда будет нужен, чтобы объяснять людям, что действительно происходит и что все происходящее означает. «Стены» — настоящее серьезное произведение. И лет через десять люди непременно поймут это.

Ложась спать, я сказал Эмме:

— Вчера за ленчем я не сказал вам с Германом одну вещь, которую ты обязательно должна знать. Новости из Нью-Йорка свидетельствуют, что сегодня мы на три миллиона беднее, чем были на прошлой неделе. Что ты думаешь по этому поводу?

— Не чувствую разницы, — ответила она, — но уверена в одном: читатели не дураки. Эта книга им должна понравиться.

И с этой ободряющей мыслью мы отошли ко сну.

Последующие недели стали самыми важными в этом году. Каждое утро я вставал в семь, умывался холодной водой, причесывался, чистил зубы, выпивал большой стакан грейпфрутового сока и направлялся прямо к пишущей машинке, где работал без перерыва до половины первого — к этому времени я уже выдыхался.

Вопросы миссис Мармелл к каждым ста страницам моего текста занимали страниц пятнадцать—двадцать, напечатанных очень плотно. (Примерно в таком объеме она подавала замечания, когда только начинала сотрудничать в «Кинетик».) Мои страницы были стандартны — 26 строк. Первые 13 строк она пронумеровала по порядку, начиная сверху, 13 оставшихся строк нумеровались снизу к середине, причем эти строки метились (*). Ее постраничные замечания выглядели следующим образом (возьмем, к примеру, 37-ю страницу):

37 — 4 — существительное с глаголом не согласуется в числе;

37 — 11 — не могу понять, к чему относится местоимение «они»;

37 — 11* — на с. 19 дважды указано, что у Марион голубые глаза, почему же теперь они карие?

37 — 3* — мне очень нравится этот кусок, рекомендую напомнить об этом читателю в следующей главе.

Я часами просиживал над ее замечаниями, иногда соглашаясь с ними, но чаще не видя в них никакого смысла. Но с определенным типом замечаний я соглашался без колебаний:

49 — 11* — я поняла, чего вы хотите достичь этим абзацем. Думаю, вам это не очень удалось. Попробуйте переписать.

Иногда, оттачивая стиль, мне приходилось полностью переписывать все пять предложений абзаца, при этом я усмехался про себя и думал: вот бы послушать, что бы сказали те молодые люди, которые твердят: «Хочу быть писателем», когда им подсунут соображения миссис Мармелл по поводу их произведения?

Интенсивная работа изматывала меня умственно и физически, и к полудню я чувствовал себя полностью истощенным. Я откидывался на спинку стула, отодвигал рукопись и, сдерживая дрожь в руках, спускался в кухню. Включив радио, я слушал новости и наблюдал, как Эмма готовит обед. В отличие от американских семей с их полуденным ленчем, в немецких днем обедали. Занятым тяжелым физическим трудом фермерам-меннонитам в середине дня требовался не ленч, а полный обед.

Эмма несколько изменяла этим традициям, так как уже знала, что большой обед в середине дня с двумя стаканами молока и яблочным пирогом склонял меня ко сну. И она старалась готовить поменьше, но, когда в зимние месяцы в нашем распоряжении было мясо по-фенштермахерски, Эмма шла на уступки: три раза в неделю она подавала на стол тонкие ломтики этого кукурузно-мясного деликатеса. Но при этом она отказывала мне в десерте и утром, и в обед, подавая его только на ужин.

Заметив в тот день, что готовится свинина, я был несказанно рад:

— Я хорошо поработал сегодня утром и готов к хорошему обеду. Как вкусно пахнет.

Мы лакомились жареными кусочками мяса с кетчупом, когда она спросила меня:

— Что же еще было в Нью-Йорке? Ты поведал мне только плохие новости.

— Миссис Мармелл сказала...

— А она была когда-нибудь замужем? Почему миссис?

— Не знаю. В Нью-Йорке многие молодые женщины так себя называют.

— Как ты думаешь, сколько ей лет?

Она все продолжала и продолжала задавать вопросы, пока не составила для себя точную картину того, как прошли две мои нью-йоркские встречи. Но я умолчал о заказах на «Каменные стены» за границей и о переиздании моих предыдущих книг. Я предоставил ей самой позвонить в те конторы и получить известия из первых рук. Я уже понял, что подобные звонки дают ей почувствовать себя в эпицентре моих дел.

Но одна новость была особенно хороша, чтобы держать ее в секрете:

— Есть кое-что, что меня очень порадовало. Богатая кинокомпания хочет купить права на «Изгнанного». Обещают создать высокохудожественный фильм. Рад буду обсудить это, если они позвонят.

Я затронул один из щекотливых вопросов в нашей семье. Эмма была заинтересована одновременно и в моей карьере и в том, чтобы я хорошо себя чувствовал и не переутомлялся. Поэтому она настояла, что сама будет просматривать мою почту и отвечать на телефонные звонки, таким образом она была в курсе моих дел с «Кинетик» и мисс Крейн. Но в последнее время я стал замечать, что особое удовольствие ей доставляло отвечать так: «Он работает. Позвоните позже». Она упивалась этим чувством ответственности за меня и сопричастности к моей работе. Конечно, если я слышал, как она это делает, я попросту ставил телефон к себе в кабинет и снимал трубку сам. Это раздражало ее, и она ворчала:

— Я стараюсь сделать так, чтобы тебе не мешали. Они могут позвонить и попозже.

— Зачем заставлять людей звонить дважды?

— Ты занят больше, чем они. Кроме того, у них есть секретарши, они и занимаются звонками.

По поводу звонков миссис Мармелл у нас все-таки было достигнуто соглашение:

— Я хочу, чтобы ты меня всегда с ней соединяла.

Эмма кивала, но все-таки успевала задать моему редактору два-три вопроса, прежде чем передать трубку мне.

Каждый день после обеда я читал «Филадельфия инкуайер», а три раза в неделю, когда Эмма выезжала за покупками и привозила «Нью-Йорк таймс», я не без удовольствия просматривал колонки, посвященные книгоиздательству. Я гораздо больше узнавал о «Кинетик» из «Таймс», чем от миссис Мармелл. Последние новости не были утешительными. Продолжали ходить слухи о «Рокленд ойл», о той самой компании, которая владела и «Кинетик», кроме своего основного бизнеса по бензину и производству бумаги. Доходы от последнего были скромны, и они собирались от него отделаться. Претендентами на покупку были два иностранных консорциума, которых привлекла дешевизна предприятия.

Примерно через час после обеда я ложился поспать. Эту привычку я приобрел, разменяв пятый десяток лет, — к трем часам я уже начинал чувствовать усталость. Мой доктор посоветовал мне тогда: «Даже самый короткий сон снимет напряжение и улучшит ваше самочувствие».

— Странно, — сказал я Эмме, — в понедельник и вторник в Нью-Йорке я вообще не отдыхал. Все дни были наполнены встречами и разговорами. Но я совсем не чувствовал усталости.

— А сейчас ты выглядишь утомленным.

— Да, это так. Ответишь на звонки? Мне надо поспать.

Проснувшись, я не мог понять, где я. На мгновение мне показалось, что на дворе утро и я проспал. Вскочив с постели, я помчался в ванную, но, взглянув в окно, понял, который сейчас час.

Надев рабочую одежду, я направился не в кабинет,

а в мастерскую, примыкавшую к дому, которую я выстроил себе на гонорары от «Нечистой силы». Там стояла деревянная скамья, к спинке которой были прикреплены металлические крючки для различных инструментов. Черной краской я аккуратно нарисовал контуры каждого инструмента под соответствующим крючком, чтобы, закончив работу, легко убедиться, что все разложено по своим местам. То, что мой дом удобен, было и моей заслугой, так как я неплохо держал в руках не только авторучку.

Но в данный момент меня интересовали три магических знака с амбара Фенштермахеров, внимательно осмотрев которые я убедился, что каждый составит превосходное зрелище. На всех трех сохранилась краска, так что они предстали перед моими глазами точь-в-точь такими, какими они были в стародавние годы. Каждый из них имел различное предназначение, оберегал от разных бед.

Работа, которую я делал, разбита на три этапа. Первый — укрепить старое дерево, заполняя трещины специальным клеем, цвета я старался сохранить первоначальные, пусть и поблекшие от воздействия внешней среды, но мне не хотелось скрывать возраст знаков. Правда, в некоторых местах все-таки пришлось чуть-чуть обновить краску, но так, чтобы это не бросалось в глаза. Когда этот этап был завершен, мне предстояла другая, требующая серьезных художественных навыков, работа. Дерево, из которого была сделана основа, напоминало светлый дуб. Я приклеивал мои знаки, оставляя по краям поля. Затем брал самые яркие краски, которым всегда отдают предпочтение немцы Пенсильвании, — алый, ярко-синий, изумрудно-зеленый, ослепительно-желтый — и разрисовывал каемку, чередуя буквы и геометрические фигуры. Подобные узоры использовались в старину для оформления семейных документов. Этим искусством занимались бродячие художники в XVIII веке и довели его до очень высокого уровня. И я верил, что в своих работах возрождаю искусство своего народа.

Особенно хорошо выходили у меня большие готические буквы, которые я украшал символами живой природы — тюльпанами, птичками и геометрическим орнаментом. Под каждым из рисунков я на старонемецком выписывал название цветка или животного. Для этого я использовал трафареты, которые вырезал много лет назад.

С начала текущего, 1991 года я завершил работу с двадцатью одним знаком, и, когда я сделаю еще три, что заполучил у Фенштермахеров, окажется, что из моих рук их вышло ровным счетом две дюжины. Я никогда не оставлял их у себя, но постоянно обещал Эмме, что следующий уж точно будет специально для нее. Я дарил их друзьям, несколько продал ростокской почте, четыре самых лучших передал местным музеям, в том числе и Дойлстаунскому замку, где образцы германского искусства были представлены в изобилии. Моей работой заинтересовались еще два музея — не из местных. Но у меня было недостаточно знаков, чтобы снабжать еще и их. Я отказывался продавать мои работы, чтобы не отбирать хлеб у профессиональных художников. Я зарабатывал себе на хлеб писательским трудом. Поэтому если я и получал деньги за мои художества, как в случае с почтой, то весь доход отдавал Дрезденской библиотеке для приобретения книг по истории меннонитов и амишей.

Около пяти часов я покидал мастерскую, поднимался в кабинет и примерно полтора часа работал над рукописью. Заканчивал около семи, чтобы составить Эмме компанию за ужином. Снова слушал новости, потом шел прогуляться с собакой и около десяти был уже в постели.

Мне нравился мой образ жизни, образ жизни человека, который пишет книги и пытается сохранить традиции искусства своего народа. Я часто говорил Эмме:

— Когда в полдень спускаюсь из своего кабинета, я думаю: «Писать книги — это лучшее занятие в мире». Но когда я заканчиваю работу в мастерской, то меня посещают мысли, что именно эта работа приносит мне самое большое удовлетворение.

— Я часто чувствую то же самое, когда какой-нибудь пирог мне особо удается.

— Ну ты и сравнила!

Она немного обиделась:

— Хороший пирог не менее важен, чем твой знак.

И я извинялся:

— Эмма, я не это имел в виду. Я сравнивал два различных занятия: писание и рисование. А ты говорила о другом.

— Пойдем-ка лучше спать.

Глубоко погруженный в работу над своей рукописью и ежедневно беседуя по телефону с моими «ангелами», я неожиданно получил о себе известие извне. С утренней почтой в руках Эмма ворвалась в мой кабинет:

— Эй, мистер Знаменитость! Здесь о тебе статья с фотографией! — И она положила передо мной журнал, открытый на соответствующей странице. Там была моя цветная фотография.

Статья была не обо мне. В ней говорилось о радикальных изменениях в нью-йоркском книгоиздательстве, а написала ее молодая журналистка, на основе разных сплетен и слухов. Она взяла интервью и у миссис Мармелл, и у мисс Крейн, которые охарактеризовали меня как солидного маститого писателя. Услышав это, журналистка решила, что я подходящая фигура для ее статьи. Таким образом мне была предоставлена возможность узнать, что думают обо мне мои коллеги. И, конечно же, меня о готовящейся статье никто не предупредил.

Миссис Мармелл говорила обо мне следующее:

«Порой этот маленький немец напоминает мне

айсберг. Создается впечатление, что ему все равно, что будет с его книгой после публикации. Но интерес его сразу просыпается, как только дело касается того, как книга будет выглядеть. Он хочет видеть обложку, оформление, узнать размеры и тип бумаги. Но, даже если он разочарован, он никогда не устраивает скандалов. Самое большее, что он может сказать, это: «А вам-то самой это нравится?»

Я вспомнила о Йодере на прошлой неделе, когда один из наших авторов, работающий с другим редактором, назовем его Ренфорд, ворвался сюда с ругательствами. Я прервала этот поток, предупредив, что, если он не согласен с нашими требованиями, мы передадим его в «Саймон энд Шустер». И он заткнулся. Тут на меня напал хохот, ведь этот бык был ростом метр девяносто, а мой маленький немец (его рост — метр шестьдесят пять) никогда не повышает голоса. А ведь результаты продаж таковы: последней книги Ренфорда было продано сто восемьдесят экземпляров, а последнего романа Лукаса — около миллиона. И мне хотелось сказать этому крикуну, что он не заслужил даже права вот так вкатываться ко мне в кабинет.

Но я промолчала. И знаете почему? Йодер стареет, и никто не знает, кто будет нашим следующим лидером. Может статься, и этот верзила. В нашем деле предсказание — дело неблагодарное.

Я думаю, Йодер лукавит, делает вид, что ему все безразлично. Когда на прошлой неделе за ленчем я сказала ему, что, возможно, японо-израильская кинокомпания захочет снять фильм по его роману «Изгнанный», его глаза загорелись. Я была так счастлива, увидев, как он наконец дал волю своим эмоциям, что заорала во все горло. В ресторане даже все на нас обернулись. Но его это вовсе не смутило, он спокойно поднял свой бокал в ответ на тост, который нам предложили. И радостно улыбался в течение всей трапезы.

Позже он сказал мне: «Изгнанный» очень много

для меня значит. Если эта компания действительно хочет сделать хороший фильм, честный и правдивый во всех деталях, без дешевых шуток об амишах, не запрашивайте с них слишком много за права на экранизацию. Издательское дело цементируют такие люди, как мой маленький немец».

У мисс Крейн обо мне было несколько иное мнение: «Лукас Йодер — это особый разговор. Я никогда не обращаюсь к нему по имени. Когда-то я попробовала это, так он даже вздрогнул. Думаю, это потому, что он из меннонитов, а они чувствуют себя неловко, когда посторонняя женщина ведет себя в их присутствии так фамильярно. И он никогда не называет меня Хильдой, всегда — мисс Крейн. Не очень-то уютно, сидя напротив него, объяснять все то, что я сделала для него и его книг, а в ответ получать только молчаливые кивки. Но как-то однажды, когда я показала ему обложку немецкого варианта издания «Нечистой силы», он воскликнул: «Да, это настоящая обложка!» Когда я спросила, что его так привлекло, он ответил, что название они изобразили теми самыми готическими буквами, какие использовали в своих художествах немцы Пенсильвании. Он постоянно изумляет меня. Не позволяет публиковать отдельные главы из романов, то есть отказывается рекламировать свои произведения таким образом. Но он отвечает на все письма, какими бы бессмысленными они ни были. Когда же я попыталась объяснить ему, что это пустая трата времени и денег, он удивился: «Мисс Крейн, насколько я знаю, каждый, кто посылает мне письмо, купил хотя бы одну из моих книг или взял ее в библиотеке. Моя задача вдохновить его или ее прочесть и следующую».

Вас может заинтересовать, как я приобрела такого клиента. Его первая книга не имела успеха, от нее отказались один за другим два агента, позже они кусали себе локти, когда одна из последующих книг принесла Йодеру успех. Прочтя «Изгнанного», я поняла, что это великолепно. Я всегда хотела работать с писателем именно такого уровня. Через неделю я узнала, что его оставил очередной агент. Нет, я не назову его имени. Я сразу же позвонила Йодеру и сказала: «Мистер Йодер, вы — настоящий писатель. «Изгнанный» — великолепный роман. Я хочу стать вашим агентом. У вас великое будущее».

Следующий абзац принадлежал уже самой журналистке: «Ни редактор, ни агент мистера Йодера не пожелали говорить о его финансовых успехах, но знакомые с книгоиздательским бизнесом люди заверили меня, что Йодер приносит шестьдесят процентов прибыли агентству мисс Крейн. Она рассказала мне следующее: «Когда я звоню ему, чтобы обсудить дела, он сразу со всем соглашается — на это уходит максимум две минуты. Но он вовсе не прост. Потом он соединяет меня со своей женой, Эммой, и она часами допрашивает о всех подробностях дела. Могу сказать вам, что во внимании Эммы все: ферма, контракты на книги, банковские счета и сам Йодер, кстати. Вчера я сказала своему помощнику: «Твоя задача — не огорчать мистера Йодера, а еще лучше — миссис Йодер».

Меня не обидело то, что рассказали про меня мои «златокрылые ангелы». Но, раз уж они описали меня таким маленьким, смею высказаться, что ростом я не ниже миссис Мармелл и уж как минимум выше мисс Крейн.

Работа над книгой постепенно продвигалась к концу. Зимой еженедельно я твердил Эмме: «Книгу пока даже не сдали в печать. А еще предстоит считывать гранки. И надо отослать экземпляр для публикации в Германию. Не представляю, как они собираются уложиться в график». Она отвечала: «В издательстве полным-полно квалифицированных людей. Это их проблемы». А в конце апреля она вернулась с почты с объемистым пакетом, и в нем было доказательство того, что книга не стоит на месте. Это был макет обложки — зеленые луга и немецкий готический шрифт заглавия. Обложка показалась нам с Эммой идеальной: «Они все сделали верно. И с первой попытки. Просто чудо!»

Регулярные звонки от моих двух «ангелов» продолжались. Миссис Мармелл информировала меня о процессе редактирования и публикации, мисс Крейн — о финансовых делах. Сообщили, что над картами «Немецкой Пенсильвании», которые поместят в конец книги, работает известный Жан Поль Трембле, он пришлет свои эскизы через неделю. Были сделаны запросы в книжные магазины — сколько специальных пятидесятидолларовых экземпляров с автографами они готовы будут продать. Их ответы внушали большие надежды. Оказалось, что общая сумма таких экземпляров достигает двух тысяч.

Услышав эту новость, я не удержался:

— Я сказал вам, что подпишу только тысячу. Знаете ли вы, какая это работа?! Убийственная! Я просто не выдержу! Шутка ли — две тысячи!

— Хорошо, мы согласимся на одну тысячу, — смирилась миссис Мармелл. Однако спустя несколько дней она сообщила тревожные новости: — Кто-то из наших агентов, не спросив меня, пообещал большому книжному магазину в Сент-Луисе, что вы будете рады подписать специальное упакованное подарочное издание ценой семьдесят пять долларов. Мы подсчитали, что это будет еще около тысячи.

— Скажите им, что обещание аннулируется. Я не смогу подписать столько...

— Мистер Йодер, не знаю, как такое могло произойти, но это случилось, и заказы отменить нельзя.

— Это ваши проблемы, — отрезал я. — Я тут напрягаю свои мозги, чтобы довести эту рукопись до ума, переписывая целые абзацы. Поправки на каждой странице. А вы прерываете меня, чтобы поведать об ошибках одного из ваших агентов.

— Что-нибудь придумаем, — сказала она примиряюще.

— Я подпишу еще пятьсот. Но это все, — смягчился я.

— Спасибо, может, им этого будет достаточно.

Звонки мисс Крейн были иного характера — она вела дела так, словно книга уже в печати. И, когда Эмма передавала мне смысл ее звонков, меня била дрожь.

— Они думают, что если я представил рукопись в октябре 1990 года, то в октябре 1991-го — voilá — и книга готова! Имеет ли она представление о том, что я в поте лица тружусь в промежутке между этими двумя датами, сидя как пришитый за машинкой?

Это сравнение не было преувеличением, так как изо дня в день я сидел за своей машинкой в ужасно неудобном положении. Я пробовал подложить в кресло мягкие подушки, но, хотя это и слегка помогло, меня все время преследовало неприятное чувство, что они, подушки, заглатывают меня, что кресло было моим хозяином, а не я его, и я отказался от подушек. Я предпочитал жесткое сиденье, и, чтобы не затекали суставы, мне все время приходилось двигаться.

Когда мои «златокрылые ангелы» докладывали мне последние новости, они избегали упоминать о ходивших слухах, будто мой последний роман столь неудачен, что первоначальный план на издание был вновь сокращен. Один однокашник Эммы, с которым она училась в колледже, занятый в издательском бизнесе, сообщил по телефону, что дела мои очень плохи, но что мои постоянные читатели должны все же оценить роман. Мы жили словно под дамокловым мечом, и однажды Эмма не выдержала:

— Да, дела скверные — и это выпало на самое окончание твоей писательской карьеры, — но ведь у нас были и лучшие годы. Стоит ли жаловаться?

— А я и не собираюсь.

Приятной неожиданностью стал один из звонков мисс Крейн.

— Потрясающие новости! «Аргос филм» заплатил

за права на съемку «Изгнанного». Их представители прилетят в аэропорт «Эй-би-и». Можно ли им разрешить к вам приехать?

У меня совершенно не было времени на подобные вторжения. Книга забирала все мое внимание и энергию. Но я все-таки согласился, так как всегда старался угодить моим «ангелам». Они ведь были почти членами нашей семьи. К тому же я хотел познакомиться с людьми, которые собираются превратить мой лучший роман в кинокартину.

— Приглашайте. И передайте им, чтобы не брали в аэропорте машину. Мы их встретим сами.

Аэропорт «Эй-би-и» давал возможность воочию убедиться в том, что правительство иногда может сделать что-нибудь хорошее. Он принимал и современные реактивные самолеты, а расположен был очень удобно для жителей трех немецкоговорящих городов — Аллентауна, Бетлехема и Итона, он соединял «американскую Германию» с Америкой и всем миром. В апрельский вторник мы с Эммой ожидали там прибытия японского и израильского «киношников», намеревавшихся сделать фильм, о котором я всегда мечтал. Возможность снять фильм по «Нечистой силе» или по другим моим романам меня бы не так обрадовала. И, как я сказал Эмме, «Изгнанному» есть что сказать людям, и я хочу, чтобы он это сделал на экране.

Наших гостей мы узнали сразу — эти два человека, совершенно разные по происхождению, выглядели почти как близнецы: маленькие, полные, смуглые, с прыгающей походкой и желанием все увидеть и услышать — многолетней привычкой, которая внесла в их жизнь много приключений, в том числе и кино.

Представив свою жену, я сказал:

— Мы счастливы видеть вас. Приглашаем вас на ленч в одну из лучших гостиниц Дрездена. Там есть тихое помещение, где мы сможем поговорить.

— Отлично, — согласился израильтянин, — но мы

с мистером Сайто приехали, чтобы пригласить на ленч вас.

— Прекрасно, — откликнулась Эмма.

Наша машина направилась на юго-запад, и Эмма начала экскурсию по нашему краю:

— Это и есть Грензлер, о котором пишет мой муж. Наша ферма, уже не одно столетие принадлежащая нашей семье, — прямо к югу. Дрезден можно назвать столицей Грензлера. Это старый немецкий городок с сетью улиц и улочек. В центре то, что мы называем «Дер Плац», — городская площадь, на которой находится уютная старая гостиница со смешным названием «Дрезденский фарфор». Почему так — вы поймете, когда мы доберемся туда.

Она объяснила, что в Дрезден ведут две большие дороги: скоростная — она идет от аэропорта прямо в город, и другая, более скромная, Рейнская, проезжая по которой можно осмотреть наши окрестности. Мы поехали по Рейнской дороге, и наши гости имели возможность полюбоваться бегущими полями и пригорками дрезденского края. Больше всего им понравилась извилистая улица, ведущая к площади, на которой возвышался памятник воинам гражданской войны — величественное изваяние XIX века, — представлявшее собой четырех солдат, указывающих на четыре стороны света.

— А это «Дрезденский фарфор», — объявила Эмма, когда мы затормозили у элегантной белой гостиницы.

Гостиная была в пастельно-голубых тонах, по стенам ряд стеклянных шкафчиков, в которых выставлены мейсенские статуэтки. Среди них были и оригинальные произведения XVIII века, но большинство все же — подделки XIX века. Вид был настолько впечатляющим, что мистер Сайто, знаток японской керамики, сразу же пошел к ближайшему шкафчику и несколько минут изучал статуэтки, а затем подозвал своего израильского напарника:

— Взгляни! Яркий пример того, как делать не надо.

После того как израильтянин осмотрел фарфоровые изделия, они присоединились к нашему столику. Как только они уселись, мистер Сайто сказал:

— Удивительно! В этом шкафчике представлено все, чего бы мы всегда стремились избежать в нашей керамике. — И он показал на полочку с семью кричащими фарфоровыми фигурками, представляющими сцену при французском дворе в Версале в понимании немецкого скульптора: благородные дворянки, переодевшиеся пастушками, но слишком тучные и слишком пестрые. — Не люблю немецкую керамику. Предпочитаю изящную восточную посуду, особенно корейскую. То же могу сказать и о нашем фильме. Не хочу делать его неуклюже немецким. Хочу, чтобы он был изящным, хрупким, словно фарфоровая чашка.

Такое высказывание смутило меня, а Эмма использовала его, чтобы сделать японцу комплимент:

— Вы прекрасно говорите по-английски, мистер Сайто.

— Когда моя компания вышла на международный уровень, — начал объяснять японец, — я стал брать уроки у профессора из Оксфорда. По четырнадцать часов в день. Ничего, кроме английского. Таким образом я учусь. Мой оксфордский учитель говорит мне: «Не усложняй». Поэтому я и использую все глаголы в настоящем времени.

— Я тоже, — поддержал разговор израильтянин. — До семнадцати лет я разговаривал только на иврите. Затем пришлось учить английский — мальчиком на побегушках в отеле «Царь Давид» в Иерусалиме.

Такой серьезный подход этих людей к изучению иностранного языка, чтобы преуспеть в своем деле, убедил меня, что они действительно способны снять хороший фильм. И я сказал:

— Мы рады помочь вам во всем, в чем сможем.

Когда же Эмма спросила, сохранят ли они двух основных героев романа, объяснения нам дал израильтянин:

— Конечно. Думаем, что старшего брата хорошо сыграет Род Стайгер. У него очень подходящая внешность, тот же жесткий взгляд. А в роли младшего брата мы видим Максимилиана Шелла, у него за ординарной внешностью скрывается очень сильный характер. Помните, в фильме Лиллиан Хелман? Вы видели его? Тот самый, где Джей Робердс играет ее любовника, писателя?

Далее, в обсуждении событий в Ланкастере конца XIX века, у них враждовали уже не братья Столцфусы, а Стайгер и Шелл. Наш разговор был прерван служащим гостиницы, который сообщил израильтянину, что в комнате № 217 все готово.

— У нас с собой два фильма, которые мы хотели бы вам показать, — объяснил мистер Сайто. — Вы поймете, как мы работаем.

Служащий гостиницы провел нас в номер, где было уже все готово для просмотра.

— Первый фильм «Барри Линдон», — сказал израильтянин, — снятый в 1975-м по роману Уильяма Теккерея. «Ярмарку тщеславия» может сделать каждый. Несложные характеры. Но посмотрите, что делает Стэнли Кубрик. Это очень тонко.

— Мы не станем показывать вам весь фильм целиком — это бы заняло два часа, — добавил мистер Сайто. — Но он стоит того, чтобы его посмотрели.

Через минуту мы перенеслись в Англию XIX века, населенную живыми типами, их характеры постепенно развивались, и они не навевали скуку, как в типичных «костюмных» фильмах. Ни я, ни Эмма не слыхали ни о романе, ни о кинофильме. Но мы были очарованы сразу. И, когда через сорок минут мистер Сайто остановил кассету, я сказал:

— Представляю себе свой роман, сделанный по таким канонам.

Наши гости ответили, что подобной реакции они и ждали.

— Следующая картина, — заметил мистер Сайто, —

доказывает, что фильмы вообще можно снимать без костюмов.

Это была приключенческая лента «Комната с видом», снятая в 1985 году компанией «Мерчант-Айвори». Она была поставлена по роману Форстера, но сильно от него отличалась, и здесь не было никаких акцентов на костюмах персонажей и месте действия. Флорентийские и английские пейзажи придавали некую окраску сюжету, в центре которого — обычные люди в обычных ситуациях. Фильм настолько нам понравился, что мы были даже огорчены, когда его демонстрацию прервали на середине.

— Сделаем не хуже этих, — заверил нас мистер Сайто.

Эмма захотела узнать, принес ли фильм прибыль, и наши гости ответили почти хором:

— «Линдон» провалился. — Но при этом израильтянин заверил, что с их фильмом этого не произойдет.

Взглянув на часы, мистер Сайто спросил:

— А что, если мы сейчас же вместе отправимся на амишские земли? И ехать надо немедленно, иначе скоро стемнеет.

Но он же и задержал нас, потому что ему надо было вернуться в свой номер за фотоаппаратами.

— Если мы будем снимать фильм, нужно пофотографировать местность.

— Нет проблем, — заметила Эмма, — мы поедем прямо в мои родные края. Вот вам карта. — И несколько позже добавила: — Два брата в «Изгнанном» — мои предки. — И, когда мистер Сайто уставился на нее, она объяснила: — Младший — это мой дедушка.

Не успели наши гости отреагировать на это потрясающее открытие, как мистер Сайто закричал:

— Стоп!

И мы оказались перед типичным американским указателем: «Вы находитесь в округе Ланкастер. Здесь самые богатые фермерские хозяйства Америки».

«Никон» щелкал с сумасшедшей скоростью словно

заведенный под проворными руками мистера Сайто. Ко всему прочему в пленке было не тридцать шесть, а семьдесят два кадра. Отсняв цветную пленку, он вставил черно-белую и продолжил фотографировать окрестные пейзажи, где будет работать его команда в 1991—1992 годах.

Когда мы продолжили поездку, он уже стал несколько более разборчив в выборе кадров для фото. Он собирался показать эти снимки тем, кто займется фильмом. Властным тоном он приказывал: «Здесь!» — и выпрыгивал, щелкая фотоаппаратом как сумасшедший. К тому моменту, когда начало темнеть, он уже отснял четыре цветные и три черно-белые пленки, то есть около шестисот кадров.

Мы с Эммой были поражены его высшей степенью деликатности: у каждого амиша, которого мистер Сайто встречал по дороге, он всегда спрашивал разрешения, чтобы сфотографировать его. Однако он прятался за деревья, когда снимал конные повозки, тащившиеся по дороге с бородатыми, одетыми во все черное, путешественниками. Да и израильтянин оказался тоже очень вежливым.

Эмма была настолько очарована джентльменским поведением наших гостей, что предложила:

— Вы знаете, ферма, где жили братья, — старая ферма Столцфусов — все еще существует. Хотите посмотреть ее? Конечно, она несколько перестроена, но основная часть сохранилась в первозданном виде.

Мистер Сайто даже выпрыгнул из машины, думая, что ферма где-то рядом, но Эмма остановила его и, свернув на боковую дорогу, привезла нас прямо к месту, где происходила схватка двух братьев. Мистер Сайто, оставшись в машине, чтобы получше обозреть местность, сказал:

— Дело не в подтяжках. А в шкале ценностей, в которые они верили. — Откинувшись к спинке своего сиденья и осматривая пейзажи, продолжал он спокойно: — Я уже все это вижу на экране. Эта природа

95

вдохновляет меня. Никогда я не представлял все так ясно... холмы... ручей... амбары. Полюбуемся всем этим, пока совсем не стемнело.

Наши гости выскользнули из машины и начали снова щелкать фотоаппаратами, стараясь найти лучший ракурс фермы Столцфусов, где развернулись когда-то драматические события. Подойдя ко мне, мистер Сайто перестал снимать, удивленный огромными просторами, простиравшимися вокруг.

— Так много земли и так мало людей.

И мне было понятно, о чем он думает, приехав из своей перенаселенной страны.

Затем, к моему удивлению, он взял израильтянина под руку, и они уверенно направились к дому фермера, перекинулись несколькими словами с владельцами, и, очевидно, им было сказано, что здесь фотографировать нельзя. Вернувшись к нам, израильтянин попросил Эмму подойти и с помощью своего платка и платка японца соорудил то, что с расстояния напоминало бы белый капор немецкой женщины. Этот убор сделал Эмму похожей на ее предков — и они стали фотографировать, как Эмма двигалась на фоне построек и амбаров. Я смотрел на нее, и так, на расстоянии, мне она представлялась частичкой тех феодальных времен.

Мы вернулись в гостиницу, когда уже стемнело, поужинали и поднялись в двести семнадцатую комнату, где провели около двух часов, досматривая фильмы. Увидев все это сразу же после реальных пейзажей «Изгнанного», мы могли представить себе, что можно сделать с историей об амишах.

— Я преклоняюсь перед красотой ваших земель, — сказал мистер Сайто после окончания просмотра. — Я понял всю драму ваших предков, когда читал книгу в Японии. Но я и не представлял, что земля, за которую они боролись, так удивительно красива.

Я вынужден был вмешаться:

— Я писал роман и могу заверить вас, что они

воевали не из-за земли, а из-за религии. Но звала Амоса вернуться и просить о прощении, конечно, земля.

Обернувшись к своему партнеру, мистер Сайто торжественно произнес:

— Мы снимем этот фильм как оду земле, потому что земля, которую мы сегодня видели, — это настоящая поэма. — И, уже когда мы подходили к машине, он предупредил: — Не беспокойтесь из-за нас завтра утром. Мы наймем машину в гостинице и сами поедем в аэропорт. — Целуя Эмме руку, он заключил: — Вам не придется краснеть за наш фильм.

Мы ехали домой, желая, чтобы все эти предсказания сбылись, так как насладились обществом двух людей, понимающих прекрасное.

В последующие недели в «Эй-би-и» прилетали различные группы незнакомых людей, которые арендовали машины и Рейнской дорогой направлялись к нам. Зачем всем им нужно было брать у меня интервью, если, по слухам, мой роман провалился? Потому что и миссис Мармелл, и мисс Крейн, готовые защитить как мои, так и свои собственные интересы, просили всех друзей о помощи, расхваливали в письмах мой роман и использовали все возможные и невозможные способы, чтобы опровергнуть дурные слухи.

Они предлагали журналистам приехать в Дрезден, чтобы те воочию убедились, что я жив и здоров. Некоторых направляла миссис Мармелл, других — мисс Крейн, но обе предварительно договаривались с Эммой, которая до хрипоты объясняла всем, как выехать из аэропорта и куда завернуть, чтобы попасть на Рейнскую дорогу.

— Если вы заблудитесь, спросите любого. Все знают нашу ферму, — заканчивала она.

Репортеры немецкого телевидения наняли бригаду из трех человек в Нью-Йорке и привезли их в Дрезден для процедуры, которая, как всегда клянутся журналисты, «займет не более сорока минут».

— Пятнадцать минут установка, полчаса снимаем и исчезаем.

Но, узнав, что у меня есть мастерская и что я там рисую, они провели два часа, выбирая нужный ракурс и освещение. Съемка и пересъемка заняли еще полтора часа. Каждую сцену приходилось снимать дважды, чтобы направлять камеру то на меня, то на журналиста, чтобы получился диалог. И мой привычный распорядок дня был окончательно нарушен.

Эмма сначала возражала, когда переставляли мебель, но в конце концов смирилась, предложила им напитки и почти стала членом их команды, беседуя, словно старая знакомая, об их семьях и заинтересованно рассматривая фотографии детей.

Когда они часов в пять спросили нас, не согласимся ли мы пообедать с ними, я собрался отказаться, но Эмме так хотелось побыть с ними и поболтать, что я вынужден был (боюсь, с кислой миной) согласиться. Мы поехали в уже знакомую «фарфоровую гостиницу», которая произвела на всех такое впечатление, что меня снова начали фотографировать на фоне статуэток.

Когда мы ехали домой, я ворчал:

— Сколько времени уходит на пустяки!

— У нас так много читателей в Германии, — напомнила мне Эмма.

Так как у нас было достаточно читателей и в Великобритании, прилетела группа из Би-би-си, и еще один день был потерян. Но мужчины так восторгались Эммой, что она опять настояла, чтобы мы пообедали вместе. И мы вели разговоры о принцессе Диане и новом фильме о Кристине Килер. Я предполагал, что подобные интервью помогут в распространении моей книги за границей, но полной уверенности в этом не было. Когда наши гости, возвратившись домой, писали письма, где благодарили нас за гостеприимство, они всегда обращались к Эмме, а не ко мне. Еще хотело приехать и японское телевидение, без сомнения, с подачи мистера Сайто, но Эмма вынуждена была отказать им из-за своих собственных планов, которые надо было выполнить обязательно.

Каждую весну выпускницы Брайн Мауер собирались в колледже, где встречались со своими старыми подругами, вспоминали прошлое и жертвовали деньги в пользу их любимой школы. Уже много лет Эмма пропускала такие встречи. Сначала потому, что у нее не было денег, а потом — потому что она была слишком занята моими делами. В первые годы она представляла себе, как ее подружки спрашивали друг у друга: «Что случилось с этой Столцфус — эта девочка, кажется, из амишей?» И кто-нибудь отвечал: «Она преподает в школе где-то в небольшом городке». Эмма представляла себе их снисходительные улыбки, так как они повыходили замуж за директоров компаний да заведующих кафедрами в университетах.

Этой весной была сорок пятая годовщина, как Эмма окончила колледж, и она дала знать, что приедет с мужем. Она не сказала с «моим знаменитым мужем», но дала это почувствовать, ведь так было на самом деле. Эмма знала, что ее соученицы будут выпрашивать автографы.

Перед встречей она сделала секретный звонок из автомата мисс Крейн:

— Это Эмма Йодер. Скажите, в этом году мы заработаем большие деньги?

— Не так много, как мы предполагали, но больше того, что вы можете потратить.

— Я знаю, как я их потрачу.

Брайн Мауер находился всего в тридцати милях к югу от нашей фермы, поэтому мы выехали только в пять, чтобы успеть к торжественному обеду, предшествующему празднеству. Эмму помнили только несколько учениц, но многие узнали меня по фотографиям с обложек моих книг. И вскоре все уже знали, что приехала Эмма Столцфус.

Перед тем как все уселись за стол, многие женщины столпились вокруг Эммы, чтобы поздравить ее и попросить мой автограф. Некоторые спрашивали, есть ли у нас дети. В этих случаях Эмма показывала на книги. Пиком празднества оказалось неожиданное выступление президента колледжа, энергичной молодой женщины, которая поднялась из-за стола и торжественно провозгласила:

— Выпуску 1945 года есть чем гордиться. Наш казначей сообщил мне, что они сделали вклад в фонд нашего колледжа в размере одного миллиона ста семидесяти восьми тысяч долларов.

У зала дух захватило от этой потрясающей информации, и восторги стали еще внятнее, когда она объяснила:

— Это стало возможным благодаря Эмме Столцфус, передавшей мне чек на сумму в один миллион долларов.

Больше всех других потрясен был я. Под грохот аплодисментов я шепнул Эмме:

— Где ты взяла такие деньги?

— Это твои деньги, — ответила она. — Я в первый раз в жизни выплатила себе зарплату.

Когда этим вечером мы возвращались домой, Эмма, сидевшая за рулем, сказала:

— Прекрасная была встреча. Лучше и представить нельзя. Так чудесно снова увидеть своих девочек!

— *Девочек?* Это вполне зрелые женщины!

— Для меня они навсегда останутся девятнадцатилетними... Мне кажется, они были рады, что я приезжала.

— Ты купила свой приезд.

— Да. Купила. На деньги, которые я помогла тебе заработать. Сорок пять лет назад, когда я начала преподавать в Саудертоне, я строила планы на этот вечер. Грандиозные планы. Мне не хотелось приезжать туда с пустыми руками. И я сделала то, о чем мечтала.

Не успели мы отпраздновать триумфальный приезд Эммы в Брайн Мауер, как позвонила миссис Мармелл:

— Эмма, я не имею права это обсуждать, но мистер Макбейн и с ним еще два человека собираются к вам завтра. Им нужно поговорить с Лукасом. Я объяснила им, как к вам проехать. Пожалуйста, будьте дома.

— Скажите мне только одну вещь: они юристы? Это обвинение в плагиате или что-то в этом роде?

— Нет, по-моему. Проблемы не у Лукаса, а у нас. — И она повесила трубку, обеспечив Эмму тревогой на весь остаток дня.

В нашей семье существовало два приема на случай возникновения проблем. Первое — встречать трудности лицом к лицу и стараться их преодолеть. Второе — проанализировать ситуацию сразу, чтобы не быть застигнутым врасплох. Девять лет назад, когда у Эммы было подозрение на рак, она поехала в больницу на обследование. Выяснили, что у нее действительно была опухоль, к счастью, доброкачественная. Но все равно нужно было ее удалить. В ситуации менее серьезной — возможности провала книги — мы старались предугадать, какова будет наша реакция. Мы всегда стремились любую ситуацию держать под контролем, дабы избежать паники и истерик.

За обедом и ужином мы пытались догадаться, что означают слова миссис Мармелл: «Проблемы не у Лукаса, а у нас». И решили в конце концов, что все дело в статье в «Нью-Йорк таймс», где обсуждалась возможная продажа «Кинетик». Весь вечер мы обдумывали, что будем делать, если эта злосчастная продажа состоится.

Во вторник утром, раньше, чем мы ожидали, приехал мистер Макбейн с двумя джентльменами в синих костюмах. Эмма, разглядывая незнакомцев из окна, шепнула мне:

— Они выглядят как федеральные агенты. — И она, волнуясь, открыла дверь.

Джентльмены держались натянуто и отстраненно.

— Это мистер Шульц из Сент-Луиса, представитель одного из самых больших книжных магазинов Америки. А это мистер Фрегоси. — Когда все трое уселись, мистер Макбейн прямо приступил к делу: — Мы находимся в очень сложной ситуации — по-другому это и не назовешь. Мистер Шульц, покажите, пожалуйста.

Мистер Шульц развернул афишу, которая сообщала покупателям, что магазин «Ингленук» собирается предложить своим постоянным клиентам редкую возможность получить последнюю книгу Лукаса Йодера с автографом и в упаковке за сумму всего семьдесят пять долларов.

— Оформлено хорошо, — одобрил я, передавая афишу обратно, — но цена слишком велика. — И про себя добавил: «Особенно для книги, которая должна провалиться».

— Смотря как на это посмотреть, — возразил Макбейн. — Короче говоря, мы приехали сюда обсудить проблему *автографов*. И юристы «Ингленука», и наши из «Кинетик» уверяют, что если мы собираемся посылать эти книги по почте, то необходимо оформить контракт с автором. Если «Ингленук» не выполнит того, что пообещал, и даже если при этом он возвращает деньги покупателям, его все равно имеют право обвинить в мошенничестве.

— Как такое вообще могло произойти? — стараясь сохранить спокойствие, спросил я. — Со мной даже и не посоветовались. Поэтому я не считаю себя здесь кому-либо обязанным.

Когда все уставились на Макбейна, он вынужден был признаться:

— Пытаясь каким-то образом спасти книгу от

предварительной неблагоприятной рекламы, мы обратились в крупные книжные магазины, чтобы они сделали все возможное для «проталкивания» ее на рынке. Наш человек в Сент-Луисе понял все буквально и обратился к мистеру Шульцу с просьбой предложить их клиентам специальные экземпляры книги с автографом автора и уверил его, что автор будет этому несказанно рад.

Все мрачно смотрели друг на друга и молчали. После паузы мистер Макбейн продолжил:

— Мы должны оценить трудность ситуации. Тот человек, который в «Кинетик» отвечает за распространение и продажу, имеет все права говорить за своих работодателей, то есть за весь «Кинетик пресс». Соответственно все обвинения падут на «Кинетик», а не на «Ингленук». Я правильно понимаю, Теодор?

— Абсолютно верно. И это не потому, что я хочу свалить это все на вас, мистер Макбейн, а потому, что обстоятельства вынуждают меня так поступить. Нашей вины здесь нет.

— А сейчас мы подходим к самой неприятной части. У агента, который все это затеял, не только есть все права выступать от нашего имени. Он выступает и от вашего, мистер Йодер. Вас действительно могут заставить подписывать все эти книги, которые были заказаны по почте.

У меня перехватило дыхание:

— И все из-за того, что у вашего агента длинный язык?

— Да.

— Вы его уже уволили? — спросила Эмма.

— Еше нет, но могу это сделать.

Вмешался мистер Шульц:

— Мы все должны понять, что обязаны выполнить обещанное, так как предложения уже разосланы *по почте*, и наши клиенты прислали нам свои чеки.

— И я повязан по рукам и ногам? — спросил я.

Когда оба, мистер Макбейн и мистер Шульц, кивнули, вмешалась Эмма:

— Да, но вы не сказали, какое количество книг уже заказано.

Ответ мистера Шульца мгновенно изменил наше настроение:

— Так как миссис Мармелл послала нам экземпляр вашей рукописи, что она редко делает, наши ведущие агенты и я прочли ваш роман, мистер Йодер, и считаем его таким сенсационным, что читатели, возможно, будут безумствовать. Нам придется увеличить количество предложенных экземпляров. Все, кому довелось прочесть вашу рукопись, говорят, что это лучший роман Йодера. Все они уже заказали себе эти элитные экземпляры с автографами за семьдесят пять долларов.

Слезы не навернулись мне на глаза, но я глубоко вздохнул.

— И как много уже заказов?

— Девять тысяч.

— В это трудно поверить.

— Мистер Йодер, читатели высоко ценят ваши книги. И прошел слух, что это, возможно, последний ваш роман. Каждый хочет иметь такую книгу. А девять тысяч человек не только хотят иметь экземпляр с вашим автографом, но уже и заплатили за него.

— Но это займет, возможно, недели! Подписать такое количество книг! — Конечно, я был ободрен доверием моих читателей, но количество работы, которая на меня свалилась, меня просто испугало.

Напряженную тишину, последовавшую за этими словами, прервала Эмма, которая любила ясность во всех вопросах:

— И о каких же цифрах мы говорим?

— Девять тысяч экземпляров по семьдесят пять долларов, что составляет шестьсот семьдесят пять тысяч долларов. Мы и не мечтали о такой сумме.

— А вы уверены, что найдется столько сумасшедших, готовые выложить такие деньги за обычную книжку?

— Это не обычная книжка, миссис Йодер. Это, возможно, лучший роман вашего мужа и, наверное, последний. Тысячи людей любят его произведения. Я сомневаюсь, что число заказов остановится на девяти тысячах, так как читатели воспринимают эту книгу как прощальный жест.

— И ваша реклама это подчеркнула.

— Продажа книг — дело непростое. Приходится искать сенсации.

Но Эмму не интересовали его объяснения, где и как они отыскивают эти *сенсации*. Она повернулась к Макбейну и спросила:

— Если мы согласимся с этими цифрами, что они будут означать для нас?

— Нам лучше выйти в другую комнату, — ответил президент «Кинетик». — Наши подсчеты лучше держать в секрете.

Когда мы уединились с Макбейном, он спросил меня:

— Вы, конечно, знаете все пункты вашего контракта?

И был изумлен ответом Эммы:

— Нет, он никогда не интересуется подобными вещами.

— Но вы его подписали. Он у меня в сейфе.

— Да, — согласился я, но Эмма перебила:

— Он никогда не беспокоится по поводу цифр и никогда их не помнит.

— Где ваша копия контракта? — спросил он, и я ответил:

— Не знаю, где-то в столе.

— Вы храните его, миссис Йодер? — повернувшись к Эмме, спросил Макбейн.

— Нет, муж не позволяет мне, говорит, что от них все равно никакой пользы.

— Для вашего сведения, контракт на вашу последнюю книгу аналогичен предыдущим. Десять процентов от первых пятидесяти тысяч экземпляров и пятнадцать процентов, если количество копий перевалит за эту цифру. Но в этом контракте одна небольшая поправка: семнадцать процентов после пятисот тысяч. Соответственно, вы можете получить сто восемь тысяч долларов.

— Имея такой неудачный старт, мы никогда не доберемся до подобного объема.

— Из того, что мы видим, мы не только доберемся, но и перекроем эту цифру. То же, что и Шульц, говорят нам и другие. И, если ваш муж выполнит возложенные на него обязательства, это пойдет ему на пользу.

— Или попадет в тюрьму, если откажется? — спросила Эмма, но Макбейн успокоил ее:

— Наши юристы сказали, что, так как наш агент, который заварил всю эту кашу, одновременно считался и вашим агентом, есть вероятность, что, так как вы ничего не знали о договоре, вы будете освобождены от ответственности. Но полной гарантии нет.

Когда мы вернулись в гостиную, пришло время заговорить и мистеру Фрегоси. У него был мягкий голос, внушающий доверие:

— Положение не из приятных. Но есть один момент. — Он протянул мне копию рекламного письма, где слово «автограф» было подчеркнуто. — Написано «*автограф*» достаточно четко, но не написано «*личный автограф*». Исходя из этого, мы можем найти выход из ситуации.

Вынув из дипломата несколько листков бумаги, он раздал их: погашенные чеки, дипломы, долговые обязательства, подписанные копии приказов и полдюжины других важных документов. После того как мы их изучили, мистер Фрегоси объявил:

— Мы все знаем, что иногда мэры, президенты корпораций, деканы университетов просто не в состоянии подписать все документы, особенно чеки. Уже довольно давно несколько светлых голов изобрели машины, которые дают возможность подписывать до пятидесяти документов за раз. На бумагах, которые вы держите в руках, — пример того, как работают эти машины. Мы берем личную подпись человека и при помощи нашей машины воспроизводим ее тысячу раз, если это необходимо.

И не успели мы выразить свое удивление, как он снова раздал нам бумаги, все подписанные неким Т.Уэлфордом. И каждая подпись чуть-чуть отличалась от другой. Различия были едва уловимы, и казалось, что все семнадцать подписей являются действительно личными автографами.

— Вот что делают наши ребята: берут одну подпись и с помощью лазера варьируют ее написание в четыре сотни различных подписей — где чуть изменен наклон, где удлинены буквы.

Пока Эмма рассматривала документы, мистер Фрегоси продолжал:

— Теперь вы видите, что, если мистер Йодер даст мне десять вариантов своей подписи — обычные подписи, где последняя буква, например, чуть мельче, чем в другом варианте, — я могу превратить их в четыре сотни различных вариантов его же собственного автографа.

До того как я успел запротестовать, мистер Фрегоси добавил:

— Здесь нет никакого обмана. Этот трюк с машиной считается вполне законным. И слава Богу, мистер Шульц, что вы не написали *«личный автограф»*. — Обращаясь прямо ко мне, он продолжал: — Если вы согласны, мы все будем спасены, и совершенно легально. Особенно вы, мистер Йодер.

— Это все обман, — вмешалась Эмма. — И я не позволю Лукасу быть в нем замешанным.

— Альтернатива этому, — парировал мистер Макбейн холодно, — сидеть и подписывать девять тысяч книг, а может быть, и десять к тому времени.

Чтобы снять напряжение, заговорил Шульц:

— Давайте лучше выберемся из дому и вместе пообедаем где-нибудь.

— Миссис Мармелл посоветовала мне великолепный ресторан в Дрездене, — оживился мистер Макбейн.

Все поднялись и направились к машине наших гостей. Я же, задержавшись на несколько минут и не объяснив причину, присоединился к остальным.

Нашим гостям очень понравился «Дрезденский фарфор». И добрую часть нашего пребывания там они провели, рассматривая мейсенские статуэтки. Но сам обед проходил довольно нервно. Все ждали моего решения. Я наблюдал за их реакцией.

— То, что вы мне предложили в качестве выхода из ситуации, — явно безнравственно. Мы подсунем людям подделку.

Наши гости украдкой переглянулись, но тут же успокоились, когда услышали от меня:

— Однако я не вижу другого выхода, как только согласиться на ваше предложение и молиться, что вся эта операция легальна. — С этими словами я вынул из кармана незапечатанный конверт. — Но по совести я не могу принять и пенни гонорара от этих книг. Здесь чек, подписанный сегодняшним числом. Я хочу, чтобы мистер Макбейн послал его президенту Мекленбергского колледжа с указанием: «В фонд библиотеки колледжа». Хочу избавиться от этих денег заблаговременно.

Наша трапеза закончилась не на самой лучшей ноте. И, забросив нас домой, наши гости поспешили в аэропорт.

Когда уже прошла большая часть июня, я начал подозревать, что так и не смогу дальше заниматься правкой романа, так как огромную часть времени у меня начала забирать читка гранок. Но я без устали работал и иногда даже удивлялся, как хорошо идут дела. Но меня расстраивало, что очень много времени приходилось возиться с каждым замечанием. Я работал очень аккуратно, так как знал, что это последняя возможность усовершенствовать рукопись. Меня забавляло, что бытует мнение, будто писательское творчество — результат вдохновения, данного свыше. Это же дьявольски тяжелый труд!

Мою июньскую работу сначала прервала миссис Мармелл, когда позвонила, чтобы сообщить, что у Шульца уже одиннадцать тысяч заказов по семьдесят пять долларов, что постоянно поступают новые заказы из книжных магазинов и что о моих художествах с магическими знаками прослышали в Си-би-эс. Они предупредили, что собираются снять обо мне сюжет для пятничного выпуска телешоу «До́ма».

— Это приличное шоу? — поинтересовался я.

— Мистер Йодер, это чудесная передача. Вы что, никогда не смотрите телевизор?

— Только с девяти вечера, если показывают старые фильмы.

— Они собираются приехать к вам. Все съемки будут у вас дома. Эмму тоже снимут, как вашу супругу и главную помощницу. Скажите, что согласны, и я передам им ваш ответ.

Си-би-эс позвонила нам из Нью-Йорка, чтобы сообщить, что нас должны показывать в пятницу в восемь тридцать утра. Я ответил, что буду работать вплоть до четверга, а в пятницу утром буду готов для съемок. Но мои планы были нарушены, так как в среду утром к ферме подъехал огромный фургон — телевизионщики хотели подготовить свет для предстоящих съемок. Прибыли четыре электрика. И когда Эмма возмутилась, почему они разъединяют наши провода, они ответили, что это необходимо, чтобы избежать замыканий во время шоу. Черные провода словно змеи расползлись по нашему дому. Телефон был разъединен. Зато три различных провода соединили нас прямо со студией в Нью-Йорке.

До наступления сумерек подъехал и второй фургон. Он был еще больше первого, типа тех, какие мы обычно видим на важных футбольных матчах. Он уткнулся в забор. Эмма закричала:

— Эй, а это что такое?

Водитель ответил:

— Мы называем это командным постом. Все приводится в действие отсюда.

С наступлением ночи к нам еще подъехала и полицейская машина из Дрезденского отделения полиции, чтобы все эти грузовики охранять.

Около десяти часов утра в четверг прибыли три кинокамеры из Филадельфии, которые были установлены близ двух грузовиков и шести легковых машин. Однако режиссер и группа еще не приехали. Они прилетели около двенадцати, сразу принялись осматривать дом и спорить о положении камер.

— Все будет состоять из трех частей. Первая — мистер и миссис Йодер в их гостиной с немецкими декорациями. Перекличка с Нью-Йорком. Затем, конечно, мы видим его за письменным столом. Ведь он прежде всего — писатель. Опять диалог с Нью-Йорком. А затем сюрприз. Мы переключаемся на мастерскую, откуда мистер Йодер рассказывает Нью-Йорку о своих магических знаках и о том, как он с ними работает.— Когда эта программа была согласована, режиссер заключила: — В общем, нам понадобится три камеры. Первая — вход и гостиная; вторая — кабинет, второй этаж; третья — мастерская и двор. Все очень просто. И я хочу еще снять снаружи: супруги Йодеры приглашают нас к себе в дом. У нас должно быть действие. Никакой статики. Никаких неподвижных «говорящих голов». Но как же нам сделать, чтобы одна камера оказалась снаружи в момент приглашения и в то же время еще три находились в доме?

В конце концов было решено, что камера, предназначенная для съемок в мастерской, сначала будет установлена около входа, а затем ее быстро перенесут, чтобы отснять последний кусок. Человек с камерой должен обходить дом задами. И ему необходим еще проводник, который поможет пробраться через все провода и кусты, чтобы он в них не запутался.

В двенадцать тридцать в четверг появились официанты из «Дрезденского фарфора», нагруженные коробками с завтраками и прохладительными напитками. Команда жадно все это заглатывала, пока мы с Эммой сидели на кухне с режиссером и ее помощником.

— Мы готовимся к съемке каждый четверг, а в пятницу передача идет в прямом эфире. Вечером мы уезжаем, а в среду все начинается сначала, а если объект под рукой, то в четверг утром.

— А куда вы собираетесь на следующей неделе? — спросила Эмма.

— Куда, Фрэнк?

— В Сиэтл. К знаменитому специалисту по костям с улыбкой на все тридцать шесть зубов. Говорит с итальянским акцентом.

После ленча режиссер снова обошла все точки, да не один-два раза, а раз шесть или семь, так как все действия, которые должны происходить вокруг нас с Эммой, должны быть скоординированы, отлажены, и, хотя мне не надо было зубрить текст, необходимо было исхитриться не запутаться в проводах, что у меня никак не получалось. В конце концов режиссер вынуждена была предупредить:

— Мистер Йодер, вы должны не прогуливаться из гостиной в кабинет и в мастерскую, а наметить себе строго определенный маршрут.

И, когда в конце концов мне так и не удались эти маневры, она уже спокойнее заметила:

— У нас такое случается. Значит, как только мы отснимем первую сцену, Фрэнк сразу же берет вас за руку, переводит на другое место и быстро исчезает, чтобы не попасть в камеру.

— Так будет лучше, — согласился я, но этим вечером, когда все, за исключением полицейских, ушли, я попросил Эмму:

— Не хочу показаться дураком перед всеми этими людьми, которые будут смотреть передачу. Возьми меня за руку и проведи снова по этому лабиринту.

Когда она повторила это пять раз, я почти запомнил маршрут и почувствовал себя спокойнее.

В шесть часов утра, в пятницу, режиссер снова захотела все отрепетировать, но только она собралась это сделать, как, задыхаясь, прибежал Фрэнк:

— В наушники мистера Йодера не доходят сигналы из Нью-Йорка. Ваши — в порядке, но он не сможет услышать вопросы, которые ему будет задавать Нью-Йорк. Все провалится, если он будет сидеть и молчать.

Когда Фрэнк замолк в растерянности, режиссер промолвила:

— Фрэнк, помни всегда наше правило: у нас не бывает катастроф, у нас могут быть проблемы.

Через несколько минут она держала в руках большой кусок картона для записи вопросов, которые должна будет задавать ведущая программы из студии в Нью-Йорке. Она уверила меня, что, стоя там, где я мог ее видеть, а камеры не могли, будет последовательно показывать мне вопросы из Нью-Йорка. Я решил, что это слишком сложно и спросил:

— А почему бы мне не дать возможность просто смотреть, как она будет задавать мне вопросы из студии, пусть у меня нет возможности слышать их. Но в этом случае я хотя бы буду знать, когда мой черед говорить.

Объяснение режиссера сильно встревожило меня:

— Ничего не выйдет. Вы не можете видеть людей в Нью-Йорке. Можно только их слышать. Но сегодня для вас и это невозможно.

— Боже!

— Постойте, мистер Йодер. Я думаю, вам и раньше приходилось встречаться лицом к лицу с непредвиденными трудностями. Сейчас я вам попытаюсь все растолковать. Когда я показываю вам вопрос, который вы не можете слышать, отвечайте и не замолкайте, пока не появится другой вопрос. Затем вы делаете паузу. А после нее я показываю то, о чем вас в данный момент спрашивают. И вы снова начинаете говорить.

Я был в панике, а она подошла и поцеловала меня:

— Потом вы будете с гордостью вспоминать этот день как день вашего очередного триумфа.

Я уставился на нее в полной растерянности.

— Новая проблема совершенно выбила у меня из головы маршрут, по которому я должен передвигаться.

— Это не ваша проблема, а Фрэнка. Слова? Будете смотреть на меня. Ноги? Положитесь на Фрэнка.

— Но, если я ничего не могу слышать в наушники, зачем же я их должен надевать?

— Чтобы выглядеть как полагается, иначе все профессионалы в этом деле поймут, что мы их обманываем.

Я захлопал глазами, а она мрачно заметила:

— Мы оба профессионалы, мистер Йодер. И мы не должны опозориться.

Интервью закончилось в восемь часов сорок девять минут утра. А с девяти начали поступать звонки. Знакомые со всей страны, в основном подруги Эммы по колледжу, звонили, чтобы высказать ей свое восхищение:

— Ты прекрасно выглядела! Говорила, как актриса!

Некоторые хотели приобрести мои магические знаки. Позвонили из художественного журнала и спросили, есть ли у нас цветные слайды моих работ.

К десяти часам все провода, опутывающие дом, исчезли, и была восстановлена нормальная электропроводка. Но телефонные звонки не умолкали. Я даже не запомнил некоторых из звонивших.

К полудню фургоны уехали, а в четверть первого режиссер и ее команда сидели с нами за кухонным столом, болтали, потягивали пиво и угощались содержимым холодильника, включая тосты, мед, молоко и яблочный пай, который днем раньше Эмма испекла для Дифендерферов с ростокской почты.

Режиссер потрясала мою руку:

— Вы не подкачали сегодня, старина. Любой, кто вас видел, скажет: «Этот парень знает свое дело». Книги, картины и то, как вы говорили, — все смотрелось замечательно.

Как раз в середине июля, когда я собирался закончить правку, меня побеспокоили, но беспокойство было приятное. Позвонил директор Коллекции народного искусства Эбби Олдрич Рокфеллер из Уильямбурга, штат Виргиния, чтобы сообщить, что у них неожиданно образовалось «окно» в графике выставок и они почти незамедлительно хотели бы выставить одиннадцать моих работ с магическими знаками, но только в том случае, если я соглашусь добавить к ним еще три, над которыми я в данное время работал. Я объяснил, что закончил только двенадцатый и тринадцатый, но предполагаю, что знаю, где можно будет взять четырнадцатый. Он очень обрадовался и сообщил, что ждет нас в следующую среду, чтобы открыть выставку.

— Мы приедем, — заверил я директора.

Я не без удовольствия готовился к этой выставке. Ведь показ моих работ в музеях такого ранга, как Уильямбургский, давал возможность познакомить людей с искусством моей нации, моего народа. Это-то я и пытался объяснить Эмме по дороге в Виргинию:

— Когда они читают мои книги, все, что они могут почувствовать, — это мое особое восприятие наших немцев. А когда они сами видят магические знаки, украшавшие наши амбары, они смогут понять то, что было для нас жизненно важным... Я не люблю, чтобы меня отрывали от романа. Но мои работы стоят того.

Когда мы приехали в музей, нас встретили сюрпризом, так как директор сказал:

— Очаровательная молодая пара держит здесь в городе книжный магазин «Колониал». Услышав о вашем приезде на выставку, они — их имя Катуорты — спросили, могут ли организовать вечеринку в вашу честь в их магазине завтра после выставки. Неформальную встречу, куда придут местные почитатели вашего таланта. Я дал за вас согласие.

— Я сюда приехал ради выставки, а не для того чтобы торговать книгами.

— Вы можете отказаться. Это я соблазнил Катуортов. Сказал, что к нам редко заезжают такие гости — писатель и художник одновременно. И хорошо бы использовать это на полную катушку.

— Если вы делаете это не из-за того, чтобы мне угодить...

— Мистер Йодер! Я буду на этой встрече и надеюсь увидеть там вас. Их магазин — одно из лучших мест города.

Когда мы ехали по городу к месту нашего ночлега в «Валлайс-хаус», мы видели рекламные афиши, оповещающие, что Лукас Йодер будет присутствовать на вечеринке в «Колониал букс» в четверг вечером на неофициальной встрече с любителями его творчества.

Четырнадцать моих знаков из «Магической серии» были замечательно экспонированы, а в сопровождающем буклете были помещены фотографии знаков с подписями, объясняющими их смысл. Брошюра называлась: «Двойная сущность Йодера, автора «Грензлерского октета» и «Магической серии». Презентация прошла успешно, и после легкого обеда мы отправились на прогулку по тихим улочкам Уильямсбурга, где каждый дом напоминал музей. На одной из самых живописных улиц меня ожидала новая неожиданность.

Часть этой улицы около «Колониал букс» была запружена народом. Даже вызвали дополнительно двоих полицейских. Когда мы спросили одного из офицеров, кого и от чего охраняет полиция, он ответил:

— Книжный магазин. Они все пришли с книгами.

Когда Эмма из своего окна стала разглядывать толпу, она зашептала:

— У них у всех твои книги, дорогой... у некоторых целые сумки книг.

Планировалась беседа в библиотечной тиши, а на деле получилась какая-то демонстрация, которая штурмовала магазин. В магазине мои книги уже кончились. И один из клерков был послан в соседние, чтобы достать хоть немного экземпляров. Он уже позвонил откуда-то, чтобы сообщить, что достал около сорока книг и едет с ними обратно. Мы припарковали машину и направились к главному входу.

Я не из тех писателей, которых знают в лицо, — когда я стал протискиваться сквозь толпу, люди начали возмущаться, и один крикнул:

— Эй, пузырь, ну-ка в конец очереди!

На что Эмма не моргнув глазом ответила:

— Это тот самый пузырь, который написал книги, что вы держите.

— Это Йодер, — сказал кто-то, понизив голос. В ответ послышались восторженные возгласы и даже аплодисменты, что меня очень смутило.

В магазине мы увидели Катуортов, окруженных толпой. Их планы на тихий вечер определенно рухнули. Магазин был набит битком. Все стояли с книгами, ожидая автографа, который некому было давать. Другие пришли с пустыми руками, надеясь купить мои книги в магазине. Но все они были уже распроданы.

Когда мы увидели Катуортов, которых опознали по растерянности, написанной на их лицах, Эмма, как всегда практичная, начала расчищать себе дорогу локтями в их направлении.

— Не думаете ли вы поставить где-нибудь стол, где он сможет раздавать автографы?

— Мы не ожидали ничего подобного. — И они показали нам несколько рядов стульев и стол с цветами. — Мы ожидали нескольких друзей.

Услышав это, Эмма быстро расчистила стол и дала указания мистеру Катуорту пододвинуть его туда, где посетители могут стать в очередь. Объявление о вечере собрало не пятнадцать—двадцать друзей Катуортов, а около трех сотен любителей литературы. Некоторые пришли из любопытства, другие были настоящими почитателями грензлерской серии. В конце концов, в книгах описывались места, от которых все они жили неподалеку и уж наверняка там бывали. Как и в случае с автографами в Сент-Луисе, большинство пришедших слыхали, что это, возможно, моя последняя книга, поэтому их манили две вещи: поприветствовать автора, с чьим творчеством они были знакомы, и получить автограф на одной из его книг, которая со временем может стать ценностью.

Я ставил автографы, пока моя правая рука не онемела. И, так как я всегда старался увидеть лицо человека, которому подписываю свою книгу, и обменяться с ним несколькими словами, процесс шел медленно. Это раздражало Эмму, и она шептала:

— Просто подписывай. Не устраивай интервью со всеми, кто подходит.

Я никогда не мог объяснить ни ей, ни другим, кто давал мне подобные советы, что в такие моменты я был не в Уильямсбурге или Сент-Луисе, а снова в книжном магазине Аллентауна «Хесс» в тот ужасный день, когда ни один покупатель так и не показался. Разница между тем временем и нынешним моментом в том, что более миллиона людей уже прочитали хотя бы одну из моих книг и составили себе представление об ее авторе как о человеке ответственном. Я был их должником. Если они пришли в этот теплый вечер за моим автографом, я не могу просто автоматически подписывать книги.

Бедные Катуорты уже оставили всякую надежду на литературный вечер. Все происходившее было, скорее, похоже на приступ книгомании, не имеющий ничего общего с творческим вечером. Иногда сквозь толпу удавалось увидеть кого-нибудь из местной интеллигенции. И никто уже не был удивлен, что при виде такого столпотворения приглашенные, потоптавшись немного снаружи, отправлялись восвояси.

Внезапно толпа возликовала, так как появился тот

самый клерк, который отправился на поиски книг Йодера. Он сообщил, что достал шестьдесят три экземпляра, которые и были мгновенно распроданы.

На подобных встречах с читателями — а мы с Эммой устраивали их два раза в год — то, что делала Эмма, всегда вызывало у меня восхищение. Когда выстраивалась длинная очередь, она ходила вдоль нее и провожала к столу беременных женщин, женщин с детьми или инвалидов, чтобы они получали мой автограф без очереди.

Очередь всегда одобряла такие поступки, а Эмма каждый раз подчеркивала: «На этом настаивает мой муж», — хотя это была ее идея.

Через два часа очередь все еще не рассосалась, и мистер Катуорт и полицейский попросили больше к ней не присоединяться.

— Мы вынуждены это делать!

Эмма, услышав жалобы остальных, предложила:

— Дайте нам ваши адреса, и мистер Катуорт пришлет вам книги с автографами. А если у вас уже есть экземпляры, мой муж пришлет вам подписанные суперобложки.

Удивленный Катуорт согласился, и около сорока человек оставили свои адреса и, удовлетворенные, удалились.

Я подписывал еще с полчаса, затем полицейский закрыл двери, и в помещении остались только Катуорты и тот самый клерк, который раздобыл последние экземпляры.

— Мне жаль, что так получилось, — сказал я. — Я знаю, что все было запланировано по-другому.

— Я должен был это предвидеть, — вздохнул Катуорт. — Мы ведь на самом деле продаем очень много ваших книг.

— Нам редко приходится видеть, чтобы толпа была так спокойна, — заметил один из полицейских. — Особенно в университетском городке.

— Я почти не видел в очереди студентов, — добавил мистер Катуорт. — А те, кто заходили, были без книг и сожалели, что у нас они уже распроданы. Но я думаю, они просто глазели.

Когда мы с Эммой брели по одной из исторических улиц к месту нашего ночлега, я был восхищен торжественной величественностью этого города, восстановленного волею Рокфеллеров:

— Когда здесь прогуливался Джефферсон, он видел то же, что и мы. Джордж Уайт бывал здесь со своими студентами. Это свойственно республиканцам — сохранять свою историю... Мне жаль этих Катуортов. Они планировали тихий литературный вечер и были бы в сто раз счастливее, если бы к ним приехал автор, у которого в Уильямсбурге было продано всего одиннадцать экземпляров его книги. Но то, что мы сегодня видели, вызвало во мне добрые чувства. Я долго не забуду того, что многие говорили мне о моих книгах.

— Со мной они тоже заговаривали, — сообщила Эмма. — Я так рада, что даже в таком маленьком городе, как этот, где люди имеют право вообще не знать о твоем существовании, к тебе пришло так много народу.

Я был настолько утомлен выставкой и «литературным вечером», что тотчас же заснул, но внезапно проснулся в три часа утра с мыслями не о вчерашнем триумфе, а о том, как важно будет для меня, Макбейна и «Кинетик» то, как примут «Каменные стены»: «Я должен сделать все возможное, чтобы книга была безупречной».

И я поклялся сделать это. Не желая будить Эмму, я тихонько встал с кровати, взял свой дипломат и спустился в столовую. За столом вишневого дерева, за которым в свое время работал Джефферсон, я погрузился в работу, молясь, чтобы вдохновение подсказало мне что-нибудь, что сделает книгу более привлекательной для читателей. Я, конечно, не писал только для того, чтобы угодить читателям, и «Каменные стены» доказали это, но, с другой стороны, я никогда не игнорировал их вкусов. Может быть, именно поэтому вчера вечером на встречу со мной пришло столько людей.

Видимо, шорох бумаги все же разбудил Эмму, потому что около пяти утра она появилась за моей спиной, как маленькое привидение:

— О, Лукас! Я же говорила тебе тысячу раз. Не бери с собой рукопись. Это же выходные. А ты опять работаешь в Бог знает какую рань, словно начинающий юнец.

Я объяснил ей, что на последних этапах перед появлением книги каждый автор снова становится начинающим. Но в моем случае, когда появление книги сопровождается негативной реакцией, я вдвойне начинающий.

— Я волнуюсь так же сильно, как и тогда, когда только начинал. И у меня нет права даже на маленькую ошибку.

— Хорошо. Заканчивай эту страницу и возвращайся в постель. Завтра мы остановимся в Ростоке и пошлем то, что ты закончил, миссис Мармелл.

II
РЕДАКТОР

Моя жизнь нью-йоркского сорванца кончилась облачным октябрьским днем 1955 года, когда случилось довольно болезненное превращение в интеллектуалку. Тогда мне было одиннадцать лет.

Несколько подростков играли в очень шумную игру с мячом у кирпичной стены в Бронксе. Эта игра чем-то напоминала бейсбол. По мячу ударяли деревянной битой, и он отскакивал от стены. Настоящим мастерством считалось отбить мяч как можно дальше.

Как всегда, я ожидала, что меня возьмут в команду под номером один, так как я была одним из лучших игроков, отличалась проворностью, всегда была готова отбить мяч, куда бы он ни отскочил и при какой бы сумасшедшей скорости ни проходила игра. Взрослые, наблюдавшие за моей игрой, иногда кричали:

— Ну просто Джо ди Маджо в юбке.

Мне нравилось это сравнение. Но я не любила намеков на мой женский пол.

Когда бы ни начиналась игра, я всегда успевала прочесть маленькую молитву: «Боже, помоги мне достойно сыграть».

Потому что по результатам игры я судила, удался ли мой день или даже неделя.

Вначале мальчишки не хотели принимать меня в свою команду:

— Это мужская игра. Не для девчонок.

Но однажды им не хватило одного игрока. И рыжеволосый двенадцатилетний Эл О'Фаллон настоял, чтобы мне разрешили играть. И, чтобы всем доказать, как он во мне уверен, он взял меня в свою команду.

Мальчики шептались, что Эл просто влюбился в меня, и, когда я попадалась им на глаза, меня встречали дразнилки вроде:

Тили-тили-тесто.
Тили-тили-тесто!
Эл и Шерл —
Жених и невеста!

Не отказывали себе в этом удовольствии ни члены нашей же команды, если я промахивалась, ни соперники, когда мой удар был для них слишком легким.

Я всегда верила, что О'Фаллон не обращал внимания на эти дразнилки. И знала, что нравлюсь ему. Но у мальчишек была в запасе и другая насмешка, на которую Эл уже не мог не обратить внимание:

— Как это добрый католик связывается с еврейской девчонкой?

Когда ему задавали этот вопрос, он не знал, как на него ответить, и однажды сказал мне:

— Нечего тебе играть с мальчишками.

И отказался взять меня в свою команду, а мальчишкам сказал:

— Она мне никогда не нравилась.

Но, так как я все-таки была отличным игроком, другие мальчики меня в свою команду брали. Однажды во время решающей игры Эл так сильно ударил по мячу, что тот отлетел к самой дальней стенке. Это был как раз тот сложный пас, который я всегда успешно отбивала своим испытанным способом, но, когда я стремглав понеслась к тому месту, от которого я бы могла отбить мяч, я внезапно подумала: «Не буду отбивать. Если я не отобью мяч, я тем самым покажу, что он играет лучше, и тогда он действительно по-любит меня». Но мое желание играть, и играть отлично, было сильнее, и, высоко подпрыгнув, я отбила мяч. Но вместо криков одобрения от своих я услышала:

— Шерл-мазила! Шерл-мазила!

Я была так сконфужена, что подбежала к О'Фаллону, чтобы сказать: «Прости, что я не дала тебе показать себя самым ловким игроком». Но это разозлило его еще больше. И, когда я протягивала ему руку, чтобы помириться, со всех сторон только и можно было слышать:

Тили-тили-тесто.
Тили-тили-тесто!
Эл и Шерл —
Жених и невеста!

Вместо того чтобы пожать мне руку, он со всей силы толкнул меня прямо к той стенке, у которой мы играли. От падения спасло меня только то, что я вытянула руку. В тот самый момент, когда я уперлась рукой в стенку, я услышала хруст и все же повалилась на землю. Под крики мальчишек я лежала на земле со сломанной рукой.

Но больнее всего было, что О'Фаллон даже не подошел ко мне помочь подняться или хотя бы просто извиниться. А товарищи по команде, испугавшись, что их могут наказать за то, что со мной случилось, быстренько разбежались. Оставшись одна, я с трудом поднялась и поплелась домой, поддерживая правую руку левой. Сдерживая слезы, я поднялась на второй этаж и предстала перед мамой:

— Мам, у меня, кажется, что-то с рукой.

С тех пор я больше никогда не играла в мяч.

Поправлялась я долго, и то, что я вынуждена была сидеть дома, сподвигло меня окунуться в мир книг, в тот мир, который тогда был для меня неизведан. Мои вкусы были довольно просты, они характерны скорее для девочки шести—восьми лет. Я до сих пор люблю детские сказки и приключенческие повести. Мне не хотелось читать книги, в которых был хотя бы намек на романтические отношения между мальчиками и девочками, но, когда я штудировала книги, написанные специально для мальчишек, интуиция подсказала мне, что я иду по неверному пути. Только когда мне исполнилось двенадцать (а я все еще сидела дома с переломом), я смирилась с тем фактом, что я — девочка и пора начинать интересоваться книгами о таких же девчонках, как и я.

В этом мне помог мой дядя Юдах — портной, любивший книги. Это он распознал происшедшую во мне перемену:

— В библиотеке полно книг для таких девочек, как ты.

И, когда я спросила каких, он принес мне по своей библиотечной карточке «Энн из Грин Гейблз».

— Она произведет на тебя незабываемое впечатление, Шерл.

— Мне не нравится, когда меня называют Шерл.

— Прости. Я не буду больше так тебя называть. Но это действительно хорошая книга, Ширли.

Я взяла ее в руки, взвесила и сказала:

— Тяжелая и, кажется, очень длинная. Не думаю, что она мне понравится.

Он едва сдерживался, чтобы не отшлепать меня:

— Ты слишком маленькая и глупая, чтобы делать подобные ни на чем не основанные заявления. Прочти книгу, она тебе понравится.

— Ты прямо как мама, — засмеялась я. — «Съешь, тебе понравится».

— Ну и тебе ведь действительно нравится.

— Если вкусно, да.

— Эта книга будет очень вкусной.

Вместе с этой книгой, лежавшей на гипсе правой руки, а переворачивать страницы мне приходилось левой, я вошла в новый мир, который нашла необыкновенно замечательным. Я представляла себя сиротой из Канады, что и побудило меня открыть атлас и посмотреть, где находится Канада. Я также исследовала карту, чтобы узнать, где живут Хейди и Ганс Бринкер. И мое географическое образование продвигалось вперед с той же скоростью, с какой расширялся мой эмоциональный мир. Я влюбилась в книги, даже не подозревая об этом.

Однажды дядя Юдах взял меня с собой в библиотеку и показал бесконечные полки книг для детей. Мои вкусы уже приблизились к произведениям, предназначавшимся для тинейджеров, и из них я в первый раз сама себе выбрала книгу — повесть о девочке, похожей на меня, но двумя годами старше. «Каникулы» — так называлась эта книга. Я заметила, что написала ее женщина. Это была история о четырнадцатилетней девочке, которая проводит летние каникулы у тети в сельском местечке Мэн. Читая повесть, я очень реально представляла то, что было описано. Антония — главная героиня книги — ненавидела, когда друзья называли ее Тони, и напоминала мне меня саму. А все действующие лица книги были похожи на моих друзей и родных. Чувство сопричастности было настолько сильным для меня, что я полностью погрузилась в этот мир и переживала за героев книги, как за себя. Придя в библиотеку сдавать книгу, я спросила библиотекаршу:

— Это все было на самом деле?

— Это все действительно произошло, но только в воображении писателя. И, конечно, в твоем воображении тоже. Обмен фантазиями.

После такого удачного начала я принялась читать подряд все книги на книжных полках запоем. Но мои настоящие приключения начались, когда дядя Юдах сделал мне следующее предложение:

— Шерл, то есть Ширли, я буду платить тебе десять центов за каждую книгу, которую ты прочтешь.

И он повел меня в библиотеку, где выбор был гораздо больше. Чтобы допустить меня до этого нового мира, дядя Юдах выписал на мое имя библиотечную карточку, убедив библиотекаршу, что мне уже четырнадцать. Когда я принесла домой две большие книги, которые выбрала сама, мама запротестовала:

— Разве это можно читать маленькой девочке?

Она хотела, чтобы дядя Юдах отнес эти неподходящие для моего возраста книги обратно в библиотеку, но он не согласился:

— Если девочка не будет взрослеть сейчас вместе с книгами, она вообще никогда не повзрослеет.

К тому времени, как моя рука зажила и гипс был снят, я уже могла отличить хорошую книгу от плохой и незадолго до своего тринадцатилетия заявила родителям и, конечно, дяде Юдаху:

— Когда я вырасту, я хочу стать библиотекарем, чтобы прочесть все книги на полках.

Когда мне было девятнадцать, финансовый кризис в ателье, где работал мой отец, вызвал волну увольнений, эти меры были объявлены хозяином как временные. Но положение ателье не улучшилось, а сокращения продолжались, и мой отец вынужден был сказать мне:

— Дорогая, у нас нет выхода. Тебе придется на время покинуть колледж. У нас нет денег.

Я как раз заканчивала первый курс в отличном колледже, который брал детей из бедных семей и выпускал из своих стен достойных граждан своей страны. Я очень переживала, что мне приходится уйти, и мои учителя переживали тоже. Но профессор Файншрейбер, преподаватель английского, сказал мне в последний день:

— Мисс Мармелштейн, ваше образование на этом не заканчивается. Когда вы найдете работу, а вы ее обязательно найдете — вы из тех, кто добивается своего, — проводите хотя бы один вечер в неделю, а лучше даже два, в библиотеках, музеях, на открытых лекциях. Впитывайте в себя все, что может дать Нью-Йорк. И в конце концов вы будете иметь лучшее образование, чем многие из нас.

— Они увольняют таких стариков, как я, — сообщил мне отец, — зато берут молодых девушек. Лауренсон обещал мне, что возьмет тебя к себе в магазин.

Рано утром в понедельник я ехала по южной ветке метро. Выйдя из подземки и приближаясь к владениям мистера Лауренсона, я то и дело встречала мужчин, катящих перед собой тележки, пробираясь между машинами и расталкивая пешеходов. Я тут же почувствовала отвращение к такой работе и сказала сама себе: «Не хочу посвящать свою жизнь такой работе. Существует мир книг, мир идей. И я проложу себе дорогу в этот мир».

Я буквально спаслась бегством из этого района с его толчеей и чрезмерной суетливостью. Но где еще я могла найти работу? И вдруг я вспомнила лектора, однажды зашедшего к нам в колледж на урок профессора Файншрейбера, который говорил, что на Мэдисон-авеню есть издательства, где требуются агенты и секретари. Это все, что я помнила, но эти слова запали мне в голову — «агенты для издательства». Вот куда я хотела! И я прямиком направилась к 42-й улице, не осознавая в этот момент, каким важным для всей моей жизни окажется этот неожиданный порыв. Очутившись на Мэдисон-авеню, я прошла «Рэндом-хаус», который находился близ Кафедрального собора Святого Патрика, к зданиям двух фирм, чьи названия мне были знакомы. Чуть дальше я заметила «Кинетик пресс» с мерцающей буквой «К».

Я спрашивала во всех конторах, не нужна ли им девушка — секретарша или машинистка. Но мне везде отказывали. В «Кинетик» я обратилась к секретарше с тем же вопросом.

— Вы, кажется, сказали, что пишете под диктовку? — спросила она. И, когда я кивнула, она продолжила: — Подождите-ка минутку. — Она набрала номер: — Полин, я слышала, тебе нужна девушка, чтобы стенографировать... Я подошлю ее к тебе... Приличная... Говорит, что закончила первый курс Нью-Йоркского колледжа.

На пятом этаже со мной беседовала мисс Уилмердинг, женщина в возрасте, сыпавшая вопросами как из пулемета. Мои уверенные ответы убедили ее, что я ответственная молодая девушка, которая впоследствии окажется хорошим работником.

— Еще два вопроса. Вы планируете остаться в городе?

Когда я кивнула, она продолжала:

— И последний, самый важный: у вас есть семья, на которую вы можете положиться, если будут проблемы?

— В моей семье рассчитывают только на меня.

— Пока у нас для вас ничего нет. Но вы мне кажетесь подходящей кандидатурой для нашей фирмы. Приходите в среду.

В этот вечер за ужином я соврала:

— Сейчас на фабрике ничего нет, но мне обещали позднее.

Я вздрогнула, когда отец выругался:

— Будь проклят этот Лауренсон!

Я вынуждена была остановить отца, когда он захотел позвонить Лауренсону:

— Не зли его. Я в среду пойду опять.

Вторник я провела, готовясь к своей будущей профессии: пошла в ближайшую библиотеку и битых восемь часов провела за книгами по книгоиздательству, редакторскому делу и маркетингу. Я также посвятила несколько часов истории «Кинетик». В конце концов я знала, кем, когда и как оно было образовано. Я могла назвать имена дюжины уже покойных писателей, которых «Кинетик пресс» сделало знаменитыми, а также дюжину еще живущих. До этого мне были знакомы лишь две-три фамилии.

Вечером, ложась спать, я сказала себе: «Я буду работать в издательстве. Даже если мне придется там мыть полы».

В среду секретарша в «Кинетик» узнала меня:

— Пройдите на пятый этаж. Вас там ждут.

На пятом этаже мисс Уилмердинг сообщила мне уже без лишних вопросов:

— У нас есть сейчас вакансия, о которой я вам говорила. Но, как вы, наверное, можете предположить, ничего особенного — самое скромное место.

— Мне подходит любая работа. Лишь бы она была с книгами.

Этот ответ понравился мисс Уилмердинг, так как, видимо, напомнил ей те годы, когда ей тоже было девятнадцать и ее амбиции больше напоминали мечты. Но ведь они осуществились.

— А кем вы хотели бы стать в будущем?

— Редактором. Работать с авторами. И видеть, как с моей помощью рождаются книги.

Мисс Уилмердинг откинулась в кресле и снисходительно улыбнулась:

— Каждый год, мисс Мармелштейн, мы принимаем лучших выпускников из самых престижных женских колледжей — Вассар, Брайн Мауер, Смит. Все они хотят стать редакторами и издателями. Они все имеют «отлично» по языку. И все без исключения начинают с секретарш, машинисток и лаборанток.

Я постаралась не показать своего разочарования, и она продолжала:

— Однако все девушки, которых я брала к нам и которые мечтали стать редакторами, в конце концов стали ими.

— А как это происходит?

— Выполняя свои пока еще скромные обязанности, приглядывайтесь, что делают другие, учитесь, читайте книги. Используя свой интеллект и силу характера, покажите непосредственному начальнику, что вы — подающая надежды, талантливая личность, любящая книги. Вначале кажется, что невозможно перейти на более высокий уровень. Но в конце концов это случается. Ведь мы ищем увлеченных, преданных нашему делу людей. Мы без них просто не обошлись бы. Но главное — терпение и труд.

Вернувшись в тот день домой, я дождалась окончания ужина и выпалила:

— Я получила сегодня работу.

Бурная реакция на это сообщение последовала сразу же:

— Я говорил вам, что Лауренсону можно верить! Где ты будешь работать? На фабрике?

— Я собираюсь стать редактором. Редактировать книги. — И, когда вся семья ахнула, добавила: — В «Кинетик пресс». Одном из лучших издательств.

— Будь благословенен этот дом! — воскликнул дядя Юдах.

Покраснев, я предупредила:

— Ну, не совсем редактором. Пока нет. Я начинаю с секретарши, но в будущем...

— А как же еще! — одобрил дядя Юдах.

Моя мама откупорила бутылку дешевого вина, и все подняли бокалы за новоявленного редактора «Кинетик пресс».

Я и правда начала с «самого низа», заменяя заболевших секретарш то в одном, то в другом отделе, но всегда в подразделении, непосредственно связанном с книгами. Работая, я старалась достичь двух целей: заставить моих начальников понять, что их новый сотрудник обладает исключительными способностями, и желанием как можно большему научиться от тех, кто работает рядом.

Постепенно многие сотрудники начали говорить:

— На эту новенькую можно положиться.

Одну неделю я заменяла заболевшую секретаршу в офисе мисс Кеннелли, где всегда толпился народ и на двери висела табличка «Отдел авторских прав». Ее обязанности напоминали древнее ремесло торговца вразнос, с той лишь разницей, что она оставалась в своей конторе, обзванивая всех, кому могли понадобиться права на публикацию или просто использование книг «Кинетик». Она продавала эти права журналам, книжным клубам, газетам, в общем, зарабатывала для «Кинетик» деньги, что и делало ее очень важной персоной.

В течение пяти дней, когда я ей помогала, я выслушивала бесконечные разговоры по телефону об одном романе, в котором языком XIX века была рассказана современная история о двух женщинах, мужчине и пятнадцатилетней девочке, захваченных водоворотом запутанных взаимоотношений. В шуме постоянных телефонных звонков, когда только одна мисс Кеннелли способна была сохранить хладнокровие, начались переговоры о репринтном издании этой же книги, которая, как оказалось, была очень удачной. Мисс Кеннелли в окружении представителей книжных клубов, не успевая отвечать на звонки, бросила мне:

— Задержите тех людей. Скажите им, что решение будет принято часам к пяти.

Я проскользнула в толпу, осаживая возбужденных просителей следующей речью:

— Автор предупрежден, что вы хотите взять две его последние книги, и он очень этому рад. В общем, он склоняется к мысли отдать в ваше распоряжение и эту, но есть некоторые трудности. Мы разберемся с данной проблемой к пяти часам. Но нам необходимо узнать одну важную вещь. Вы назвали нам вашу окончательную цену?

Как рыбак, закидывающий в реку наживки, я пыталась удержать всех четверых наших возможных покупателей, пока мисс Кеннелли не договорится с книжными клубами и не ответит на другие звонки:

— Да, мисс Карстайн, моя секретарша мисс Мармелштейн дала вам эти цифры, но только что поступили новые данные... Нет, она не скрывала информацию. У нее просто не было последних цифр... Наше руководство сделало новое заключение, которое многое изменило...

В конце этого лихорадочного дня, в течение которого эта острая на язык шустрая женщина помогла заработать «Кинетик» около четверти миллиона долларов, используя свою находчивость и невозмутимость, ее комнату заполнили другие сотрудники редакции, восхваляя ее таланты. Мистер Макбейн, глава «Кинетик», произнес целую речь:

— Что мы ценим, мисс Кеннелли, так это то, что вы выбираете того, кто платит больше всех, и при этом сохраняете добрые отношения с остальными, так что мы можем прийти к ним с новыми предложениями на следующей неделе.

Улыбающаяся ирландка, смакуя свой успех, сказала:

— Я не смогла бы всего этого проделать без помощи этой девочки, Ширли Мармелштейн. Она работала как профессионалка.

Мистер Макбейн улыбнулся мне и спросил:

— В каком вы отделении?

И я смело ответила:

— Ни в каком. Я заменяющая. Учусь мастерству заставить хорошие книги приносить прибыль.

— Как только раскроете этот секрет, не забудьте сообщить его мне.

— Давайте лучше отмечать успех, — вмешалась мисс Кеннелли. — Я угощаю!

И, когда мы собрались в баре, служившем местом сбора сотрудников разных издательств, я в первый раз услышала разговоры молодых представителей того круга, в который я вступила:

— Мисс Кеннелли! Я слышал о ваших успехах! — Репортер из «Нью-Йорк таймс», проходивший мимо, остановился. — Я не спрашиваю вас о цифрах, но я хочу вас процитировать, если вы скажете, что бестселлер «Двойная опасность» принес вашему издательству большие доходы, и не без вашего участия.

Мисс Кеннелли просияла:

— Считайте, что я все это сказала.

Журналист из «Таймс» поднял бокал:

— Вы далеко пойдете!

Когда он уже собрался уходить, мисс Кеннелли дернула его за рукав:

— Вот интересная девочка, Ширли Мармелштейн. Она оказалась прямо в самом пекле в первую неделю работы. Успех продажи карманного переиздания книги целиком принадлежит ей.

Репортер задал несколько вопросов, затем сказал:

— Ждите здесь. Я позову фотокора.

И два дня спустя я показывала своим родителям статью в «Таймс» под названием «Новое поколение в книгоиздательстве» с моей фотографией. В статье шла речь о той роли, которую играют молодые женщины в издательском бизнесе города Нью-Йорка. И я была приведена как пример.

Когда прошла неделя и меня должны были перевести в другое подразделение, мисс Кеннелли сказала мне:

— У меня не было еще помощницы лучше вас. Я бы попросила для вас постоянное место в моем отделе, но, боюсь, бюджет этого не позволит. — И добавила: — Помните про это место, если вдруг я уйду.

— А вы собираетесь уходить?

— Я удачно организовала продажу в довольно затруднительных обстоятельствах. Другие издательские дома знают об этом. — И она переменила тему: — В одном издательстве за другим в Нью-Йорке молодые женщины вроде меня начинали с нуля. Занимались бумажной работой, заполняя бланки. Если дела шли хорошо, компания зарабатывала пять тысяч долларов, если хуже — четыре тысячи. Вы слышали о сумме прибыли в эту среду? Удача! Теперь компании начали понимать, что их маленькие секретарши, заполнявшие анкеты на авторские права, могут приносить им огромные доходы. Если у вас будет когда-либо шанс получить место в этом отделе, не упустите его. Здесь — будущее издательского дела.

Мое ближайшее будущее оказалось куда менее романтичным и, конечно же, не таким интересным. Ко всем издателям приходила по почте уйма невостребованных рукописей, которые чаще всего шли «на полку», состоящую из огромного количества папок, каждая из которых содержала роман. Такие рукописи почти никогда не издавались. Проще говоря, они не доходили до столов главных редакторов, так как эти работники высокого ранга не могут терять время на сомнительные работы. Исследования в различных издательствах доказали, что только одна рукопись на девятьсот становится книгой. Но истории известны и такие случаи, когда рукопись, отвергнутая полдюжиной издательств, становится бестселлером. Потому-то эти работы все же не следовало оставлять без внимания.

В «Кинетик» периодически наблюдалось скопление присылаемых романов. И снова я была тут как тут. Назначенная секретарем на четвертый этаж, я отвечала на телефонные звонки, записывала сообщения для редакторов, печатала, когда просили. Но самым важным было то, что каждое утро через меня проходила гора папок, в каждой из которых лежала чья-то надежда. Я раскрывала одну папку за другой, пролистывала рукописи и, если приславший оплачивал почтовые расходы на обратную пересылку, вкладывала в конверт бланк с формальным отказом и отправляла адресату. Если возврат не был оплачен, то рукопись откладывалась и отправлялась в подвальный этаж в архив.

Как и все начинающие на этом посту, я попыталась с энтузиазмом отыскивать бриллианты в горах мусора. Я поклялась, что дам шанс каждому, пославшему свою рукопись для публикации. Сначала я укладывала папки с рукописями справа, но, как только понимала, что какая-то из них безнадежна, перекладывала ее в растущую гору с левой стороны. Мой опыт был не самым удачным, так как в большинстве рукописей была понаписана такая чушь, что взгляда на одну страницу было достаточно, чтобы вынести приговор. В иные дни, когда настроение у меня было особенно боевое, я просматривала около пятидесяти романов, каждый из которых никуда не годился. К полудню я чувствовала угрызения совести из-за того, что разрушила мечты этих бедняг, а после обеда читать дальше уже не могла.

Я усвоила несколько секретов оценки качества рукописей. Если на первой странице я замечала хотя бы одну орфографическую ошибку, у меня уже появлялись подозрения, хотя я и знала, что многие отличные писатели, например Фицджеральд, были жутко неграмотны. Я сразу же откладывала рукопись, если были проблемы и с пунктуацией. Но особый случай — когда бездарность и неграмотность автора проступала в предложениях типа:

«Ево теща была ниплахой женщинай каторую он нежна любил, но она была такая бойкыя что он хател как можна скорее прагнать ее из дома». Часто бывало, что рукопись и грамотна, и хорошо оформлена, но бездарна по содержанию — она тоже не имела никакого шанса привлечь внимание читателей.

Иногда я все-таки натыкалась на экземпляры, заставляющие меня призадуматься: «Это лучше, чем могла бы написать я». И тогда я обязана была сочинить несколько строк, суммирующих причины, по которым, как я считала, на рукопись должен обратить внимание кто-либо из вышестоящих сотрудников. Когда появлялся посыльный, он относил стопку подающих надежды произведений какому-нибудь редактору, имевшему более наметанный, профессиональный глаз. А тот, возможно, напишет автору и предложит встречу. И в такие дни я чувствовала себя сопричастной издательскому процессу.

Но к концу 1964 года, когда я уже работала на этом месте несколько месяцев, мисс Уилмердинг попросила меня зайти к ней и начала свою речь со следующего:

— Мисс Мармелштейн, мы слышим о вас только положительные отзывы. Три разных отдела, в которых вы работали, включая отдел по авторским правам (тогда вас отметила «Таймс»), сообщили нам, что хотят заполучить вас на постоянную работу при первой же возможности, если у них откроется вакансия. Мы не забыли об этом. Однако все же одно замечание в ваш адрес поступило от трех редакторов, которые в целом оценили вашу работу положительно.

Когда я подалась вперед, честно желая узнать, в чем же заключались мои ошибки, мисс Уилмердинг продолжила:

— Вы три раза посылали этим редакторам слишком много рукописей. Помните, что я вам говорила? На девятьсот рукописей находится одна более или менее приличная. А вы присылаете одну из ста.

Причина их неудовольствия меня изумила, и мисс Уилмердинг уточнила свою мысль:

— Не теряйте энтузиазма. Что вы должны сделать, так это ужесточить критику. Поставьте себе планку — три рукописи на девятьсот — и в конце концов вы дойдете до нужной пропорции. И к этому времени вашу оценку уже будут уважать.

Когда я собралась уходить, мисс Уилмердинг остановила меня:

— Присядьте. — И то, как она ласково поглядела на меня, подсказало, что я все-таки ей нравлюсь. — Мы все предполагаем, что вас ждет в нашем издательстве большое будущее. И мистер Макбейн думает, что пришло время направить вас немного подучиться. Вот список семинаров по редактированию и издательскому делу, которые читаются в Нью-Йорке. Если вы станете посещать их, вы сможете узнать о нашем деле гораздо больше меня и любого другого сотрудника.

Я изучила названия курсов и отметила для себя примерно семь из них, но вынуждена была признаться:

— Эти цены для меня слишком высоки.

— Платить за вас будем мы.

Я на минуту лишилась дара речи.

В этот вечер я почти на крыльях неслась домой, в Бронкс. Вбежав, я пронеслась мимо мамы и кинулась прямо в объятия дяди Юдаха:

— Все, что ты предсказывал, произошло. И это потому, что я начала читать книги, когда сидела со сломанной рукой. В «Кинетик» решили послать меня учиться на настоящего редактора.

— Но ты говорила нам, что ты уже редактор.

— Ну, это не совсем так. Я всего лишь была помощником редактора.

У меня не хватило смелости признаться, что моя роль в книгопроизводстве была не такой уж значительной.

— Ну а в чем разница? — не унимался дядя Юдах.

— Они посылают меня учиться издательскому и редакторскому делу!

Он перестал раскладывать пасьянс и спросил:

— Это очень важно?

— Очень.

— Как ты собираешься платить за это?

— Платить будут они!

Для дяди Юдаха эти слова все сразу изменили:

— В этом мире каждый готов дать совет, что тебе надо делать за твои собственные деньги. Такие советы дешево стоят. Но, когда тебе советуют, что делать, и добавляют, что будут за это платить, это дорогого стоит.

И следующие полчаса мы потратили на выяснение иерархии в «Кинетик». Я объясняла дяде Юдаху, кто вершит судьбы сотрудников и какие повышения меня могут со временем ожидать. Время от времени дядя переспрашивал беспокойно:

— А ты уверена, что они будут за тебя платить?

Когда я в конце концов убедила его, он вскочил со стула, взял меня за руки и затанцевал по комнате, крича моей маме:

— Она будет редактором!

Это событие произвело на него огромное впечатле-

ние — он старел и становился все более сентиментальным:

— Хочу предупредить тебя об одной вещи, ведь ты
мне как дочь. Иногда твоя речь похожа на речь негра-
мотной еврейской девчонки. Мармелштейны всегда
были людьми образованными, и я хочу, чтобы ты
поработала над своим произношением.

Я не имела представления, о чем он говорит, но,
когда он начал подражать моему выговору ряда слов,
таких трудных для людей, родившихся в нашем районе,
я поняла его. Я чуть картавила и в некоторых словах
затягивала гласные. То, что было для меня привычным
с детства, не входило в рамки чистой английской речи.

Дядя Юдах приказал мне строго следить за тем,
как я говорю:

— Если это будет продолжаться, Ширли, каждый
тут же поймет, что ты — еврейская девчонка из Бронкса. Одним словом, ты сразу же предлагаешь причис-
лить себя к этой категории.

То, что он сказал, почти напугало меня:

— Как я могу это исправить?

— У меня были те же проблемы, когда я хотел
стать торговым агентом. Моя фамилия Мармелштейн
уже говорила о моем происхождении, а мое произношение не улучшало ситуацию.

— И что же ты сделал?

— Я сочинил глупую считалочку, которую повторял каждый раз, когда ехал на работу:

> Разбежались в разные стороны
> Реки, рыбы, коровы и вороны.

Ты повторяешь это, может быть, пять тысяч раз. В
конце концов ты начинаешь ненавидеть этот звук и
эти слова. Но, произнося их, ты вкладываешь уже всю
энергию, чтобы произнести их правильно.

У него были и другие примеры того, как будущий
вице-президент «Кинетик», то есть я собственной персоной, коверкала язык:

— Ты должна избегать еврейских словечек и интонаций.

— Но я еврейка, — запротестовала я, — и я горжусь этим.

— Я тоже. Но половина клиентов, с которыми я работал, этого не понимали. Одной из причин, по которой они говорили мне «нет», была именно эта. Если ты умная девочка, то должна это понять. И еще: выучи побольше новых сложных слов, таких, как параплегия, параметр, периферийный. Чем сложнее говоришь, тем умнее кажешься.

Дядя также утверждал, что я должна строже одеваться. Здесь он был знатоком и хранил коллекцию модных журналов, где несколько страничек было посвящено одежде деловой женщины. Один из журналов, который особо привлек наше внимание, был посвящен тому, что в наших издательских кругах называлось «административной модой». И, после того как я изучила его вдоль и поперек, я поняла, что деловая женщина может приобрести соответствующий вид, не тратя слишком много денег, а подбирая наряды с умом.

Три последующих субботы дядя водил меня в магазины женской одежды и просил продавцов проконсультировать меня о моделях и фирмах. При этих посещениях он ничего не позволял мне покупать, но, когда этот просветительно-подготовительный период закончился, дядя попросил мою маму приготовить торжественный субботний обед, на котором он бы мог произнести небольшую речь:

— Теперь, когда у нас в семье появилась юная деловая женщина, я хочу, чтобы она была одета соответственно тому обществу, где она вращается.

Я уже хотела сказать, что я всего лишь скромный референт в одном из отделов, но, к счастью, удержалась, и дядя продолжал:

— Сегодня я передаю этому юному дарованию сумму, которую собирал некоторое время. В понедельник после работы мы с Ширли начнем составлять то, что я называю «гардеробом деловой женщины». По возможно наиболее низкой цене и возможно наиболее высокого качества.

И он передал мне чек на триста долларов.

Я как сейчас вижу, как он ходит из магазина в магазин и заявляет продавцам:

— Моя племянница — на ответственной должности в большой фирме. И я хочу, чтобы вы показали нам два-три костюма, недорогих, но отличного качества.

В конце недели у меня был гардероб, которому бы позавидовала сама Джоан Кроуфорд. К тому же у меня еще осталось шестьдесят долларов.

— Оставь это себе на свадебное платье.

Две недели спустя этот дорогой мне человек, который изменил всю мою жизнь, умер. Он оставил мне несколько костюмов — «высшего качества и по самым низким ценам», полку книг и около пятидесяти долларов. Когда я начала приходить на работу в тех замечательных костюмах, которые он мне купил, ко мне стали относиться с бо́льшим уважением.

Зима 1965 года положила начало моей карьере. «Кинетик», чувствуя во мне свое будущее, согласилось оплатить мне два курса по издательскому делу.

На первом я изучала основы издательского дела, общую информацию о контрактах, рекламе, плане работы, взаимоотношениях с книжными клубами, типографиями, книжными магазинами. Ничего сверхнового, но все применимо к моей работе.

Второй курс под названием «Редактирование рукописей» читала женщина из издательского дома «Саймон энд Шустер», которая на первом же своем семинаре раздала всем тридцатидвухстраничную ксерокопию главы как бы из романа. Глава содержала кучу ошибок, половину из которых я не заметила, редактируя ее в первый раз. Но под руководством нашей преподавательницы я нашла и новые. Вскоре мой экземпляр был испещрен поправками и замечаниями.

По ее словам, предложения должны быть верны по своей грамматической структуре, не быть банальными, но должны быть понятны читателю. Она учила нас, что хорошо организованный абзац, где все предложения на своих местах, а все слова подобраны верно, становился образцом совершенства.

Когда один из студентов пожаловался, что мы теряем слишком много времени на какой-то абзац, она раздраженно ответила:

— Это основная цель нашего курса — научиться переделать неудовлетворительный авторский текст в более приемлемый. Параллелизм, согласование слов, правильное употребление глаголов, внимание к местоимениям, исключение лишних прилагательных и наречий — вот об этом я и буду говорить вам всю зиму.

Она не занималась с нами орфографией («для этого у вас есть словари»). Она не настаивала на использовании каких-либо стандартных слов или выражений. Но некоторые нью-йоркские идиомы, которые употребляли ее юные редакторы, раздражали ее. И однажды, когда она услышала, как я спрашиваю одного из студентов: «Не можешь ли ты отъехать туда?» — она взорвалась:

— Черт возьми! Туда можно *приехать*, а *отъехать* отсюда. Если вы путаете эти две приставки, то ваша речь неграмотна. А если вы позволите подобные ошибки при редактировании, вы вообще не готовы к этой работе.

Жадная до каждой мелочи, имевшей отношение к моей профессии, я впитывала все, что нам говорили преподаватели. Как-то после работы я пришла к мисс Уилмердинг, чтобы поблагодарить ее:

— Эти курсы, на которые вы меня послали, просто бесподобны! Спасибо вам за все.

— Не за что. Вы их заработали.

Но однажды, когда я размышляла о моих успехах в учебе, ко мне пришла тревожная мысль: «То, что я учу, — техника, правила игры для того, чтобы работать с рукописью, если такая вообще появляется. И мне нужно знать, как вообще эта рукопись создается».

И когда я начала расспрашивать об этом своих знакомых по курсам, то услышала:

— Эван Кейтер. Интенсивный курс. Шесть часов по субботам, четыре — по воскресеньям — всего за четыре недели.

— Кто он?

— Всего в Нью-Йорке четверо настоящих редакторов. Хирам Хайден в свое время обучал половину писателей Нью-Йорка. Кейтер — его заместитель.

Я решила заплатить за этот курс из своего собственного кармана. Весь февраль я слушала изумительные лекции этого тихого шестидесятилетнего человека, в которых он исследовал психологические и логические процессы, которые лежат в основе создания художественного произведения. И, как женщина-редактор с предыдущих курсов, которая не брала во внимание орфографию, он не останавливался в своих лекциях на технических аспектах письма. По его словам, творчество — это работа не только ума, но и души. Цель творчества — общение души писателя и читателей. А мастерство писателя заключается в способности использовать именно те символы, которые зажгут пламя в душе читателей. Другие, менее великие цели были достойны презрения.

Он ссылался на «Идиота» Достоевского, «Волшебную гору» Томаса Манна, «Мадам Бовари» Флобера, «Шум и ярость» Фолкнера, творчеству этих писателей он посвящал наши субботние и воскресные встречи. А с понедельника по пятницу я снова и снова прокручивала в голове его лекции.

Кейтер проделывал и другие удивительные вещи, чтобы вывести нас из апатии невежественности. Со своим ассистентом из знаменитой киностудии «Аполло» на 42-й улице, он организовал для нас показ классики мирового кино и рекомендовал нам посмотреть хотя бы шесть фильмов. Он особенно настаивал на фильме «Страсти Жанны Д'Арк», о котором отзывался так:

— Снятый в 1928 году датским кинематографистом Карлом Дрейером, этот фильм доказывает, что кино стало настоящим серьезным искусством. Дрейер, снимая великую Фальконетти в роли святой Жанны, постоянно следит за ее лицом, на котором отражается то торжество, то гнев. Он позволяет лицам ее французских и английских обвинителей почти уходить из кадра. Нет ни лишних движений, ни взрыва чувств, только эти удивительные лица, пересказывающие нам средневековую историю церкви и ее преследований.

Кейтер также настаивал, чтобы мы не пропустили фильм, который он считал «лучшим из когда-либо снятых», — «Дети райка». Этот фильм был сделан нелегально в период нацистской оккупации Парижа во время Второй мировой войны. Он рассказывал о людях, причастных к созданию театра варьете в Париже перед французской революцией, и о детях, которые занимают самые дешевые места на галерке в самом верху, называвшиеся «райком». В фильме было три основных персонажа: необыкновенно красивая женщина, которую сыграла Арлетти, клоун-мим, роль восходящей звезды того времени Жана Луи Барро, и актер, сыгранный Пьером Брассёром. Сложные взаимоотношения этих троих людей и легли в основу фильма. Говоря о «Детях райка», Кейтер сделал акцент на следующем:

— Помните, что я сказал об этом фильме — «лучший». Вы, конечно, можете не согласиться. Когда-нибудь вы увидите фильмы, спектакли, услышите оперы, которые поразят вас, заставят задуматься. Старайтесь общаться с образованными людьми и сопоставлять свои взгляды на эти творения искусства.

Тогда я поняла, что имел в виду профессор Файншрейбер, когда говорил мне об образовании «нью-йоркских улиц». Я приходила на 42-ю улицу смотреть фильмы, на 5-й посещала бесплатную библиотеку, в которой могла найти почти любую нужную мне книгу. Нью-Йорк — университет для каждого, кто хотел учиться. А я была ненасытна до учебы. Я смотрела не только фильмы, рекомендованные Кейтером, но и другие, лучшие работы самых известных европейских мастеров. И если я сегодня такая, какая я есть, то за это я должна благодарить моих учителей моего «университета» — улицы Нью-Йорка.

Однажды, когда я осталась после лекции, чтобы поблагодарить Кейтера, он сказал:

— Кино и книги, конечно, *очень* важны. Но, если вы хотите по-настоящему хорошо писать, вы должны обратить внимание на музыку и живопись.

— А хватит ли всей жизни на все это?

— А для чего же вы живете, как не для того, чтобы познавать лучшее, что сотворил человек.

Главной целью писательского творчества Кейтер считал создание правдоподобных характеров. И лучше всего это делать, показывая изменения, происходящие в герое, когда на его долю выпадают разные испытания. «Литература — это движение», — повторял он.

Когда последнее занятие в феврале закончилось, я осталась, чтобы поговорить с Кейтером:

— Я работаю в «Кинетик пресс», хочу стать редактором. Вы научили меня, на что необходимо обращать внимание в рукописи.

— Ну-ка, скажите мне в двух словах на что?

— На яркость.

— Хорошо. Чем вы занимаетесь в «Кинетик» сейчас?

— Я работаю в отделе, куда приходят рукописи, папки складывают друг на друга, и растет бумажная гора.

— Она везде растет, мисс Мармелштейн. Ваша и моя задача не дать ей пустить корни.

— Я попытаюсь.

И редакторы «Кинетик», кому я передавала рукописи, из которых что-то может выйти, заметили, что с марта количество присылаемых мной романов сократилось до трех на девятьсот.

Зимой 1967 года, когда мне было двадцать три, получив много положительных отзывов о своей работе, я начала подозревать, что в скором времени меня ожидает повышение. Однажды утром я взяла стандартную папку с хорошо оформленной рукописью. Не закончив третьей страницы, я крикнула Жанис, нашему курьеру:

— Вот достойная работа.

Я передала ей листки рукописи, которые только что прочла, и мы начали обсуждать прочитанное. Жанис окончила два курса колледжа и знала, какой должна быть хорошая книга.

— Этот знает свое дело, — сказала Жанис. — Кто он?

— Лукас Йодер — Росток, Пенсильвания, — прочла я на обложке.

Когда Жанис ушла, я продолжила чтение и в этот вечер, перед тем как пойти домой, позвонила в курьерский отдел:

— Передайте, чтобы Жанис зашла на пятый этаж к секретарю.

И, когда она появилась, испуганная, что допустила какую-нибудь ошибку, я сказала:

— Меня ругали за то, что посылала им слишком много рукописей. Не прочтешь ли ты эти три главы и не скажешь ли мне завтра утром свое мнение?

Обрадовавшись такому серьезному поручению, Жанис взяла три главы себе домой. На следующее утро она уже ждала меня у моего стола:

— В этих трех главах он так изумительно описал Грензлер, что я как наяву слышала, как разговаривают немцы, и видела их амбары.

— Я то же самое почувствовала вчера вечером. Ты очень помогла мне. Приходи через час. Я хочу, чтобы ты отнесла эту рукопись какому-нибудь понимающему редактору.

Когда Жанис ушла, я села за машинку, чтобы напечатать отчет о рукописи, положившей начало «Грензлерскому октету»:

«Кларис, я не беспокоила вас долгое время, но я обнаружила рукопись, которую считаю достойной вашего внимания. Она рассказывает о небольшом местечке в Пенсильвании, населенном выходцами из Германии. Автор очень талантливо описывает природу и стиль жизни людей. Хорошие диалоги, некоторые на диалекте. Характеры захватывают.

Эта работа написана человеком, о котором нам ничего не известно. Но совершенно ясно, что он пишет на хорошем английском и прекрасно понимает, каким должен быть роман. Пожалуйста, сделайте мне одолжение, взгляните на эту рукопись.

Ширли Мармелштейн,
Отдел рукописей».

Когда через три дня Жанис вернула рукопись, к ней была приложена записка: «Сожалею, но это не для меня».

Неудовлетворенная подобной отговоркой, я велела Жанис:

— Жди меня здесь.

И я написала подобное послание другому редактору, Джулии.

После того как мою рукопись (а я уже называла ее моей) вернули мне в третий раз, я уже собралась передать ее четвертому редактору, когда мне позвонила мисс Уилмердинг:

— Мисс Мармелштейн! Не могли бы вы срочно зайти ко мне? — И я оставила мое четвертое послание незаконченным.

Когда я пришла в кабинет мисс Уилмердинг, то

увидела, что меня ожидает не только она, но еще одна из старших редакторов, мисс Денхем. Мисс Уилмердинг сразу перешла к делу:

— Мисс Денхем говорит, что вы с большим упрямством предлагаете для чтения одну из рукописей всем редакторам подряд, несмотря на то что ее уже несколько раз отклонили.

— Я убеждена, что это первоклассная рукопись. В ней есть все, что должно быть в романе.

— И что же там должно быть? — спросили обе женщины.

И я с энтузиазмом пересказала им все, что узнала из лекций Эвана Кейтера. Когда я, покраснев от смущения, закончила, мисс Денхем сказала:

— Я согласна с вами. Мисс Роджерс, которой вы последний раз послали рукопись, рассказала мне о вашей настойчивости, и я сама решила взглянуть на эту работу. Вы правы. Она на самом деле многообещающая. Конечно, ей требуется доработка, но мы здесь именно для этого и находимся.

Повернувшись к мисс Уилмердинг, она произнесла:

— Скажите ей, Полин.

— Мы рады вашим успехам, мисс Мармелштейн, — начала мисс Уилмердинг, — и вашим отзывам о курсах. Мистер Макбейн дал нам полномочия перевести вас в младшие редакторы. И поэтому, как только мы найдем кого-нибудь, кто может заменить вас на вашем месте...

Мне захотелось вскочить на ноги и закричать «Ура!». Но, глядя на этих двух солидных женщин, гораздо старше меня, я поняла, что мой поступок может быть истолкован неправильно. И поэтому я скромно, насколько это было возможно, сказала:

— Это потрясающая новость. Это то, ради чего я работала. — Тут я вспомнила о Жанис и добавила: — Можно мне высказать предложение? Новый курьер на нашем этаже, Жанис, очень ответственна и проявила большой интерес к моей работе.

— Как это? — спросила мисс Уилмердинг.

— В свободное время она подходит ко мне и интересуется рукописями, читает их.

Просмотрев картотеку, мисс Уилмердинг сказала:

— Я думаю, это можно устроить. Но вы ей ничего пока не говорите. А по поводу вашего перевода у мисс Денхем есть некоторые соображения.

То, что затем сказала мисс Денхем, поразило меня словно удар грома:

— Если вы так влюблены в эту работу о пенсильванских немцах, перейдя ко мне в отдел, попробуйте поработать вместе с автором над романом. Если это вам удастся, то вы представите рукопись на рассмотрение редакторского совета, затем агентам по продаже, чтобы посмотреть, заинтересуются ли они. Это станет вашим первым заданием.

Несколько мгновений я сидела молча, зная, что я должна что-то сказать, но не соображая, что именно. Что я хотела сделать, так это то же, что и в первый раз, — вскочить и прокричать «Ура!!!», но я снова сдержалась и как можно серьезнее произнесла:

— Об этом дне я мечтала. Думаю, что я смогу. И не подведу вас.

— Одно предостережение, мисс Мармелштейн, — сказала мисс Денхем, — никогда не влюбляйтесь в рукопись или в ее автора. Держите их на расстоянии. Ваш успех зависит от вашей способности судить о них здраво.

Я вернулась к своему месту, взяла письмо, которое не успела закончить, сложила рукопись и начала разбирать свой стол. Закончив, я позвонила в курьерский отдел и попросила Жанис подойти ко мне. Когда она появилась, я предложила:

— Давай сходим в бар.

— Надеюсь, новости хорошие?

— Думаю, неплохие, — улыбнулась я. В баре я не выдержала: — Я сверну тебе шею, Жанис, если ты скажешь кому-нибудь хоть слово. Но у меня есть причины думать, что очень скоро тебя собираются посадить в мое кресло.

— Это будет чудесно!

Снова предупредив ее о секретности информации, я обратилась к ней как опытная сотрудница к новичку:

— Это удивительная работа! Ты первая во всем издательстве читаешь рукописи. — И, конечно же, я не забыла о цифрах. — Из девятисот работ, которые нам присылают, только две или три достойны серьезного рассмотрения.

Я рассказывала ей, как важно распознать такие работы, и проинструктировала ее, по каким именно признакам наши редакторы выявляют многообещающих молодых авторов.

В заключение моей лекции Жанис поинтересовалась:

— А что станет с тобой?

И я, которая уже боялась, что она не догадается спросить, скромно ответила:

— Меня назначают редактором. Младшим, конечно. И я готова спорить, что и ты недолго задержишься на моем месте.

— Выпьем за это, Шерл.

— Пожалуйста, я не терплю моего имени. Звучит так глупо... Особенно для редактора.

— Прошу прощения.

И мы подняли бокалы за успехи друг друга.

Младшие редакторы, которые отказались ранее от «Грензлера», продолжали высказывать свои сомнения, когда я присоединилась к их команде. Казалось, что их недовольством пропитана вся атмосфера. Я ни у кого не находила одобрения моей работы. Но все же не теряла надежды.

Когда я обратилась за авансом для моего автора, мне было отказано:

— Сумма, которую вы предлагаете выплатить автору, — полторы тысячи долларов — это нелепость. Такие авансы выплачиваются только известным писателям.

— Что же мне ему сказать? По-моему, он нуждается в деньгах.

— Мы все нуждаемся. Вы уполномочены выдавать суммы до пятисот долларов, и то только тогда, когда работа над рукописью почти завершена.

— Но у нас уже есть рукопись...

— Я сказала «завершена».

Когда все разошлись, я постаралась хорошенько разобраться в этой ситуации. Я убеждена, что это хорошая рукопись. Но, до того как я смогу убедить остальных, она должна быть доработана почти до совершенства. А пока я не могу гарантировать автору, что контракт с ним будет подписан. И аванс не могу обещать. Но что я могу сделать, так это позвонить ему и подбодрить.

Когда я услышала низкий, мало эмоциональный голос этого человека, которого я не видела никогда в жизни, и когда он согласился со всеми моими замечаниями, я подумала: «Мы сработаемся!» Поэтому я сказала ему:

— Мистер Йодер, если мы составим план, по которому завершим то, с чем вы только что согласились, я обещаю вам две вещи: у вас будет контракт с «Кинетик» и, если я буду убеждена, что вы сделаете все, что обещали, вы получите аванс.

Когда я уловила радостные нотки в его голосе, я сделала два предупреждения:

— Вашего аванса не хватит на покупку «порше». А когда вы меня увидите, не удивляйтесь. Я очень юная. Но я твердо уверена, что у нас получится замечательная книга.

Он заверил, что чувствует то же самое, и я закончила:

— Поэтому чем раньше вы приедете, тем лучше.

Он появился в понедельник утром и, войдя в мой

маленький кабинет, все же не сдержал своего удивления, так как я оказалась еще моложе, чем, видимо, он себе представлял. Годы спустя он признался мне:

— Я подозревал, что увижу высокомерную нью-йоркскую девчонку, которая с презрением относится к моим сельским мотивам.

И вот тогда, когда я пригласила его на ленч в маленький ресторанчик, мы создали союз, который войдет в летописи «Кинетик». В конце дня, когда он понял, какие существенные изменения необходимо внести в рукопись до подписания контракта и выплаты аванса, я проводила его до выхода. Мне не хотелось терять его, ведь он был моим первым автором, а значит, был мне очень дорог:

— Мистер Йодер, сначала пройдитесь по первым четырем главам.

— Я ожидал кого-нибудь посолидней и с более формальным отношением, однако только с десятой долей вашего энтузиазма и энергии.

Девять дней спустя прибыли первые четыре главы, над которыми была проделана огромная работа. На следующее утро я послала доклад мисс Денхем:

«Лукас Йодер переработал первые четыре главы «Грензлера». Пожалуйста, составьте стандартный контракт с выплатой пятисот долларов аванса».

Когда бумаги пришли мне на подпись, я была удивлена, что не имею права переслать их Йодеру сама. Это должны были сделать люди мисс Денхем, которая все и объяснила:

— Это скандал в «Кольер» заставил нас принять меры предосторожности. Несколько лет назад там работал редактор, который не передавал чеков своим авторам. Он считал, что нуждается в деньгах больше, чем они, и даже сам выдумывал несуществующих авторов, которые писали, по его словам, великолепные произведения. И, получая их гонорары, он успел разбогатеть быстрее, чем мошенничество открылось.

— А можно мне хотя бы позвонить Йодеру и сообщить, что контракт и чек высланы?

— Да. Мы очень щепетильны в таких вопросах.

Я позвонила мистеру Йодеру:

— Чудесные новости! Я только что проверила контракт и подписала чек. Они уже посланы вам.

Начало нашего сотрудничества принесло удачу.

Зимой 1968 года я попросила мисс Уилмердинг помочь мне оплатить курс «Принципы создания романа», на что она ответила:

— А не посещали ли вы курс этого Кейтера раньше?

— Да, посещала. Именно поэтому я хочу пойти дальше, хочу стать настоящим редактором, который знает свое дело.

— Мы всегда рады помочь в таких случаях. Но, по-моему, вы уже попросили курс «Редактор и типография. Команда, создающая книгу».

— Да. Я хочу знать, как отредактированная рукопись становится готовой книгой.

— Похвально. «Кинетик» гордится вами. И постарайтесь, чтобы печальные результаты продаж выбранного вами романа о пенсильванских немцах не охладили вас. Редакторы, как и авторы, порой проявляют себя не сразу.

— Спасибо за доверие. Но я не считаю, что результат будет печальным. Кстати, Йодер снова за работой. И теперь, я уверена, у него выйдет что-нибудь сногсшибательное.

Боюсь, что в этот год я не окупила затраты «Кинетик» на мое образование. И вины преподавателей в том не было. Здесь была моя вина. Потому что однажды вечером, после первой лекции, когда я возвращалась домой, я вдруг подумала: «Однако я помогаю всем, кроме себя самой. Я помогла мисс Кеннелли с ее авторскими правами, я помогла Жанис получить повышение. Я помогла Лукасу Йодеру заключить контракт. А что я за это время сделала для себя?»

Меня охватило беспокойство. Мне было двадцать четыре года, а у меня не было ни одного знакомого молодого человека. Мне стало казаться, что доллары, которые оставил мне дядя Юдах на свадебное платье, будут набирать в банке проценты, пока я долго и безуспешно буду пытаться завоевать внимание существа противоположного пола.

Мне выказывал знаки внимания один из наших редакторов, парень с большим будущим, которому уже было под тридцать. Звали его Сигард Джепсон. И у меня были на его счет некоторые надежды, которые разбила в одночасье одна из редакторов «Харпер» — молодая красивая девушка, что ожидала Сигарда в проходной; как только он подошел, она кинулась в его объятия — и я поняла, что этот вариант безнадежен.

А потом на втором занятии зимнего курса я увидела ЕГО! Он сидел неподалеку, так, что я могла хорошо разглядеть его темные волосы и сосредоточенное выражение симпатичного лица. В перерыве я ни минуты не раздумывая подошла к нему. И узнала, что он был на три года старше меня и на двадцать лет мудрее в подходе к жизни вообще и к литературе в частности. Его звали Бенно Раттнер. Он, как и я, не закончил колледжа. Его отчислили со второго курса. После чего он ушел на вьетнамскую войну.

«Это то, что мне нужно», — сказала я себе и после окончания лекций все время крутилась у него перед носом, надеясь, что он предложит проводить меня. Так оно и вышло. Он говорил спокойным, сдержанным голосом и не пытался верховодить в споре, хотя наверняка знал, что с его внешностью лорда Байрона и голосом, внушающим полное доверие, вполне мог бы это делать.

Мне не понадобилось много времени, чтобы определить основной источник его очарования: он всегда слушал других и если вынужден был не согласиться, то делал это очень аккуратно, с улыбкой, показывая свои идеально белые зубы. Оппонента эта дружелюбная улыбка сразу обезоруживала, особенно если этим оппонентом была женщина, например я.

Он всегда выступал в защиту самых неожиданных взглядов и презирал новоявленные образчики современной «военной литературы»:

— Все очень примитивно. Один герой — негр, другой — парень из Бруклина, третий — размазня, четвертый — слабовольный лейтенант и последний, пятый — бесстрашный сержант. Вот тебе и отряд. И смертельный бой в одном из фортов.

— А что же вы хотите вместо этого? — спросил его профессор колледжа в Нью-Джерси, и я широко раскрыла глаза, услышав ответ Раттнера:

— Я хочу литературу, где человека раздирают внутренние противоречия, потому что в один и тот же день ему приходится делать шесть вещей. Первое: внимать проповеди католического священника над гробом, который отправляется, скажем, в Миннесоту. Второе: старательно выслушивать, как полковник с далекого Юга обращается к своему подразделению, состоящему на две трети из негров, выбранных для атаки в джунглях. Третье: стрелять в одиннадцатилетнего мальчишку, выкрикивающего с дерева проклятья в адрес американцев. Четвертое: поливать бензином и поджигать рисовые плантации, чтобы оставить местных жителей без пищи. Пятое: целиться в мужчин, женщин, детей, во всех, кто остался в живых в горящей деревушке. Шестое: писать вечером в палатке письмо родителям. И все должно представляться реальным — и мальчик на дереве, и женщина, пытающаяся убежать из горящей деревни, и парень, сбрасывающий бомбу, а прежде всего, вы — рассказчик.

— Думаете, вы все это сможете написать? — спросил профессор, и Раттнер раздраженно ответил:

— Это должно быть написано. Если этого не сделает ни один из ваших студентов, придется заняться мне.

Когда дискуссия прекратилась, я повернулась к нему и сказала:

— Я — редактор. И люди моей профессии день и ночь ищут таких писателей, как ты.

Он взглянул на меня:

— Я не «такой писатель». Я пришел на этот семинар, чтобы узнать, могу ли я научиться быть самим собой, уникальным, одиноким человеком со страшной историей, которую ему нужно рассказать.

— Я имела в виду, что все издательские дома ищут вот такие индивидуальности. Другие ничего не стоят.

— Где же ты работаешь, если не врешь?

— В «Кинетик».

Он улыбнулся, потом рассмеялся:

— Вот это совпадение! Просто невероятно!

— Какое совпадение?

— Два дня назад я послал туда свою рукопись.

— Кому?

— Просто в «Кинетик».

— Не может быть! Ты слишком умен, чтобы поступить так. Ты знаешь, что происходит с рукописями, которые к нам приходят? — Ему и еще десятку подошедших студентов я объяснила, как в больших издательствах обращаются с рукописями. — Только три рукописи из девятисот просматриваются настоящими редакторами.

— А ты — настоящая?

— Я работала в отделе «самотека», когда мне было девятнадцать. После года учебы в колледже.

— И у моего шедевра, следовательно, нет шансов?

— Ни одного. Но как твое имя? Бенно Раттнер? Ты говоришь, что послал рукопись два дня назад? Я проверю.

Когда другие студенты разошлись, он сказал:

— До того как ты призналась, что работаешь в «Кинетик», я собирался пригласить тебя в кафе. Но теперь я не могу этого сделать. Получится, что я тебе хочу вмазать взятку, не так ли?

— А мне чихать на эти предрассудки! — выпалила я, не желая терять такого чудесного собеседника и улыбчивого кавалера. — К тому же мне интересно послушать, о чем ты думаешь.

Когда мы шли по Пятой авеню, вдыхая морозный воздух, я заметила:

— У тебя необычный лексикон — «вмазать взятку».

— А как насчет «чихать на предрассудки»?

Когда я объяснила, что пополнила свой словарный запас, работая в издательстве, он отпарировал:

— А меня с детства окружали разные слова. Я родился в образованной еврейской семье, где все только и делали, что говорили.

Я ничего не ответила, а он продолжил:

— Просто уверен, что в баре ты попросишь меня рассказать о Вьетнаме.

— Нет, — ответила я довольно жестко. — Потому что как профессионала меня интересуют следующие вопросы: какими приемами ты собираешься охарактеризовать каждый свой персонаж в ограниченных рамках романа? Например, мальчика на дереве, солдата-негра, который отказывается открыть огонь по крестьянам?

Мы проговорили с ним до двух часов ночи, подбрасывая друг другу идеи, споря, опираясь на лекции Эвана Кейтера. Каждый, кто нас слышал, сделал бы вывод, что Раттнер лучше разбирается в психологии, а я в том, как эту самую психологию примерить к литературе, и было ясно, что мы отлично дополняем друг друга.

Когда он захотел заплатить по счету, я предложила:

— Платим пополам!

— Нет проблем, — ответил он. — А у тебя есть деньги? У меня-то есть — предки подкидывают на карманные расходы.

— А мне, — сказала я, — их дает «Кинетик».

158

Прощаясь, он проговорил:

— Я, к сожалению, не могу проводить тебя до самого Бронкса. А вечер был очень содержательным. Это приятно после интеллектуального голода буден во Вьетнаме.

— Из того, что ты рассказывал, они не показались мне столь «интеллектуально голодными».

И я направилась к метро. Но он все же проводил меня до входа, чтобы убедиться, что в темноте со мной ничего не случится. На 8-й улице, перед тем как спуститься под землю, я сказала:

— Завтра я постараюсь найти твою рукопись. Ты оплатил возврат?

— Что я — ребенок? — рассердился он. — Конечно, я все оплатил.

— Когда ты послал рукопись?

— Я сам привез ее три дня назад.

— Ты говорил — два.

— То было вчера.

Обычно всю дорогу домой я читала завтрашний номер «Таймс», но в эту ночь я сидела, скрестив руки, раздумывая, как это здорово — встретить такого активно мыслящего молодого человека, разбирающегося в книгах. Внезапно я подумала: «Может быть, это тот самый человек, которого я ждала?» И, сдерживая смех, я вспомнила прошлую зиму, когда как сумасшедшая была влюблена в Эвана Кейтера и разрабатывала планы, как мне его соблазнить и увести от жены. А какое потрясение я испытала, когда узнала, что Кейтер никогда не был женат и не собирался этого делать!

«Бенно, — рассуждала я, — это совсем другое дело. Он будущий писатель и человек, которому есть что сказать». Когда поезд подходил к моей станции, я внезапно забеспокоилась, вспомнив свой недавний разговор с Жанис, которая работала теперь на моем месте в отделе поступающих самотеком рукописей. На вопрос, как идут дела, она с гордостью ответила, что обычно успевает еще до вечера разделаться со всем хламом, который приходит к ней за день. Оставалось только надеяться, что последние дни она не отличалась таким усердием.

Отметившись утром в своем офисе на седьмом этаже, я поспешила на пятый, чтобы поговорить с Жанис.

— Вчера вечером я встретила на курсах одного молодого писателя. Услышав, что я работаю здесь, он без обиняков заявил, что два дня назад представил сюда свою рукопись, которую, естественно, ему никто не заказывал. Почтовые марки для обратной пересылки прилагались. И мне стало интересно, как ты обошлась с ней.

— Как его фамилия?

— Бенно Раттнер. — Когда я повторила его фамилию еще раз, но на этот раз уже помедленнее, Жанис не смогла сдержать удивления:

— Черт меня побери! Взгляните! — И она протянула одну из записок, которые я часто печатала сама, находясь на этом месте:

«Мисс Мармелштейн!

Поскольку вы неравнодушны к проблемам молодых авторов, мне кажется, что вам захочется взглянуть на только что пришедшую рукопись. Не думаю, что вы напрасно потеряете время, хотя, конечно, это еще сырая работа.

Жанис Круп».

На мой вопрос, где сейчас находится рукопись, она ответила:

— Наверное, на вашем столе. Рейчел забрала ее одной из первых сегодня утром. — И я заторопилась на свой этаж.

Когда оказалось, что рукописи там нет, я взволнованно спросила:

— Что, разве Рейчел еще не приносила почту?

Никто не смог ничего припомнить. Однако вскоре

появилась Рейчел с гранками романа, который я редактировала, а также с сопроводительным письмом и рукописью Раттнера.

Схватив коробку, которая ничем не отличалась от сотен тех, что прошли через мои руки, я трепетно положила ее перед собой, сдвинув в сторону листы других рукописей, чтобы освободить место, и какое-то время молча глядела на нее, не отваживаясь сразу приступить к чтению и произнося про себя слова, которые твердит любой редактор, приступая к работе над произведением автора, которого он знает и с которым хочет сотрудничать:

— Надеюсь, что ему это удалось.

Я торжественно отложила в сторону сопроводительное письмо, сняла крышку и поставила в нее коробку с рукописью, чтобы все было под руками на тот случай, если рукопись придется возвращать. При этом в глаза мне бросились две вещи: маленький пергаментный конверт с почтовыми марками, прикрепленный липкой лентой к внутренней поверхности папки, а также то, что оставшееся свободное пространство внутри коробки было заполнено бумажным уплотнителем.

Из первых абзацев сразу стало ясно, что рукопись привлекла внимание Жанис своим живописным воссозданием картины рисового поля во Вьетнаме с одинокой фигуркой работающей на нем женщины в соломенной шляпе. От моего теперь уже наметанного глаза не ускользнуло то, чего, наверное, не заметила Жанис: абзацы строились не совсем так, как надо, ибо в них отсутствовало ведущее предложение, которое бы определяло рамки повествования, задавало ему тон и динамику.

«Зная, как надо пользоваться образами, он не умеет делать повествование динамичным», — думала я, однако продолжила чтение в надежде, что калейдоскопичность первых глав сменится более динамичным развитием сюжета. Но надежды мои не оправдались, и перед перерывом на ленч я напечатала в докладной записке для мисс Денхем:

«Раттнер Бенно. «Зеленая трясина».

Своевременная повесть о Вьетнаме, во многом не похожая на другие. Замечательные образы и умение пользоваться словом. Слабая структура и недостаточно динамичное развитие сюжета, по крайней мере, в представленной части. В случае согласия на переработку рекомендую поддержать автора и предложить ему личную встречу для обсуждения рукописи».

На часах было уже двенадцать тридцать, когда я допечатывала свой анализ из шести пунктов, заканчивавшийся выводом о том, что эта незавершенная рукопись вполне могла бы стать произведением, достойным опубликования, если на этом решающем этапе взять автора под свое попечительство. Удовлетворенная работой, я сбросила докладную в поддон для исходящих бумаг, упаковала рукопись и, взглянув на часы, ужаснулась: половина второго! Время ленча почти истекло. По пути к выходу на глаза мне попался телефонный справочник Манхэттена, что заставило меня притормозить. Полистав его, я вновь открыла коробку с рукописью и выяснила, что Раттнер проживает на улице Бликер. Не обнаружив в справочнике ни одного Раттнера, проживающего на Бликер-стрит, я посмотрела весь список Раттнеров, надеясь, что он живет с родителями. Но и здесь мне не удалось найти его. Убедившись, что позвонить ему невозможно, я вернулась к столу и напечатала короткую записку Раттнеру о том, что я вызволила его рукопись из макулатуры и нашла ее интересной. И что нам необходимо поговорить об этом после очередных занятий на курсах Эвана Кейтера.

На протяжении нескольких последующих лет — с

1968 по 1970 год — в моей профессиональной и личной жизни бушевал ураган страстей. Эта буря иногда сбивала меня с ног, но чаще возносила на головокружительные высоты. Но в целом этот период нельзя было бы назвать неудачным.

Как редактор я много работала с Лукасом Йодером над завершением его второго романа «Ферма». Это был радостный и благодарный труд. Параллельно я безуспешно билась с Бенно Раттнером, пытаясь переработать его рукопись о Вьетнаме. Немец был терпеливым тружеником, упорно следовавшим за своей путеводной звездой, тогда как вьетнамский ветеран метался из стороны в сторону, словно околдованный полярным сиянием, заливавшим все небо вокруг него. Мне одного слова было достаточно, чтобы направить Йодера по правильному пути и подвигнуть его на изнурительную переработку многостраничной рукописи, а вот у Раттнера при малейшей критике в его адрес опускались руки, и он неделями не садился за машинку. Так что из месяца в месяц немец продирался к завершению своего романа, а вьетнамский ветеран блуждал в джунглях Юго-Восточной Азии в ожидании спасительного вдохновения.

Разница между двумя подходами к написанию произведения — основанном на профессиональном опыте упорной работы, с одной стороны, и целиком зависящем от озарений вдохновения — с другой, — постоянно колола глаза Раттнеру, ибо он частенько слышал от меня имя Йодера, причем сравнение всегда было не в пользу Раттнера. Сама того не желая, я изводила его разговорами о том, что вот-де Йодер уже вычитывает гранки своего будущего романа, тогда как Раттнер все еще был далек от того, чтобы сдать рукопись в печать, хотя это одинаково печалило как его, так и меня. При каждом моем упоминании о Йодере Раттнер чувствовал себя настолько неприятно, что однажды не выдержал и бросил:

— Я не хочу больше слышать о твоем чертовом немце и о его писанине, которую он выдает на-гора.

Мне хотелось сказать: «Ты был бы счастлив, если бы тебе удалось выдать что-нибудь, хоть наполовину похожее на то, что делает он». Но я не стала обижать этого симпатичного и талантливого человека, который честно, но безуспешно пытался справиться со своими бедами.

Разница между степенным Йодером и молодым необузданным Раттнером усугублялась тем, что я была безумно влюблена в Бенно. Это чувство не имело ничего общего с моими романтическими грезами по поводу Сигарда Джепсона и профессора Кейтера. Это была всепоглощающая увлеченность молодым мужчиной, интересным во всех отношениях — привлекательным, умным, верным, располагающим к себе и заметным в любом обществе. Я даже не могла представить себе, что такой, как он, смог заинтересоваться моей персоной. Приглядываясь иногда в классе к другим молодым женщинам-редакторам, я всерьез раздумывала: а какая из этих красоток уведет его у меня?

Я помню наш первый поцелуй так, как будто это было вчера. Прослушав однажды захватывающую лекцию Кейтера, мы отправились в бистро на Вашингтон-сквер, чтобы обсудить ее. Бенно с упоением и блеском демонстрировал поразительное умение одного из своих кумиров, Стендаля, создавать образы людей, раздираемых противоречивыми страстями. Затем он проводил меня до станции метро на 8-й улице, где уже не раз прощался со мной, прося извинения, что не может проводить до дома:

— Ты — чудесная девушка и стоишь того, чтобы я отправился на край света и пожелал тебе спокойной ночи. Но мне не по силам это, и я приношу свои извинения. — Собираясь и на этот раз отпустить какую-нибудь шутку, он вдруг прижал меня к себе и страстно поцеловал. — Ты замечательная! Ты что-то совершенно особенное в моей жизни. — Мне же не хватило дыхания, чтобы вымолвить слова о том, что значил для меня *он*.

По дороге домой меня вновь охватили ставшие уже обычными сомнения. Как он может увлекаться мной? Зачем такому тонкому человеку общаться со мной, когда вокруг столько гораздо более образованных и развитых женщин? Я низвела себя так низко, что на следующее утро на работе позвонила мисс Уилмердинг и попросила ее принять меня по важному личному вопросу.

— Это моя работа. Заходите, — довольно официально ответила та и, должно быть, была немало удивлена, узнав о моих заморочках.

— Мне не дает покоя то, что я так и не окончила колледжа. Вы знаете, что я стараюсь наверстать упущенное. Но достаточно ли я делаю для этого и позволяют ли мои успехи в учебе рассчитывать на постоянное место редактора?

— Мисс Мармелштейн! — рассмеялась она. — Вечерние курсы, на которые мы направили вас, а также ваши самостоятельные занятия, которым, как мне известно, вы посвящаете свое свободное время, дают вам гораздо больше знаний, чем обычная степень магистра литературы. Вы намного опережаете некоторых из наиболее удачливых редакторов здесь в Нью-Йорке. — Она тепло улыбнулась и добавила: — И даже некоторых в нашем издательстве. Мозги у вас есть, а опыт приходит с годами.

Когда, окрыленная поддержкой, я уходила из ее кабинета, она проводила меня до дверей.

— Это, конечно, не мое дело, но хочу вас похвалить за то, что вы стали лучше выглядеть. Думаю, что и мне не мешало бы воспользоваться некоторыми из ваших хитростей при подборе гардероба, — и дружески похлопала меня по плечу.

Весь день, встречая по пути стеклянные двери или

зеркало, я ловила в них свое отражение и не без удовлетворения разглядывала его.

В пятницу вечером, заканчивая занятия, Эван Кейтер попросил меня задержаться ненадолго.

— Насколько я понимаю, вы работаете редактором в «Кинетик». Это удивительно — ведь вы так молоды!

— Я и сама чувствую себя слишком молодой для этой работы. Тем более что за плечами у меня всего один курс колледжа.

— Юная леди, по тому, как вы держите себя на моих занятиях, я бы сказал, что вы уже доктор наук в необходимом вам деле. Вы — одна из лучших моих учениц.

Наверное, я залилась краской, поскольку он быстро добавил:

— Очевидно, мне не следовало говорить этого перед тем, как попросить вас об услуге. Но в одной из моих групп для начинающих есть поразительно талантливая молодая женщина, насколько я могу судить об этом. И я подумал, не могли бы вы посмотреть ее рукопись, которая, на мой взгляд, на девяносто процентов уже закончена, и помочь ей избежать мусорной кучи.

— Я буду рада помочь, профессор Кейтер. Ваши курсы многим открыли дорогу в жизнь. К тому же я доверяю вашим суждениям.

— Я надеялся, что вы скажете что-то в этом роде, и поэтому захватил рукопись с собой. Эта молодая особа, не менее талантливая, чем сама Сильвия Плат, — моя находка года.

Увидев, что Бенно Раттнер ждет, когда я закончу свой разговор с профессором Кейтером, я подошла к нему, уверенная в себе, как никогда. Я была компетентной, образованной, имела надежную работу и не была, положа руку на сердце, дурнушкой. Обладая всеми этими достоинствами в свои двадцать четыре года и находясь в центре интеллектуальной жизни

Нью-Йорка, чего еще можно было желать, тем более когда тебе известно, что молодой человек увлечен тобой.

Оказавшись в тот вечер возле станции на 8-й улице, мы проторчали у входа еще с полчаса, после чего он бросил небрежно:

— Вон там моя квартира.

И мы оба знали, что если не сегодня, то в один из следующих вечеров я пойду с ним туда.

Тремя неделями позднее, когда мои чувства к Бенно полыхали пожаром, в моей душе созрело твердое решение. После очередного обсуждения идей Кейтера, затянувшегося до двух часов ночи, он предложил, когда мы направлялись своим обычным маршрутом к метро:

— Глупо ехать в Бронкс так поздно. Почему бы тебе не остаться у меня и не дождаться утра?

Мой ответ последовал так быстро, словно был отрепетирован:

— Интересное предложение! Надо проверить твою квартиру и подумать, не воспользоваться ли мне ею как-нибудь на следующей неделе.

Миновав вход в метро, мы дошли до Бликер-стрит, где в новом доме у Раттнера была квартира, купленная на деньги родителей. Увидев персидский ковер, сверкавший бело-голубыми красками и золотом, полки, заполненные книгами, музыкальный центр «Фишер» и три большие репродукции Моне, я подумала: «Как хорошо, что его вкусы совпадают с моими».

Оказавшись в объятиях Бенно, я забыла о возвращении домой. Но, когда наконец вспомнила и встала, чтобы отправиться в свой дом на край света, со мной произошло что-то странное. Протянув руку к дверной ручке, я почувствовала, что какая-то сила не дает мне взяться за нее. Обернувшись к Бенно, я прошептала:

— Ох, Бенно, мне так хорошо здесь с тобой, что просто нет сил уходить!

Бросившись в его раскрытые объятия, я с такой силой налетела на него, что он не удержался на ногах и повалился в кровать, увлекая меня за собой. В ту ночь я больше не помышляла о возвращении домой.

В следующую пятницу я отправилась на работу в «Кинетик» с двумя огромными чемоданами, с которыми затем появилась на семинаре Кейтера. Увидев меня с ними, Бенно поднял брови, а я утвердительно кивнула. Приняв решение поселиться у него, я ни разу не пожалела об этом.

1970 год принес кучу мелких проблем, которые накладывались друг на друга и начинали тревожить. Я напряженно работала над выпуском трех книг, помогая в оставшееся время Йодеру вносить последнюю правку в его текст, понимая, что от успеха этой книги зависит наша с ним судьба. В это же самое время Бенно бился над полной переработкой своего романа, которому он с моей подачи дал новое название — «Зеленый ад». Этот труд был настоящей пыткой: писателю, потерявшему ориентиры, кажется, что он движется назад и его неотступно преследует злой рок. На первом этапе сочинительство приносит радость, когда писатель в полете фантазии порхает вместе с райскими птичками, поющими ему славу на взлете к вершинам мысли. Но, когда, исчерпав идеи, автор принимается переписывать свое творение, его труд превращается в каторгу и в четырех случаях из пяти оказывается непродуктивным.

Однако вечера во время уик-энда доставляли нам радость: нас воспламеняли идеи, которыми щедро делился Эван Кейтер. После того как он заканчивал свой семинар, мы обычно приглашали нескольких студентов к себе домой, чтобы, потягивая вино, продолжить обсуждение. Пару раз к нам присоединялся сам Кейтер и развивал свои идеи до часу или двух ночи. В один из таких вечеров, глядя на Бенно и Кейтера, сидящих вместе, я чуть было не расхохоталась. Мне вспомнилась та зима, когда я мечтала о том, чтобы завлечь Кейтера в свою постель. Несмотря на весь свой блеск, рядом с молодым Бенно, у которого все было впереди, он казался увядающим стариком. Просто поразительно, какие сумасшедшие пути надо проделать, прежде чем повзрослеешь.

В другие вечера я посещала издательские курсы при Нью-Йоркском университете. Занятия заканчивались, и я чуть ли не бегом летела на квартиру, где с прохладительными напитками и горячими объятиями меня ждал Бенно. В такие моменты я не могла представить себя с другим мужчиной. Такими идеальными казались мне наши отношения.

Но даже сейчас мне было бы трудно объяснить, почему мы не поженились. Со временем я вжилась в образ «свободной женщины» и, по правде говоря, даже считала себя лучше приспособленной к современной жизни, чем Бенно. Мне казалось, что, выйдя замуж, я взвалю на себя ношу, которая однажды может стать тягостной или даже губительной. Проще говоря, я была сильнее него, и защитный инстинкт женщины говорил мне: «Берегись!»

Еще труднее объяснить, почему он не настаивал на женитьбе. Скорее всего, причиной этого было его опасение, что в союзе с женщиной, утвердившей себя в жизни, он не сможет чувствовать себя уверенно до тех пор, пока не написан и не издан его роман. Только тогда мы смогли бы существовать в этом союзе на равных. Но насмешка судьбы заключалась в том, что та, которая должна была помочь ему закончить работу, как раз и представляла для него угрозу. Поэтому-то, наверное, мы с опаской относились к закреплению наших отношений посредством женитьбы.

Однако сказать, что мы не подходили друг другу, было бы совершенно неверно. Нам доставляло удовольствие спорить о книгах и анализировать то, что получали от семинаров Эвана Кейтера. Мы одинаково высоко оценивали то, что может дать человеку по-настоящему прекрасная книга. И при этом мы с нетерпением ждали момента, чтобы оказаться в постели. Мы были счастливой парой, светлое будущее которой омрачалось лишь тем, что ни мои, ни его родители не одобряли нашего совместного проживания.

Я долго и тщательно готовила своих к «ужасной правде» о том, что живу не в своей собственной квартире, а в его. Когда они наконец познакомились с Бенно, последовал горький вопрос:

— Если уж он такой чудесный и обладает, как ты говоришь, «талантом от Бога», то почему ты не выходишь за него?

— Вначале я должна утвердиться в этой жизни, — таким был мой ответ.

А когда Бенно рассказал своим родителям, что в квартире вместе с ним живет девушка, которую зовут Ширли Мармелштейн, его мать заметила:

— Какое странное имя для такой изысканной квартиры, как твоя. Как у продавщицы Блуминдейла.

Он заверил их, что я — не только одна из самых способных молодых редакторов Нью-Йорка, но еще и гений.

— Прекрасно, — отозвалась его мать. — Тогда женись на ней и производи на свет гениальных детей.

Он обещал подумать над этим, но при этом не обеспокоился тем, что меня надо представить родителям.

Со временем у меня стало складываться впечатление, что наша любовная идиллия не может обходиться без того, чтобы хотя бы раз в месяц не взрываться бурной сценой, такой, например, какая произошла однажды из-за «Фермы» Лукаса Йодера, которую полностью проигнорировали влиятельные журналы и лишь вскользь упомянули газеты. Бенно довольно грубо заявил:

— Я вижу, твой всемирно известный немец опять сел в лужу.

Я не выдержала и закричала:

— Ему, по крайней мере, есть с чем садиться в лужу.

Последовала ожесточенная перебранка, и следующие два дня мы не разговаривали друг с другом. На третий день я сказала:

— Запомни, дорогой: когда ты насмехаешься над неудачами Йодера, ты насмехаешься и надо мной тоже. Это не только его книга, но и моя, и мне горько, что она остается непризнанной.

В моих словах было столько чувства, что он не выдержал и, взяв меня за руку, стал целовать мои пальцы.

— Я вел себя отвратительно, — проговорил он, одарив своей лучезарной улыбкой.

Спускаясь в лифте по пути на работу, я думала: «По крайней мере, нам обоим небезразличны книги, а Бенно видит вещи настолько отчетливо, что обязательно справится со своими проблемами». Но время шло, а проблемы не разрешались.

В течение следующих трех лет — с 1971 по 1973-й — я окончательно упрочила свое положение в «Кинетик», выпустив серию добротных книг, которые сама предложила и довела до успешного завершения. В «Кинетик» распространилось мнение, что «Мармелштейн обладает всеми тремя качествами, необходимыми для того, чтобы быть отличным редактором. Она способна распознать яркий роман, который будет принят читателями. Она умеет подбирать современные темы для увлекательных документальных произведений и находить писателей, способных воплощать эти темы. И, что самое ценное, она может сделать книгу, которую будут читать пятнадцать лет спустя». Как-то однажды, в 1972 году, отклонившись от своего обычного маршрута, к моему столу подошел Макбейн:

— Мисс Мармелштейн, некоторые ваши книги имеют успех. Стабильные продажи — это то, что помогает нам идти вперед. Продолжайте шарить по закоулкам.

Выраженное таким образом доверие со стороны главы нашей фирмы помогло мне одолеть целый редакционный совет, когда он вознамерился отринуть Лукаса Йодера, дважды потерпевшего неудачу. Я громогласно заявила:

— Удачно найденные и опубликованные мной книги подтверждают, что у меня есть чутье на хорошую литературу. Поверьте, мой автор вырвется из этого круга, потому что он делает отличную вещь.

— Его вещи флегматичны.

— Да, — согласилась я, выдавив из себя улыбку. — Он флегматик, как Драйзер. И однажды напишет свою «Американскую трагедию».

— После дождичка в четверг!

Я не обиделась, а продолжала настаивать и, хорошо зная секреты профессии, лишь усилием воли заставила коллег дать Йодеру еще один шанс и еще один аванс, чтобы показать, что мы верим в него. Правда, совет согласился только на восемьсот долларов, да и то скрепя сердце. Приняв этот подарок, я произнесла маленькую речь:

— Наступит день, и мы убедимся, что это были самые доходные восемьсот долларов из всех когда-либо нами выложенных.

Несмотря на то что всем в «Кинетик» были известны мои отношения с Бенно Раттнером, никто из моих коллег не досаждал мне разговорами, что он никак не состоится как писатель, и даже не спрашивал о том, собирается ли он вернуть тот небольшой аванс, который выдало ему издательство.

Но вот Сигард Джепсон, служивший во Вьетнаме и внимательно следивший за всеми событиями, связанными с этой войной, имел некоторые соображения, которые могли быть полезными Бенно. Сигард был страшно возмущен ужасным событием в Кенте, где четверо молодых солдат из Национальной гвардии, выражаясь его словами, «хладнокровно убили четверых невинных студентов», выступавших против войны. На одном из редакционных совещаний он говорил:

— Полагаю, что нация готова к признанию полного фиаско вьетнамской авантюры. Такое признание может проявиться в виде решительного осуждения ужасов, творившихся на полях сражений, или в чем-то, подобном «42-й параллели» Дос Пассоса, где автор рассматривает влияние позорной войны в американских городах, заканчивая повествование показом четырех деревень в самом Вьетнаме.

Когда другие редакторы заявили, что они приветствовали бы любой из этих двух подходов, предрекая успех всякому, кто первым появится на книжном рынке, Джепсон выступил с инициативой:

— Я мог бы побеседовать с вашим подопечным, мисс Мармелштейн, по любой из этих концепций, которая покажется интересной ему.

— Раттнер не ждет, когда какая-нибудь концепция «покажется интересной ему», — ответила я, ощетинившись. — Как большинство хороших писателей, он сам обладает живым воображением.

Джепсона не смутила моя негативная реакция. Пройдя через Вьетнам, он знал, что это такое и какие подводные камни могут ждать того, кто возьмется про это писать.

— Я подумал, что, если избранное им направление завело его в тупик, новый подход мог бы окрылить его и дать простор для мысли.

— Он вполне уверенно движется своим собственным путем, как показывают его последние успехи.

— Прекрасно. Но, если он когда-нибудь появится в редакции, я буду рад поговорить с ним. — В его словах было столько великодушия и искренности, что, вернувшись домой, я сказала Бенно:

— Тебе, наверное, будет интересно узнать другую точку зрения на твою войну. — Но это невинное предложение так распалило его, что я впервые увидела темные стороны его характера, когда он агрессивно прорычал:

— Я отказываюсь тащиться в «Кинетик», где твои друзья будут жалеть заблудшего писателя. Пригласи его сюда.

Я так и сделала. Но встреча едва не закончилась скандалом, ибо Джепсон, в отличие от Бенно, представлял собой новый тип американского ветерана, болезненно переживавшего презрение общества и ненавидевшего политиков, допустивших это, или, как он выражался, «инспирировавших это презрение». Всячески осуждая систему, он уговаривал Бенно написать роман, который бы «развенчал этот позорный эпизод в нашей истории».

Бенно делал вид, что не понимает, о чем толкует Джепсон:

— Вы представляете это таким сложным... похожим на заговор и предательство. Я вовсе не склонен рассматривать проблему под таким углом зрения. Нас послали за океан сражаться с коммунистами, покончить с азиатами, пока эти узкоглазые не разделались с нами. Но их оказалось слишком много, а нашими начальниками были такие непроходимые тупицы, что из нас вышибли дух и нам пришлось вернуться обратно.

Джепсона покоробил такой анализ войны, и он спросил с едва скрытой усмешкой:

— И именно такого рода книгу вы пишете?

— Я не пишу никакого «рода книгу». Я пытаюсь словами выразить пережитое.

— И именно так вы интерпретируете свой опыт? Наши хорошие парни убивают плохих азиатов?

174

— Полагаю, что-то в этом роде.

— Но как можно выстроить на этом книгу?

— Я не выстраиваю книги. Они у меня пишутся сами.

— Вы закончили хоть одну книгу?

— Я прочел немало хороших книг.

— Я имел в виду вашу собственную? Доведенную до конца?

— Что касается меня, то я не признаю конца. Я вижу жизнь как непрерывно продолжающийся процесс. Генерал, который был тупицей во Вьетнаме, возвращается домой и продолжает оставаться таким же тупицей, но на этот раз в конгрессе.

— Так вы не видите никаких достоинств в предложенных мною подходах?

— Никаких. Они были бы в самый раз в 1919 году после Первой мировой войны или в 1946-м после Второй. Но в 1972-м? Применительно ко Вьетнаму? Да в книжных магазинах вас обсмеют!

— Вы считаете, что когда-нибудь попадете на полки книжных магазинов? Двигаясь такими темпами?

Вопрос так нещадно бил в точку, что Бенно вскочил и сказал:

— После такого оскорбления вам остается только перерезать себе глотку или проваливать отсюда ко всем чертям! — И показал ему на дверь.

Не желая, чтобы моего коллегу выставляли так грубо, я проводила Джепсона до лифта.

— Вы хотели подать свою петицию императору, и вы сделали это. Благодарю вас за выдержку. Примите мои извинения, Сигард.

— Очнитесь, Ширли, — сказал Джепсон, — ваш избранник никогда не закончит книгу. Мне понадобилось всего три минуты, чтобы понять это. Он родился неудачником.

— Потеряв контроль над собой, я резко размахнулась и, ударив Джепсона по лицу, вернулась в комнату, где Бенно подливал себе вина и смеялся над пустоголовостью нашего посетителя.

В 1973 году, когда Лукас Йодер при моей помощи публиковал свой третий роман «Школа», его постигло такое удручающее поражение, что даже Бенно проникся сочувствием к автору:

— Я прочел его, дорогая, и нашел некоторые части весьма интересными. Я отчетливо вижу, что он хотел сказать, но отчетливо вижу и то, что он не сделал этого.

— У него есть грандиозная идея для следующего романа...

— Ты хочешь сказать, что они собираются позволить ему делать следующий? В твоем издательстве, должно быть, полно мазохистов.

— Они бы оказали и тебе такую любезность, если бы ты поднатужился и закончил свою рукопись.

— Когда автор тужится, у него выходит такой же вздор, как у Йодера. Орлы парят в вышине, дорогая, а не роются в поисках местного колорита и любопытных диалектов.

На этот раз я не могла позволить себе броситься на защиту Йодера, ибо почва уходила у меня из-под ног. Йодер, писавший свои книги именно так, как говорила ему я, потерпел три серьезные неудачи, и я знала, что меня не поймут, если буду пытаться настаивать перед руководством на продолжении сотрудничества с ним. Так оно и оказалось. Собравшийся редакционный совет решил дважды наступить мне на мозоль.

— Смешно продолжать держаться за вашего Раттнера. Отпустите его, и пусть он плывет себе на все четыре стороны. Если вы не хотите написать ему об этом сами, то это сделает мистер Джепсон.

Я промолчала, хорошо понимая, что в такой обстановке мне не удастся защитить как Раттнера с его ничтожными шансами родить мало-мальски подходящую рукопись, так и Йодера с его неспособностью продать отличную рукопись, которую он уже родил. Спорить в отношении Бенно я не стала.

— А теперь о вашем Йодере, участвовавшем в гонках с препятствиями. Он не сделал даже первого прыжка. Гонка прошла мимо него, и единственное, что нам остается, это бросить его.

Один из редакторов спросил:

— А разве его агент по продаже не отказался от него?

— Да, даже двое, но однажды они крепко пожалеют об этом.

— Мисс Мармелштейн, мы не видим возможности помочь этому симпатичному человеку. Он знает, что такое предложения и абзацы, но, похоже, не имеет ни малейшего понятия о том, что нужно делать, чтобы книга была «читабельна».

Несмотря на мои уговоры, Йодер был бы исключен из списка авторов издательства, если бы не поддержка, на которую я уже не надеялась. Непосредственно перед самым голосованием в разговор вмешался Джепсон:

— Я все же считаю, что мисс Мармелштейн права. Йодер знает, как надо писать книги. Его время еще придет. Я уверен в этом.

После этого противников Йодера стало девятеро, а сторонников — двое, и с Лукасом Йодером было покончено. Но в этот момент раздался предупредительный кашель Макбейна, и, когда мы повернулись, чтобы выслушать его мнение, он тихо сказал:

— Когда я закончил читать «Школу», у меня было сильное ощущение, что лучшее время для этой книги наступит через пятнадцать лет. Думаю, что Джепсон прав. У этого автора еще все впереди. — Эта неожиданная поддержка помогла Йодеру остаться в списках.

Когда совещание закончилось, я подошла к Джепсону:

— Вы были более чем великодушны. Я очень признательна вам.

— Сожалею по поводу Раттнера. Хотите, чтобы я написал письмо?

— Он воспримет это как дополнительное оскорбление, — грустно улыбнулась я. — Это должна сделать я.

— Не давайте его улыбке обезоружить вас.

Дождавшись вечером подходящего момента, когда, покончив с пиццей и пивом, мы с Бенно слушали скерцо Шопена, я спокойно сказала:

— Довольно неприятная новость, Бенно. Издательство решило порвать с тобой. Аванс ты, конечно, возвращать не должен, но сотрудничество прекращается.

— Они не надеются, что рукопись... — голос у него сорвался, — когда-нибудь будет закончена? В удобоваримом виде?

— Боюсь, что именно это они имели в виду. Но это не конец пути, Бенно. После заседания я консультировалась со Сьюзи Дженкинз из отдела авторских прав. Она знает всех и заверяет меня, что к концу недели найдет для тебя другого издателя.

— А нужно ли это? — спросил он. Голос его дрожал, и я чувствовала, как он страдает. Мне было ясно также, что в такой момент я не могу бросить этого одаренного человека, так страстно желавшего написать книгу:

— Конечно, надо. Нужен новый издатель со свежим взглядом на перспективу «Зеленого ада», нужен новый редактор, способный задать более четкое направление. Это может все изменить.

Мой триумф и его поражение как никогда сближали нас в ту ночь в постели. А утром, тремя днями раньше обещанного срока, мисс Дженкинз из отдела авторских прав поспешила сообщить нам, что ее подруга из «Саймон энд Шустер» вызвалась взять Раттнера с его вьетнамским романом под свое крыло.

— Она сказала, что там очень заинтересованы в крупной вещи о Вьетнаме. Там уверены, что она будет именно такой, и хотят заполучить ее.

— Я могу сообщить об этом ему?

— Да, обратитесь к мисс Криппен. Она ждет.

Когда я позвонила домой и начала пересказывать Бенно эту захватывающую новость, он оборвал меня:

— В «Саймон энд Шустер» никогда не поймут того, что я пытаюсь сказать. Все, что их интересует, это лишь коммерческий успех.

— Бенно, я тебе уже сто раз говорила, что, если ты сделаешь свою книгу о Вьетнаме так, как надо, она будет военным бестселлером. Нация ждет основательной вещи на эту тему. Голливуд, телевидение... — Но это только подлило масла в огонь.

— Меня не интересует дутая популярность. Я заинтересован только в том, чтобы написать выдающийся роман. Пусть «Саймон энд Шустер» идет ко всем чертям. — И он с грохотом бросил трубку.

Его детское неприятие всякой помощи настолько угнетало меня, что, когда я вышла из метро и направилась к нашей квартире, мне не хватило смелости посмотреть в лицо моему великовозрастному капризуле. Вместо этого я отправилась бродить по улицам и заглядывать в лица прохожих, недоумевая при этом: неужели он из тех, кто в одиночку старается переплыть океан своих неудач? Или из тех, кто сдается после первого же поражения? Полицейский остановил меня вопросом:

— Извините меня, мэм, но вы не похожи на ночную бродяжку. Что-нибудь случилось?

Когда я ответила: «Ну что вы, все в порядке, если не считать, что жизнь не удалась», — он проводил меня до дома и посоветовал:

— Идите домой, и все наладится.

Отчаяние не отпускало, и я еще с полчаса расхаживала перед освещенным вестибюлем нашего многоквартирного дома на глазах у недоумевавшего привратника, спрашивая себя: «В свои двадцать девять лет, успешно справляющаяся со всеми своими делами, я оказалась нянькой у двоих мужчин, которые никак не могут прийти в себя, у инфантильного молодого любовника, который не хочет и попытаться что-то сделать, и старого чудака Йодера, который только и делает, что пытается, но тщетно». Неожиданно я прокричала в ночи: «Что с тобой, Мармелштейн, черт возьми? Вечно ты возишься с неудачниками. Ты что, героиня какого-нибудь старомодного сентиментального романа, убежденная в своей способности привести в чувство спившегося мужа или стать музой для обреченного поэта? Неужели это тебе дано в жизни?» Решив все же, что судьба здесь ни при чем, я подумала: «Бенно Раттнер сможет писать, если победит в себе чувство неудовлетворенности, а Лукас Йодер непременно преодолеет свой барьер. И я помогу им в этом». Я решительно взбежала по ступенькам в дом, испытывая жгучее желание обнять Бенно и помочь забыть о неудачах.

После того как я принесла извинения мисс Дженкинз в «Кинетик» и мисс Криппен в «Саймон энд Шустер», мы с Бенно стали с удвоенным интересом посещать семинары Кейтера. В анализе того, что на них обсуждалось, не было равных Раттнеру. И в один из счастливых моментов, когда занятия были продолжены в нашей квартире, Бенно с нескрываемым удовольствием услышал от блестящего критика, попивавшего виноградный сок:

— Я на самом деле полагаю, мистер Раттнер, что вы не хуже меня смогли бы вести занятия на моем курсе.

Несколько человек из присутствовавших захлопали в ладоши.

В этом курсе Кейтер в систематической форме разбирал замечательную книгу Эриха Ауэрбаха об искусстве писателя. Книга носила название «Мимикрия» и была посвящена искусству имитации или представления реальности. Для пояснения своих мыслей автор использовал в ней примеры из двух десятков произведений величайших писателей мира: Гомера и Петрония, Рабле и Сервантеса, Стендаля и Вирджинии Вульф. Автор, как выразился один из студентов, был «весьма головастым малым», и, хотя для многих рассуждения Ауэрбаха и объяснения Кейтера оставались непонятными, мы с Бенно наслаждались глубиной этого труда, служившего мерилом остроты нашего ума. С близкими по духу и способностям студентами мы продолжали собираться вечерами по пятницам у нас на квартире, где у Бенно всегда было что выпить и чем закусить. Во время таких сборищ он загорался и неизменно блистал остротой ума, разбирая фундаментальные принципы повествования.

Когда на занятиях речь зашла о взглядах Ауэрбаха на творчество Бальзака и Стендаля, Бенно удивил даже меня глубиной понимания этих выдающихся французских писателей. А когда последовал вопрос Кейтера: «Где вам удалось так близко познакомиться с ними?» — он ответил:

— Во Вьетнаме надо было что-то читать, а комиксы, которые нам поставляли, быстро заканчивались.

Позднее один из студентов, тоже побывавший во Вьетнаме, пояснил, что наряду с комиксами для многочисленных неграмотных туда поставлялась также литература для тех, кто мог читать:

— Я тоже прочел обоих этих французов во Вьетнаме, но клянусь, что мне даже в голову не приходили те мысли, которые развивает Ауэрбах. Ручаюсь, что и Раттнеру они тоже были неведомы до тех пор, пока он не почерпнул их у автора.

К несчастью, Бенно услышал эти слова и на следующем семинаре заявил своему сослуживцу по Вьетнаму:

— Я предлагаю прямо сейчас написать контрольную работу и определить, кто из нас двоих понимает произведения этих писателей.

Видя не в меру воинственный настрой Бенно, коллега предпочел с ним не связываться.

Ничего не вышло и тогда, когда другой из сокурсников (он был несколько старше по возрасту, чем Раттнер, и работал редактором в небольшом издательстве, занимающемся выпуском авангардистской литературы) попросил нас с Бенно о встрече после очередного семинара:

— Слушая вас, мистер Раттнер, я убедился, что вы тонко чувствуете художественное произведение. Мне известно, что у вас есть рукопись романа о войне во Вьетнаме. Мы сочли бы за честь, если бы вы предложили ее «Галлантри» для публикации.

— Она еще не закончена...

— Большинство из того, что мы издаем, обычно не бывает законченным, когда впервые попадает к нам в руки. Приводить рукописи в законченный вид — наша работа. А при вашем понимании проблемы...

— Она не закончена, — повторил Бенно, повышая тон, и он ушел бы прочь, не останови я его:

— Дорогой, я думаю, что она уже готова, и мы были бы рады, если бы в «Галлантри» посмотрели ее. Быть опубликованным таким издательством — большая честь. — Опасаясь того, что Бенно мог сделать, оставшись с рукописью наедине, я предложила редактору: — А почему бы нам не зайти за ней прямо сейчас?

Таким образом «Зеленый ад» попал в издательство, редакторы которого славились своим умением приводить в порядок самые растрепанные вещи. Работа над рукописью пошла с такой скоростью, что мы с Бенно вздохнули с облегчением. Но, когда за дело взялись более опытные работники издательства, выяснилось, что автору надо еще много поработать, прежде чем она может быть предложена читателям в виде книги.

Состоялось заседание редакционного совета, и рукопись от молодого энтузиаста перешла к прагматику, набившему руку на экспериментальных работах, который пригласил Бенно в свой кабинет и предложил «генеральный план спасения», как он выразился, «выигрышного материала в проигрышной форме». Но его предложения показались Бенно настолько оскорбительными, что он схватил рукопись и закричал:

— Мы делаем не конфетку, а роман! — И выскочил из здания с рукописью под мышкой.

На следующем семинаре молодой редактор принялся извиняться:

— Мне очень жаль, что наш мистер Петерсон был столь нетерпелив. Иногда у него опыт берет верх над манерами. Я счел бы за честь попытаться еще раз заняться романом.

Но Бенно отверг это:

— Повторится то же самое. Так случается везде, где публикуют всякую дрянь. — Уничижительное определение и улыбка так не соответствовали той новаторской работе, которая велась в «Галлантри», что его редактор удивленно поглядел на Бенно, а затем не выдержал и расхохотался.

— Вы, должно быть, не заглядывали в наш каталог, мистер Раттнер.

И перед нами захлопнулась еще одна дверь, которая могла стать нашим спасением.

В последующие месяцы, занятая, пожалуй, самой плодотворной в своей редакторской карьере работой над лучшим романом Лукаса Йодера «Изгнанный», я была глубоко несчастна в своей личной жизни с Бенно. Павший духом, он больше и не пытался превратить свои заметки — в большинстве своем блестящие, по мнению специалистов, — в связное повествование. До полудня он валялся в кровати, а затем начинал пить — не до полного опьянения, но до этого оставалось лишь чуть-чуть. В конце дня, просмотрев «Таймс» и разгадав кроссворд, принимался слушать Брамса и Шопена, перемежая их наиболее любимыми записями музыки из опер «Аида», «Дон Карлос» и «Кольцо нибелунга» Вагнера. Когда знакомые звуки заполняли квартиру, он погружался в эйфорию, которая несколько притупляла боль от сознания своей неспособности выразить словами переполнявшие его грандиозные идеи. Однажды он воскликнул: «Они решали ту же проблему: переложить на ноты те величественные звуки, которые им слышались в их сознании. Как это им удалось?» А затем последовал ужасающий вопрос: «Почему это не удается мне?»

Впав в зависимость от меня, он сознавал опасность своего положения и однажды утром, когда я готовила завтрак, удивил меня своим признанием:

— Мне приснился страшный сон: будто я рассвирепел, выкрикивал обвинения, угрожал тебе, понимая при этом, что без тебя мне не прожить. Я знаю, насколько ты важна для меня, дорогая, и никогда не буду подвергать опасности наши отношения.

Я была так тронута этими словами, которые как нельзя точно отражали нашу ситуацию, что весь завтрак ворковала с ним о нашей совместной жизни и заверила его в том, что я нуждаюсь в нем не меньше, чем он во мне.

На работу в тот день я отправилась поздно, а когда, вернувшись вечером, готовила ужин, он возобновил этот разговор. Голос при этом у него слегка дрожал.

— Ширли, нашим отношениям грозит опасность. Сегодня утром я дал тебе клятву. И теперь я повторю ее: никогда, даже под страхом смерти, я не сделаю ничего, что поставило бы под угрозу мою любовь к тебе. Если у меня не будет тебя, в моей жизни останутся пустота и мрак.

Он взял мои руки и поцеловал их. Я парила в облаках, а душа моя пела от того, что он так дорожил нашими отношениями, и при этом я готовила фасоль с сыром, а он мне помогал. Сама того не желая, я испортила эту идиллию словами:

— Я абсолютно уверена, что теперь Йодер преодолел свои трудности. На этот раз он, несомненно, стал победителем.

У Бенно перехватило дыхание. Не в силах слышать ненавистное имя, которое омрачало наши отношения, он закричал:

— Чтоб я никогда больше не слышал про этого проклятого немца! — И рванулся на меня, намереваясь, очевидно, ударить по лицу. Когда его кулак прошелся в нескольких дюймах от моей щеки, я схватила длинный кухонный нож и выставила его так, что он оказался нацеленным ему в горло. Еще одно движение, и он бы напоролся на него. Мы оба это поняли и в ужасе смотрели друг на друга. Каждый опустил свое оружие: Бенно — кулак, а я — нож, и, когда в неосвещенной квартире сгустилась темнота, мы сбивчивым шепотом говорили о нашей жизни и о том, какие сильные чувства мы испытывали друг к другу. Ближе к полуночи он спросил:

— Ты стала бы чувствовать себя увереннее, дорогая, если бы мы поженились? — И, прежде чем я успела ответить, продолжил: — Я смогу обеспечить тебя. У меня более чем достаточно вкладов. Ты смогла бы не работать.

— Я не хочу бросать работу, — возразила я не задумываясь. — Мне нравится видеть, как рождаются книги.

— И мне тоже. Но у меня, похоже, ничего не рождается.

— Я буду делать творческую работу за двоих.

— Так ты не настаиваешь на женитьбе?

— В тридцать один год — нет. В тридцать семь, когда я, возможно, почувствую, что почва уходит у меня из-под ног, — может быть. А в сорок, когда жизнь уже будет позади, — да! — крикнула я и страстно стала целовать его, а потом продолжила: — Но учти, Бенно! Если бы ты ударил меня, я бы убила тебя. В моей семье честь — это все. Моему отцу никогда не удалось бы выбраться из нацистской Германии, не будь он готов отдать жизнь, защищая то, что он считал человеческим достоинством.

Он никак не отозвался на мои слова, и я произнесла почти что холодно:

— Постарайся привести свою жизнь в порядок. Я люблю тебя и хочу быть с тобой.

В моем беспрецедентном предупреждении отразились страх и смятение, которые я испытала из-за того, что Бенно хотел меня ударить кулаком. Мне никогда не приходилось испытывать ничего подобного, и я не знала, как к этому относиться. Но я хорошо помнила, как дядя Юдах говорил когда-то о мужьях, которые били своих жен: «Ни один еврейский мужчина никогда не ударит женщину. Это немыслимо. Такое могут позволить себе только ирландцы, когда их разум затуманен алкоголем». Выходит, он ошибался. Бенно Раттнер был на волосок от того, чтобы ударить Ширли Мармелштейн, — и эта мысль приводила меня в ужас.

Почему я не рассталась с ним в ту ночь, тем более что мы не были женаты? Я не могу объяснить это ничем иным, кроме как тем, что я любила его, и, когда он улыбался мне своей неповторимой улыбкой, я просто таяла.

К тому же мое предупреждение сработало, ибо, когда он понял, что я могу однажды просто взять и уйти, он больше не распускал руки. Но его агрессивность стала искать себе другие выходы. Через несколько дней он оказался в новой переделке, и опять-таки инициатором неприятностей был он сам. Джепсон, болезненно переживавший все, связанное с Вьетнамом, написал письмо в «Нью-Йорк таймс», где сетовал на недостаток внимания к проблемам ветеранов войны. Бенно нашел его заявление столь возмутительным, что взорвался разгромным опровержением, в котором называл Джепсона и большинство ветеранов хлюпиками и обвинял их в том, что, пытаясь разоблачить военное ведомство, они чуть ли не докатились до предательства.

«Во все времена настоящие мужчины шли на войну, — писал он. — Большинство из них, наверное, хотели бы остаться дома, но они шли. Чтобы защитить то, что они ценили превыше всего. Они шли навстречу судьбе с улыбкой. Если им удавалось вернуться, они считали войну величайшим событием своей жизни и знали, что были достойны его. А от стенаний ветеранов Вьетнама становится гадко на душе. Готов поклясться, что остальная часть нации реагирует таким же образом».

Он подписал письмо полным именем, добавив: «Настоящий ветеран Вьетнама и горжусь этим».

Когда девушки в офисе показали мне его писанину, я была глубоко возмущена и, едва дождавшись вечера, обрушилась на него:

— Безмозглый осел! Джепсон предложил тебе свою помощь. Потом он помог мне, когда я оказалась в безвыходном положении. А ты высмеял его. Он такой же ветеран, как и ты, Бенно, и не забывай об этом.

Сжав кулаки, он бросился на меня, но я отступила в сторону, и он врезался в стену.

— Мы договаривались, что подобное не повторится, — процедила я, и он тут же начал просить прощения:

— Извини меня, я просто напился.

Когда он произнес это слово, которое отражало главную причину его несчастий, на меня нахлынул поток воспоминаний, и я опять услышала, как дядя Юдах говорит мне, давая деньги на свадебное платье: «Я хочу видеть тебя замужем, Шерл. Ты должна сделать свой выбор быстро и осознанно, ибо я опасаюсь, что ты можешь уподобиться тем сентиментальным еврейкам, которые упускают достойных мужчин, желающих взять их в жены, и мечутся в поисках каких-то отщепенцев, стремясь их спасти. Они подбирают пьяниц, психопатов, тех, кто долго не задерживается на одной работе, и прочих ненормальных, которые бьют своих жен. Они убеждают себя, что они, и только они, смогут спасти несчастного бедолагу, кого никто не понимает, — и тратят свои жизни в этих бесполезных попытках».

Я помнила, как в этом месте он замолчал, а затем невесело рассмеялся: «Припоминаю прекрасных дам, посвятивших себя такой жизни. Они горели желанием спасать запойных пьяниц, в то время как рядом был я — готовенький, трезвый, с хорошей зарплатой и не нуждающийся в том, чтобы меня спасали. Но они не замечали меня. Им нужно было спасать кого-то, а меня спасать было не надо».

Я спросила, почему он не женился, и он с горечью ответил: «Я был незаметным. Женщины замечали пьяниц, которые обеспечивали им их благородное занятие в жизни». Закончив подводить грустный итог своего одиночества, он взял меня за руки и торжественно произнес: «Шерл, подмеченные мной мелочи заставляют меня опасаться, что ты станешь одной из таких женщин, которые всегда будут искать, кого бы спасти. Позволь сказать тебе одну вещь. Прямо сейчас в Нью-Йорке можно найти сотен пять молодых людей — евреев, католиков, протестантов, республиканцев, — которые не задумываясь отдадут два пальца левой руки, чтобы жениться на такой прекрасной девушке, как ты. Ради Бога, Шерл, найди себе одного из них, кого-нибудь такого, которого тебе не надо будет спасать».

Я слушала его, но так и не услышала.

Избавление пришло в лице Эвана Кейтера, заглянувшего к нам домой с заманчивым предложением:

— Я должен оставить курсы при Нью-Йоркском университете и на пару недель уехать в Чикаго. Заня-

188

тия на курсах проходят три раза в неделю, и я не знаю никого, кто мог бы справиться с ними лучше вас, Бенно. Не заинтересует ли вас это?

Я едва сдержалась, чтобы не выкрикнуть «да!» вместо него, и испытала огромное облегчение, когда он согласился:

— Сочту за честь.

И вопрос был решен следующим образом: «Две недели — это одна шестая семестра. Такую же часть своего гонорара я отдам вам. Содержание занятий? Шесть лекций по шести романам, которые вы хорошо знаете: «Поездка в Индию», «Жестяной барабан»... И мне хотелось, чтобы вы включили мои заметки о «Мактиге». Занятия по одному часу с ответами на вопросы последние двадцать минут, что особенно нравится слушателям».

Договорившись обо всем, Бенно засел за программные романы, впервые знакомясь с «Мактигом» и получая от этого огромное удовольствие. Когда приближалось время первого занятия, я, понимая, что он может нервничать, спросила:

— Ты хочешь, чтобы я пошла с тобой?

— Мне не нужна нянька, — отмахнулся он.

В тот вечер, когда он вернулся домой, за ним притащились пятеро студентов, которые еще долго сидели с раскрытыми ртами, слушая, как он распространяется на различные темы. Я подала им лимонад, приготовленный из порошка, и, когда они уходили, слышала, как один из них сказал: «Этот Раттнер просто классный парень!»

Мне было совершенно ясно, что ему нравится преподавать, и я хотела, чтобы он увлекся этим новым делом. Сбежав тайком с работы в среду, я незаметно устроилась в заднем ряду аудитории и с замиранием сердца слушала его блестящие рассуждения о Томе Джонсе как о родоначальнике плутовского романа. От меня не ускользало то, как он гордится своими способностями подмечать тонкости художественного произведения, незаметные для других. Я никогда не слышала, чтобы он выражался так эффектно и демонстрировал необыкновенное умение подводить слушателей к выводам, которые несколько минут назад не пришли бы им в голову. Видя, как по-мужски умело он подает себя и использует свою очаровательную улыбку, чтобы заставить слушателей чувствовать себя свободно, я подумала: «Неудивительно, что я так люблю этого великолепного самца, и готова биться об заклад, что половина девиц в классе уже тоже влюблены в него».

Вечером, когда студенты покинули квартиру, я с восторгом говорила:

— Бенно, думаю, мы нашли то, что искали! Ты просто великолепно справился с этим! Студенты наверняка расскажут Кейтеру, и я уверена, что ты получишь постоянную работу. Тебе есть чем поделиться со студентами.

Он не разделил радости от моего предположения и не проявил прежнего энтузиазма, готовясь к следующему занятию в пятницу, которое я не смогла посетить. После занятий в тот день он не стал приглашать студентов к себе домой, а когда я вернулась с работы, то застала его за бутылкой. В ответ на вопрос, как прошла лекция по «Мадам Бовари», он заорал:

— Я не хочу учить других, как писать книги! Я хочу, чтобы этому научили меня... — И объявил, что не собирается идти проводить эти глупые занятия в следующий понедельник.

Мне не удалось убедить его в том, что это отвратительно — не сдерживать обещаний, данных Кейтеру. Весь уик-энд я пыталась уговорить его изменить свое решение, но в ответ слышала такое сквернословие, которого никогда бы не допустила ни в одной из редактируемых книг. После безуспешных попыток отыскать Кейтера, чтобы посоветоваться с ним, мне осталось только отпроситься с работы на понедельник, среду и пятницу и проводить занятия на курсах самой.

Когда я сообщила студентам, что мистеру Раттнеру нездоровится, по аудитории пронесся ропот недовольства и мне пришлось начинать занятия в крайне неблагоприятной обстановке. Но я быстро перевела его в свободное обсуждение того, как люди лишь ненамного постарше них пишут и публикуют книги. Эта никому не известная сфера была мне хорошо знакома, и я вскоре завладела их вниманием. На следующем занятии я вела речь о грамматике, в чем мне волей-неволей приходилось хорошо разбираться. А вот в пятницу пришлось прибегнуть к помощи Сьюзи Дженкинз, отвечавшей в издательстве за авторские права. Вдвоем с ней мы привели поучительные примеры, рассказывая об аукционах по продаже книг нашего издательства: тех трех, на которых мы оказались победителями, и трех, которые проиграли из-за собственной некомпетентности.

На следующей неделе катастрофы не случилось, и занятия продолжались, но темы их были совсем не те, какие планировал Кейтер. Когда он узнал о выходке Бенно, отношения между ними испортились, и он больше не появлялся в нашей квартире.

Так прошло несколько невеселых лет, в течение которых я неуклонно поднималась по служебной лестнице в «Кинетик», а Бенно целыми днями слонялся по квартире, изредка посещая те или иные занятия по вечерам. В 1976 году «Изгнанный» Йодера потерпел полный коммерческий провал, и я пригрозила уйти из «Кинетик» вместе со своими писателями, если издательство не продлит контракт с милым моему сердцу немцем. В этом же году Раттнер предпринял еще одну попытку закончить свой роман. Он вышел из творческого тупика каким-то оригинальным путем, который он нашел сам без малейшего моего вмешательства, ибо этот путь противоречил всему, что мне было известно о редактировании.

— Дорогая, теперь мне совершенно ясно. Я шел не тем путем. Я прислушивался к твоим советам, как мне писать свою книгу. Затем я слушал Эвана Кейтера, как бы он стал делать это. Потом меня пытались обработать люди из «Галлантри», а если бы я клюнул на предложение от «Саймон энд Шустер», то давно бы уже лишился надежды написать что-нибудь стоящее. Все дело в том, что писатель должен сам решать крупные проблемы. Он должен выработать ясное представление о том, куда ему идти и как он предполагает достичь цели. А сотрясающие воздух фразы редакторов только путают все дело.

Я могла привести с десяток примеров, когда знающий редактор оказывал писателю неоценимую помощь, но момент показался мне неподходящим для этого, поскольку он продолжал:

— И сегодня я стал самим собой, у меня своя путеводная звезда. Свой роман я завершу по-своему, и пусть они идут ко всем чертям, эти умельцы из «Саймон энд Шустер»!

Я не стала обращать его внимания на то, что он никогда не говорил ни с кем из «Саймон энд Шустер», так же как и они с ним.

Но по утрам ему хватало духу подниматься вместе со мной и просиживать за машинкой весь день. Должна признаться, что те идеи, которыми он находил нужным поделиться со мной в отношении изменения сюжетной линии, казались мне более оригинальными, чем то, что я предлагала ему раньше. Видя, как растет стопка аккуратно отпечатанных страниц, я говорила себе: «Он и вправду собирается сделать это! Он знает себя лучше, чем я его».

Но потом его запал стал проходить. Когда я уходила на работу, он все еще валялся в постели, а когда возвращалась вечером — в «Кинетик» мы работали допоздна, — видела, что стопка не выросла за день, зато рядом лежала «Нью-Йорк таймс», раскрытая на странице с кроссвордом, над которым он, очевидно, просидел несколько часов, пытаясь заполнять его сразу чернилами, не делая исправлений. Но самое зловещее зрелище являли собой стаканы, свидетельствовавшие о том, что он снова начал пить, — он любил, шатаясь по квартире, брать каждый раз новый стакан.

В конце концов он перестал вставать вовсе, часами пролеживая в постели в пьяном угаре. Однажды вечером, когда он все еще лежал под одеялом, я вернулась домой очень уставшая от выматывающих душу обсуждений вопроса о сокращении расходов издательства и не имела ни малейшего желания развлекать взрослого мужчину, который вел себя как ребенок. Шлепнув его по лицу, чтобы он смог сосредоточиться, я бросила ему влажное полотенце и проворчала:

— Протри лицо и глаза. Нам надо обсудить кое-что. — Подперев его подушками, я продолжала: — Я больше не хочу слушать твою чепуху про то, что ты работаешь над романом, которого нет и никогда не будет.

Мои резкие слова заставили его встрепенуться, и он захныкал, уверяя в том, что...

— Прекрати, — отрезала я. — Мы это проходили уже не раз.

Приподнявшись на локте левой руки и выразительно жестикулируя правой, он удивил меня своим необыкновенно возвышенным представлением о том, каким должен быть роман. В его словах было больше логики и вдохновения, чем у Эвана Кейтера и Эриха Ауэрбаха вместе взятых, и звучали они так убедительно, что даже заворожили меня на секунду. Но затем на его лице появилась жалкая улыбка, и он спросил, как девятилетний мальчик, попавшийся на неблаговидном поступке:

— Разве не так?

Взмахнув рукой, словно отгоняя наваждение, я сказала:

— Я на своем опыте усвоила, что такое роман. Это шестьдесят тысяч тщательно отобранных слов. И, только когда они выстроены на бумаге в определенном порядке, получается роман.

Перестав взывать к возвышенному, он тихо, почти шепотом, проговорил:

— Объем в шестьдесят тысяч слов — это как раз то, что нужно для моего романа. Я пытался сделать его слишком большим. Завтра начну сокращать.

— Ты никогда не сможешь написать роман. Перестань тешить себя несбыточными иллюзиями и докажи наконец, что ты мужчина. — Но, выпалив эти слова, я пришла в ужас от их категоричности и почувствовала себя той одурманенной женщиной, которую предвидел во мне дядя Юдах и которой хотелось спасти эту пропащую душу.

Нежно потрепав его черные волосы, я помогла ему выбраться из кровати и сказала:

— Мой ненаглядный Бенно, с твоей мечтой покончено. Помоги мне достичь моей.

Бенно был настолько деморализован, что забросил свою рукопись и принялся помогать мне редактировать романы, над которыми я работала. Его критическое чутье и более острый, чем у меня, глаз на грамматические построения создавали иллюзию того, что мы являем собой единую команду. Но у него не было привычки к труду, и я не была уверена, что он выполнит задание в срок. Через некоторое время я оставила надежду на совместную работу и стала еще одной нью-йоркской женщиной, тянувшей на себе отчаявшегося безработного мужчину.

В такой унылый момент своей жизни я посетила в 1978 году грензлерский город Дрезден, чтобы поработать над пятым романом Йодера «Нечистая сила», на который возлагала трепетные надежды, и, как только увидела дрезденский фарфор, от которого не могла оторваться все следующие дни, я тут же влюбилась в патриархальное очарование города, его бело-голубые тона и стеклянные шкафчики, заполненные мейсенскими фигурками. В ресторане мне был отведен столик в углу, образованном двумя такими шкафчиками, так что я сидела в окружении симпатичных пастушек, их деревенских ухажеров и позирующих представителей немецкой знати.

«Неудивительно, что Йодер любит свой Грензлер», — говорила я себе, вглядываясь в величественные пейзажи, открывавшиеся мне во время моих ежедневных поездок на ферму, где мы работали с ним над книгой, в которой он воспевал эти богатые земли. Но эти визиты, кроме всего прочего, оставляли во мне горький осадок, ибо, наблюдая Йодеров вблизи — их распределение обязанностей, уважение друг к другу, взаимопонимание и огромную работу, которую они проделывали, — я не могла удержаться от мысли: «Как им удается так легко достигать столь гармоничного партнерства, которое я отчаянно пытаюсь найти в своих взаимоотношениях с Бенно? Почему Йодер может, полагаясь на помощь Эммы, доводить до конца свои романы, тогда как из-под пера Бенно, который получает гораздо больше помощи от меня, не выходит ничего?»

Вернувшись в Нью-Йорк к своему витающему в эмпиреях, но все еще любимому партнеру, я работала по двенадцать—пятнадцать часов в сутки, убежденная, что «Нечистая сила» станет «прорывом» для Йодера, которого я так настойчиво защищала. Когда наконец посыпались одобрительные отзывы, пошла продажа и нахлынула слава, я упивалась радостью, воцарившейся в «Кинетик».

В разгар этого сумасшествия, когда каждый понедельник представитель «Кинетик» гордо сообщал прессе: «Завтра мы запускаем очередные пятьдесят тысяч этого бестселлера», я оказалась на грани физического истощения от возбуждения и недосыпа. «Возьмите трехдневный отпуск», — предложила мне мисс Уилмердинг, что я и сделала. Но и в постели меня продолжали преследовать телефонные звонки с радостными сообщениями о «Нечистой силе», и однажды, когда я думала, что Бенно нет в комнате, я прокричала после очередного сообщения: «Еще одна сотня тысяч! Йодер, мы победили!»

Услышав это ненавистное имя, преследовавшее его все эти недели триумфа, Бенно налетел на меня, вытряхнул из постели и заревел:

— Я предупреждал тебя, чтобы ты не произносила этого имени в моем доме!

Когда он занес свой кулак, я закричала:

— Бенно! Нет! — Это удержало его от удара, но он от злости сильно толкнул меня в грудь, и я полетела к противоположной стене, но мои ноги запутались в ночной рубашке и я подскользнулась на ковре. Падая, я выставила правую руку и ударилась ею о жесткую спинку дивана, сломав кость в двух местах.

Когда я вышла из больницы и вернулась домой, Бенно встретил меня слезными извинениями:

— Дорогая, я не хотел ударить тебя, ты же знаешь. — Мне нечего было сказать, поэтому он продолжал: — Я только толкнул тебя, не сильно. Во всем виновата твоя ночная рубашка... и спинка дивана. Я никогда не причиню тебе зла, дорогая.

Когда он поинтересовался, что я собираюсь делать, я сказала:

— Пойду на работу.

— Но они спросят тебя про руку!

— Обычный перелом. Я так им и скажу. Наступила на ночную сорочку и упала на спинку дивана.

— И ты расскажешь им про меня?

— Почему ты так решил?

— Я думал, что ты можешь сделать это.

— Разве это не выставит меня в глупом свете? Остаться с мужчиной, который обращается со мной подобным образом? — Вдруг у меня на глаза навернулись слезы, но я справилась с собой, я ведь никогда не была плаксой. — Знаешь, что я твердила про себя, когда такси везло меня в больницу... когда ты даже не спустился вниз, чтобы помочь мне? Я вновь и вновь говорила себе: «Но я же люблю его. Он единственный, кого я любила. И мы сможем преодолеть это».

Мои слова были восприняты им с благоговейным трепетом, и в тот торжественный момент он поклялся, что будет дорожить мною и, в доказательство того, что он все тот же Бенно, которого я встретила на курсах, он закончит свой вьетнамский роман и приглашает меня отредактировать и издать его, если не в «Кинетик», то в каком-нибудь другом хорошем издательстве. Он говорил:

— Я больше не питаю иллюзий, дорогая, что у меня получится выдающийся роман. Но это будет чертовски хорошая вещь... в перспективе.

Я усмехнулась этому печальному оптимизму, но мне действительно хотелось помочь ему преодолеть сомнения, поэтому, несмотря на внутренние опасения, я сказала:

— Думаю, что, может быть, на этот раз тебе удастся справиться с собой. — Звучание этих слов заставило меня поверить, что этот сломленный мужчина найдет силы спасти себя и последним гигантским усилием сможет завершить свою работу. — Бенно, мы сделаем из нее выдающуюся книгу.

Почему я так упорствовала, ведь со стороны моих друзьям по «Кинетик» это показалось бы профанацией и самообманом? Потому что в сходной ситуации я спасла Йодера и искренне верила, что смогу повторить этот успех с Бенно.

Недели, которые последовали за этим, я жила двумя жизнями, каждая из которых приносила мне удовлетворение: на работе меня по-прежнему захлестывал поток радостных новостей о «Нечистой силе», а дома я с удовольствием наблюдала, как возрождается Бенно. Он вполне определенно решил отказаться от спиртного и не держал его в квартире. Но однажды вечером он все же забрел в бар, чтобы, по его словам, «быстро пропустить стаканчик, о котором Ширли знать не обязательно». Через пару часов, пошатываясь, он вернулся домой с высоким рыжим мужчиной, носившим бабочку и напоминавшим одного из тех приятных собеседников, которых всегда можно встретить в баре. Но на этот раз все оказалось иначе.

— Артур Джеймсон, — назвал себя он, когда Бенно забыл представить его, — президент «Пол Пэррот пресс», на которого произвела глубокое впечатление философия вашего мужа, миссис Раттнер.

На моем лице, по-видимому, отразилось полное непонимание того, как почти пьяному Бенно удалось произвести какое-то впечатление, и Джеймсон изъявил желание объяснить мне эту загадку, пока Бенно находился в ванной, где приводил себя в чувство при помощи холодного душа.

— Когда ваш муж появился в баре, я не обратил на него внимания, но, услышав, как он говорит бармену о том, что ему до чертиков надоели стенания ветеранов Вьетнама, я вступил в разговор, ибо тоже придерживаюсь такого же мнения. Слово за слово — мы разговорились. Причем чем дальше заходил наш разговор, тем больше мне нравился ваш муж. В один из моментов беседы я сказал: «Некоторое время назад какой-то парень написал письмо в «Таймс», бичующее подобные настроения среди ветеранов». «А как вы думаете, кто автор этого письма?» — спросил он. Узнав, что написал его он, а также то, что у него на три четверти готов роман на эту тему, я напросился к вам домой, чтобы посмотреть на то, что он написал. — Джеймсон замолчал, улыбнулся мне и добавил: — В барах, когда пиво течет рекой, многие заявляют, что написали роман. Но когда приходишь к ним домой, романы почему-то исчезают. А как в данном случае?

Я уклонилась от прямого ответа:

— Я хорошо знаю ваше издательство, мистер Джеймсон. Оно выпускает выдающиеся книги, такие, например, как ваши переводы немецких авторов или роман о революции в нравах американских католиков. Такими вещами можно гордиться.

— Благодарю вас, мэм, за лестный отзыв. Но следует ли понимать ваш отказ отвечать на мой вопрос о книге вашего мужа как то, что ее не существует в природе?

— Минутку, мистер Джеймсон. Бенно рассказал вам обо мне?

— В общественных барах джентльмены никогда не обсуждают своих жен. Так кто вы?

— Редактор Лукаса Йодера в «Кинетик пресс». И как редактор могу заверить вас в том, что у Бенно не только есть почти готовый роман, но и в том, что этот роман весьма хороший. И даже отличный, я бы рискнула утверждать.

— Если это говорит редактор Лукаса Йодера, — поклонился он, — я должен принять слова за истину. Она знает, что такое читаемая книга. А теперь, могу я посмотреть часть того, что у вас есть?

— Я думала, что вы так никогда и не попросите, — сказала я и направилась туда, где у нас хранились ценные бумаги, но в этот момент из ванной появился Бенно и, увидев, что я намерена сделать, закричал:

— Оставь это! Она не готова для...

Я съежилась в ожидании сцены, когда чувствительный автор защищает свои бессмертные страницы, но в этот момент раздался мягкий голос Джеймсона:

— Разве это не забота издателя — определять, готова она или нет?

И, к моему удовольствию, Бенно сдался, проговорив:

— Это как раз та книга о Вьетнаме, которую вы ищете. Это точно.

Итак, пока я делала на скорую руку бутерброды, ставила на стол печенье и вино, известный издатель, нежданно-негаданно свалившийся к нам с неба, быстро переворачивал потрепанные страницы нашего шедевра и бормотал, жуя бутерброд:

— Эй, да здесь без дураков! Приятель, ты знаешь, что такое война.

Так в результате нечаянной встречи в баре почти завершенная рукопись Бенно попала в руки крупного издателя, который загорелся желанием увидеть ее в напечатанном виде. Джеймсон передал ее опытной женщине-редактору, которая тут же доложила:

— Первые три главы — как раз то, что мы искали.

Такой отзыв еще больше вдохновил Джеймсона, и он пригласил нас с Бенно на обед, во время которого рассказал, как он собирается рекламировать роман:

— В передаче «Сегодня», может быть, в программе «Доброе утро, Америка» и наверняка эту противоречивую тему захотят затронуть в своих политических обзорах Тэд Коппель или Макнейл и Лехрер.

— Но это же роман, — напомнила я, на что он ответил:

— Да, но он касается одной из самых горячих проблем нашего времени, которая истолковывается совершенно превратно. Ваш муж, миссис Раттнер, будет нужен всем. Мы позаботимся об этом.

Следствием этого головокружительного поворота судьбы стал странный поступок Бенно, заставивший меня заподозрить, что к нему возвращается его прежняя неуравновешенность. Он отправился в суд и в законном порядке изменил свое имя на Брюс, выдвинув при этом любопытное обоснование:

— Бенно звучит слишком уж по-еврейски, а если моя книга произведет такой же фурор, как опус твоего приятеля, то это может навредить мне, когда я появлюсь на национальном телевидении.

— Но почему Брюс?

— Хорошее и чистое имя. Многие из тех, кого я знаю, носят имя Брюс.

— Ты сумасшедший! Совершенно свихнувшийся тип, но я все-таки обожаю тебя.

Превратившись в Брюса Раттнера, он стал тщательнее бриться, меньше пить, относиться ко мне с поразительным вниманием, и, кажется даже, его работа стала плодотворнее. Но в один из серых декабрьских дней, когда заказы на «Нечистую силу» перевалили за полумиллионную отметку и мы отмечали в «Кинетик» это небывалое событие, молодой сотрудник моего офиса прервал нас:

— Мисс Мармелштейн, вас срочно просит к телефону редактор мистера Раттнера из «Пол Пэррот». — И я покинула празднование, готовясь в душе к самому худшему.

— Мисс Мармелштейн? Я нашла ваше имя в служебной записке мистера Джеймсона. Извините за беспокойство, но я подумала, что будет лучше, если вы узнаете. Сегодня утром наше Правление решило расторгнуть контракт с Раттнером. Он не сделал ничего из того, о чем мы договаривались. И даже не попытался исправить самые грубые ошибки, совершенно пренебрегая моей помощью. Создается впечатление, что его это совершенно не интересует. Я так и сказала мистеру Джеймсону, у которого тоже кончилось терпение, и он заявил: «Пусть у него останется этот чертов аванс, но сам он нам не нужен!»

— Не делайте этого! По крайней мере, не сейчас, перед праздниками!

— Мы вынуждены. Я пригласила Раттнера сегодня после полудня и, когда он приехал, сказала ему: «Извините. Ваше сотрудничество с «Пол Пэррот» прекращается. Аванс можете не возвращать».

— Ну зачем же так! Как он отреагировал?

— Разрыдался. Умолял о встрече с Джеймсоном. Я сказала, что мистер Джеймсон в Денвере, но он никак не хотел этому верить и все твердил: «Я знаю, что он у себя в кабинете. Ему нужна эта книга. Ему нужна правда о Вьетнаме». Дело дошло до крика и чуть ли не до скандала. Мне пришлось вызвать помощника, чтобы выставить его за дверь. Когда помощник увидел скандалившего Раттнера, то удивил даже меня своими словами: «Хотите знать, что сказал про вас Джеймсон? Так вот, он сказал, что только в кабаке вы — вдохновенный философ, а за машинкой вы полный осел. Вот ваша рукопись, забирайте ее, проваливайте и больше не появляйтесь здесь. У вас был шанс, но вы про...ли его».

Выслушав этот отчет, я поняла, что мне надо срочно разыскать Раттнера и поддержать его в эту страшную минуту. Но неотложные дела требовали моего присутствия в издательстве, и, когда над городом опускались зимние сумерки, я подумала: «Бедный. Где-то он сейчас, тащится в потемках с рукописью, которая никому не нужна?» И у меня защемило сердце.

Впоследствии несколько человек говорили мне, что видели его в тот вечер бесцельно бродившим по городу и заходившим в аптеку, чтобы позвонить из телефона-автомата.

Сумерки уже опустились, когда он позвонил в «Кинетик», попросил меня и сразу же заплакал, как только я ответила ему. Я никогда не слышала, чтобы он плакал так отчаянно, и поняла, что это серьезно.

— Они сказали, что это никуда не годится, что я никуда не гожусь. Все рушится, кругом темно, и мне нужна ты. Больше, чем когда-либо, любимая, ты нужна мне.

Прежде чем я смогла ответить ему что-либо, он повесил трубку. Рассовывая рукописи, чтобы бежать к нему на помощь, я бросила взгляд на почерневшее небо: какой ужасный выбрали день, чтобы сказать человеку, что он конченый. За неделю до Рождества.

Выскочив на улицу, я остановила такси:

— Как можно скорее на Бликер-стрит.

Пока такси неслось на юг, мне ни разу не пришло в голову, что мне следует оставить Раттнера. Я думала только о том, как помочь ему справиться с этим сокрушительным ударом по его самолюбию. Он был прекрасным человеком, обладавшим замечательным умом, превосходившим даже Эвана Кейтера, и я любила его.

Подбегая ко входу в наш многоквартирный дом, я увидела привратника, собиравшего листы бумаги, которые оказались страницами «Зеленого ада».

— Что случилось? — закричала я, испугавшись, что Бенно попал под машину.

— Мистер Раттнер пришел, пошатываясь, но он не был пьян. Я сказал ему: «Вы теряете бумаги», — но он прошел мимо, не обратив на меня никакого внимания.

— Где он?

— Наверху.

Порывшись в кошельке и достав пригоршню денег, я отдала их привратнику.

— Соберите все бумаги. Они представляют большую ценность. — Сказав это, я подбежала к лифту и нажала кнопку вызова, чуть не плача, оттого что он так медленно опускался.

— Мы украшаем второй этаж, — объяснил привратник, подходя с охапкой грязных листов рукописи. — Рождество на носу, не забывайте.

Когда ленивый лифт доставил меня наконец на наш этаж, я бросилась к двери, быстро повернула ключ и вбежала в квартиру, где на персидском ковре лежал Брюс, залитый кровью. Острым кухонным ножом, которым я однажды чуть было не ударила его, он дважды пытался попасть себе в сердце, но оба раза нож прошел мимо. И тогда, испытывая, наверное, ужасные мучения, он глубоко вогнал его в адамово яблоко.

После похорон, когда я была вынуждена искать

жилье поближе к работе, ибо родители Брюса без предупреждения продали его квартиру и мне пришлось оставить ее, в моей душе стали происходить некоторые метаморфозы. Теперь, когда к «Нечистой силе» вместе с тиражом в восемьсот тысяч пришел феноменальный успех, моя жизнь подошла к рубежу, требовавшему принятия многочисленных решений. В свои тридцать шесть лет я была теперь одним из ведущих редакторов Нью-Йорка, способным перейти в любую компанию по своему выбору, при условии, что вместе со мной туда отправится и Лукас Йодер. Я участвовала в работе различных комитетов, где обсуждались издательские проблемы и где молодые писатели ловили мой взгляд. Порой мне казалось, что на их месте — Раттнер, у меня начинала кружиться голова, и я спрашивала себя: «Что со мной происходит?»

Мои метаморфозы принимали удивительный оборот. Задумываясь всякий раз о Раттнере с Йодером, я обнаруживала, что, хотя последний и стал, по определению публицистов, «одним из самых удачливых писателей» и его ждут, очевидно, новые триумфы, меня никак не могут заинтересовать его мечты о том, какими будут его новые произведения. Его планы написания «Маслобойни», шестого в серии грензлерских романов, откровенно говоря, навевали скуку: та же схема, такие же слащавые персонажи, те же красоты немецкой Пенсильвании, те же вкрапления забавных диалектизмов. Мне иногда казалось, что я и сама могла бы написать такую книгу, если бы видела в ней какое-то общественное предназначение.

Что по-настоящему интересовало меня, так это идеи, высвеченные Эваном Кейтером и Бенно Раттнером, которые представляли себе роман как вещь взрывную, полную неожиданностей и откровений, необычных интерпретаций обыденного и простых объяснений того, что представляется странным. Я явственно

204

видела безграничные горизонты, открывающиеся в тех книгах, которые мечтал написать Бенно, — произведениях, искрящихся живыми идеями, переполненных борьбой. Теперь в романе мне хотелось видеть не очередную поэму в прозе о грензлерской недвижимости, а объяснения тому, как такая разумная личность вроде меня могла потратить столько лет на такого самоеда и хлюпика, как Бенно Раттнер, оказавшись неспособной в конечном итоге помочь ни ему, ни себе. Размышляя над этой внезапной переоценкой своих ценностей, я говорила: «Продолжай в том же духе, Лукас. Ты такой обожаемый, такой надежный и застрахованный от острых ножей. В этот мир ты приносишь совсем немного смуты и чуть-чуть добра. Но при этом как ты был прав, Раттнер. Ты был прав каждый раз, когда мы спорили о книгах. Ты видел мир так, как никто из нас, и это погубило тебя. Ты мог живо вообразить себе роман, но не мог изложить это в шестидесяти тысячах организованных слов на бумаге».

Однажды ночью я в голос разрыдалась: «Если бы мне только удалось найти кого-нибудь с твоим воображением, Раттнер. Я бы отдала ему всю свою жизнь по капле, чтобы поставить на ноги и направить к сияющим вершинам».

Итогом этих отчаянных мыслей стал поступок, столь же странный, как в свое время у Раттнера. С помощью адвоката и сочувственно настроенного судьи я укоротила свою фамилию до Мармелл. Когда весельчак-судья поинтересовался: «Зачем это понадобилось такой милой девочке, как вы?» — я объяснила: «Я горжусь своей семьей и тем, что она дала мне, но мои родители и близкие уже ушли из этой жизни, а вместе с ними и большая часть моего прошлого. Я все хочу начать заново».

— С французской фамилией? А она поможет?

— Она лучше звучит. И, раз уж мы здесь, давайте

заодно изменим мое имя на Ивон. Вы не можете представить себе, судья О'Коннор, как много в Нью-Йорке женщин с именем Шерл, все еврейки и все носят это имя. Я ненавижу его.

— Согласен, Шерл, — сказал судья. — Примите мои поздравления, мисс Ивон Мармелл.

— Я собираюсь зваться миссис, — заявила я, на что судья заметил:

— Если бы вы спросили у меня разрешения на это, то я бы вам его не дал.

Мы с судьей улыбнулись друг другу, и в тот же день я распространила объявление для всех, кого это могло интересовать: «Для удобства в деловых взаимоотношениях с сегодняшнего дня мое имя мисс Ширли Мармелштейн официально изменено на миссис Ивон Мармелл. Пожелайте мне удачи в новой жизни».

III
КРИТИК

Единственное, что движет мною, когда я на пороге своего сорокалетия пишу эти несколько сумбурные заметки, это стремление объяснить, как рыжий нескладный деревенщина-меннонит, родителям которого не удалось даже закончить школу, стал членом привилегированного общества «Фи Бета Каппа», известным американским литературным критиком, который возглавил целую литературную школу и читал лекции в Оксфорде. Путь к этому был нелегок.

Итоги моего десятилетнего преподавания литературного мастерства в Мекленбергском колледже — это хотя бы то, что девять моих выпускников стали профессиональными писателями, а десятый — Дженни Соркин (у меня к ней двойственные чувства) — в следующем году будет публиковаться в издательстве «Кинетик пресс».

Выпускница, чей первый роман был удостоен литературной премии, так писала о моем курсе в журнале для начинающих писателей: «Этот курс рассчитан только на серьезных студентов, их число в каждом семестре не превышало четырнадцати. Поскольку каждое занятие длилось девяносто минут, не приходилось сомневаться, что он спросит тебя обязательно, так что приходили подготовленными все. Нам, девушкам, он казался странным. Он никогда не был женат, и мы догадывались почему. Довольно высокий, но очень худой, со всклокоченными рыжими волосами, он предпочитал не смотреть на тебя, пока у него не было наготове вопроса, способного продемонстрировать всю твою глупость. Как он одевался? Это трудно поддается описанию. Одежда на нем обычно была мешковатая, но аккуратная и неизменно лет на десять отстававшая от моды. Его сильный баритон взлетал вверх, когда вы меньше всего ожидали этого. И там, где другой профессор мог бы пошутить, он исходил желчью. Девушки иногда плакали на его занятиях, когда их ошибки подвергались осмеянию, а некоторые из парней хотели поколотить его, но, как сказал мне один из них, их удерживало то, что после первого же хорошего тумака от него могло остаться только мокрое место».

Молодой человек, который работает теперь преподавателем в одном из колледжей, сказал как-то: «У Стрейберта есть одно качество, которое заслоняет все его недостатки. Как только вы входите в его класс, он дает вам почувствовать, что, каким бы ни было его поведение, он на вашей стороне. Что бы ни случилось, он все равно будет сражаться за вас, исполненный решимости сделать из вас писателя. И сделает все, чтобы обеспечить вам успех. Так он помог мне получить мою нынешнюю работу. Когда вы впервые входите в его класс, он предлагает сделку: «Терпите меня, и я покажу вам, как это делается».

Другой выпускник, опубликовавший две вполне добротные повести, говорил: «У него на лице было написано, как он жаждет, чтобы у вас вышло что-то значительное. Меня преследовало чувство, что он видит в вас свой последний шанс. Он сам когда-то хотел быть романистом, но потерпел горькую неудачу, опубликовав вещь, которая с треском провалилась. Больше он не возвращался к этому, решив, что его жизнь может быть оправданна, если он поможет преуспеть своим ученикам».

Я испытываю тихую гордость, когда мои бывшие

ученики заявляют: «Мне бы никогда не удалось это, если бы я не учился у профессора Стрейберта». Может быть, это звучит как реклама моей собственной методики обучения, но, поверьте, я к этому не стремлюсь. В интервью мои ученики ведь не говорят, каким я был обаятельным педагогом или какими блестящими были мои литературные изыскания. Нет, они обычно заявляют, что «все дело в тех надписях, которые он нанес на стене в своей аудитории», потому что, когда будущий писатель запоминал эту чертову стенную роспись и сдавал зачет по ней, он начинал нутром чувствовать, что такое великое произведение. Один из учеников как-то сказал: «Я прочел с дюжину романов, прежде чем стал понимать что-то в настенном «генеалогическом древе» профессора Стрейберта, но его скрытый смысл так и остался для меня тайной за семью печатями».

Студенты, которые обучались у меня начиная с 1983 года, никогда не оставляли это «древо» без внимания, высказываясь примерно так, как это сделал выпускник по имени Тимоти Талл, который стал впоследствии довольно известной фигурой в Мекленберге и издательском мире. Он сказал: «Моя писательская карьера берет свое начало с того момента, когда я, сидя в классе Стрейберта, с благоговейным трепетом изучал его настенные надписи, анализируя их, пока ко мне не пришло ощущение того, что такое литература в высоком смысле этого слова. Она обращала меня лицом к реальности и показывала, как великие писатели осмеливались прикасаться к этим фактам».

Другой студент сказал: «Такая наглядная вещь, как стенное «генеалогическое древо» Стрейберта, которое администрация колледжа хотела закрасить, оказалось для меня гораздо более поучительной, чем все остальные курсы вместе взятые. Это был целый мир человеческого поведения, откровенно жестокий, порочный и драматичный».

Один въедливый посетитель, причислявший себя к писателям, остался недоволен такими высказываниями и спросил:

— Как все-таки эта схема помогла вам стать писателем?

И тогда один из учеников объяснил ему:

— У него было такое упражнение, когда он безжалостно тыкал в тебя пальцем и выкрикивал: «Вы номер семнадцатый, и завтра вам предстоит убить свою мать, царицу. Что вы говорите себе, лежа без сна в три часа ночи?» Тебе приходилось вставать, причем мужчине обычно доставался женский образ и наоборот, становиться персонажем и говорить от его имени.

Посетитель перебил его:

— Методика, может быть, и неплохая, но чему она учила вас?

— Тому, что, если вы не чувствуете, когда пишете, как в ваших венах струится кровь, слова не наполнятся содержанием, — ответил ученик. — Я усвоил, например, что писать надо так, чтобы в этом участвовала каждая частичка твоего тела. Стрейберт говорил нам: «Если вы не можете бросить в котел все, когда он начинает булькать, вы никогда не станете писателем».

Женщина-писатель в беседе с репортером заметила:

— Мекленберг сам по себе не хотел уничтожения этого наглядного пособия на стене, против него возражали некоторые девицы из добропорядочных лютеранских семей, ссылаясь на моральные соображения, хотя великие произведения полны мерзких поступков. Стрейберт заявил: «Если такое есть в жизни, то схема моя имеет право на существование». И ее, слава Всевышнему, оставили, ибо она указала мне путь».

Моя схема называлась «Обреченный род Атрея». Она занимала огромное пространство стены и представляла собой сложное генеалогическое древо греческого рода, который лег в основу древнегреческой литературы. На ней был показан отец богов и царей Зевс, от него у Океаниды Плуто родился сын Тантал, который в свою очередь произвел на свет Пелопа, воспетого Мильтоном. Сыновья Пелопа — Атрей и Фиест — постоянно враждовали между собой, порождая своими деяниями и противоречиями кровавые трагедии, которые занимали Гомера, Эсхила, Софокла и Еврипида и дали обильный материал для всей последующей литературы.

Над студентами нависали роковые имена Агамемнона, Менелая, Клитемнестры, Кассандры, Елены Троянской, Ореста, Ифигении, Электры, а после каждого имени ярко-красной краской были нанесены номера, с нулевого по двадцать первый, чтобы студенты могли проследить эти ужасные трагедии. Зловещие деяния рода Атрея были перед ними как на ладони.

Свое первое занятие в феврале 1989 года я начал с вводной лекции о сущности литературы. Подчеркнув, что она имеет дело главным образом с человеческими эмоциями и страстями, я сказал:

— Если вы не можете вообразить себе и проникнуться теми чувствами, что движут вашими героями, вы никогда не станете писателем. Каким бы ужасным, благородным, жертвенным или банальным ни было их поведение, вы должны уметь поставить себя на их место и не только войти в их положение, но и влезть в их шкуру. — Для того чтобы перейти к схеме, в этом месте лекции я по обыкновению вызывал без всякого предупреждения одного из будущих писателей и предлагал ему, представив себя в образе того или иного представителя рода Атрея, оказавшегося перед той или иной ужасной дилеммой, произнести речь своего героя в момент его деяния или воспроизвести его размышления, как если бы автор писал диалог к рассказу, в котором появляется древний грек. В этот день в качестве первого действующего лица я выбрал моло-

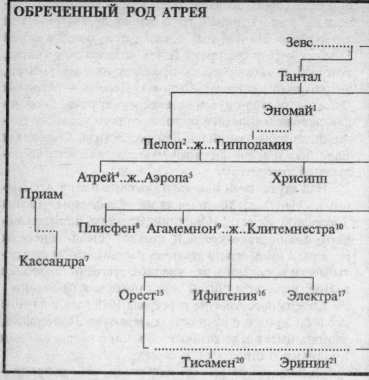

ОБРЕЧЕННЫЙ РОД АТРЕЯ

Зевс..........

Тантал

Эномай[1]
....

Пелоп[2]..ж...Гипподамия

Атрей[4]..ж..Аэропа[5]   Хрисипп

Приам

......

Плисфен[8] Агамемнон[9]..ж..Клитемнестра[10]

Кассандра[7]

Орест[15]   Ифигения[16]   Электра[17]

....

Тисамен[20]   Эринии[21]

0. Богиня, родителями которой были либо Кронус и Рея, либо Оксан и Тефида.

1. Испытывал похотливое влечение к своей дочери и убивал каждого молодого человека, искавшего ее руки.

2. Отец зажарил его заживо и подал на стол Богам.

3. Ее двенадцать детей были убиты у нее на глазах, сыновья — Аполлоном, дочери — Артемидой.

4. Братоубийственная вражда с Фиестом обрекает его род.

5. Она поддерживает связь с Фиестом и усугубляет вражду между братьями.

6. Атрей, чтобы отомстить за неверность своей жены, подаст на обед Фиесту мясо его собственных сыновей.

7. Убита Клитемнестрой во время расправы с Агамемноном.

8. Он был послан убить своего отца, Атрея, но сам был убит им.

9. Пал жертвой Эгисфа и Клитемнестры.

10. Она со своим любовником Эгисфом убивает мужа Агамемнона, а сама погибает от руки собственного сына Ореста.

11. Елена из Трои и ее сестра Клитемнестра замужем за братьями; Елена сбегает от мужа с Парисом.

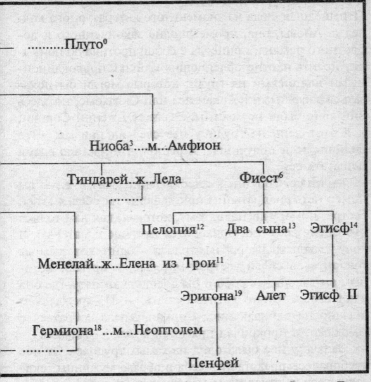

..........Плуто[0]

Ниоба[3]....м...Амфион

Тиндарей..ж..Леда   Фиест[6]

Пелопия[12]   Два сына[13]   Эгисф[14]

Менелай..ж..Елена из Трои[11]

Эригона[19]   Алет   Эгисф II

Гермиона[18]...м...Неоптолем

Пенфей

12. Она совершает кровосмешение со своим отцом Фиестом. Таким образом, она одновременно является сестрой и матерью Эгисфа.

13. Эти двое детей зажарены и поданы в качестве явства их отцу Фиесту.

14. Став любовником Клитемнестры, убивает ее мужа.

15. Для того чтобы отомстить за смерть своего отца Агамемнона, он убивает свою мать Клитемнестру и ее любовника Эгисфа.

16. Ее отец, чтобы получить попутный ветер в свои паруса, приносит ее в жертву богам в гавани Авлида.

17. Она помогает убить свою мать Клитемнестру, сходит с ума, пытается убить свою сестру Ифигению.

18. Вскоре после убийства мужа Орестом, выходит замуж за убийцу.

19. Будучи свидетельницей того, как Орест убил ее брата Алета, она рожает от Ореста сына.

20. Сын Ореста и Гермионы — вдовы человека, которого убил Орест.

21. Богини мести и проклятия, преследовавшие преступников, в том числе Ореста за убийство матери. Они могли простить мужу убийство жены, но не братоубийство, убийство отца или матери.

дую женщину, к которой относился неоднозначно. Перешедшая сюда из знаменитого литературного колледжа Айовы, она, кроме вполне законченного и добротного романа, принесла с собой противную привычку носить плотно облегающие майки с провокационными надписями на груди, которые могли бы показаться забавными в Арканзасе или Оклахоме, но здесь они явно были неуместны. Звали ее Дженни Соркин, и в этот день на груди у нее сверкал призыв: «Что видишь, то и получишь». Я решил, что настало время испытать ее.

— Мисс Соркин, — неожиданно сказал я, — вы номер четырнадцатый и приглашены на обед к своей сестре, номеру двенадцатому, которая, как вам только что стало известно, приходится вам еще и матерью. Я хочу услышать два разных голоса — один, которым вы говорите со своей сестрой-матерью, и другой, которым вы говорите с собой. Вы вошли в комнату, где она ждет вас, и что-то хотите сказать. — И, прежде чем обычно находчивая мисс Соркин успела собраться с мыслями, я прокричал прямо ей в ухо: — Начали!

Задача у нее была одна из самых трудных. От нее требовалось представить себя в образе мужчины, оказавшегося в отчаянном положении, и я побаивался, что она может не справиться с заданием. Но, как оказалось, мисс Соркин изучила диаграмму и знала, что ее Эгисф (14) был одним из самых отъявленных подонков греческого рода — совратителем царицы Клитемнестры (10) и убийцей ее мужа Агамемнона (9). И со знанием дела, удивившим класс, который раньше не обращал на нее внимания, она сумела превратиться в подлеца, который произносил слащаво-льстивые речи в адрес своей двоюродной сестры. Затем его голос перешел в злобное рычание, когда он стал замышлять про себя убийство сестры, чтобы отомстить ей за то зло, что она причинила его матери, вступив в кровосмесительную связь с их отцом Фиестом (6).

Когда она закончила свое выступление, никто из

нас не сомневался в том, что Эгисф способен будет убить не только свою сестру, но и царя Агамемнона. Я захлопал вместе с классом в ладоши и заключил:

— Я подозреваю, мисс Соркин, что, несмотря на ваши майки, вы сможете стать писателем. — И аудитория вновь разразилась аплодисментами.

Затем я остановился на тех вещах, которые хотел навсегда вбить им в головы и которые для тех, кто слышал это впервые, звучали как гром среди ясного неба:

— Всю оставшуюся жизнь вы должны защищать литературу и бороться со всеми формами цензуры. Если какая-то группа баптисток в Оклахоме будет протестовать против того, что в той или иной книге затрагивается непристойная тема, я хочу, чтобы вы напомнили им: в основу некоторых величайших в мире произведений, от которых берет начало современная литература, положены поступки вот этого сборища негодяев. — Я ткнул в сторону схемы. — Убийства. Умерщвление собственной матери. Кровосмешение. Предательства. Отцеубийства. — Выдержав паузу, я продолжил: — И не слушайте, если кто-то станет поучать вас, рассказывая о том, что такое приличная литература и что такое запретная. Если вам понадобятся аргументы опровергнуть его, вспомните эту схему и имена людей, которые черпали оттуда свое вдохновение: Гомер, Эсхил, Софокл, Еврипид. Они указали нам путь.

Затем, резко подскочив, я указал на молодого человека:

— Мистер Кейтс, вы номер седьмой и пьете чай с номером десятым, но вы — провидец и знаете, что она собирается убить вас. Два женских голоса, пожалуйста. Их беседа. — Кейтс не был столь талантливым актером, как мисс Соркин, но довольно тонко чувствовал, что творилось в сердцах этих двух женщин. И, когда он закончил их диалог, я заметил: — Менее драматично, чем у Эгисфа, но вы знаете, что делаете, мистер

Кейтс. В ваших речах виден не только рассудок, но и сердце. Рассказ, который вы представили при поступлении, убедил меня в ваших способностях, а сегодняшнее выступление только подтверждает, что я не ошибся.

После этого я перешел к третьему выводу, вытекавшему из схемы:

— Шекспир поведал нам три незабываемые истории убийств: «Гамлет», «Макбет», «Отелло», но я сильно сомневаюсь, что сам он совершил хотя бы одно убийство в своей жизни. Ему это было не нужно. Достаточно побывать в тюрьмах и понаблюдать казни, чтобы заключить, что означает убийство, а дальше положиться на свое вдохновенное воображение. Так же, как делали это Гомер и Эсхил. Им не надо было совершать эти ужасы.

Приблизившись к стене, я продолжал:

— Все это не должно остаться здесь. Оно должно поселиться в ваших умах и сердцах, войти в кровь и плоть.

Позднее некоторые отмечали, что с того момента я «словно вырос в их глазах, превратившись из тощего и рыжего немца в одного из рода Атрея... может быть, Ореста... объятого страхом перед тем, как исполнить свой ужасный долг». Другие говорили: «С тех пор как он начал заставлять нас представлять себя в шкуре Атреев, литература стала казаться нам вещью более возвышенной и яркой».

В тишине, последовавшей за этим эпизодом в моей вводной лекции, я тихо произнес:

— Мистер Томсон, вы — номер шестнадцатый — летним днем в гавани Авлида и видите, как к вам направляется ваш отец. У вас нет полной уверенности в том, что он собирается предпринять. Но вы умная девочка и догадываетесь. Вы обращаетесь не к нему, а к себе. Что вы скажете себе в эти последние моменты своей жизни?

Задание оказалось Томсону не по плечу. Он изучал

схему так усердно и так вжился в образ Ифигении как милой сердцу царя дочери, что мысль о скорой смерти показалась ему нестерпимой. Он лишился дара речи и стоял, не в состоянии произнести ни слова, некоторые нетерпеливо заерзали на своих местах, а других охватило смущение, но я постарался самым деликатным образом вывести ситуацию из тупика:

— Прекрасно, мистер Томсон. Вы, пожалуй, оказались ближе всего к правде, ибо в тот день в Авлиде наша прекрасная принцесса, сообразив, что отец собирается убить ее, скорее всего, сделала то же самое, что и вы. Она заплакала.

Я родился в 1952 году на ферме под Редингом в немецкой семье, которая не придерживалась строгих правил амишей, запрещавших им пользоваться средствами механизации на фермах или иметь пуговицы на одежде, однако следовала меннонитским традициям, требовавшим глубокого консерватизма в быту и прилежания в труде. Мы не брезговали пуговицами и механическими средствами, но одежду должны были носить только черного цвета, независимо от того, мужчина ты или женщина. Правда, существовало одно исключение: женщинам дозволялось надевать красивый кружевной капор, тщательность, с которой он изготавливался, отличала хорошую домохозяйку от неряшливой. Впрочем, последних было немного.

Впитав в детстве традиции меннонитов, я добавил к ним успешную учебу в школе Рединга, где приобрел прочные знания в области математики, естественных наук, истории и французского языка. В старших классах у моих учителей не было никаких сомнений, что я получу стипендию в лучшем университете. Когда учеба в школе близилась к окончанию, вербовщики из университетов Питсбурга, Пенсильвании и Сиракуз видели, что я не только являюсь старостой класса, отлично играю на трубе в школьном оркестре, но и владею тремя языками — немецким, французским и английским — и вполне гожусь для университета как по своим показателям в области естественных наук, так и литературы. Они не ограничивались просто предложением стипендии, они связались со своими бывшими выпускниками, выходцами из наших мест, и добились их согласия на то, что они оплатят всю мою учебу.

Когда предложения от трех крупнейших университетов и еще одного мелкого колледжа лежали на столе нашей кухни, решение приняла моя мать:

— О Пенсильвании и Питсбурге не может быть и речи, потому что Филадельфия и Питсбург — это места, где живут одни безбожники, и я сомневаюсь, что Сиракузы намного лучше. Мы с отцом думаем, что ты должен отклонить эти три предложения и учиться в Мекленберге. Это богобоязненный и лютеранский город, где ты не сойдешь на путь порока.

— Но там мне не предложили стипендию, — заметил я.

— Предложат, — отмахнулась мать, — когда я поговорю с ними.

Памятным апрельским днем мы с мамой отправились за десять миль в Мекленберг. Путь наш проходил по красивым немецким землям с названиями, пришедшими с нашей старой родины, — Фенштермахер, Дрезден, Ванси, которые вызывали в душе такую благодать, что, когда показались каменные стены Мекленбергского колледжа, я уже не хотел ничего иного, как только стать его студентом.

— Вы будете им довольны, — сказала мать и, когда мы предстали перед членом приемной комиссии, без колебаний выложила перед ним три комплекта бумаг.
— Здесь написано, как он занимался в школе, а отсюда видно, что он делал вне школы, а в этих трех письмах ему предлагаются стипендии трех университетов. Но мы христиане, профессор. Меннониты по убеждению, но относимся с большим уважением к вам, лютеранам...

— Я квакер, миссис Стрейберт.

— Кто-кто?

— Протестант. Что-то вроде пресвитерианина или баптиста.

— Ну и прекрасно! Так как вы думаете, профессор?

Чиновник заколебался, пошуршал бумагами и затем улыбнулся:

— Я скажу вам, что если эти бумаги подлинные, а таковыми они и представляются мне, то мы были бы рады принять вашего сына.

Но моя мать была не из тех, кто удовлетворяется туманными обещаниями, даже высказанными улыбающимся квакером на официальном посту.

— Отправляясь в такую даль, мы хотели знать, сможет ли Карл получить здесь стипендию, причем в таком же размере, как те, что предложены ему?

— Я не наделен полномочиями принимать такие решения, миссис Стрейберт. Я не могу даже сказать, получит ли он ее вообще. Но, если судить по бумагам, могу почти заверить вас, что стипендия будет. Мы ищем таких ребят, как ваш сын.

— Так, а какой будет его стипендия?

Чиновнику, видно, не впервые приходилось сталкиваться с упрямством немцев, когда дело касалось их детей, поэтому он улыбнулся и сказал:

— Миссис Стрейберт, руководство колледжа не позволяет сотрудникам моего ранга распоряжаться финансами. Этим занимается специальный комитет.

Мать подвинула к нему четыре бумаги с предлагавшимися стипендиями.

— Вы видите эти цифры?

Чиновник молча отодвинул их.

— Миссис Стрейберт, эти цифры ничего не значат.

Мать была удивлена и не стала скрывать этого, поэтому он поспешил объяснить ей:

— Вы заметили, что цифра Пенсильванского университета намного выше той, что предложена тем мелким колледжем. Но это еще ничего не значит, поскольку расходы в столь крупном университете, как Пенсильванский, намного выше, чем в небольшом колледже. Если мы станем сравнивать, я докажу, что эта меньшая стипендия выгоднее вашему сыну, чем стипендии Пенсильвании, Питсбурга и Сиракуз.

— Вы хотите сказать, что у вас расходы еще ниже?

— Намного.

— Тогда ваша стипендия...

— Если утвердит комитет.

— Я понимаю. Но предположим, он утвердит. И тогда ваша стипендия будет еще ниже?

— Значительно. Потому что проживание в этой части Пенсильвании намного дешевле, чем в крупном городе. Скажем так, миссис Стрейберт. Вы же знаете, что магазины в Ланкастере, Рединге и Аллентауне вынуждены держать более низкие цены, иначе такие благоразумные фермеры, как вы с вашим мужем, перестанут покупать в них и они разорятся. Пенсильвания, Питсбург и Сиракузы предлагают высокие стипендии, но и мы тоже не отстаем. Это я могу обещать вам.

— Но вы не можете обещать стипендию, а если и обещаете, то не говорите ее размер?

— Не могу, но поверьте мне на слово. — Уже провожая нас из своего кабинета, он остановился и спросил: — Карл, вы не сказали мне, что вы думаете по этому поводу.

— Я хочу поступить сюда.

Потом мне передали, что, когда мы с матерью вышли, он написал на моем заявлении: «Этот нам нужен».

Думаю, что колледж не пожалел о своем решении предоставить мне полную стипендию и оплачивать дополнительные курсы, которые я стал посещать после первого семестра. Занятия науками и литературой не требовали от меня больших усилий, а знание двух языков высвобождало время для дополнительных кур-

222

сов. Первые три года я неизменно получал в каждом семестре четыре высших оценки и одну чуть пониже. Тонко чувствуя работу университетского механизма, я мог точно предугадать, чего хотят от меня профессора и сколько надо затратить усилий, чтобы сдать тот или иной экзамен. Некоторые из моих преподавателей считали меня чуть ли не гением, а другие, более проницательные, воспринимали меня как машину, в совершенстве приспособленную для работы и абсолютно беспристрастную. Ни тем, ни другим я старался не показывать, чем я был на самом деле.

Учеба почти не оставляла мне свободного времени. Я играл на трубе в оркестре, но вынужден был отказаться от этого в джазовом ансамбле. Моему сильному баритону нашлось бы место в певческом клубе, но я под всякими предлогами отказывался от поездок за пределы студенческого городка. Приходилось избегать участия даже в церковных концертах, которые традиционно давались студентами в церквах Аллентауна и Ланкастера, ибо даже на такое короткое время я предпочитал не оставлять учебу.

Досуг проходил скучно: без драк, заварушек, тайного пьянства, картежных игр и без интенсивного общения с противоположным полом. Довольно видный, правда, чуть неуклюжий рыжеволосый атлет с застенчивой, но приятной улыбкой, я, наверное, был лакомым кусочком для немецких девиц из нашей части Пенсильвании, которые наводняли колледж, и поскольку Мекленберг слыл местом завязывания знакомств, что обычно заканчиваются женитьбой, то можно представить себе, сколько из них задавались по ночам вопросом: «На ком же остановит свой выбор этот Карл?» Как будто я — луговой жаворонок, ищущий себе подругу.

Первые два года в колледже прошли у меня совершенно без всяких привязанностей, но на третьем курсе, в свою лучшую студенческую пору, я стал встречаться с прекрасной немецкой девушкой из Саудертона, которую звали Вильма Трумбауэр. Однажды, когда ее родители посетили городок, они с Вильмой пригласили меня на ленч в знаменитый загородный ресторан «7+7», расположенный на полпути между Аллентауном и Редингом. Я отправился туда, но оказался слишком наивным и не понял тогда, что ленч затевался только затем, чтобы вдохновить меня на более активное ухаживание. Когда по прошествии нескольких дней ничего подобного не случилось и даже не последовало выражений восторга по поводу ленча, Вильма бросила меня и вскоре нашла себе более понятливого старшекурсника-меннонита из Аллентауна. Услышав об их помолвке, я сказал: «Это прекрасно!» — даже не догадываясь о том, какую роль сыграл в этом деле.

На старшем курсе, когда я был полон решимости иметь по всем десяти предметам высший балл, девицы вообще выпали из поля моего зрения. Я был молодым человеком, который всюду бывал один, но совершенно не страдал от этого, ибо открыл для себя курс под названием «Современный английский роман» и испытывал необыкновенный душевный подъем, иногда наблюдающийся у студентов старше двадцати лет. В отличие от других, испытавших радость познания еще в подростковом возрасте и с первых дней пребывания в колледже шедших к намеченной цели, я суетился без какой-либо ясно видимой цели впереди, хотя и успевал по всем дисциплинам, за которые брался. Но этот курс все изменил.

Профессору было за шестьдесят. В свое время он закончил Пенсильванский университет, защитил степень магистра в Чикаго, а докторскую — в Северной Каролине. Это был Пол Хассельмайер. Он никогда не хватал звезд с неба, получив рядовую должность в Мекленберге, но оказался такой «трудолюбивой лошадкой», что за него держались и в конце концов предложили должность заведующего кафедрой английской литературы, так как более способные преподаватели не хотели тратить свое драгоценное время на возню с бумагами, непременную составляющую этой работы. Они писали книги, которые должны были расчистить им путь к более престижным местам в Индиане, Колорадо, а при удачном стечении обстоятельств в каком-нибудь из колледжей на Восточном побережье.

Выходец из семьи немцев Ланкастера, Хассельмайер с полным основанием мог считаться трутнем, ибо на протяжении десятилетий преподавал один и тот же старый курс под названием «От «Беовульфа»* до Томаса Харди», считая венцом английской литературы «Возвращенный рай». Но на шестом десятке жизни он неожиданно для себя открыл ряд романов, находившихся за пределами его привычных интересов, и взахлеб прочитал «Влюбленных женщин» Лоренса, «Бабушкины сказки» Арнолда Беннета, «Контрапункт» Олдоса Хаксли, за которыми последовали такие выдающиеся американские романы, как «Мактиг» Фрэнка Норриса, «Американская трагедия» Теодора Драйзера и «Бесплодная земля» Эллен Глазго.

Той осенью он прочел целый ряд увлекательнейших лекций с изложением своих последних находок, которые произвели на меня неизгладимое впечатление. Прозвучавшие в них резкие нотки реализма были для меня в диковинку, они прервали мой летаргический сон. Писателями, которым удалось сделать это, были англичане Лоренс и Беннет. «Они рисуют жизнь совсем не такой, какой мы ее видим здесь», — сказал я, и мы с друзьями целое лето сокрушались, что не познакомились с этими авторами раньше.

Однако больше всего меня интересовали американские писатели. «Мактиг», о котором я даже не слышал прежде, совершенно захватил меня своей историей несчастного дантиста из Калифорнии, «Американская трагедия», о которой я хоть и слышал, но относил к бульварным романам, поразила меня своим мастерством повествования. Я также провел некото-

* «Беовульф» — древний англосаксонский эпос. — *Прим. ред.*

рое время за чтением коротких новелл Эдит Уортон, которые доставили мне огромное удовольствие и подтолкнули к знакомству с творчеством Генри Джеймса, в результате которого я заключил, что его «Письма Асперна» являются едва ли не лучшей новеллой во всей англоязычной литературе.

Когда я высказал это мнение в классе, профессор Хассельмайер предложил мне написать курсовую работу по новелле Джеймса, но я избрал более сложную тему: «Генри Джеймс и Томас Манн — две новеллы на фоне одного города» и на сорока страницах проанализировал «Письма Асперна» и «Смерть в Венеции» Томаса Манна, показав, как авторы используют Венецию для достижения максимального литературного эффекта. Это был город, в котором я никогда не бывал, но который глубоко прочувствовал и понял благодаря двум литературным шедеврам, создавшим во мне его образ и настроение.

Наибольший интерес вызвал у профессора Хассельмайера большой раздел, в котором я анализировал «наркотическое» воздействие Венеции на Джеймса, Манна и их главных героев. Работа во многом была чисто умозрительной, строилась на догадках и временами смешивала реальных авторов с их вымышленными героями, но, тем не менее, выявила мои способности к анализу, которые возвысили меня над студенческим уровнем мышления и понимания реальности.

Вызвав меня, Хассельмайер сказал:

— Замечательная работа, мистер Стрейберт. Вы заглянули в самое сердце литературного процесса. Теперь мне бы хотелось, чтобы вы испробовали свою руку в более сложном деле. Сравните таким же образом «Бабушкины сказки» и «Контрапункт» и проследите, как эти совершенно не похожие друг на друга писатели используют разные условия обитания для достижения одинакового эффекта.

Именно эта работа, потребовавшая у меня нескольких месяцев, определила мое будущее. Постичь пять знаменитых городов индустриальной Англии Беннета не составляло большого труда, ибо их легко можно было сопоставить со знакомыми мне городами немецкой Пенсильвании — Ланкастером, Редингом и Аллентауном, а вот Лондон с его обитателями в описании Хаксли поразил меня своим блеском. «Что они за люди?» — восклицал я в полной растерянности, пытаясь понять их жизнь и мотивы действий. И, когда в поисках ответа я погрузился в другие романы Хаксли, мне пришлось чуть не в ужасе отшатнуться от того мира, который показался мне непостижимым в своей аморальности.

В момент полного замешательства, когда моя работа оказалась в тупике, один более искушенный студент сказал мне:

— Нельзя понять Хаксли, не поняв вначале Андре Жида.

Я никогда раньше не слышал об этом французе, как не было и его книг в библиотеке колледжа. Но в городской библиотеке Рединга все же нашлись две его книги: «Фальшивомонетчики» и небольшая вещь под названием «Пасторальная симфония». В первой я нашел отталкивающую картину упадка общества, а вторая поразила меня своим живым и сдержанным повествованием. Прошло несколько недель, и я понял, что ключ к решению моей проблемы находится в «Фальшивомонетчиках».

Прочитав мою вторую работу, профессор Хассельмайер сказал:

— Мистер Стрейберт, у вас поразительная способность проникать не только в сердце художественного произведения, но и в замысел его автора. А что вы собираетесь делать после окончания колледжа?

— Я еще не думал.

— А я думал. Какими иностранными языками вы владеете?

— Немецким с детства, французским — более чем достаточно, чтобы объясниться.

— Тогда перед вами прямая дорога.

— Дорога куда?

— К докторской степени. По литературе.

— Что это будет означать?

— Три года в Чикаго или в Колумбии*, а лучше всего — в Гарварде.

— Это будет стоить больших денег?

— Только не для вас. Высшая школа остро нуждается в молодых людях с ярко выраженными способностями.

Таким образом еще до конца последнего семестра мне опять были предложены три стипендии в докторантуры университетов, о которых говорил Хассельмайер. По вполне понятным причинам я избрал Колумбийский университет: Хаксли подсказал мне, что я ничего не знаю о Лондоне, а Жид — что мне также неведом Париж. Теперь настало время узнать, что такое большой город.

Тем летом меня крепко привязал к себе Андре Жид, его «Имморалиста» я читал в оригинале. После него я переключился на роман Марселя Пруста «В сторону Свана» и последующие книги его многотомной эпопеи «В поисках утраченного времени». За все лето ни одна девушка не получила от меня приглашения даже на обед. В сентябре я отправился в Нью-Йорк, так и не поцеловав ни одну из них, но зато обладая обширными познаниями в области литературы.

Годы в Колумбии проносились вихрем. Здесь были великолепные преподаватели, они вывели меня на широкую дорогу познания, не идущую даже в сравнение с теми узкими тропами, которыми я шел в Мекленберге. Знание языков, особенно немецкого, позволило мне овладеть староанглийским: успехи в изуче-

---

* Сокращенное название Колумбийского университета. — *Прим. ред.*

нии его у меня были столь заметны, что сразу несколько профессоров предложили мне заняться научной работой в этой области. Я бы, наверное, так и поступил, не появись в моей жизни путеводная звезда в лице профессора Девлана, который приехал осенью 1977 года из Оксфорда с полугодовым курсом лекций. Уроженец Дублина, получивший образование в Кембридже и Берлине, он возглавлял кафедру в Оксфордском университете и был общепризнанным авторитетом в области английской литературы.

Это был круглый коротышка с хитроватой улыбкой, огромной плешью и вкрадчивым ирландским акцентом. Настоящий гном. Свой шестимесячный период преподавания в Колумбийском университете он начал с того, что не раздумывая вклинился в самую сердцевину споров. Собрав огромную аудиторию, он повторил свою зубодробительную лекцию, прочитанную три года назад на симпозиуме в Оксфорде, которую широко цитировала американская пресса. Мне не доводилось слушать его лекции, но я занял место в переднем ряду и был сражен первым же утверждением: «Если вы хотите овладеть секретами художественного повествования, то есть только четыре английских романиста, которых стоит читать. По хронологии их рождения это — Джейн Остин, Джордж Элиот*, Генри Джеймс и Джозеф Конрад. Заметьте, что двое из них — женщины, а двое других — не англичане».

Когда стих шепот удивления, он принялся превозносить своих избранников, чуть ли не провозглашая «Миддлмарч» лучшим романом на английском языке и воспевая непревзойденное мастерство Генри Джеймса. О Конраде он сказал: «Этот поляк, до сорока лет не опубликовавший ни слова на английском, ухватил душу Африки и островов Тихого океана».

Воздав должное своим избранникам, он сделал следующий смелый шаг, отождествив четверых общепризнанных фаворитов с теми, кто отличается в

---

* Элиот Джордж (наст. имя Мэри Анн Эванс) (1819—1880) — английская писательница. — *Прим. ред.*

своем творчестве лишь поверхностным отражением жизни: «Мое отношение к литературе станет понятнее, когда я поделюсь с вами именами четырех романистов, о которых многие из вас могут иметь очень высокое мнение, но которых отметают внимательные аналитики, не как мусор, конечно, это было бы слишком грубое обвинение, а как поставщиков беллетристики, не заслуживающей серьезного внимания. Опять же по порядку рождения — это Уильям Теккерей, Чарлз Диккенс, Томас Харди и Джон Голсуорси. У них легкий стиль, они увлекают и развлекают, но оставляют читателя ни с чем и лучше всего подходят для легкого чтения в летний зной».

Ниспровержение общепринятых богов вызвало несогласие, и двое профессоров, специализировавшихся именно на этой четверке высокочтимых англичан, сочли себя обязанными покинуть аудиторию. Когда они удалились, Девлан плутовато подметил: «Боже, сколь мало приверженцев! В Оксфорде выскочило семеро» — и продолжал громить книги и незаслуженные репутации отвергнутой им четверки. Ропот недовольства продолжался, ибо эта часть его лекции больше напоминала высокомерную подстрекательскую речь эксгибициониста. Но именно эти качества были причиной того, что его пригласили пересечь океан и приехать в Колумбийский университет.

Лекция достигла своего апогея, когда один из колумбийских профессоров заметил:

— Вы назвали нам четверку, которую вы превозносите, и четверку, которую ниспровергаете. А кто мог бы стать соответствующей им восьмеркой в американской художественной литературе?

— Любопытный вопрос, — ответил Девлан. — Но ведь именно поэтому я и приглашен сюда, не так ли? Чтобы выяснить кое-что.

Он заявил, что именно над этим вопросом он будет биться все шесть месяцев своего пребывания в Колумбии:

— Я приглашаю и вас начать ломать голову над тем, кого из американских писателей вы бы поместили на восемь обозначенных мест. Я буду делать то же самое.

Таково было начало одного из самых увлекательных полугодий в моей жизни, потому что Девлан быстро приметил во мне молодого американца с тем острым умом, который ценился английскими университетами. Пригласив меня вместе с тремя другими аспирантами (двое из них были женщины) работать с ним, он организовал семинар, где мы анализировали прошлое американской художественной литературы. К концу его пребывания в Нью-Йорке группа определила восьмерку американских писателей, достойных бессмертия, и восьмерку, не заслуживающую доброго слова.

На своем последнем занятии этот неистовый ирландец сказал нам:

— Вы заглянули в самое сердце творческого процесса создания книги. И сейчас вы находитесь гораздо дальше по сравнению с тем, где был я в вашем возрасте. Но теперь наступает самый трудный момент. Каждый из вас должен хладнокровно и объективно выбрать тех четверых, примеру которых вы будете следовать в своем преподавании и писательском труде, и тех четверых, которых вы считаете бесперспективными и выдохшимися. Вы должны оставаться верными своему выбору, и сейчас самое лучшее время для такого выбора, и потому он — самый верный. Свежесть молодости — чудесное увеличительное стекло, через которое стоит смотреть на мир. Сейчас вы видите лучше, чем я в ваши годы, и не забывайте, что после тридцати вы не много откроете для себя нового. Делайте это сейчас или не делайте этого никогда.

Когда мы стали настаивать, чтобы он назвал своих восьмерых американских избранников, Девлан отмахнулся с хитрой усмешкой:

— Вы что, считаете меня сумасшедшим? Если я

расскажу, что у меня на уме, вряд ли я вернусь домой целым и невредимым.

— Но потом-то вы расскажете нам, не так ли?

— Рассказать? Нет. Я напишу очерк, аналогичный моему первому. Запомните непреложное правило. Никогда не говорить, а только писать. Из десяти миллионов величайших историй, поведанных восхищенным друзьям, особенно ирландцами в их пабах, в литературу попало только пять тысяч тех, что были записаны. Если это не зафиксировано, считайте, этого нет. — И он покинул Нью-Йорк, так и не поведав нам о своем списке американских писателей.

Одной из двух женщин, принимавших участие в 1978 году в незабываемом семинаре Девлана, была симпатичная выпускница из Айовы Кэтлин Райт. Роясь однажды в поисках нужной книги на библиотечных полках, я подслушал, как Кэтлин с подругой обсуждали мою скромную персону. Они делали это так, словно описывали некий персонаж книги. То, что я услышал, поразило меня.

— Санди, что за фрукт этот Стрейберт? — спросила Кэтлин. — С ним легко и интересно общаться, но он кажется мне евнухом. Его ничто не интересует, кроме книг.

— Если живешь в Сан-Франциско, — хихикнула Сандра, — то слышишь от всех своих подруг: «Что за фрукт этот Пол? Он совсем не смотрит на меня, а весь из себя такой приличный парень!»

— А какой же ответ?

— Каждая группа девушек вырабатывает пять-шесть критериев, по которым судит о мужчинах, и если применять их с умом, то получишь свои ответы.

— Например?

— В Сан-Франциско в ходу тест, в котором с десяток вопросов.

— Расшифруй.

— Ответь на следующие вопросы: видела ли ты его когда-нибудь с другой девушкой?

— Нет. Только с мужчинами, и то не часто. Он настоящий затворник.

— Приводит ли он слова своей матери чаще, чем отца?

— Да, чаще. Мать билась за его образование, по крайней мере, так он говорит. Но я никогда не видела ее в колледже.

— Ловила ли ты его взгляд на себе, когда казалось, что ты не смотришь на него?

— Нет.

— Выходит ли он по вечерам? Один? Смотрит ли по сторонам?

— Тут я ничего не могу сказать. Когда бы я ни встретила его, он всегда направлялся либо в библиотеку, либо по книжным магазинам на Бродвее.

— Ты хочешь сказать, что он не относится к ночным тусовщикам, выискивающим, кого бы подцепить, мужчину или женщину?

— Мужчину?

— Кэйт, к чему, ты думаешь, я клоню? Сдается мне, что ты положила глаз на маменькиного сынка, который женится не раньше сорока, если женится вообще. Вот тебе мой совет — бросай это дело! Ты поставила не на ту лошадку.

Кэтлин поразмыслила над словами подруги и спросила:

— Ты хочешь сказать, что он гомосексуалист?

Ее вопрос настолько шокировал меня, что я чуть было не вскрикнул. За меня это сделала Сандра.

— Ради Бога, Кэтлин, — выпалила Сандра, — перестань нести чушь! Половина по-настоящему превосходных парней в Сан-Франциско не увлекаются девушками ни в двадцать, ни в сорок лет. Это незаурядные люди, и каждая из моих знакомых имеет двоих-троих таких друзей — пожалуй, самых надежных в мире. Принимай Карла таким, каков он есть, и делай все, что можешь, чтобы помочь ему, но не рассчитывай, что он женится на тебе.

— Кто говорил о женитьбе?

— Ты. К этому сводился смысл твоих ответов.

— И что, из них видно, что он нравится мне?

— Невооруженным глазом.

— И ты считаешь, что из этого не выйдет ничего конструктивного?

— Конструктивного? Выйдет. Если он возглавит кафедру в каком-нибудь приличном колледже, то может вспомнить о тебе и предложить место. Что же до того, чтобы он стал твоим любовником или мужем, то тут у тебя никаких шансов. Ни на первое, ни на второе.

— Что же мне делать?

— Поискать в другом месте.

Все оставшиеся месяцы Кэтлин была вежлива и даже дружелюбна со мной, но было также очевидно и то, что она рассматривает меня как ученого, который готовится с блеском защитить докторскую диссертацию и которого интересует только это. Мы, вероятно, останемся друзьями и даже будем переписываться, но то, что однажды я захочу жениться на ней, совершенно исключалось, и мы оба знали это.

В 1980 году, через два года после возвращения в Оксфорд, профессор Девлан прислал письмо, которое очень удивило меня:

«Я узнал в своей канцелярии, что можно оформить льготную поездку в Германию, Францию, Италию и Англию. У вас есть право воспользоваться ею для завершения своего образования. А я, возможно, смогу вырваться к концу вашего путешествия и присоединиться к вам, чтобы поразвлечься в Греции. Пожалуйста, скорректируйте свои планы так, чтобы принять это предложение. Вам необходимо облагораживающее воздействие этих великих мест».

Я поразился тому, что знаменитый профессор из Англии не только помнил меня, но и побеспокоился о

234

том, чтобы организовать для меня такую интересную поездку. Пришлось спешно отправиться домой и обсудить с родителями, следует ли мне принимать это предложение.

— Карл, предложение еще даже не сделано, — здраво рассудила мать. — А ты уже навострил лыжи.

После общения с образованными людьми в университете меня коробило немецкое наречие родителей, и я сухо сказал:

— Я так предполагаю. Но если профессор Девлан говорит, что сделает что-то, то в этом не приходится сомневаться.

— Ты уже сообщил ему, что поедешь? — спросила мать.

— Нет, я хотел узнать вначале, что думаете вы с папой.

— Хорошо ли ты знаешь этого человека? — продолжала допытываться она.

— Он был моим преподавателем в течение полугода, вы же хорошо это помните. Лучшим из всех, кого я знал.

Но мама не унималась:

— Я видела ужасную передачу по телевизору. О том, что такое турецкая тюрьма. Мне просто не по себе после этого.

— Мама, те двое ребят из колледжа занимались контрабандой наркотиков.

Рассуждения отца были ближе к делу:

— Я думал, что в этом году тебе надо прежде всего подыскать себе место на будущее. Это твоя главная задача, сын. Оставайся дома и застолби себе место для работы.

Недовольный тем, что мне приходилось раньше времени раскрывать секрет, я сказал:

— Мой старый профессор в Мекленберге, вы знаете его, Хассельмайер, уходит в отставку и предложил меня на свое место. Он так энергично настаивал на моей кандидатуре, что администрация согласилась.

Так что у меня есть место, и довольно приличное.

— Тогда, я думаю, тебе надо съездить в Европу, — отозвался отец. — Это прекрасная возможность увидеть Германию, откуда ты происходишь.

— Меня больше интересуют Франция и Италия.

— Что ж, это тоже интересно, — проворчал отец.

— И особенно Англия, поскольку я буду преподавать английский.

— В этом есть смысл, но в Англии столько высокомерия.

— А зачем это нужно Девлану? — Мама вновь оседлала своего конька. — Сколько ему лет?

— Лет сорок пять, наверное.

— С какой стати он захотел путешествовать с таким юнцом, как ты?

— Он ученый. Любит литературу и уверен, что я тоже. — Помолчав, я добавил: — Наверное, он хочет проверить свои суждения об американских писателях. Он говорил однажды, что собирается написать об этом очерк.

С благословения родителей — горячего со стороны отца и неохотного со стороны матери — я отправил телеграмму со своим согласием принять предложение Девлана, закрыл свою квартиру и самолетом «Пан Америкэн» прилетел в Англию, где провел сумасшедшую неделю в автобусных экскурсиях по «Стране озер» Вордсворта, Стратфорду Шекспира, графству Эссекс, где жил Харди, и дальним аллеям Лондона, прославленным Чарлзом Диккенсом, чьи произведения я не любил, но должен был знать на случай, если придется читать о нем лекции.

Затем пересек Ла-Манш и оказался в Германии, где провел неделю в неспешном знакомстве с культурными ценностями страны, из которой происходил мой род. Попав во Францию, я без особого успеха пытался найти следы Стендаля, Флобера и Бальзака, ибо, если Англия делает все, чтобы ее великие писатели не оставались незамеченными для приезжих, то Франция делает все, чтобы ее писатели не попадались им на глаза. Вместо этого я наслаждался неповторимой прелестью этой страны с ее величественной архитектурой и великолепными музеями.

Из Парижа я отправился на автобусе в Рим и всю дорогу заглядывал в географические карты, чтобы запомнить места, которые проезжал и которые мне предстояло до конца жизни упоминать в своих лекциях: Париж, Лион, Гренобль, Альпы, Флоренция, Сиена, Рим. Стараясь использовать только местные варианты общеизвестных названий, я приложил столько усилий, что Франция и Италия — или, по крайней мере, те их части, по которым проходил мой путь, — навсегда отложились в моей памяти. Ради одной только этой автобусной поездки стоило предпринять путешествие в Европу.

Несмотря на то что я был воспитан в среде людей, которые отвернулись от католицизма из-за плохого обращения с их предками-протестантами во времена Реформации, Рим показался мне необыкновенно величественным историческим городом, даже если исключить влияние, которое оказал на него Ватикан. Путешествуя с путеводителем в руках, я в течение одного дня мог побывать среди доисторических руин, напоминающих о великих императорах, затем оказаться среди других, история которых брала свое начало со времен Христа; посетить соборы периода зарождения цивилизации, памятники эпохи Возрождения, мемориалы папских государств и, наконец, увидеть помпезные образчики наследия Муссолини. «Какой еще город в мире может предложить так много?» — спрашивал я себя, переходя от одной исторической достопримечательности к другой, и, когда подходил к концу восьмой день моего пребывания, я неожиданно сообразил, что провел все свое время в Риме, так ни разу и не выбравшись в провинцию. «Рима достаточно», — решил я и отправился в Ватикан, чтобы целый день провести в его музеях, поражавших богатством архитектуры и разнообразием живописи, о которой я знал лишь то, что двух часов совсем недостаточно на Сикстинскую капеллу с ее величественной росписью потолков и стен. Вначале я предположил, что вся роспись была выполнена Микеланджело, но, когда мой глаз непрофессионала стал замечать в ней различия, я спросил об этом одного из туристов, но тот ответил мне по-немецки: «Я не говорю на английском!» Тогда я повторил свой вопрос на выразительном немецком, и он — а это оказался специалист по истории искусств из Швейцарии — заверил меня, что изысканная роспись стен, выполненная Перуджино, ничем не хуже той, что сделана кистью Микеланджело на потолке.

Часы пролетели как минуты, и, когда раздались звуки гонга, возвещавшие о закрытии музея, джентльмен из Швейцарии предложил:

— День был таким приятным, что мне хочется пригласить вас разделить со мной ужин. — Я охотно принял его приглашение, ибо мне уже порядком надоело ужинать в одиночестве.

Мне казалось, что мой новый знакомый отправится в один из многочисленных ресторанов этого района, но он привел меня в небольшой отель, где в зале для мужчин подавали отличный сыр, тонкие ломтики телятины с соусом, а на первое — лучшие спагетти из всего того, что мне приходилось пробовать.

— Я вижу, вам нравится сыр, — сказал мой компаньон, и, услышав в ответ, что мне нравятся любые крепко посоленные блюда, он оживился:

— Тогда вам наверняка придутся по вкусу анчоусы, — и заказал салат из анчоусов, которые были так хороши, что мне захотелось убедиться, что я правильно понял, как пишется это слово.

— Анчоусы, анчовисы, аццжуга, анчови, — ответил мужчина. — В каждом языке по-разному.

Ужин закончился, и за ним последовал затянувшийся период необычного оживления, действовавше-

238

го мне на нервы. Затем мой компаньон вкрадчиво и необыкновенно дружелюбно поинтересовался:

— Так почему бы вам не провести ночь в этом отеле? У меня есть лишняя зубная щетка, и вы можете воспользоваться моей бритвой.

Высказав это предложение (вполне уместное, поскольку я сообщил ему, что этот вечер у меня не занят, как, впрочем, и все другие, и что мой отель находится далеко отсюда), он призывно заулыбался. Его руки ласкающим жестом обняли меня за плечи, выдав тем самым его намерения. В свои двадцать шесть лет мне еще не приходилось сталкиваться ни с чем подобным, и я пришел в ужас. Когда стало ясно, что я должен раздеться и лечь с ним на его узкую кровать, я в сильной панике оттолкнул его и рванул к двери. Прежде чем мне удалось выскочить, он поймал меня за запястье и жалобным голосом стал умолять:

— Пожалуйста! Это не так уж страшно. И очень приятно, честное слово. — Вырвав руку, я стремглав побежал вниз по лестнице, усомнившись, что расхлябанный лифт поможет мне выбраться из этой отвратительной ситуации.

Когда я добрался до своего отеля со знакомой женщиной за стойкой, он показался мне спасительной гаванью во время шторма. Это ощущение еще больше усилилось, когда женщина протянула мне телеграмму, пришедшую, пока я находился в Ватикане. Телеграмма была от Девлана и гласила: «Завтра прибываю в ваш отель и отправимся в Грецию». Теплое чувство вытеснило страх, ибо Девлан представлялся мне не только наставником, но и другом, которому можно доверять.

В первый день нашего совместного путешествия мы не спеша переехали горы главного хребта Италии и к сумеркам добрались до Флоренции. Девлан на хорошем итальянском поинтересовался у полицейского, где можно остановиться на ночь.

— Таких мест найдется сотни две, — с улыбкой ответил тот. — Вот здесь, на углу, например. Отличные номера с не менее отличной кухней.

Консьерж за стойкой собирался поселить нас в два разных номера, и Девлан, который вел переговоры, не стал возражать против этого.

— Два номера, разумеется. — И после отличной вечерней трапезы и непродолжительной беседы мы отправились спать, каждый в свой номер.

Следующий день ушел у нас на осмотр достопримечательностей Флоренции, во время которого Девлан поразил меня своим знанием галереи Уффици, представлявшей собой, по его словам, одно из трех лучших в мире собраний картин.

— Если хотите быть первоклассным преподавателем английской литературы в вашем маленьком колледже, Карл, вы обязаны знать изобразительное искусство, музыку, архитектуру и все великое множество творческих устремлений человека. И вы по-настоящему не поймете Данте, пока не познакомитесь с Флоренцией и не представите себе, как он бродил по другим городам, разбросанным среди гор. Вы должны возвращаться в Италию каждое лето в течение трех-четырех лет, чтобы набраться мудрости после школьных буден.

Девлан был в восторге от собора Медичи, на стенах которого художник эпохи Возрождения отобразил прославленную череду представителей рода Медичи, их слуг и конюхов:

— Здесь перед вами предстает сама история Италии во всем ее блеске и величии.

— Я же оценил собор даже выше, чем галерею Уффици.

Вечером, когда мы обедали в ресторане на берегу Арно, Девлан вспомнил Кембридж и свои первые дни учебы в Королевском колледже, которые приходились на времена продовольственных карточек и других послевоенных трудностей.

240

— Бедный Кембридж, — говорил он. — В последние годы ему опять достается из-за этого Энтони Бланта.

— Что это был за человек? — поинтересовался я, и Девлан рассказал о знаменитых кембриджских шпионах — Филби, Берджессе, Маклине и Бланте, — которые сдружились в стенах Кембриджа в 30-х годах, а затем, попав под влияние русского коммунизма и заняв высокие посты в Англии и США, выдали коммунистам множество государственных секретов.

— Эти отъявленные предатели нанесли англичанам с американцами огромный ущерб, — заметил Девлан. — Из-за них лишились жизни многие наши разведчики.

— Почему они пошли на это? — спросил я, когда над городом сгущалась ночь, и услышал в ответ:

— Веяние времени. Будь я одного с ними возраста, я вполне мог бы оказаться с ними. Я ирландец и поэтому презирал Англию за все, что она сделала с моей родиной. Я мог бы присоединиться к ним не потому, что любил Россию, а потому, что ненавидел Англию.

Затем Девлан заговорил о своем отношении к искусству:

— Художник всегда должен в некотором смысле противостоять обществу и полученным знаниям. Он должен быть готов идти необычными путями, отвергать принятые взгляды, возмущать, и бросать вызов, и воссоздавать новые подходы. Художник по своей природе стоит наполовину вне закона. Ван Гог идет наперекор нашему чувству цвета, а Вагнер опровергает наши представления о приемлемом звучании. Эти молодые люди из Кембриджа ничем не хуже них. Они тоже художники по своей природе и тоже резали по живому.

Прежде чем я смог разобраться в этой странной философии, он пошел дальше:

— И самым талантливым из всех был Энтони Блант.

Представьте себе! Находясь в самом центре враждебного окружения, то есть в Лондоне, он достигает высокого положения в военной разведке. И в то же самое время получает титул лорда, ибо является хранителем Королевской картинной галереи, великолепно разбирается в творчестве Пуссена и других французских пейзажистов. И все это время он либо занимается передачей наиболее серьезной информации Советам, либо прикрывает своих приятелей-заговорщиков, помогая им избежать ареста. Его преданность друзьям была бесконечной, и это понятно, ведь он любил их.

Девлан покачался в кресле и после продолжительного молчания спросил:

— Карл, вы слышали замечательное высказывание нашего выдающегося писателя Э.М. Форстера? Автора «Поездки в Индию» — ее вы просто обязаны прочесть. Он тоже выходец из Кембриджа, знаете ли. Из того же самого — Королевского, — что и я. Так вот, Форстер сказал, и его слова можно толковать по-разному, но у меня они отложились в следующем виде: «Если придет такое время, когда придется выбирать между изменой моей стране и изменой другу, я надеюсь, что мне хватит смелости предать свою страну». — Он помолчал, как бы давая словам повисеть в воздухе, а затем добавил: — Это, возможно, одно из глубочайших высказываний века.

После некоторых колебаний я спросил:

— Вы говорите о своих собственных друзьях, профессор Девлан?

— Я никогда не вступал ни в какие заговоры, — ответил он. — Никто не хотел иметь дело с неотесанным ирландцем. Но по-своему я испытываю к моим друзьям точно такие же чувства, как и он по отношению к своим.

— Чтобы защитить друзей, вы способны предать?..

Девлан не ответил. Вместо этого он проговорил совершенно изменившимся голосом:

242

— Жизнь художника — это неизменное «мы против них». Люди в большинстве своем не понимают художников, не принимают их, пока они живы. Писатели, которые так занимают вас, все без исключения приходились не ко двору, и как только они пытались потрафить вкусам большинства, теряли возможность идти вперед и неминуемо превращались в посредственность.

— Вы чего-то не договариваете! — воскликнул я чуть ли не в отчаянии.

— Знаменитая кембриджская четверка, — сказал Девлан, — несравненная в своем блеске и своей отваге, с нервами из стали, была скреплена любовью. Это было братство, которому история воздаст должное, а его хулителей предаст забвению. — Он встал и, направившись к берегу реки, добавил, ни к кому не обращаясь: — Они были моими однокашниками, моими ровнями и моими наставниками.

— Но вы же не хотите сказать, что предпочли бы стать шпионом? Предать свой народ?

— Нет, конечно. Я хотел сказать, что предпочел бы гореть, а не коптить и иметь смелость заплатить за это по полному счету.

После долгой прогулки по набережной мы вернулись в отель и у стойки портье заколебались, прежде чем взять свои ключи. Нерешительность ни к чему не привела, и каждый отправился в свою кровать.

В ту ночь я не спал. Ворочаясь в постели, я пытался вникнуть в то, что было сказано в тиши ресторана, и отделить зерна от плевел. Когда над городом забрезжил рассвет, я определил для себя те истины, которые будут светить мне на моем преподавательском пути: художник — это творческая личность, он не может, да и не должен вести нормальный образ жизни. Он должен опираться на верных друзей, таких же, как он сам. Его задача — заставить общество посмотреть на себя по-новому, чтобы увидеть то, что ему хочется увидеть. И высшей в мире добродетелью, по которой судят о человеке, является верность другу, чем бы это ни обернулось.

Когда в комнате стало светло, я, порывшись в вещах, нашел карандаш и поспешил зафиксировать свои четыре постулата на бумаге, пока они не стерлись из памяти. Но, когда я перечитал их, последний показался мне неполным, и я сделал приписку: «Полагаю, что таким другом может быть и женщина».

Вечером, когда мы добрались до Венеции и нашли стоянку на берегу, где водители перекладывали свой багаж на гондолы — шумные водные такси, бороздившие каналы, — Девлан произнес:

— Вениз — это город влюбленных.

На что я заметил (довольно по-детски, как понял потом):

— Я называю ее Венеция.

— Генри Джеймс называл ее на английский манер, — пожурил он меня.

В тот вечер я не стал протестовать, когда он обратился к портье:

— Двухместный номер. — И не стал возражать, когда он взял единственный ключ и первым пошел на второй этаж.

Первый день в Венеции прошел для каждого из нас, как в сказочном сне. Я никогда прежде не испытывал сексуального влечения, и его сила ошеломила меня, заставив ощутить себя маленькой меннонитской девочкой с моей родины, которая впервые в жизни дает увлечь себя в стог сена. Я не мог поверить в происшедшее со мной чудо, которое могло произойти намного раньше, будь я более внимателен к своим потаенным чувствам. Но главное — это то, что прелесть моих отношений с обожаемым профессором стерла во мне неприятные воспоминания о встрече со швейцарцем.

Сорокасемилетнему Девлану с далеко не осиной талией тоже трудно было поверить, что молодой человек в золотую пору своей жизни пересек океан, чтобы встретиться с ним в Риме, и что теперь они направляются в Грецию на целых две или даже три недели. Он рассказал мне, что в последние годы часто думал: «Неужели все закончилось? Неужели не будет больше тех славных ночей, которые я знал в прошлом?»

— И надо же было, — он посмотрел на канал, где проплывали гондолы с влюбленными, — встретить в Нью-Йорке замечательного молодого американца, который владеет тремя языками и обладает редким литературным талантом. Мне, старому ирландцу, сразу же стало ясно, что парень боится ворваться в эту жизнь, хотя и страстно желает этого. Я сразу же заметил, что ему нелегко с девушками и что, наверное, так будет всегда. И тогда мне пришло в голову, что, если вытянуть его в Европу и помочь открыть богатство ее культурного наследия, на долю ирландца может выпасть еще одна, последняя и великолепная, связь. — Он помолчал и добавил: — И случилось так, как я замышлял. Это произошло.

Несмотря на то что наш первый день в Венеции был для меня началом новой жизни, он прошел как в тумане. Зато следующий доставил мне настоящее эстетическое удовольствие, потому что в его центре уже были не только мы с Девланом, но и сама Венеция, сыгравшая особую роль в мировой литературе. Для меня день был преисполнен особого значения еще и потому, что высвечивал мой давнишний исследовательский очерк о Генри Джеймсе и Томасе Манне «Две новеллы на фоне одного города», который привел меня в стены Колумбийского университета и к дружбе с профессором Девланом.

Мы бродили по узким тротуарам вдоль каналов в надежде отыскать заброшенный дворец Джеймса, в котором американский литератор боролся с Джулианой Бордеро и ее нескладной племянницей мисс Тиной, пытаясь завладеть припрятанным архивом умершего поэта Джеффри Асперна. Ступая по тротуару, Девлан заметил:

— Тем довольно неприятным англичанином Джоном Камнором, который в романе тоже ищет архив, мог бы быть я, а на месте молодого американца можно с легкостью представить тебя.

Наши поиски домов, подходивших под описание Джеймса, превратились в исследование запутанных судеб вымышленных персонажей, которые представлялись нам более реальными людьми, чем проходившие мимо итальянцы.

— Таково назначение художественного произведения, — с чувством произнес Девлан. — При помощи цепочки слов на бумаге, слов, которые каждый может найти в обычном словаре, вызвать к жизни реальные человеческие существа и поселить их в реальной обстановке. Какие из полумиллиона слов в английском языке выбрать для описания того старого дома, обращенного к этому, довольно зловонному каналу, чтобы заставить кого-то, кто читает их на досуге где-нибудь в Замбии, не только увидеть воочию это окружение, но и ощутить созданное им настроение? Слов сколько угодно, бери — не хочу, вот только выстроить их надо правильно, чтобы добиться искомого эффекта.

Мы заговорили о рассказе Манна, в котором Венеция охвачена эпидемией холеры.

— Но сегодня здесь нет холеры, — заметил я.

— Если бы так. Смертоносная холера распространилась по всему Западу. Холера массовой культуры, выплескиваемая со страниц печатных изданий и заполнившая эфир, умерщвляющая все и все обесценивающая. Она захлестнула нас и скоро задушит.

Объясняя свои страхи за будущее цивилизации, Девлан говорил о том, что творческие личности должны прекратить свое пагубное сползание в болото посредственности:

— Самый страшный враг — массовая популярность. Она доказывает, что художник привел себя к наименьшему общему знаменателю. Призвание художника в том, чтобы, возвысившись над толпой, иметь дело с себе подобными, выискивая их и обмениваясь с ними взглядами, и писать, рисовать или сочинять музыку так, чтобы высвечивать проблемы, которые беспокоят их. Серьезное искусство — это средство общения равных на уровне возвышенного. За другое не стоит и браться.

Я уловил скрытую суть его концепции:

— Но из того, что вы говорили в Колумбии, я понял, что конечная цель и смысл всего, что написано, — публикация. Теперь вы утверждаете, что это ничто. Так как же вас понимать?

— Помнишь мою лекцию, которая вызвала целую бурю? Джордж Элиот — сокровище, Чарлз Диккенс — шарлатан. Держитесь Джозефа Конрада — остерегайтесь Джона Голсуорси.

— Но при чем здесь публикация? Ведь публикация авторов, которых вы отвергаете, тоже дает свой положительный эффект.

— Они действуют успокаивающе и помогают убить время, не принося большого вреда, но и пользы тоже.

— Так для чего же тогда должны издаваться книги?

— Для диалога равных. Когда сидишь за рабочим столом, надо явственно представлять свою аудиторию, своих читателей. Как интеллектуал — а ты можешь стать одним из лучших среди них — ты обязан наводить мосты с ярчайшими умами своего поколения, с думающими мужчинами и женщинами в Берлине, Ленинграде, Сорбонне и Беркли.

— Но издательская индустрия способна существовать только за счет массовой продажи, которую вы так осуждаете.

— Нет, нет! Ты неправильно понял, Карл. Индустрия должна гнать халтуру, но только для того, чтобы обеспечить возможность осуществления великого диалога. Представь себе сеть блестящих умов, охватывающую такие центры, как Буэнос-Айрес, Токио, Мадрид, Москва, Дублин и два Кембриджа. Избранных, собравшихся там и объединившихся в стремлении удержать этот мир от развала. Говорить с ними, вдохновлять их и нести им свет своего таланта — вот призвание настоящего художника. А все остальное — к черту!

Мы обсуждали этот принцип «избранных», как называл его Девлан, медленно двигаясь по северу Италии в Триест, затем повернув на юг и проезжая Югославию с ее мрачным городом Сараево, а затем минуя две Македонии, где засвидетельствовали свое почтение Александру Великому, бывавшему там.

Когда через древний город Фессалоники на севере страны мы въехали в Грецию, даже небо над головой показалось другим. Из глубины веков, словно из небытия, всплывали в сознании древние названия и становились явью. Мне было стыдно, что Девлан знал их гораздо лучше, чем я.

— Продукт классического образования, — объяснял он, — и отнюдь не самый худший, по сравнению с теми верхоглядами, которых сплошь и рядом встречаешь в Штатах.

На пути к Афинам Девлан заметил:

— Поворот на Спарту, — и показал мне древний канал у Коринфа — великолепное зрелище с высоты автострады. Когда мы пересекали знаменитый пролив, чтобы попасть на второй полуостров, мне представлялось, что перед глазами с развевающимися флагами и рабами на веслах плыли древние галеры греков, направляясь на какое-то сражение.

Спарта являла собой печальное зрелище. На полях, окружающих ее, гремели сражения, и от нее остались лишь руины.

— Мне хотелось, — проговорил Девлан, — чтобы ты увидел, что происходит, когда общество отдает себя в руки военной диктатуры. Спартанские дети с семи лет воспитывались по законам военной дисциплины. Все решения принимались военщиной. У них были лучшие в мире армии, они подчинили себе все. И в конце концов диктатура задушила сама себя, потому что свободные люди всегда победят тиранию — не разгромив ее, но пережив ее во времени.

Осматривая развалины, которые отнюдь не свидетельствовали ни о былом величии Греции, ни о победах спартанских армий, Девлан заметил:

— Находясь в Соединенных Штатах, я, к своей досаде, ощущал, что восемьдесят процентов американцев приветствовали бы диктатуру, если бы она пообещала улучшить положение дел в школах, призвать к порядку меньшинства, поставить на место женщин, обеспечить верховенство Закона Божьего и покончить с глупостями, которые принес «Билль о правах». Думаю, что многие бросились бы в ее объятия. Вот почему мне хотелось, чтобы ты увидел Спарту. Такой выбор ведет именно к тому, что ты видишь здесь.

Когда мы достигли Афин и Девлан быстро нашел небольшой отель, где обычно останавливался во время своих прежних поездок, владельцы, завидев его, выскочили навстречу, чтобы заверить, что номер, который он заказывал в телеграмме, давно ждет его. Показывая мне дорогу, он сказал:

— Когда любой, умеющий читать или слышавший о долгом пути человечества к здравому смыслу, приезжает в Грецию, он сердцем ощущает, что приехал домой. Мы вернулись домой, Карл, из путешествия, начатого еще в Колумбии.

Следующие десять дней в Афинах мы провели, оживленно обсуждая мое будущее. Эти обсуждения напоминали литературный семинар, который начинался за завтраком и заканчивался заполночь, когда нас одолевал сон.

Обсуждая роман во всех его аспектах, мы целый день разбирали вопрос о том, как лучше всего излагать тот или иной известный сюжет и от чьего имени это должно делаться. Мнение Девлана на этот счет было вполне однозначным:

— Наихудшая форма изложения — это та, где автор время от времени вклинивается со своими лукавыми замечаниями. Когда он в первый раз разрывает ткань рассказа, это вызывает протест, а в конце долгого повествования эта манера становится просто отвратительной. Никогда не делай этого сам, не позволяй студентам, а когда работаешь как критик, бичуй эту манеру.

Повествование от имени некоего неизвестного, всезнающего и наделенного высшим разумом, вызывало у него смешанные чувства:

— Небожители мне всегда скучны, а бесконечный интеллект, претендующий на способность объяснять любые человеческие поступки, какими бы странными они ни были, начинает в конце концов действовать мне на нервы. И тем не менее иногда я встречал книги, написанные в такой манере, которые очаровали меня, — «Миддлмарч», например. С некоторых пор мне стали нравиться книги, написанные как бы от имени безымянного деревенского придурка, который все видит, но ничего не понимает. Ты постепенно начинаешь верить в правдивость его рассказа.

Когда он проанализировал несколько соответствующих подходов, я поинтересовался:

— А что вы думаете насчет наиболее известного из подобных рассказчиков — того, которого представил Генри Джеймс, — заинтересованного коллеги и участливого, но не назойливого друга семьи, который может вставлять свое «я» и тем самым вносить что-то личное в повествование? Мне кажется, что это создает любопытное ощущение реальности. Как вы считаете?

Девлан на несколько мгновений задумался над тем, какие слова следует употребить, чтобы передать необходимые нюансы.

— Очевидно, это лучший из подходов, но я не хочу навязывать тебе свое мнение. Ибо он имеет свою оборотную сторону. Конечно, велико искушение иметь всепонимающего наблюдателя, который не вмешивается не только в судьбу наблюдаемых им персонажей, но и в само течение жизни. Если без обиняков, Карл, то такие, как ты и я, при изложении сюжета предпочитают рассказчика, подобного самим себе, — никогда не женившегося, не имевшего детей, не служившего в армии, как правило, без определенного рода занятий, неизменно с безупречно чистыми руками, стоящего выше любого из тех, о котором они ведут речь, и в конечном счете ужасно скучного для того, чтобы провести с ним шесть дней, требующихся для прочтения романа. Если ты когда-то возьмешься писать такую книгу, то можешь избрать в качестве главного героя такого эстета, как мы, но в качестве наблюдателя в ней должен быть владелец магазина, изо всех сил пытающийся расплатиться с долгами, прежде чем послать своих троих детей учиться в университет.

Я прервал его своим глупым замечанием:

— Меня не интересуют владельцы магазинов!

— Тогда, боюсь, что твой роман тоже никого не заинтересует, — ответил он, а по другому поводу заметил: — Не думаю, что критикам следует пытаться писать романы.

— А почему нет?

— Потому что мы много знаем.

— Но писатели всегда пытаются выступать в роли критиков.

— И обычно оказываются слонами в посудной лавке.

В долгой дискуссии о том, какие темы считаются наиболее подходящими для романа, он высказал следующие соображения:

— Любые поступки, на которые только способен человек, могут быть темой романа.

— Вы действительно считаете, что *любые*?

— Я даже не могу представить себе тему, которую бы я отверг.

— Даже тему кровосмешения?

— В греческих трагедиях полно великих драм, связанных с кровосмешением. Причем эта тема преподнесена с жаром, яростью и осуждением.

— Я плохо знаю греческие трагедии.

— Что ж, это лето может быть единственной возможностью нарушить табу, которое будет висеть над тобой впоследствии, когда дело дойдет до овладения скрытыми подтекстами в литературе.

Его вторым постулатом было:

— Любой роман, в основу которого положена абстрактная концепция, обречен на неудачу. Если приходится абстрагироваться, пишите эссе. В романе же пишите о людях, а не о прототипах. Если они у вас оказались запутавшимися в надуманной ситуации, то может статься, что у вас получилась просто сказка.

Почти в каждой дискуссии у меня возникало подозрение, что, стараясь научить меня всему, что знает сам, Девлан лелеет мысль о том, чтобы сделать меня своим преемником на поприще критики. Это подозрение усилилось, когда на десятый день он извлек замусоленную книжку в мягкой обложке:

— Вручаю тебе выпускной подарок, Карл. Теперь ты готов освоить ее в качестве руководства к действию.

Это было пространное эссе под названием «Мимесис» немецкого ученого Эриха Ауэрбаха, собравшего целый ряд образцов художественного повествования, начиная с доисторических времен и кончая Вирджинией Вулф. Автор тщательно проанализировал каждый стиль, указывая, где писатель преуспел и где подкачал.

— Ауэрбах проделал за тебя твою работу, — заметил Девлан, и, когда позднее я окунулся в нее, мне сразу стало ясно, чтó он имел в виду.

Когда подходил к концу одиннадцатый день нашего пребывания в Афинах, я сказал своему наставнику:

— Эти дни стали чудом, соединившим воедино отрывочные представления и противоречивые идеи. Вы подняли меня на новый уровень познания. Теперь я начинаю верить в то, что смогу быть профессором.

252

— Последние дни вполне подтверждают это, — заверил Девлан.

Человек обретает мудрость двумя путями: при терпеливом накоплении знаний с их анализом и в результате божественного озарения, в одно мгновение высвечивающего целые века и континенты. Моя двухнедельная поездка из Рима в Афины была примером первого, а то, что произошло со мной на пятнадцатый день, стало поразительным воплощением второго.

Девлан увидел в туристическом агентстве, где получал деньги по дорожным чекам, объявление о том, что греческая комиссия по культуре пригласила гастролирующий немецкий театр дать спектакль «Агамемнон» по пьесе Эсхила, впервые поставленный на сцене еще в 458 году до нашей эры. В афише сообщалось, что спектакль будет проходить на открытом воздухе возле Акрополя на немецком языке, но греческие флейтисты и барабанщики будут аккомпанировать хору. Не раздумывая Девлан купил два билета на лучшие места и поспешил сообщить мне о выпавшей удаче увидеть одну из величайших мировых трагедий в такой столь подходящей для этого обстановке.

Услышав радостную новость, я отреагировал так, как Девлан, должно быть, ожидал:

— Где взять текст, чтобы познакомиться с пьесой?

— Я же сказал. Пьеса будет поставлена на немецком. Тебе в отличие от меня будет понятно каждое слово.

Но у него оказалась при себе книга, которой он очень дорожил и где были современные переводы всех дошедших до нас трагедий Эсхила, Софокла и Еврипида. Полным собранием греческой драматургии похвастать не могло ни одно издательство, ибо до нас дошло всего семь трагедий Эсхила, столько же, написанных Софоклом, и девятнадцать, принадлежащих Еврипиду.

Девлан, который и без того хорошо знал пьесы,

особенно великую трилогию, начинавшуюся «Агамемноном», с удовольствием предоставил в мое распоряжение свою драгоценную книгу, сопровождавшую его во время прежних поездок по Греции, и я всю вторую половину дня читал и запоминал героев, которых должен был вскоре увидеть: Агамемнона — могущественного царя; Клитемнестру — его неверную жену; Эгисфа — царского кузена, ставшего любовником Клитемнестры во время долгого отсутствия Агамемнона на Троянской войне; Кассандру — прекрасную, но обреченную пророчицу, дочь Приама — разгромленного царя Трои, которую Агамемнон привез с войны в качестве наложницы.

Перед тем как отправиться в театр, я вернул антологию Девлану со словами:

— Теперь я готов. — И мы поехали слушать немецкую труппу.

Над холмами опускалась ночь, возможно, такая же, как и две тысячи лет назад, когда разворачивалось действие трагедии. Перед глазами публики, состоящей в основном из туристов, желавших увидеть греческую пьесу в естественных декорациях, предстала фигура дозорного, который лежал на крыше царского дворца, подавшись на локтях вперед. Когда сумерки стали сгущаться и сцена осветилась приглушенными огнями рампы, дозорный громко и отчетливо заговорил по-немецки. Слова звучали так же естественно, как если бы дело происходило на фестивале в Ланкастере. И я в то же самое мгновение принял немецкий в качестве языка древних греков и превратился в одного из них.

Долгий год, Атридов пес,
Лежу на вышке, опершись на локоть, —
И ведом стал мне круговратных звезд собор...
А бессонный страж
И ныне ждет: не вспыхнет ли желанный знак,
Урочный не займется ль вестовой пожар —
Клич огненный из Трои: «Пал Приамов град!»*

_____
* Перевод Вячеслава Иванова.

Затем последовали пророческие слова, содержащие намек на скорую трагедию, готовую разразиться в обреченном доме Атреа:

Песней заунывною
От сонной силы отчураться думаешь:
Поешь — и плачешь, вспомнив про былые дни...
Неладно в царском доме; подошла беда!..

Теперь сцена была объята заревом костра, полыхавшего за холмами. Троя пала! Греки торжествуют победу. Великий Агамемнон возвращается домой, овеянный славой. Но дозорный знает, что дома его ждет трагедия:

«Победа! Рухнул вражий кремль!..»
Ей славу петь, а мне плясать преславие!
За царский дом я трижды по шести очков
Здесь выиграл на вышке — ставку полную!
Когда бы только цел и здрав вернулся сам!
Цареву руку милую сожму ль в своей?
О прочем ни полслова! Поговорка есть:
Стал бык огромный на язык — не сдвинешь. Все
Сказали б эти стены, будь у стен язык...
Кто знает — понял; невдомек намек другим.

Сделав свое дело, дозорный исчез, и впервые в своей жизни я увидел одну из славных достопримечательностей греческой сцены — хор старцев, со скорбным видом вышедший вперед, чтобы своими сдержанными песнями и танцами под аккомпанемент флейт донести многочисленные сюжеты истории, необходимые для понимания предстоящего действия. Они поведали долгую и запутанную вереницу событий, охватывавшую последние десять лет, в течение которых члены дома Атрея отсутствовали в Греции, ожесточенно сражаясь у стен Трои. Среди множества непонятного самой печальной и непостижимой была участь любимой дочери царицы Клитемнестры — ослепительно прекрасной Ифигении, чей отец, царь Агамемнон, принес ее в жертву в гавани Авлиды, чтобы боги были благосклонны к его кораблям на пути к Трое:

Ее мольбы, плач, к отцу взыванье,
Ее красы нежный цвет свирепых
Не тронули Арея слуг.
С молитвой царь подал знак, и жертву,
Не козочку — деву — тканью длинной
Покрыв, схватили, еле живую
Повергли на жертвенник.

После такого печального пролога флейтисты удалились и танцы прекратились. На сцену величественно выплыла Клитемнестра — одна из ведущих фигур греческой драмы, — чтобы встретить своего мужа-царя после десятилетнего отсутствия, во время которого она предавалась прелюбодеянию с Эгисфом. Когда она объявила, что Троя пала, предводитель хора, мудрый старец, спросил:

Надежному ль ты вверилась свидетельству?
Не сон ли, ночью виденный, за вещий множь?
Клитемнестра
Нет, сонных грез за правду не почла бы я.

Эта властная женщина с такой силой подчиняет себе последующее действие, что старец произносит с восхищением и завистью:
— Как умный муж, высокая жена, ты речь отрадную держала.

Впервые услышав греческий хор, я был поражен силой, исходившей от двенадцати пожилых людей в одеяниях жрецов. Я признал в нем необходимое средство сдерживания примитивных страстей и, вслушиваясь в его предостережения, понял, что современная литература потеряла нечто важное, отказавшись от этой концепции. Для меня эти двенадцать человек в тот вечер были героями драмы, навсегда оставившими свой след в моей душе.

В заключительной части великой драмы Клитемнестра, подобно тому, как это делали политики на протяжении всей истории, хвастливо заявляет, что в доме Атрея теперь все пойдет на лад.

Когда погасли огни рампы, я еще долго сидел на своем месте не в силах стряхнуть с себя оцепенение.

На следующий день я бросился в книжные магазины, чтобы найти издания по классической литературе, по совету Девлана провел некоторое время в Британской библиотеке, роясь в Оксфордских и Кембриджских справочниках по мифологии. На случайных листах бумаги у меня стала вырисовываться схема, отражавшая происхождение и состав того, что я назвал «Обреченный род Атрея». Когда она была закончена, заполнив собой два листа, я ощутил огромное удовлетворение от того, что добрался до самых истоков литературы. Однако вскоре мне пришлось несколько умерить свой восторг. Путешествуя жарким днем по сельской местности к югу от Афин, Девлан вдруг рассмеялся:

— Мы с тобой показались бы ужасно скучными, подслушай кто-нибудь наши разговоры. Мы только и делаем, что бьемся над каким-нибудь незначительным моментом в литературе, тогда как реальная жизнь, питающая всякое творчество, со всех сторон окружает нас во всей своей красе.

Как раз в этот момент мы выехали из-за поворота и возле придорожных коттеджей увидели троих босых крестьян, двух женщин с подоткнутыми подолами и мужчину с высоко закатанными штанинами. Пока мы медленно проезжали мимо, они забрались в огромный резервуар и принялись топтать виноград, доставляемый сюда с близлежащих полей. Зрелище было настолько земным и захватывающим, что Девлан не выдержал и воскликнул:

— Вот он, предмет литературы! Тот же самый, что и три тысячи лет назад. Не нужны древнегреческие властители и указания Генри Джеймса, когда видишь такую картину.

Когда пришло время Девлану садиться в самолет,

вылетающий в Лондон, а мне отправляться в Нью-Йорк, я сказал:

— Вы отправляете меня домой готовым к преподавательской карьере.

Но Девлана занимали более важные вещи:

— Накопи денег и давай встретимся здесь опять следующим летом.

При этом мы пожали друг другу руки и собрались уже было расстаться, когда ирландец вдруг признался:

— Кстати, о моей знаменитой лекции о хороших и плохих романистах. Это была не моя идея. Она досталась мне от моего учителя. Познакомься с ним. Ф.Р. Левис стоит того. Но я развил его идею, добавив четверку плохих. Теперь твоя задача пойти дальше и включить сюда американских писателей.

Я начал свою преподавательскую деятельность в Мекленберге осенью 1980 года и вскоре достиг такого взаимопонимания со своими студентами, что в колледже меня стали называть не иначе как «ходячей энциклопедией».

В колледже была традиция проводить в феврале цикл открытых лекций для жителей группы городов: Ланкастер—Рединг—Аллентаун. В ходе этих лекций (они были бесплатными) три лучших и старейших профессора знакомили публику с последними достижениями в области их профессиональных интересов. Кроме того, на этих занятиях представлялась возможность проявить себя двум молодым представителям преподавательского коллектива — одной женщине и одному мужчине. Через полгода преподавания такая честь была оказана мне. Когда подошла моя очередь, зал оказался заполненным до отказа, потому что людям было известно, что я их земляк и неплохо проявил себя в столичном университете.

После долгих размышлений я решил громко заявить о себе, ибо после пребывания в Венеции и Афинах во мне появилась уверенность ученого, которому было что поведать людям. Я сказал себе: «Это подходящий момент, чтобы обнародовать свою восьмерку американских писателей, четверо из которых заслуживают почитания, а четверо других — корзины для мусора». Но выйдет ли из этого что-нибудь хорошее, я не был уверен. О моих намерениях прослышали двое репортеров из местных газет и насобирали целую кучу слухов на этот счет.

Свое выступление я начал без лишних преамбул:

— Дамы и господа, не хочу тратить наше с вами время, поэтому прямо перейду к сути того, что мне давно хотелось сказать. Двигаясь вслед за уважаемым профессором Кембриджского и Оксфордского университетов Англии Девланом (он, в свою очередь, позаимствовал этот подход у своего учителя Ф.Р. Левиса, считающегося выдающимся критиком нашего столетия), я приглашаю вас пройтись со мной по обильным лугам американского романа и отобрать те цветы, которые всегда будут оставаться живыми, и те, что увянут еще до заката. Мне и многим другим, кто занимался этим вопросом, представляется, что в американской литературе выделяется четверка писателей, постигших суть художественного повествования и создавших непреходящие вещи, на которых все мы можем учиться. Я уверен, что вы знакомы с ними. В хронологическом порядке это — Герман Мелвилл, Стивен Крейн, Эдит Уортон и Уильям Фолкнер.

После того как шепот стих, я принялся обосновывать свой выбор, делая упор на Крейна и Уортон, как будто они нуждались в моей защите, а Мелвилл с Фолкнером нет. В ходе рассуждений мне пришлось раскрыть свои критерии отбора: честность намерений, простота изложения, мастерство отображения и загадочно-неуловимое чувство того, каким должен быть идеальный роман. Мне удалось убедить часть присутствующих, но даже те, кого я убедил, стали покидать аудиторию во второй половине лекции.

— Этим четверым художникам — а я думаю, вы

согласитесь с тем, что они художники, — противостоит другая четверка писателей, которые пользуются некоторой популярностью, но чьи труды смешны с эстетической точки зрения. Опять в хронологическом порядке: Синклер Льюис, Перл Бак, Эрнест Хемингуэй и Джон Стейнбек. С художественной точки зрения они вряд ли достойны прочтения. — Тут я перехватил несколько разъяренных взглядов и перешел к разгромному анализу произведений этой четверки. Я расценивал их как легковесных, поверхностных и вредных в том смысле, что они обещали больше, чем давали. Мой заключительный вывод вызвал в зале бурный протест: — Самый большой их недостаток в том, что эти авторы не относятся к роману серьезно. Они стыдливо уходят от великих вызовов, довольствуясь малым. Причиной тому популярность и премии, доставшиеся им так легко. Вдумчивому студенту или читателю не следует воспринимать их всерьез, так как они его ничему не научат.

Когда подошло время вопросов, всех словно прорвало, и мой взгляд заметался по залу, выбирая одного за другим желающих высказаться. Надо сказать, что тут мне везло, ибо вопросы были интересными и хорошо сформулированными. Тон обсуждению задал первый из них:

— Профессор Стрейберт, на основании чего вы смогли выделить Стивена Крейна в категорию ведущих писателей? Он написал всего одну значительную вещь, но даже ее многие считают слабой.

Я согласно кивнул, но затем указал:

— Мы не измеряем талант писателя фунтами написанных книг. Если бы это было так, то сэр Вальтер Скотт стоял бы неизмеримо выше Гюстава Флобера, с чем трудно согласиться. Крейна можно также поставить в один ряд с англичанином Э.М.Форстером, который написал очень мало, но заметно выделялся среди писателей своего времени, особенно в сравнении с таким напыщенным типом, как Хью Уолпол.

Крейн горел ярким пламенем, Синклер Льюис чадил, так и не познав огня.

Следующий вопрос, прозвучавший из уст взволнованной женщины, тоже был интересным:

— В четверку, которую вы с презрением отвергаете, попали лауреаты Нобелевской премии, которыми мы очень гордимся. Как вы считаете, каким образом это характеризует ваше мнение о них?

— Думаю, что это в гораздо большей степени характеризует Нобелевский комитет, чем меня. — К счастью, разразившийся смех растопил лед и позволил мне парировать дальнейшие вопросы, сохраняя в зале дружескую атмосферу. В нескольких случаях я с готовностью соглашался:

— Вы правы. Мои суждения на этот счет либо плохо продуманы, либо ошибочны, и я, конечно же, не буду навязывать их.

Но, опираясь на опыт, приобретенный в долгих дебатах с Девланом, я продолжал отстаивать свой выбор, причем так, что большую часть времени аудитория смеялась вместе со мной. Моя речь звучала убедительно, но не высокомерно и к какой-то момент даже вызвала значительное расположение зала, когда я признал:

— Понимаю, что далеко захожу в своих суждениях и предсказаниях, но мне хочется, чтобы вы запомнили еще одну мою фразу: «Пицца никогда не придется по вкусу в Соединенных Штатах. Слишком много теста».

Лекция закончилась аплодисментами. Публика решила, что раз я не стал требовать от нее отказаться от любви к четверке Нобелевских лауреатов в угоду другой четверке, чьи книги были такими занудными, что немногие дочитали до конца даже одну из них, то ко мне можно отнестись как к молодому дарованию с собственными взглядами. Они заключили также, что из меня, наверное, выйдет неплохой преподаватель.

Но подлинное удовлетворение я испытал, когда один из присутствующих репортеров написал блестящий отчет о лекции и ее обсуждении, который не замедлил попасть на страницы газет под заголовком «Он сказал, кто хорош и кто плох». Забавная статья с фотографиями восьми названных писателей и того, кто их назвал, была перепечатана другими изданиями и вызвала оживленную дискуссию, вынесшую Мекленбергский колледж и меня в заголовки газет.

Затем шум поутих, но в 1982 году телекомпания Филадельфии устроила ток-шоу, на котором на меня нападали трое критиков, отстаивавших традиционные ценности. Но остроумие и манеры, которым меня научили в Колумбийском университете, помогли мне отразить эти нападки. Передача получилась интересной и была показана впоследствии по государственному телевидению.

Вторая передача на радио зимой 1983 года прошла без острот и едких замечаний. На радиостанции Аллентауна решили, что раз я преподаю в соседнем Мекленберге, то должен больше заниматься своим земляком — популярным писателем Лукасом Йодером, и подготовили получасовую передачу, в которой я — в качестве молодого выскочки — и степенный Йодер отвечали на вопросы женщины-профессора филологии из Брайн Мауер.

В том, что передача удалась, не было ничего удивительного. Если не качество его книг, то объемы их продаж заставляли меня благоговеть перед Йодером, с которым я прежде не встречался. Поэтому я не позволил себе встать в позу юного янычара с дурными манерами и наброситься на обожаемого писателя. Уже где-то в середине передачи я признался себе, что мне нравится этот старый гусь, который знает, как надо преподносить себя публике. Но умненькая профессорша жаждала крови, и вскоре из ее уст прозвучало:

— Очевидно, мистер Стрейберт, если применять те же мерки, что и к четырем отвергнутым вами Нобелевских лауреатам, то вам наверняка придется отмести и вашего соседа Лукаса Йодера, который относится к той же самой категории.

— Когда моим соседом является человек, проделавший такой путь, я не могу опускаться до мелких придирок, — сказал я с улыбкой. — Мистер Йодер чертовски хороший писатель.

— Но не вашего типа?

— Должен признаться, мне импонируют новые и более смелые подходы. Но я снимаю шляпу перед всяким, кто способен написать пять хороших романов. Такое бывает не часто.

— Считайте, что их шесть, — заметила женщина. — Мистер Йодер сообщил мне, перед тем как мы собрались здесь, что он работает над следующей книгой из этой серии.

— Секстет, — воскликнул я, впервые использовав это слово применительно к книгам. — Надеюсь, их ждет большое будущее в этих местах.

— А в других местах? — быстро спросила ведущая в надежде втравить меня в перебранку.

Но из этого ничего не вышло, потому что Йодер опередил меня:

— Полагаю, что книга сама находит свое место и живет своей собственной жизнью. Мне бы не хотелось пророчествовать о том, что случится со мной, и я уверен, что профессор Стрейберт тоже не захочет подвергать себя такому испытанию. — Затем добавил, подмигнув: — Я нахожу, что профессора недалеко ушли от писателей в своих предсказаниях относительно того, какая из тем переживет свое время. Но дайте им полсотни лет, и они вынесут правильный приговор. — Прежде чем кто-либо из нас успел вставить слово, он заключил: — Правда, через пятьдесят лет на сцену выйдут другие критики, чтобы пересмотреть все предшествующие оценки. Думаю, что я еще увижу возрождение Диккенса, в котором признают одного из подлинно великих, Стрейберт.

— Что ж, может быть, — согласился я.

Передача завершилась в обстановке подлинного

дружелюбия, чему немало способствовали заключительные слова женщины-профессора из Брайн Мауер:

— Уважаемые слушатели, вы были свидетелями необычно галантной беседы радикального молодого человека, знающего, куда он идет, и известного писателя старшего поколения, знающего, где он побывал.

— И проницательного профессора, который знает, как заставить нас разговаривать, не хватая друг друга за глотку. Это была честь для меня — находиться сегодня здесь, — заметил я.

Йодер молча улыбнулся в знак согласия своей хитроватой улыбкой.

В конце концов после первого публичного выступления я привлек к себе внимание в стране и познакомился со знаменитым земляком Лукасом Йодером. Но самым неожиданным результатом его стало письмо, пришедшее из Нью-Йорка от женщины, имени которой я никогда не слышал. Оно было от Ивон Мармелл из «Кинетик пресс» и гласило:

«Уважаемый профессор Стрейберт!
Как многие другие, я с большим интересом следила за ходом обсуждения лекции, которую вы прочли в Мекленбергском колледже, и пришла к выводу, что вполне разделяю ваши взгляды на сущность романа. Если вам случится быть в Нью-Йорке, я надеюсь встретиться с вами за ленчем и поглубже вникнуть в ваши идеи. Такой обмен мог бы оказаться полезным и для вас. Пожалуйста, позвоните мне».

Я еще не знал тогда, что миссис Мармелл была редактором Йодера, но зато мне хорошо было известно, что «Кинетик пресс» издавало самую разнообразную литературу, начиная с сенсационных современных романов и кончая такими добротными произведениями, как у Лукаса Йодера. Не обходило оно своим вниманием и экспериментальные вещи начинающих авторов. Но мне было неведомо, что оно публиковало также и лучшие критические труды, как в области литературы, так и социологии. Я не знал также, какой интерес могла иметь ко мне миссис Мармелл и что у нас с ней могло быть общего. Но я незамедлительно позвонил ей и, услышав приятный голос, выразил согласие приехать в Нью-Йорк в первый же свободный от преподавания будний день, так как она предупредила:

— В субботу или воскресенье я не стала бы принимать даже Томаса Манна или Марселя Пруста.

Приехав к ней в офис на Медисон-авеню в одну из пятниц февраля и бросив взгляд на начальные этапы знаменитой «Памятки редактора», начертанной на деревянной панели, я поразился жалким тиражам первых четырех книг «Грензлерской серии» Лукаса Йодера:

— Общий объем продаж — 4961 книга. Вы хотите сказать, что при таких показателях издательство продолжало иметь с ним дело?

— Да, — ответила она, — и посмотрите, что произошло с номером пять.

— Кто бы мог подумать, что этот тихий седовласый человек, время от времени мелькающий в нашем студенческом городке, поставит такой рекорд.

— Пятая книга — это мечта каждого редактора. Она появляется, может быть, раз в десять лет. — Сделав широкий взмах правой рукой, она весело продолжила: — Йодер оплатил все это. Он оплатил также и это. — Она постучала себя по груди. — Такие, как он, держат нас на плаву, и вы, влиятельные критики, не должны забывать этого.

Наблюдая за ней в тот момент, когда ее мысли были так же свободны, как и жесты, я видел перед собой уже не первой молодости женщину (она была на несколько лет старше меня), ее дорогая, со вкусом подобранная одежда подчеркивала, что перед вами редактор, а не просто женщина-клерк. Аккуратно подстриженные черные волосы слегка ниспадали на лоб, а сзади едва касались воротника платья. Все в ней говорило о решительной нацеленности на работу и выдавало хорошего специалиста.

— Еще две такие книги, — с чувством произнесла она, показывая на доску, — и меня сочтут гением. Ну а сейчас я просто женщина с острым чувством того, что происходит, что должно произойти и что произойдет. Мой интерес к вам, профессор Стрейберт, обусловлен второй категорией.

Она предложила мне кресло напротив своего заваленного бумагами стола.

— Что такое «вторая категория» и какое я имею к ней отношение? — спросил я.

— Вы не слушали меня, — проворковала она с теплой улыбкой. — Вторая категория — «Что должно произойти». Вы представляетесь мне человеком, который должен написать такую книгу, в каких мы остро нуждаемся. Использовав в качестве исходного пункта свою знаменитую лекцию о том, кто чего стоит, вы должны систематизировать и развить свои представления о том, куда идет американский роман, и о том, куда он должен идти.

— Кто будет читать это?

— Немногие. Но в среде издателей, преподавателей и писателей к такого рода трудам наблюдается острый интерес и они вызывают постоянные дискуссии. Чтение становится как никогда популярным, ведь телевидение в глазах людей пало так, что дальше некуда. Такие писатели, как Сол Беллоу, Джон Чивер, Джон Апдайк, Джойс Кэрол Оутс, без труда находят читателя, а честный трудяга Лукас Йодер — вы только посмотрите, какую собрал аудиторию.

— Допустим, что такое исследование необходимо. Но подхожу ли я для этого?

— Могу авторитетно заявить вам, что такая необходимость существует. Кроме того, я отвечаю за свои слова, когда предлагаю автору конкретную тему. Я наслышана о вас и ваших идеях и вполне сознательно иду на этот риск, делая вам официальное предложе-

266

ние. Обдумайте его и дайте мне знать, в состоянии ли вы справиться с этой задачей.

— Вы всегда заказываете книги подобным образом? Всем своим авторам? — Эта мысль показалась мне чуть ли не отвратительной, и, наверное, это так явственно отразилось на моем лице, что миссис Мармелл не удержалась и улыбнулась:

— Прозаикам — никогда. Это было бы рискованно и глупо, если, конечно, автор не из тех, кто питается всякими отбросами, которые закладывают ему в голову. У меня нет таких авторов, в противном случае я бы снабжала их темами не раздумывая. Но настоящим писателям я бы никогда не стала предлагать ничего подобного. Я бы даже не осмелилась задать им такой риторический вопрос, как, например: «Думали ли вы когда-нибудь над тем, чтобы написать роман о том, как резко изменилась в наше время манера ухаживания?» И знаете, почему я избегаю подобного? Потому что роман, который выйдет из этого, будет обыкновенным дерьмом.

Меня несколько покоробило ее крепкое выражение, однако я заметил:

— Профессор Девлан говорил почти то же самое: «Роман, написанный по заказу, обречен на то, чтобы быть плохим».

— Но в публицистике, доктор Стрейберт, половина всего, что распродается, и три четверти того, что распродается с большим успехом, написано по подсказке думающих редакторов, которые держат руку на пульсе времени. Не буду утомлять вас своими результатами, но скажу, что они весьма впечатляющие. И я нутром чувствую, что та книга, что сидит у меня в голове и, надеюсь, придет и в вашу, будет иметь значительный успех.

— Но вы только что согласились со мной, что она может не найти большого спроса.

— Ну, это не совсем так. Спрос может быть удовлетворительным и не обязательно большим. А наша с вами задача как раз и заключается в том, чтобы сделать ее настолько притягательной, чтобы спрос оказался раз в десять выше того, который можете представить себе вы, и раз в пять выше того, на который могу надеяться я. — Прежде чем я успел что-то сказать, она оживленно проговорила: — Я проголодалась. Давайте позавтракаем.

Вот тогда и состоялся мой первый литературный завтрак в «Четырех сезонах». У нашего столика останавливались высокопоставленные сотрудники других издательств, чтобы засвидетельствовать свое почтение и разузнать, кого там еще откопала Ивон. Но она не изъявляла желания представлять меня, и все уходили в неведении. Разговор наш вертелся вокруг того, какой она хотела видеть книгу:

— Я представляю ее объемом не более чем в три сотни страниц. В ней не должно быть воды. Суть, и только суть. Минимум тонких анекдотов и как можно больше выразительных «напримеров».

— Чего-чего?

— Вы излагаете положение, затем приводите как минимум две яркие, но короткие иллюстрации. Мы зовем их «напримерами». — Не дав мне ответить что-либо на свои предложения, она отложила вилку и задала мне вопрос в лоб: — Как вы думаете, доктор Стрейберт, у вас есть данные для того, чтобы стать ведущим литературным критиком? Человеком, у которого действительно найдется, что сказать?

— Мои учителя думали именно так.

— Но объективные основания для этого у них были? Что вы на это скажете?

Я понял, что это более пристрастный допрос, чем на защите степени доктора. Вызов был брошен, но, как ни странно, мне захотелось принять его и доказать этой смышленой бабенке, что ни в чем не уступлю ей:

— Этим летом в Афинах я на протяжении целых одиннадцати дней дискутировал с профессором Девланом на его уровне, а уровень этот считается у спе-

268

циалистов одним из самых блестящих. И мне вполне удалось удержаться на нем. Полагаю, что я смогу развить дальше идеи, заложенные Ауэрбахом в его «Мимесисе».

При упоминании этого имени она улыбнулась.

— В таком случае я начинаю доверять вашим суждениям, — сказала она и принялась последовательно излагать вопросы, которые я должен был раскрыть в своей книге, чтобы она могла чего-то стоить. — Вы уже прямо сейчас можете представить себе контуры каждой из глав, не так ли? — спросила она, и я ответил:

— И вы, очевидно, тоже. Так почему бы вам самой не написать эту книгу?

На что она ответила:

— Я чудесно строю каркасы, а вот с «напримерами» у меня напряг.

Когда мы уже собирались покинуть ресторан, она предупредила:

— Сегодня у нас с вами еще ничего не решено. Я ничего не решаю единолично, знаете ли. Мне придется довести свои соображения до сведения редакционной коллегии. Но думаю, что смогу добиться, чтобы они разрешили мне сделать вам серьезное предложение. И тогда мы вновь вернемся к нашему разговору, чтобы убедиться, что вы действительно способны сделать то, о чем мы говорим. Если я найду такое подтверждение, то к концу октября вы получите контракт. Но мне придется побеседовать с вами еще раз.

— О чем?

— Для того чтобы ваша книга пришлась ко двору и с самого начала привлекла к себе необходимое внимание, свое отношение в ней вам надо выразить не только к старым, но и к современным писателям Америки. Где-то главе в седьмой вы должны сказать нечто вроде: «Читатель поймет, что я веду речь о... (Думаю, что лучше, если это будет от первого лица, но ненавязчиво) ...что я веду речь об универсальных проблемах и использую критерии, которые применимы к произведениям на любых языках и к писателям всех времен, особенно живущим в наше время в Америке». Затем, руководствуясь критериями, изложенными в главе первой, вы упоминаете четырех современных писателей, которые, по вашему мнению, отвечают этим требованиям, и противопоставляете им другую четверку, талант которой вы отвергаете, как не отвечающий этим критериям. В каждую из этих двух категорий должны попасть только хорошо известные имена. И чем больше бешенства вызовет ваш выбор, тем больше это понравится читателям. Именно это привлекает внимание, а внимание — это то, что обеспечивает продажу книги.

Она не позволила мне проводить ее назад в офис.

— Пустая трата времени, моего и вашего. Мне надо встретиться еще кое с кем, а вас ждет работа.

— Я думал, что мы посмотрим мои заметки к седьмой главе, — возразил я.

— О, нет! — вскрикнула она, убегая. — Поработайте в тишине и как можно напряженнее. — Но, увидев мое разочарование, она задержалась. — Доктор Стрейберт, я всерьез восприняла характеристику, которую вы дали себе. Думаю, что у вас есть все, чтобы стать первоклассным критиком, а я помогу вам в этом, — закончила она и исчезла со скоростью пули.

В понедельник я получил от нее подтверждение: «В среду вношу свое предложение на заседании коллегии и немедленно сообщу результаты. Ивон Мармелл».

Миссис Мармелл позвонила в среду в конце дня и с едва скрываемым удовлетворением сообщила:

— Они дали мне зеленый свет. Но только если — я подчеркиваю — если мы с вами сможем убедить друг друга в жизнеспособности этой идеи, если вы заставите меня поверить, что немедленно возьметесь за работу, и, самое главное, если у вас найдется, что сказать о наших современниках. Так что затачивайте свои карандаши и собирайте мысли в кучу.

— Уже собрал. Когда я могу приехать, чтобы встретиться с вами?

— Будет лучше, если приеду я. В субботу. Встретимся за ленчем в гостинице Дрездена.

— А я думал, что вы никогда ни с кем не встречаетесь по выходным.

— В своем офисе — никогда. А вот в прелестной гостинице «Дрезденский фарфор» — всегда пожалуйста.

— Увидимся в полдень, с заточенными карандашами.

— Договорились.

Гораздо позднее я узнаю, что миссис Мармелл придерживалась строгого правила, помогавшего ответственным редакторам избегать неприятностей: «Посещая одного из своих старых авторов, никогда, даже под страхом смерти, не рассказывай ему, что ты одновременно встречаешься с молодым и многообещающим».

Она направилась в Дрезден, не только чтобы встретиться со мной, но главным образом, чтобы решить более важную редакторскую задачу: переработать с Лукасом Йодером некоторые беспокоившие ее места в рукописи, которая будет иметь решающее значение для каждого из них. Роман «Маслобойня», как он назвал его, представлял собой сказание о страстном отношении пенсильванских немцев к земле и вообще к крестьянской собственности. Они оба знали, что будущее Йодера, а возможно, и ее тоже, целиком зависело от успеха этого романа. Они разделили четыре провала, постигшие его первые грензлерские романы, и, несмотря на поразительный успех «Нечистой силы», могли припомнить множество примеров, когда случалось, что после длительной борьбы писатель наконец взлетал наверх, но только для того, чтобы вновь рухнуть вниз с очередным романом. Им этого вовсе не хотелось.

Очевидно, что для «Кинетик» «Маслобойня» значила даже больше, чем для самого Йодера, ибо если ее постигнет тот же небывалый успех, то неизбежно возобновится интерес к первым четырем книгам грензлерской эпопеи. А поскольку все расходы на них уже возмещены, то всякая дополнительная продажа обернется чистой прибылью, за вычетом лишь незначительных накладных расходов на хранение, изготовление переплетов и запуск уже имеющихся форм в производство. Коммерческая заинтересованность «Кинетик» в успехе будущей книги Йодера была огромной.

Более того, с каждой удачной серией повышается интерес коллекционеров к приобретению полного комплекта книг, особенно первого издания. Так что нетрудно предвидеть взлет цен на первые книги Йодера, если их вообще можно будет найти. Поэтому визит Мармелл в Дрезден был отнюдь не формальным. Он преследовал две жизненно важные цели: подвигнуть автора бестселлеров на повторный успех и определиться с кандидатом на создание первоклассного критического труда, который может найти широкую аудиторию в университетских кругах. Такие напряженные уик-энды выдавались у миссис Мармелл нечасто.

Итак, втайне от меня она приехала в город еще в пятницу и всю вторую половину дня усердно работала с Йодером на его ферме. Ну а теперь, в субботу днем, подошла очередь заняться мной. Появившись в «Дрезденском фарфоре», где останавливалась еще во времена работы над «Нечистой силой», она постаралась создать впечатление, что только что приехала из Нью-Йорка. Но, чтобы обезопасить себя от случайного разоблачения со стороны какого-нибудь разговорчивого служащего гостиницы или старого знакомого, ей пришлось тут же признаться:

— Я зарегистрировалась здесь вчера вечером. А как вы, профессор?

— Отлично, — ответил я, и мы перешли прямо к делу, разложив наши бумаги по всему столу, втиснутому в угол между витринами с мейсенскими поделками из фарфора.

Она начала с обнадеживающего заверения:

— Дело сделано, доктор Стрейберт. Если в ближайшие два часа мы решим, что я подхожу вам, а вы мне, то к середине следующей недели будем иметь контракт. — Но, увидев мои загоревшиеся глаза, она сделала оговорку: — Правда, это будет всего лишь протокол о намерениях. О том, что «Кинетик» хочет заключить с вами контракт на предлагаемых условиях оплаты. Обычно требуется какое-то время, чтобы отработать детали, но для нас с вами этот протокол в сущности и является контрактом. У вас есть агент?

— Нет.

— Неудивительно. Во всяком случае, на этом этапе. Надеюсь, что вскоре он вам понадобится. Но могу заверить, что вы получите установленный процент.

— И какой же?

— Точно не знаю, каким он будет в вашем случае. Полагаю, что десять процентов. Если книга продается по двенадцать долларов, вы получите доллар и двадцать центов с экземпляра.

— Такой будет ее цена?

— Книга еще не написана, объем ее не известен, поэтому все это еще трудно определить. Только не впадайте в мечты о несказанном богатстве. Для вас не должно быть секретом, сколько имеет такой автор, как вы, с первых трех-четырех книг. Около тысячи шестисот долларов с книги, если повезет. Однако сейчас наша главная задача — чтобы я получила свой ленч.

— Я оседлал не своего конька, это уж точно.

— Поживем — увидим. Ну, с чем вы пожаловали?

— Главы, по которым мы приняли решение, не составили для меня никакой проблемы.

— Решение будет принято сегодня, доктор Стрейберт, после того как мы проработаем наметки.

— Я готов к проработке. — Мне нравился ее прямой подход к тому, что касалось создания книги. Задаешь ей вопрос, и она тут же выстреливает ответ.

— Хорошо. Мне кажется, что следует с самого

начала сказать о том, что вы позаимствовали свою идею четырех хороших и четырех плохих у выдающегося критика Ф.Р.Левиса.

— Да, но вы же знаете, что он дает только четыре положительных примера. Это профессор Девлан развил дальше его подход, использовав метод противопоставления.

— Девлан тоже умер?

— Нет, он жив.

— Вот как. Я считаю, что книга всегда выигрывает, если ученый с самого начала признается: «Как сказал ведущий литературный критик Ф.Р.Левис в своей знаменитой лекции, прочитанной им в Оксфорде в тысяча девятьсот таком-то году...» Подобное заявление дает понять читателям, что вы не относитесь к тем ловкачам, что пытаются приписать все заслуги себе. Это придает вашим идеям исторические корни и солидность.

Мы прошлись подобным образом по первым шести главам, закладывая основы для того критического анализа, который последует позднее, когда будут изложены принципы его проведения. Ей хотелось видеть подробные ссылки на всех, кто когда-либо писал об американской художественной литературе. При этом ее, похоже, интересовало не мое мнение о них, а лишь то, чтобы я был знаком с их критическими работами. Но она все же посоветовала:

— Молодому дарованию никогда не повредит погавкать на авторитеты. Посмотрите, как далеко пошел Билл Бакли, бичуя напыщенные ничтожества в Йельском университете.

Когда мы добрались до седьмой главы, я выложил четверку своих любимчиков, куда входили Мелвилл, Крейн, Уортон и Фолкнер, а также четверку противостоящих им «плохишей» в составе Льюиса, Бак, Хемингуэя и Стейнбека. Она немедленно ткнула пальцем в Стефана Крейна:

— Думаю, что он сюда не относится.

Я напрягся, и лицо у меня, должно быть, покраснело. Во время моей публичной лекции и в ходе ее последующего обсуждения фигура Крейна столь часто ставилась под сомнение, что сохранение ее в числе избранных стало для меня делом чести.

— Отказ от Крейна равнозначен для меня отказу от всех моих принципов. Он воплощает в себе все, за что выступаем мы с Девланом.

— Девлан не имеет к этому отношения.

— Нет, как раз имеет, — выкрикнул я, и кровь опять прилила к лицу. Она, должно быть, отметила про себя: «Так вот откуда ветер дует», — но вслух было сказано:

— Давайте ограничимся только суждениями американцев.

Я кивнул, но не сдавался:

— Я чувствовал бы себя обворованным, если бы мне пришлось лишиться Крейна.

— Есть более достойная кандидатура.

— Чья?

— Натаниела Хоторна. Он гораздо богаче и содержательнее для наших современников.

— Боюсь, что я нахожу его довольно скучным, — произнес я так, словно обращался к самоуверенному студенту, отвергая его доводы как не заслуживающие внимания. От меня не укрылось ее недовольство, но я продолжал идти напролом. Сдержав гнев, она продолжала как ни в чем не бывало:

— Ладно, ну а какие изменения в правой колонке? Или мы по-прежнему имеем в своем распоряжении все тех же Нобелевских лауреатов?

— Никаких изменений.

— Это может стать захватывающей частью книги.

— Хотелось бы сделать ее такой.

— Но неужели вам действительно хочется посмеяться над Хемингуэем? Он довольно внушительная фигура.

— Вот именно — фигура, а не писатель.

— Не зарывайтесь, молодой человек. — Эта фраза предназначалась специально для того, чтобы проверить мою выдержку, и я не стал скрывать своего недовольства. А чтобы довести до конца свою проверку, она добавила: — На меня производит огромное впечатление признание известного критика, совершившего кругосветное путешествие, во время которого он повстречал множество молодых писателей: «Где бы я ни был, писатели всюду уверяли меня: «Я не хочу писать, как Хемингуэй», — но, тем не менее, писали. Они никогда не говорили, что не хотят подражать Камю или Фолкнеру, потому что эти двое не волновали их. А вот с Хемингуэем им не хотелось скрещивать шпаги, потому что он-то как раз и волновал их». Думаю, что это объясняет мою точку зрения.

— Нет, Хемингуэй был великим позером, а не писателем. Симулируя скромность и не желая, чтобы его узнавали в толпе, тем не менее носил бороду, по которой его легко узнавали. Представлялся несгибаемым, но, как только дела приняли неприятный оборот, покончил самоубийством. Он заслуживает такого места, которое он занимал, и молодые писатели должны услышать то, что я хочу сказать о нем.

Я видел ее нерешительность. Как преданная поклонница литературы, она хотела защитить Хемингуэя, а как редактор, которому необходимо, чтобы его книги продавались, она понимала, что попытка ниспровержения божества вызовет скандал, от которого книга только выиграет. Но, кроме этого, было еще что-то неуловимое, что раздражало ее, и, когда я спросил: «Вы что-то хотите сказать, миссис Мармелл?», — она снисходительно улыбнулась, словно я был ее внуком:

— Вам не приходило в голову, профессор Стрейберт, что вы ни разу не поинтересовались моим мнением на сей счет?

Получив щелчок по носу, я спросил:

— Каково ваше мнение?

— Направляясь сюда, я думала: «В негативной

части опустить Хемингуэя и заменить его Фенимором Купером, который по-настоящему занудлив».

— Почему вы молчали?

— Потому что хотелось сохранить порох для настоящего сражения по поводу вашего списка современных писателей.

В таком напряженном состоянии мы добрались до восьмой главы, и я по заготовленной бумажке с многочисленными вычеркиваниями и исправлениями, сделанными в последнюю минуту, зачитал имена четырех ныне здравствующих писателей, которым был намерен воздать хвалу за их восприимчивость, внимание к животрепещущим темам и мастерство в отображении:

— Д.Д.Сэлинджер, Ралф Эллисон, Сол Беллоу, Бернард Маламуд.

Имена повисли в воздухе, затем Ивон произнесла задумчиво:

— Три еврея и негр. Ни одной женщины. Вы что, на самом деле вознамерились устроить скандал в благородном семействе?

— Вопрос о соотношении не приходил мне в голову.

— А мне приходит в первую очередь.

— Какую бы вы предложили замену?

— Если отвечать не задумываясь — а это, наверное, лучший способ ответа, ибо он получается менее надуманным, — я бы сказала: отбросьте Маламуда и замените его на Джойс Кэрол Оутс.

— Я тоже отвечу не задумываясь. Маламуд — один из величайших профессионалов. А Оутс только предстоит доказать это.

— Мне казалось, что мы ищем более редкие качества, чем просто профессионализм. Если это все, что вам нужно, возьмите Луиса Аучинклосса. Он пишет замечательные книги.

— Есть еще кандидатура Эдит Уортон, — сказал я, чтобы разрядить напряжение.

— Вы довольны своей четверкой?

— Да.

Стараясь скрыть свое очевидное неудовольствие, она проговорила чуть ли не елейным голоском:

— Теперь давайте своих «плохишей». — И она подалась вперед, слушая, как я зачитываю имена тех, кого был намерен подвергнуть обструкции:

— Герман Вук, Гор Видал, Леон Урис, Лукас Йодер.

Я еще не успел произнести до конца последнее имя, как она тихо, но твердо сказала:

— Вы не должны вносить в этот список Йодера.

— Но он самая пустая пустышка из всех. Он хороший мужик, но от него, как от писателя, у меня сводит зубы. Я знаю немецкую Пенсильванию, я сам выходец из нее. Но его книги...

— Его «Нечистая сила» — сенсация последнего десятилетия.

— Сенсация плохая. Я бы даже не стал помышлять о настоящей книге, если бы не мог воздать должное этой пустой помпезности.

— Если кто-то и есть в этом мире не помпезный, так это Лукас Йодер. Подберите другой эпитет, — решительно заявила она, словно не от нее исходило желание услышать список.

— Я убираю «помпезный», хотя под этим я имел в виду всего лишь его стиль, его высокопарную манеру повествования, характерную для начала девятнадцатого века.

— В этот период было написано немало хороших книг.

— Но только не для нашего времени.

Все больше раздражаясь от того, что представлялось ей моим высокомерием, она, очевидно, решила, что настала пора открыть мне глаза на реальности издательского мира и мое возможное место в нем:

— Лукас Йодер не просто один из писателей. Он не Леон Урис, или Гор Видал, или какой-нибудь молодой способный автор, который пишет хорошие книги. Он —

мой подшефный. Я — его редактор. «Кинетик» — его издатель. После четырех неудач у него вышла книга, пользующаяся сенсационным успехом. И в следующем году финансовая стабильность нашей компании будет зависеть от него. Позволить вам очернить его в книге, которая пишется под моим началом, — это для меня равносильно самоубийству. Меня уволят и правильно сделают.

— Миссис Мармелл, я не испытываю никакой враждебности по отношению к Йодеру. Он даже симпатичен мне. Мы вместе выступали в одной передаче и остались весьма довольны друг другом. Но эта книга посвящена поискам истины, а истина в том, что...

— Истина? Какая чушь! — выкрикнула она. — Вы что, не понимаете человеческого языка? Да разве бы я могла издать вашу книгу, если бы не деньги Йодера, полученные с «Нечистой силы», которую вы называете никчемной? Разве могли бы мы нянчиться с такими зелеными любителями, как вы, если бы он не принес нам столько денег? Только потому, что я провела Йодера сквозь годы неудач и вывела в люди, компания дает мне возможность публиковать вас и другие молодые дарования, которые сами по себе никогда не напишут ничего подобного тому, что есть или будет у Йодера.

Я был настолько ошарашен ее напором и выражениями, что не нашел, что сказать. Она встала из-за стола и заключила с едва сдерживаемой злостью:

— Обед закончен, так же, как и наше собеседование, — а затем позвала: — Официант, официант! Счет, пожалуйста. — И, несмотря на мои возражения, расплатилась за обед.

Однако сидевший в ней профессионал не хотел отбрасывать книгу, которую еще можно было спасти, поэтому, когда я потащился к ее машине, она дала мне последний шанс:

— Если образумитесь, черкните мне записку. — И рванула автомобиль, раздражаясь, что потеряла контроль над своими чувствами, и злясь, что не сумела удержать под контролем нашу с ней беседу. Она позволила мне принять скоропалительное решение, не настояв на том, чтобы я серьезно отнесся к ее обоснованным доводам. В конце концов, потеряв со мной всякое терпение, она взорвалась. Это была одна из самых неприятных встреч для каждого из нас, и я остался отнюдь не в восторге от своего поведения.

Вернувшись в свою комнату в колледже, я продолжал ругать себя за неподобающее поведение. Это было единственное, что приходило мне на ум, ибо я злился на себя не потому, что упорствовал в споре — я был прав в том, что отстаивал, — а потому, что не смог доказать свою правоту. Сон не шел, и по сложившейся в те времена привычке я отправился бродить вдоль Ванси, пытаясь обдумать, что делать дальше. Мне было страшно, оттого что я собственными руками загубил шанс быть опубликованным в «Кинетик». На память приходили слова Девлана: «Венцом работы всякого писателя является завершенная и опубликованная рукопись. Только так создается репутация». Я был согласен с этим, но была еще одна причина, по которой мне хотелось иметь контракт с «Кинетик». Это издательство чаще других публиковало начинающих писателей, и если бы я установил с ним отношения, то мог бы рекомендовать ему тех из своих студентов, кого считал способными заинтересовать профессионалов. В глубине души у меня скрывалась и более личная причина. Поскольку я вынашивал мысль написать когда-нибудь свой собственный роман, то мне не стоит настраивать против себя миссис Мармелл и рвать то, что связывало меня с «Кинетик».

И вот, забирая назад свои смелые слова о неподкупности критика, которые произносил когда-то, я подошел на рассвете к пишущей машинке и напечатал короткую записку миссис Мармелл:

«Простите меня. Из классиков, подлежащих восхвалению, Крейн исключен, Хоторн включен. Из восхваляемых современников Маламуд исключен, Оутс включена. Что касается порицаемых классиков, то Хемингуэй должен остаться. Из порицаемых современников ваш мистер Йодер, безусловно, исключается, вместо него включается Чивер. Надеюсь, что мы продолжим нашу работу над тем, что может стать отличной книгой».

Другими словами, я уступил ей во всем, за исключением Хемингуэя, и вскоре получил в ответ короткую записку, вселившую в меня огромную надежду:

«Четыре ваших решения не только приемлемы, но и правильны. Контракт на предложенных условиях будет направлен в ближайшее время, но и это письмо имеет законную силу. Аванс при подписании контракта составит 1500 долларов. Вкладывайте в книгу всю свою проницательность».

Как всякий неоперившийся писатель, я провел этот день, упиваясь радостью от того, что у меня будет своя собственная книга в твердом переплете, опубликованная таким известным издательством, как «Кинетик», ведь я знал, что большинство университетских преподавателей готовы заложить душу ради достижения этой цели. Но ближе к вечеру, когда радость стала проходить, мне пришлось посмотреть правде в глаза и признать, что ради авторства я поступился своими принципами. Йодер — плохой писатель и должен быть назван таким в любом серьезном критическом труде, но мне пришлось наступить на горло собственной песне. И сделать это я был вынужден по самой что ни на есть тривиальной причине: для «Кинетик» Йодер означал деньги и уже поэтому попадал в разряд неприкасаемых. Я продался, чтобы защитить собственные интересы, и гордиться тут нечем.

Но у меня было кое что другое, в чем я находил удовлетворение, а именно: моя преподавательская деятельность в колледже. Все это время, пока я сражался с миссис Мармелл (в основном проигрывая ей сражения), я делал все, чтобы помочь своим студентам приобрести мастерство, которое понадобится, если они захотят стать писателями. Так, во время рождественских каникул, я сказал себе: «Если вдруг на меня свалятся эти 1500 долларов, я потрачу часть из них на своих студентов». И я предпринял то, что давно уже собирался сделать.

За свой счет я нанял дрезденского художника-оформителя, чтобы тот перенес на стену в моей аудитории ту мудреную схему, набросанную три года назад в Афинах и тщательно выверенную в Мекленберге. Увидев два листка с пояснениями, он отреагировал так:

— Схему я могу исполнить вполне прилично, используя разные цвета, но все эти слова внизу... Я никогда не смогу выписать их.

— Нет, нет. На стену пойдет только схема, а пояснения к ней будут раздаваться студентам в виде ксерокопий.

Только после того как работа была закончена, я поставил в известность администрацию. Еще не видя стены, ответственный за здание стал яростно возражать, но быстро утих, когда убедился, как искусно была выполнена роспись и каким подспорьем в учебном процессе она может стать. А когда после зимних каникул аудиторию заполнили студенты, они быстро оценили ее, и я тут же вырос в их глазах как профессор.

Когда зимой 1984 года появилась моя книга «Американская проза», я во второй раз оказался в центре ожесточенных дебатов. Но, к нашему с миссис Мармелл удивлению, меня в основном ругали не за то, что я высек Хемингуэя, а за резкие слова, сказанные чуть ли не походя, в адрес Джеймса Фенимора Купера. Большинство читателей сходились во мнении, что, хоть Купер и не Томас Манн, он все же наш первый серьезный прозаик и мастер художественного повествования. «Как могли бы мы развиваться без его вдохновляющего начала?» А некоторые особенно нетерпимые писатели заявляли, что я слишком молод, чтобы замахиваться на одну из наших выдающихся фигур в литературе, однако находились и такие, которые соглашались с тем, что Купер не отличался большими достоинствами.

После того как пронеслись первые шквалы, развернулась серьезная дискуссия, сосредоточившаяся в основном вокруг современных писателей. Раздавались голоса, что Эллисон и Сэлинджер написали так мало, что вряд ли заслуживают высшей оценки, тогда как принижать таких зарекомендовавших себя прозаиков, как Видал и Вуд, которым, несомненно, есть что сказать, до смешного нелепо и необъективно. Однако, когда страсти улеглись, я оказался победителем, ибо один из газетных синдикатов, видя огромную заинтересованность читателей в моих недвусмысленных суждениях, предложил мне написать за приличный гонорар пространную статью с перечислением пятидесяти авторов из разных стран, которые, по моему мнению, заслуживают внимания читателей.

Мой перечень включал такие бесспорные шедевры, как «Отверженные», «Анна Каренина», «Большие надежды», «Гекльберри Финн» и другие, менее известные, но не менее достойные произведения — «Обломов», «Чума», «Мэр Кастербриджа», «Испытания» и «Мактиг». Чтобы облегчить участь редактора, я привел в эпилоге свое личное мнение: «Не могу закончить это жонглирование великими и выдающимися именами, не поделившись с вами названиями четырех книг, которые прочел на досуге с явным наслаждением и которые, не пытаясь определить их место в мировой литературе, рекомендую вам просто для чтения: «Зеленые особняки», «Гостья на свадьбе», «Верная нимфа» и «Граф Монте-Кристо».

Статья получилась живой и убедительной. Она быстро распространилась, и вслед за ней из различных колледжей и университетов посыпались предложения выступить у них с лекцией, а из некоторых журналов и газет последовали просьбы сделать для них обзор новых изданий. Этот традиционный путь привел меня в общество тех, кто так или иначе имел отношение к книгам. Признавая тот факт, что я нахожусь на пути к тому, чтобы стать крупным авторитетом в свой области, в колледже меня произвели в ассистенты, затем сделали адъюнкт-профессором. При таких темпах роста я мог получить звание профессора еще до того, как мне исполнится тридцать пять лет.

Но очевидные успехи на поприще преподавания и критики не умаляли у меня желания создать один-два романа, воплощающих в жизнь мою теорию о том, как надо писать. Все чаще и чаще я обнаруживал, что трачу свое свободное время не на подготовку к семинарам или составление очерков о том, что написано другими, а на размышления над своим собственным романом, который, по моему убеждению, должен был стать моим главным вкладом в литературу.

Зимой 1984 года я привез в студенческий городок группу интересных писателей-профессионалов, которые прочли ряд лекций, доставивших огромное удовольствие как студентам, так и жителям немецких городов, почтившим их своим вниманием. В один из таких волнительных вечеров я близко познакомился с молодым человеком, которому предстояло оказать огромное влияние на Мекленберг и на мою жизнь. Семинар в тот вечер вели двое поэтов: мужчина из Гарварда и женщина из Массачусетского технологического института, которые по слухам были любовниками. После семинара, когда мы все собрались в «Дрезденском фарфоре», гарвардец сказал:

— Это какая-то культурная аномалия. Столетие назад существовала группка очень плохих поэтов, каждый из которых, как правило, имел три имени. Их все боготворили. Генри Уодсуорт Лонгфелло и остальные собирали огромные аудитории и такие же доходы, не имея что сказать. Сегодня существует группа очень хороших поэтов, которых никто не ценит, они не имеют ни аудитории, ни доходов, но им есть что сказать.

— А они заслуживают того, чтобы их услышали, и нуждаются в том, чтобы их услышали, — вступила женщина из Массачусетса. — Их должны слушать огромные аудитории, но этого нет.

— Мы — весталки американской литературы, — утверждал гарвардец, — хранимые в непорочном забвении, чтобы быть востребованными, когда возникнет необходимость.

— Но вы возноситесь в своей поэзии на такую высоту, что простому читателю не постичь ее, — заметил профессор из Ла-Фейетта. — Между вами и поэтами XIX века, которых вы, похоже, презираете, непреодолимая пропасть.

Это подстегнуло массачусетскую поэтессу, и она заговорила без обиняков:

— Если бы нашелся кто-то, кто был способен оценить культурное, моральное и политическое воздействие поэзии, то он, наверное бы, увидел, что живущие сегодня поэты оказывают гораздо большее влияние, чем во все прошедшие времена, начиная с великих поэтов Древней Греции и Рима.

В ответ послышалось столько возражений, что ей пришлось поднять руку, чтобы успокоить собравшихся:

— Минутку! Вы только посмотрите, какое значение придается поэзии в России, в странах Латинской Америки, во всей Европе, за исключением Англии. Посмотрите, кому присуждаются Нобелевские премии по литературе: половина лауреатов — поэты, потому что те, кто присуждает премии, реально понимают этот мир, знают, что певцы гораздо важнее для общества, чем те, кто пишет невнятную прозу.

После такого объявления войны дебаты стали настолько жаркими, что женщине пришлось временно ретироваться. Но, когда буря несколько поутихла, она вновь бросилась в атаку:

— Я все же полагаю, что существует вполне определенная иерархия ценностей. Прозаик А., обладающий довольно скромными талантами, может опубликовать сотню тысяч экземпляров своего последнего пустопорожнего шедевра, но индекс интеллектуальной и социальной значимости каждого из его читателей будет составлять ничтожно малую величину, скажем, два. Поэт Б., один из талантливейших в мире, может иметь всего тысячу читателей, но индекс его типичного почитателя при этом может достигать двухсот пятидесяти. Следовательно, в то время как общее влияние прозаика измеряется двумя сотнями тысяч единиц, незаметный поэт будет иметь влияние в двести пятьдесят тысяч единиц. И только потому, что он говорит нужные вещи нужным людям.

— Кого вы подразумеваете под *нужными людьми*?

— Законодателей, которые пишут законы; политических лидеров, определяющих повестку дня; служителей церкви, которые составляют и отстаивают моральные кодексы; профессоров; издателей; философов; глав ведущих корпораций; наших военных деятелей и всех тех, кто определяет, каким быть миру. Это и есть нужные люди — те, к кому взываем мы, поэты.

— Хорошо, если хоть один из всей этой многочисленной банды читает современную поэзию! — раздался грубый мужской голос.

— Но этот один как раз и определяет нашу жизнь, и он не станет лучше, пока в его жизнь не войдет поэзия, — бросила в ответ поэтесса.

— В следующем столетии прозаики окажутся там, где сегодня находимся мы, — сказал гарвардец. — Разве вы не видите, что все идет к этому? Телевидение наверняка вытеснит роман, и он станет таким, что никто не захочет забивать им свои головы, если они вообще останутся. Прозаики в 2084 году будут кочевать из одного университета в другой или, скорее всего, из монастыря в монастырь, потому как при том темпе, с которым университеты катятся вниз, они будут не лучше наших знаменитых торговых центров...

Его довольно бесцеремонно прервала, обращая на себя всеобщее внимание, миссис Гарланд, которая входила в состав попечительского совета нашего колледжа:

— Вы хотите сказать, что, доживи я до того времени, я бы не стала проглатывать хорошие романы по мере их появления? Это немыслимо!

Очень спокойно гарвардец парировал:

— Давайте не будем забегать вперед, давайте вернемся на столетие назад. Представьте, что вы в Конкорде и Ралф Уолдо Эмерсон говорит вам в своей лекции: «Я предвижу, что через столетие наступит такой день, когда никто не будет читать стихов. Все станут читать только такие напыщенные романы, как пишет мой друг Хоторн». И тут вскакиваете вы и кричите: «Немыслимо!» Так вот, этот день наступил, и несчастные поэты вроде мисс Албертсон и меня путешествуют по провинции, как менестрели.

— Кто такой менестрель?

— Спасибо за вопрос. Это трубадур. Я очень люблю слова, которые позволяют мне покрасоваться. Это как раз то, для чего поэт существует, — чтобы покрасоваться слогом.

Ни он, ни его спутница больше уже ни на йоту не отступали от своего основополагающего предсказания, изложенного мужчиной:

— Уделом прозаика в ближайшем столетии будет не развлечение масс, а общение с единомышленниками на все более возрастающем интеллектуальном уровне, для того чтобы сохранить и приумножить культурные ценности нации.

Когда этот шумный вечер подошел к концу, ко мне сквозь толпу довольно агрессивно прорвался Йодер, никогда не пропускавший подобных мероприятий, и схватил меня за руку.

— Замечательный вечер! Шесть новых идей в минуту!

— Я слышал их несколько лет назад от Девлана.

— Итак, я падаю вниз, а они идут вверх, — усмехнулся Йодер, ткнув пальцем в сторону гостей из Бостона.

— Не забывайте, что роман, по их словам, исчезнет не раньше 2084 года. У вас есть еще добрая сотня лет, а путь, по которому вы идете, мистер Йодер...

— Зовите меня Лукас, ведь мы же земляки. — Он произносил слово «земляки» на еврейский манер, напоминая тем самым, что мы с ним были выходцами из одного и того же медвежьего угла Польши. Не замечая моего раздражения, он продолжал болтать: — В прошлом году на радио мы доказали, что критики и прозаики могут находить общий язык, — а затем неожиданно изрек: — К тому же я слышал от одного из студентов, что у вас скоро выйдет свой роман. Тогда мы будем земляками еще и по «Кинетик».

Чувствуя, что надо заканчивать этот неприятный разговор, я произнес довольно холодным тоном:

— Надеюсь, этот короткий роман выйдет у меня хотя бы наполовину таким же хорошим, как ваши длинные. — И я оставил его, намереваясь продолжить беседу с поэтами об их концепции элитного творчества.

Но я не смог сразу присоединиться к ним, потому что они оживленно беседовали в углу с шестнадцатилетним парнем — одним из самых замечательных юношей из всех, кого я встречал в своей жизни. Он не только разговаривал с ними на равных, он постигал самую суть того, что они хотели сказать, и задавал меткие вопросы. Он был невероятно хорош собой: красивое лицо, которое еще не знало бритвы, черные волнистые волосы и грациозная фигура, подчеркнутая дорогим костюмом. «Как несправедливо! — шептал я про себя. — Все это, да еще и способность выразить себя». Завороженный, я сравнивал его, шестнадцатилетнего, с тем мрачным, косноязычным парнем, которым был сам в его возрасте, и не переставал удивляться, что ему так повезло.

В надежде разузнать о нем побольше, я пробился к их группе, но так и не привлек к себе внимания. Поэты, очевидно, видели в нем одного из тех, кого они считали элитой, и не желали тратить свое время на других. Но я невозмутимо придвинулся поближе к юноше и услышал его не вполне окрепший голос:

— Йетс с Элиотом мне нравятся больше, чем Фрост.

— Это характерно для молодых интеллектуалов, — заметил один из поэтов, — но с возрастом они начинают оценивать Фроста по достоинству. — Здесь разговор прекратился, и группа распалась. Я так ничего и не узнал о юноше, но чувствовал, что аура его личности надолго останется со мной.

Последней, с кем я организовал встречу в ту памятную зиму, была женщина, которой я был многим обязан и к которой относился с большим уважением. Издатели и агенты из Нью-Йорка, постоянно выискивающие таланты, имели привычку посещать за свой счет литературные школы, для того чтобы встречаться с такими, как я, профессорами литературы и наиболее способными студентами. Они проводили увлекательнейшие беседы о профессии писателя и своей роли в ней. По отзывам студентов, эти встречи были самыми полезными из всех мероприятий, которые я им устраивал.

Моей гостьей стала Ивон Мармелл. Ее известность, как редактора романов Йодера, помогла собрать огромную аудиторию студентов и будущих писателей. Выступала она с глубоким пониманием того, что хочет услышать от нее молодежь, но во время ответов на многочисленные вопросы пожилые жители города стали покидать зал. Профессор из соседнего университета Лихай интересовался:

— А правда ли, что «Кинетик» может перейти в руки крупнейшего немецкого издателя из Гамбурга?

Мармелл пожала плечами, всем своим видом показывая, что представителю «Кинетик» не подобает отвечать на подобные вопросы, и переадресовала его другому профессору, который изрек:

— Трудно сказать, что на уме у таких акул издательского дела, как «Кастл». Но теперь, когда доллар упал столь низко, а марка, наоборот, взмыла вверх, все становится возможным, и я слышал, что две или даже три крупные американские компании, одной из которых является солидное издательство, могут перейти в собственность к немцам.

Но дотошный слушатель продолжал допытываться:

— А не могла бы миссис Мармелл как сотрудник «Кинетик» прояснить этот вопрос?

— Мне известно только то, что пишут в газетах, — сказала она, вызвав смех в аудитории. — А газеты уже несколько лет подряд пишут о том, что «Кинетик» выставлен на продажу. Но, независимо от того, кто владеет нами, мы работаем так, как если бы были самостоятельными. И, если уж мне приходится говорить об этом, я скажу, что мы — одни из лучших в этом смысле.

Аплодисменты перебил голос другого профессора:

— Вы можете смеяться, но угроза является реальной. Как вам известно, когда «Кинетик» находился в частных руках, он был продан огромному конгломерату «Рокланд ойл». Вскоре они устали от него и выставили на аукцион. Насколько мне известно, на наживку клюнуло немало потенциальных покупателей, среди которых оказались австралийские миллиардеры и японские многонациональные компании. Разве не существует вероятность того, что «Кастл» выскочит с более заманчивым предложением и умыкнет ваше издательство?

Затем дискуссия переметнулась на то, какие это может повлечь за собой последствия, и Мармелл провозгласила:

— Жизнь в наших офисах, по крайней мере в редакторских, очевидно, будет идти прежним чередом.

Но выступавший предостерег:

— Нам следует ожидать существенных перемен в интеллектуальной жизни страны, потому что одно из наших крупнейших издательств наверняка будет приобретено немецким, австралийским или японским конгломератом.

Затем вопросы в основном сосредоточились на работе редактора. Сразу нескольким людям захотелось узнать, остались ли еще такие редакторы, которые относятся к авторам с такой же заботой, как это делал Максвелл Перкинз. К моему неудовольствию, со своего места поднялся Лукас Йодер, который вел это шоу, и сказал:

— Могу засвидетельствовать, что воплощением такого отношения является миссис Мармелл. Я обязан ей всеми своими удачами.

Это вызвало такую бурю аплодисментов, что я почувствовал себя обязанным сделать такое же заявление:

— Миссис Мармелл нашла меня и так умело направляла работу над моей первой книгой по критике, что она чуть ли не стала бестселлером. Я рассчитываю на такую же доброту с ее стороны и при работе над своим романом. — Впервые услышав о том, что я работаю над романом, публика наградила меня такими же оглушительными аплодисментами, как и Йодера.

После того как выступление закончилось, миссис Мармелл обступило столько желающих задать свои вопросы, что ей пришлось воздеть руки к небу:

— Прошу вас! Если вас так интересует состояние дел в издательском бизнесе, предлагаю присоединиться ко мне в вестибюле гостиницы «Дрезденский фарфор», где мы сможем поболтать в неофициальной обстановке. — И, когда с полдюжины профессоров из близлежащих университетов изъявили желание продолжить беседу, она сказала с улыбкой: — Приглашаю всех вас на традиционное пиво с солеными кренделями в честь моих авторов из немецкой Пенсильвании — Йодера и Стрейберта.

Когда мы собрались в углу возле мейсенских поделок, вопросы стали более целенаправленными. Тон задавал профессор из университета Франклина и Маршалла:

— Большинство из собравшихся здесь мечтают опубликовать однажды свою книгу. И в таком солидном издательстве, как «Кинетик». Так каковы будут ваши шансы, если «Кинетик» перейдет в руки к немцам?

— Поскольку мы уже не на публике, могу сказать, что «Кинетик» сейчас пинают как футбольный мяч. — Миссис Мармелл была теперь более откровенной. — В «Рокланд ойл» убедились, что издательская компания — это не подарок, как они считали вначале. Те семь процентов в год, что мы возвращаем им в виде прибыли, не идут ни в какое сравнение с тридцатью пятью процентами, на которые они могут надеяться, вкладывая капиталы в такие прибыльные компании, как принадлежащие им нефтяные и пищевые. Откровенно говоря, они делают все, чтобы избавиться от нас. И продадут нас любому, у кого есть деньги.

— А будет ли немецкий владелец, если все обернется именно таким образом, стремиться сохранить «Кинетик» в прежнем виде?

Она рассмеялась:

— Несколько лет назад экономический обозреватель газеты «Нью-Йорк таймс» написал весьма содержательную книгу «Добро пожаловать в конгломерат! Вы уволены». Новый владелец всегда обещает: «Абсолютно никаких изменений», а проходит три месяца — и вы на улице при собственном интересе.

— Но что это может значить для нас?

— У вас будет точно такая же возможность заключить контракт с «Кинетик», как и сейчас — в течение тех же самых трех месяцев. Потом они начнут урезать план научных книг, именно такие, наверное, хотелось бы написать вам. При новых владельцах ваши шансы упадут, потому что все будет определять чистоган.

— Они будут издавать продукцию с прогерманским уклоном?

— Боже упаси! Они не так глупы! Не забывайте, что им принадлежат также компании в Англии и Франции. Они не могут ставить свой бизнес под угрозу.

Миссис Йодер, сопровождавшая мужа, удивила всех глубиной своих деловых познаний:

— Бóльшая часть авторских гонораров моего мужа условно депонирована у третьего лица. Можно ли будет рассчитывать на надежность таких вкладов, если издательство перейдет в собственность к иностранцам?

— Вашим деньгам ничего не грозит, а вот мое место окажется под угрозой, должна признаться.

— Из-за чего может возникнуть такая угроза? — спросила Эмма, и миссис Мармелл ответила с усмешкой:

— Если у нового владельца окажется подруга, которая мечтает быть редактором, со мной расстанутся.

— Мне бы не хотелось писать для иностранной компании, — сказал Йодер, и все согласились с ним.

Я проработал в колледже уже пять лет и опубликовал два критических труда по литературе, продолжая одновременно писать короткий роман. В оба предыдущих лета, едва закончив занятия, я устремлялся в Грецию. Там, в уютном афинском отеле, меня ждал Девлан, чтобы возобновить наши дебаты и путешествия среди гор этой бесконечно удивительной страны. В один из летних отпусков мы сосредоточились на священной земле Пелопоннеса, где находились Коринф, Спарта и Патрас. Здесь многое было связано с доримской историей, и я наслаждался пребыванием в старых отелях и горных деревушках, где иностранцы почти не встречались. В Греции нас всегда охватывал какой-то трепет, ведь именно здесь мы впервые ощутили, что живем одной жизнью, разговариваем на одном языке, что одинаково понимаем природу литературы. Возвращение в Грецию означало возвращение к истокам.

Летом 1983 года во время нашей встречи в Афинах Девлан удивил меня своим предложением отправиться вначале не как обычно в отель, а в оливковую рощу на окраине города. Там он достал томик с короткими новеллами Генри Джеймса и раскрыл его на странице, где рассказчик — старомодный молодой ученый — пытается всеми правдами и неправдами заполучить любовные письма умершего американского поэта Джеффри Асперна. Поскольку старуха в Венеции, у которой находятся эти письма, ни за что не хочет расстаться с ними, он решает, что единственный путь к ним лежит через его женитьбу на жалкой и бесцветной племяннице старухи. Положение становится просто невыносимым, когда эта племянница неуклюже делает ему предложение. С той же глубокой интонацией, так, как он читал заключительные строки в первый раз в Венеции, Девлан произнес:

«Мисс Тина, не зная, как объясняются мужчине, торопливо бубнит, что если бы он был членом семьи, то мог бы получить доступ к письмам:

— Вы сможете прочесть эти письма — сможете использовать так, как вам будет угодно.

Повисла жуткая тишина, которая разрешилась еще более ужасно — она разразилась громкими рыданиями и продолжая твердить:

— Я все бы вам отдала, и она поняла бы меня там, где она теперь, — поняла и простила бы».

Голос у Девлана сорвался, и он дал знак, чтобы я закончил читать вместо него. Я взял книгу и прочел, как главный герой отверг ее:

«Я все еще не знал, что делать, но тут вдруг безотчетный, панический порыв метнул меня к двери. Помню, что, стоя уже на пороге, я тупо, как заведенный, повторял:

— Не надо, не надо!..

Дальше помню только, как я очутился на тротуаре перед домом».

Девлан, обретя контроль над собой, взял у меня книгу и, держа ее на коленях, чтобы время от времени сверяться с текстом, говорил:

— Хочу обратить твое внимание, Карл, твое и остальных. Это именно то, к чему мы стремимся, когда работаем над романом.

И он рассказал о том, как на следующий день молодой американец вновь вернулся в тот дом, смирившись с мыслью о возможной женитьбе на старой деве ради того, чтобы заполучить драгоценные письма. Пробежавшись по напряженному и красиво изложенному сюжету, он дрожавшим от волнения голосом прочел ключевой абзац:

«Она стояла посреди комнаты, глядя на меня с неизъяснимой кротостью, и этот всепрощающий, всеразрешающий взгляд придавал ей что-то неземное. Она помолодела, похорошела, она больше не была ни смешной, ни старой... это чудо душевно преобразило ее, и, пока я смотрел на нее, внутренний голос зашептал мне: «Почему бы и нет? В конце концов, почему бы и нет?» Мне вдруг показалось, что я *могу* заплатить назначенную цену».

Оторвавшись от книги, он сказал убежденно:

— Итак, он решает, что может жениться на ней. Письма стоят того. А теперь, Карл, я хочу, чтобы ты обратил внимание, как мастерски Джеймс заканчивает свой рассказ. — И он возобновил чтение:

«Вы сегодня уезжаете? — спросила она. — Впрочем, это не имеет значения, все равно мы с вами больше не увидимся. Я так решила.

— Что думаете делать вы? Куда направитесь? — спросил я.

— О, не знаю. Самое главное я уже сделала. Я уничтожила письма.

— Уничтожили письма? — ахнул я.

— Да, на что они мне? Я их вчера сожгла в печке, все до последнего листка.

— До последнего листка, — повторил я машинально.

— На это ушел почти весь вечер — их было так много.

Комната вдруг пошла кругом, и на миг у меня потемнело в глазах. Когда темнота рассеялась, мисс Тина... продолжала:

— Я больше не могу оставаться с вами, не могу. — И... она отвернулась от меня, как ровно сутки назад от нее отвернулся я...

Я написал ей, что продал портрет, но миссис Прест я признался, что он висит над моим письменным столом. Иногда я смотрю на него, и у меня щемит сердце при мысли, что я потерял, — я говорю о письмах Асперна, разумеется».

Девлан осторожно закрыл книгу — это было похоже на драматическое прощание, сродни тому чувству, с каким мисс Тина смотрела вслед молодому человеку, в ужасе убегавшему от нее, после того как она предложила ему жениться на ней.

— Что это, Девлан? — вынужден был спросить я.

— Конец рассказа.

— Но зачем вы прочли его? Что он означает?

— Я хотел напомнить тебе, Карл, что конец «Асперна» — это то, к чему мы стремимся, когда пишем свои произведения. К тому, чтобы кульминационный момент был наполнен откровениями, смыслом и человеческими страстями.

— Почему вы говорите мне об этом?

— Потому что твой второй критический труд оказался поразительно механистическим. В нем нет и намека на те озарения, что были в твоей первой книге. Ты хвалишь только те работы, где идеи умело организованы и выстроены. А те, которые отличаются глубиной проникновения в суть вещей и где видны ростки страстей, остаются незамеченными тобой. — Прежде, чем я успел вставить слово, он пошел прочь, а затем оглянулся на ходу, напомнив собой шаловливого гно-

296

ма: — Нас, ирландцев, можно обвинить в чем угодно, но только не в бесчувственности. Встречный ветер с берега может свести с ума возвращающегося домой моряка так же, как и воспоминания о прелестном ребенке, потерявшемся на краю болота.

— Девлан! — резко воскликнул я. — Неужели вы привели меня в эту оливковую рощу только для того, чтобы прочесть лекцию о чувствительности ирландцев? Ведь это не так, дорогой мой друг?

Застигнутый врасплох моим прямым вопросом, Девлан попытался сформулировать ответ, но это ему не удалось, и он протянул правую руку, словно пытаясь схватиться за невидимую опору. Продолжая беззвучно шевелить губами, он смотрел на меня так жалобно, что я не выдержал:

— Майкл! У вас что, сердечный приступ?

Тряхнув головой в знак отрицания, он прошептал, выискивая глазами камень, чтобы присесть:

— У меня на самом деле приступ, мой драгоценнейший друг, приступ глубочайшей печали, какую только может испытывать человек.

— Что это за печаль? — Тревога в моем голосе выдавала огромную любовь, которую я питал к человеку, разбудившему мой ум и мое сердце.

Вид у Девлана, которому этим летом исполнялся пятьдесят один год, стал совершенно потерянным.

— Огромная печаль обрушилась на меня еще до того, как я покинул Оксфорд, ибо мне стало ясно, что я еду в Грецию, чтобы сказать прощай самому дорогому человеку в моей жизни... тому, кто помог мне воспрянуть и воодушевиться.

— Майкл! — Я никогда не называл Девлана просто по имени, теперь же сделал это дважды в течение минуты.

Некоторое время никто из нас не произносил ни звука, затем Девлан протянул мне руку и усадил меня рядом с собой на камень. Откинув волосы с моего лба, он сказал:

— Дорогой друг, мы не должны больше видеться.

Случилась ужасная вещь, которая кладет конец нашим отношениям.

— Что? — хрипло спросил я.

— Молодой человек, преуспевавший в Оксфорде — так же, как ты в Колумбии, — отправился по моему настоянию на год в Гарвард. Находясь там, он тоже демонстрировал успехи, ведь я всегда был способен обнаруживать подлинные таланты, как тебе известно. Но, помимо всего прочего, он вступил в легкомысленную связь с доцентом из Калифорнии, который был его преподавателем... ну, ты знаешь, как это бывает.

— И что?

— Калифорниец оказался болен спидом.

— И?..

— Наградил им моего избранника. В Оксфорде еще не было ни одного такого случая, и вот... После длительного обследования у врачей не осталось никаких сомнений в этом.

— Он умер?

— Да.

— И вы были так привязаны к нему, что до сих пор страдаете?

— Был, но больше не испытываю привязанности. Он прекрасно знал, что инфицирован, но продолжал жить со мной и признался только за четыре дня до смерти.

— И вы... — Я не смог закончить фразу.

— Да. Те же самые крупные специалисты попытались отследить всех, кого Питер мог заразить. Карл, таких оказалось не меньше десятка! Когда они вышли на меня, по показаниям его квартирной хозяйки и парочки молодых людей, которым он называл мое имя... — Его лицо исказила гримаса боли. — Уверен, что он говорил им всякие гадости про меня. Так вот, эти крупные специалисты, с удовлетворением обнаружившие, что убило Питера, смотрели на меня с нескрываемым презрением и отвращением. И это в моем-то возрасте, при моей репутации и, что самое главное,

298

при том, что мне приходится иметь дело с молодежью. Думаю, что они с удовольствием обнаружили у меня заболевание. И с таким же удовольствием сообщили, что жить мне осталось недолго, предупредив, чтобы я, упаси Боже, не передавал его дальше по цепочке...

Мы сидели среди оливковых деревьев и молча смотрели, как вдали крестьяне возделывают свое поле. Затем Девлан спросил:

— Тебя не удивила, Карл, моя сдержанность при встрече?

— Удивила.

— Когда я увидел тебя, мое сердце разрывалось на части.

— Сколько вам осталось?

— Кто знает? Ты, наверное, уже заметил, как я похудел. Мне сказали, что так будет продолжаться все время и настанет день, когда я приду в норму и буду весить столько, сколько положено. Но, перевалив эту критическую отметку, я буду продолжать терять вес до тех пор, пока меня не свалит самая обычная простуда или что-нибудь еще...

— О Боже! — прошептал я.

— Вот почему это лето должно стать прощальным. В следующем году я уже не смогу путешествовать. И, когда я думаю о том, как жестоко обошелся со мной Питер, я не представляю себе, как бы я мог поступить так с кем-то другим — и прежде всего с тобой.

— Я хочу вернуться в отель, Майкл. Туда, где мы были так счастливы. Я хочу побывать с вами на каком-нибудь представлении, которое оказалось бы таким же прекрасным, как «Агамемнон», еще раз увидеть серебряные замки в лунном свете. Но больше всего мне хочется говорить с вами. Я всегда дорожил вашим мнением, а теперь вы мне нужны, чтобы помочь разобраться в том, что у меня неладно с романом, который я пытаюсь писать. Вы бесценный человек, Майкл, и нельзя, чтобы вы уходили, не поделившись своими секретами.

Оказавшись в отеле, Девлан проспал двое суток. Несмотря на то что наше путешествие было относительно легким, силы оставили его, ибо их подтачивала болезнь. К врачам он не обращался, потому что боялся, что его депортируют из Греции как разносчика заболевания. Но после отдыха силы его почти восстановились, и он с большим желанием стал принимать участие в предложенных мною мероприятиях. Шесть дней в неделю мы совершали небольшие вылазки на природу и устраивали пикники в исторических местах. Одна из греческих трупп ставила «Антигону», что дало мне возможность сравнить Эсхила с Софоклом. Находясь под впечатлением монументального величия первого, я вначале был разочарован Софоклом, однако, по мере того как усиливались страдания Антигоны, причиняемые ей Креонтом, я все яснее начинал понимать величие этой бессмертной трагедии: ее глубину, размах, мощь и, конечно же, язык. Это был «абсолютный образец трагедии», рядом с которым мои попытки создать собственный мир воображения представлялись смешными.

— У меня не идет мой роман, — поделился я с Девланом, когда мысли о смерти несколько отступили. — Мне не хотелось причинять вам лишнее беспокойство, но роман, о котором я говорил прошлым летом, не получается у меня таким, как мне хочется. Я так ясно вижу его окончание и почти не представляю, каким должен быть путь к нему. — Прежде чем Девлан успел что-либо сказать, я поспешно добавил: — О, характеры у меня есть — и довольно неплохие, мне думается, — но как заставить их раскрыть себя — похоже, это выше моих сил. Что же мне делать?

— В прошлый раз, когда мы говорили об этом, ты сомневался в главной сюжетной линии. Теперь с этим вопросов нет?

— Я имел в виду американский эквивалент романа «Марий-эпикуреец». Мне хотелось сделать для современной Америки то, что Патер создал для эпохи Марка Аврелия.

— А тебе не кажется, что Патер слишком утонченный писатель для американских вкусов?

— В оригинале — да, да и действие, идущее в Древнем Риме, — не для них, но у меня все происходит в крупном частном университете Нью-Йорка. Это дает мне великолепный фон с легко узнаваемыми профессорами, которые отличаются сильными характерами.

— Название уже есть?

— Пока только рабочее — «Пустая цистерна». Оно отражает вашу идею о неумолимом сползании массовой культуры к наименьшему общему знаменателю, в результате чего общество остается с пустой цистерной, к которой оно припадает в тщетной надежде напиться. Это же подтверждает другую вашу идею о том, что роман должен быть диалогом избранных. Моей героиней вполне могла бы быть Вирджиния Вулф, а одним из основных мужских персонажей — Томас Пинчон. Но все вполне по-американски, вполне современно.

Поразмыслив над услышанным, Девлан стал рассуждать вслух:

— Общий замысел совсем даже не плох. Некоторые идеи требуют проработки. Это несомненно. А вот как ты материализуешь абстракции? Это очень опасная вещь. Одному из тысячи удается сделать это, а неудачные попытки неизменно оборачиваются такими произведениями, как «Источник» Чарлза Моргана, увлекающего вначале своей изящной аристократичностью, а в конце убивающего скукой. Ирландцы, даже Бернард Шоу, в этом отношении были правы. Им интересны не лорды и леди, а мужики и бабы, которым приходится зарабатывать себе на жизнь. Мне было бы гораздо легче, Карл, если бы это были не нью-йоркские про-фессора, а фермеры и мелкие торговцы из твоего великолепного края, который ты мне дважды показывал во время наших поездок по стране.

— Здесь меня опередил Лукас Йодер. Пишет свои глупые пустые книги, воспевая меннонитов и не предлагая ни слова правды о них. Я ужасно устал от него, но не показываю этого, чтобы меня не обвинили в зависти.

— Ты завидуешь?

— Его успеху — да. Тому, как он добивается его, — нет и еще раз нет. Он всего лишь пустозвон. К тому же мы говорим об элите, способной поддерживать животворный диалог.

— Тут ты не прав, Карл. Мы *имеем в виду* элиту, а *пишем* об обычных людях, чей природный интеллект делает их элитой. Эту огромную разницу всегда понимали лучшие из ирландских драматургов.

Мы провели несколько дней, препарируя предложенный мною сюжет, — я не признался, что он на три четверти уже был изложен на бумаге и совсем не отвечал тому, на что я надеялся, — и все это время Девлан постоянно повторял предупреждение, которое он делал всем своим будущим писателям:

— Вначале требуется выстроить персонажи и сделать их правдоподобными. Затем провести их по закоулкам сюжета. Надо, чтобы люди сами открывали для себя великие истины, на которых зиждится художественное произведение, а судя по твоему рассказу, Карл, ты не делаешь этого. У тебя вначале идут твои идеи и соображения.

После того как я постарался переубедить его, он сказал:

— Я не вполне уверен, что тебе удастся выступить в роли великолепного критика, пытающегося одновременно написать роман. Требования к этим двум вещам совершенно различны. Возможно, что они вообще несовместимы.

Я спорил так, как будто защищал свою докторскую диссертацию перед квалификационной комиссией:

— А как насчет тех двоих, которых вы так часто

цитируете, — Форстера и Джеймса? Отличные прозаики и вполне приемлемые критики, вы согласны?

— Но это же другое дело! Каждый из них доказал вначале, что он чертовски хороший писатель, а затем уже занялся анализом того, что его сделало таким. В высшей степени *личная* критика, которая меня совсем не привлекает. Довольно нестройная и неорганизованная, она мало чем отличается от размышлений за кружкой пива ближе к полуночи.

Девлан предложил многое, что могло бы спасти мой роман в стиле Патера, если тот на самом деле летел под откос, — а он почти не сомневался в этом. Но все, что он говорил, больше относилось к литературной критике, чем к моему роману. Другими словами, Девлан-критик мог говорить со мной только как с критиком и был бессилен найти общий язык со мной как с писателем, или же я не понимал его. И после нашего последнего продолжительного разговора я услышал, как он пробормотал про себя:

— Боюсь, что это не удастся ему. До него не доходит ни одно мое слово.

Однажды вечером, после того как Девлан признался, что болен спидом, он предложил, когда мы поднимались в свой номер в отеле:

— Знаешь, если у тебя есть опасения, я могу поселиться в другом номере.

— Ах, Майкл! Мне кажется, что сам Господь Бог направил меня сюда, чтобы я позаботился о вас. Я сомневался, стоит ли мне ехать в Грецию в этом году, может быть, лучше остаться дома и заняться доработкой романа. Но меня тянула сюда какая-то неведомая сила. Теперь мне понятно. — Когда мы оказались в номере, я вымолвил со слезами на глазах: — Майкл, никогда не забывайте, что вы нашли меня зеленым парнишкой в Нью-Йорке и сделали взрослым в Афинах. «Американская проза» — это ваша книга, лишь переложенная на бумагу прилежным переписчиком.

После того как мы распаковали наше туристское

снаряжение, которым мы никогда уже больше не воспользуемся вместе, я проговорил, вновь стараясь не задевать тему болезни:

— Если бы вы сегодня перешли в другой номер, мое сердце не вынесло бы этого.

Однако, когда Девлан вышел голый из ванны и невзначай продемонстрировал, как сильно он похудел, мне со всей очевидностью стало ясно, что он не только сбросил лишний вес, но и продолжал терять его с невероятной быстротой. Мы оба понимали, что если так будет продолжаться, то недалек тот день, когда малейшая простуда или инфекция обернутся для него смертью. Стараясь не касаться таких спорных тем, как мой роман, мы вновь и вновь обращались к его основополагающей идее: с тех пор как человеческая мысль впервые попала на бумагу, призвание писателя состоит в том, чтобы творить для избранных.

— Мы проповедники в этом мире, где все меньше становится верующих, мы призваны сохранить в нем огонь разума. Много ли было во Флоренции таких, кто понял Данте? Многие ли в Польше понимали Коперника? А посмотри, что эти канальи сделали с Дарвином!

Последнюю неделю мы не спеша бродили по улицам и площадям Афин, наслаждаясь знакомыми видами и сознавая, что это наша последняя встреча с этим лучезарным городом, ибо я не представлял, что могу вернуться сюда без него. Случайные прохожие задерживали на нас взгляды, стараясь понять, кто такие эти двое — высокий рыжеволосый американец и немощный ирландец с венчиком Юлия Цезаря на голове, — но вряд ли кто-нибудь из них догадывался, какие крепкие узы связывают нас.

В последний вечер мы сидели в парке и при слабом свете уличного фонаря читали отрывки из «Агамемнона». Прервав чтение, я спросил:

— Говорил ли я вам о том, что сделал на стене своей аудитории? — И, пока я описывал настенную схему, отражавшую прискорбное поведение «банды Атрея», как я их называл, мы непочтительно смеялись над гнусными поступками, которые привели к такой глубочайшей трагедии. В разгар нашей оживленной беседы Девлан неожиданно закрыл лицо руками и прошептал:

— О, Карл! Ты должен поверить, что Питер ничего для меня не значил — он был всего лишь что-то обещающим учеником и не более. У нас была ничего не значащая связь — ведь тебя не было так долго, — а теперь такое жестокое наказание.

Пытаясь успокоить и убедить его в своей глубокой любви к нему, я добавил:

— Вы будете со мной всегда, Майкл. Ваше лицо всегда будет напоминать мне о Шекспире и Йетсе, и мы всегда будем вместе.

Утром Девлан поднялся, осторожно побрился, чтобы не пораниться и случайно не заразить меня, и отправился в аэропорт. Все предыдущие разы первым улетал я, словно Афины принадлежали ему, но теперь чувство собственности исчезло и он спешил домой, чтобы приготовиться к смерти, — как это делают слоны-великаны, возвращаясь в свои пещеры, когда чувствуют приближающийся конец.

Вернувшись в Мекленберг к осеннему семестру 1985 года, я принял участие в злосчастном мероприятии, которое резко оборвало мои добрые отношения с Лукасом Йодером. Так случилось, что я пригласил на наш осенний университетский праздник поэзии одного молодого талантливого поэта из Чикаго, у которого в разных маленьких журнальчиках было опубликовано несколько великолепных поэм и который мог бы рассчитывать на Пулитцеровскую премию, если бы ему удалось найти издателя и выпустить сборник своих стихов. Толстые журналы отказывались от него, объясняя это тем, что у него нет публикаций в солидных изданиях.

— Пока у него нет сборника, — заявляли издатели, — мы не можем быть уверенными, что он зарекомендует себя как поэт. — Первая фраза означала издание в твердой обложке.

Его звали Хейнтц Богулов, и он не только писал хорошие стихи, но еще и имел изрядное чувство юмора. Так что, когда во время пресс-конференции одна из женщин спросила, как такой молодой человек, как он, относится к таким общепризнанным поэтам, как Лонгфелло, он воспользовался этим, чтобы разразиться дикими пародиями на известные строчки Лонгфелло, такими, к примеру, как «Говори мне «нет» в печальных снах», «Каждый доллар банкиров добыт преступным путем», «Вдруг полицейский нагрянул, когда мы печатали деньги».

Когда стихли первые раскаты смеха, Богулов вышел на самый край сцены, принял величественную позу оратора и стал скороговоркой и с забавным произношением читать свою пародию под названием «Рукавицы Гайаваты» на знаменитую поэму Лонгфелло. Под смех аудитории он закончил ее такими строчками:

— «Делал их наружу и вовнутрь, делал их наружу кожей и никогда не внутрь, никогда наружу мехом и всегда вовнутрь». — Закончив свою потешную мешанину и все еще с перекошенным ртом от непосильных речевых оборотов, он резко прервал свои упражнения и ответил той женщине: — Вот что современный поэт думает о вашем Лонгфелло.

В глубине зала со своего места вскочил невысокий шестидесятилетний джентльмен и заговорил звонким от возмущения голосом. Это был Лукас Йодер, чей последний роман «Маслобойня» сразу же стал первым в списке бестселлеров, и присутствующие смолкли, желая услышать его реакцию на это фиглярство.

— Несколько минут мы с удовольствием подвергали осмеянию поэта, пользовавшегося всеобщим уважением в прошлом веке, и я согласен с вами в том, что по сегодняшним меркам он устарел, ибо писал стихи, которые доставляли радость, читались и перечитывались, чего нельзя сказать о нашей современной поэзии. — Такое оскорбительное высказывание о современных поэтах и их творчестве вызвало бурю протестов, но Йодер продолжал: — Напомню вам, что Лонгфелло принадлежит также одна из лучших строчек во всей поэзии: «Корабли расходятся в ночи и друг другу говорят: «прощай!..». Теперь, когда большинству из нас уже неведом такой Лонгфелло, я должен признать, что и следующие три строчки кажутся слишком сентиментальными:

Лишь что-то мелькнет в темноте, да далекий гудок
донесется;
Так в жизни расходимся мы, бросая друг другу
Только взгляд, только слово...
А дальше — опять темнота, опять тишина.

Говорят, что ему следовало бросить поэзию, пока он был первым. Но он не сделал этого, потому что не знал, когда следует остановиться, и до конца был верен своим сентиментальным принципам. Но эта его начальная строчка будет жить вечно, и я сомневаюсь, что в этом зале найдется хоть один человек, кто сделает что-то подобное. Так что не к лицу нам насмехаться над наивным стариком. Все это не так просто. — С этими словами Йодер с шумом стал пробираться сквозь ряды и, держа жену за руку, вышел из зала.

Когда многие из пожилых людей в зале стали аплодировать его поступку, я почувствовал, что как ведущий вечера должен защитить приехавшего поэта, и поднялся с красным лицом. Мне наверняка бы пришлось выставить себя в глупом свете, если бы не Богулов, который шагнул на сцену и, отсалютовав вслед уходящему Йодеру, ласково произнес по-французски: «Chàcun à son goût»*.

Те, кто понял его, захихикали, и вскоре аудитория восхищалась, как ловко он разрядил напряженную атмосферу. Я не был среди тех, кто аплодировал ему,

---

* У каждого свой вкус (фр.). — *Прим. ред.*

ибо сидел, уставившись в сторону, откуда только что исчезли Йодер и его маленькая Эмма. Срыв вечера поэзии, вечера, который я так тщательно подготовил, явился каплей, переполнившей чашу моего терпения. С этого времени Йодер стал для меня врагом и средоточием всего того, против чего выступал Девлан.

Не имея привычки скрывать свои литературные симпатии, я подготовил для нашей университетской газеты «Мартин Лютер» короткий отчет о состоявшемся вечере поэзии:

«В прошлую пятницу в Алумни-Холл в качестве ведущего на очередных поэтических чтениях я имел удовольствие представлять одного из прекраснейших молодых поэтов нашей страны Хейнтца Богулова из университета Чикаго. Подобно большинству современных поэтов, придерживающихся невысокого мнения о почитаемых Америкой, но устаревших поэтах прошлого века, он с известной долей юмора расценил в своем выступлении многочисленные выспренности Лонгфелло и его дешевую морализацию.

Известный местный прозаик, когда-то закончивший наш колледж, счел себя обязанным сделать выговор Богулову и привел поэтическую строку Лонгфелло, которая, по его мнению, претендует на бессмертие:

Корабли расходятся в ночи и друг другу говорят: «прощай!..».

После чего он стал упорно утверждать, что только одна эта строка позволяет считать Лонгфелло настоящим поэтом.

Вечер закончился слишком внезапно, и я не смог возразить прозаику, но, поскольку многие студенты восприняли его доводы всерьез, позвольте мне заявить, что немногие мыслящие люди в этой стране воспринимают Генри Уодсуорта Лонгфелло серьезно.

Карл Стрейберт,
профессор филологии».

Мое объявление войны было опубликовано, и я не собирался отступать. Но вражде не суждено было разгореться, потому что неожиданно раздался звонок, потребовавший моего полного внимания, а касался он зачисления к нам одного одаренного юноши, которому необходимо было уделить особое внимание. Вызов поступил от президента Росситера, предложившего:

— Встретимся в зале правления. У нас на примете чрезвычайно яркий талант.

Когда я добрался до зала правления, специально предназначенного для приема высокопоставленных особ, управляющих колледжем и обеспечивающих его финансирование, Росситер — добродушного вида чиновник, разменявший пятый десяток, — встретил меня возбужденной скороговоркой:

— Джейн Гарланд, эта влиятельнейшая особа в нашем попечительском совете, высказала пожелание увидеть вас лично.

Это удивило меня, потому что я даже не предполагал, что миссис Гарланд, богатая вдова главы сталелитейной компании, когда-нибудь слышала обо мне.

— Ее отношение очень важно для нас, Стрейберт. Вы должны сделать для нее все, что только возможно. Она обладает огромным состоянием, и, если учесть, что она была щедра к нам в прошлом, она может многое дать нам и в будущем. Но, что самое интересное, она очень приятная в общении и отличается острым умом.

Прежде чем я успел что-то сказать, дверь широко распахнулась и в зал быстрым шагом вошла осанистая женщина шестидесяти лет в безупречном костюме свободного покроя. Ее улыбка была теплой, великодушной и без тени высокомерия. Кивнув президенту, она направилась прямо ко мне, протянула руку и представилась:

— Я Джейн Гарланд, рада вас видеть в зале, который я называю своим вторым домом. Норман, вы не могли бы попросить, чтобы нам принесли напитки?

Давайте не будем обставлять это дело так официально.

Мое внимание было настолько приковано к этой импозантной женщине, что я вначале даже не заметил, что у моих ног трется рыже-коричневый лабрадор.

— Это Ксеркеес, — объяснила миссис Гарланд, — он кроток, как бабочка. А вот тот, кто является причиной нашего визита, — мой внук Тимоти. Это его собака, и я предупреждала, чтобы он не брал ее с собой.

Взглянув на мальчика, я тут же узнал в нем того очаровательного херувимчика, который привлек к себе внимание поэтов из Бостона. И сейчас от него исходила та же самая чарующая сила. «Как чудесно, — подумал я, — вновь увидеть его и на этот раз поговорить с ним».

— Я помню вас. Вы тот, кто предпочитает Элиота Фросту, — сказал я.

Он, безусловно, не помнил меня, но вежливо кивнул. Прядь черных волос упала ему на лоб, а проницательные голубые глаза оценивающе оглядывали зал и присутствующих. Он не выглядел ни излишне застенчивым, ни развязным, и моим первым впечатлением было: «Этот малый не прост!» — и в этом я убедился в ходе встречи. Когда принесли стаканы с кока-колой, миссис Гарланд предложила:

— Давайте устроимся поудобнее. — И, когда молодой Талл сел в кресло, рядом с которым пристроился Ксеркеес, добавила: — Президент Росситер, вы можете оставить нас. Мы с профессором хотим изучить друг друга. — И одарила его лучезарной улыбкой.

Как только он ушел, она заговорила быстро и твердо, так как хотела многое выяснить, прежде чем решить, стоит ли вверять будущее своего внука в мои руки, но еще больше ей хотелось, чтобы я осознал, что собой представляют Гарланды.

— Мой муж, Ларримор, возглавлял крупнейшую в нашей округе сталелитейную компанию. Он был также

310

председателем правления и главным спонсором университетской футбольной команды. Этот портрет, скажу я вам, лучше всего иллюстрирует то, каким он был человеком.

Картина, указанная ею, явно выделялась на фоне чиновного однообразия самодовольных бизнесменов преклонного возраста, которые так походили друг на друга, что могли бы сойти за братьев, хотя в каком-то смысле они и были братьями. Ларримор Гарланд предпочел, чтобы его запечатлели в стальном шлеме и не позирующим в одиночку, а в компании троих сослуживцев. Это был, как выразилась миссис Гарланд, «портрет практического человека». С улыбкой глядя на портрет, она добавила:

— Когда он умер, меня пригласили занять его место председателя правления, но я отказалась. Членом правления — да. Но не председателем. — Она не сказала о четырех миллионах долларов, которые выделила Мекленбергу, чтобы почтить память мужа, и которые оказались далеко не последними из тех, что нажил Ларримор в результате разумного распоряжения наследством и собственного труда.

В один из моментов она попросила внука оставить нас ненадолго, на что он вежливо кивнул, поклонился мне и, позвав за собой собаку, удалился.

— Какой вежливый молодой человек, — проговорил я, а она рассмеялась:

— Видели бы вы его два года назад! Кандидат в исправительную школу!

В порыве откровенности, которая и без того была ей не чужда, миссис Гарланд поведала:

— Моя единственная дочь, Клара, была моим сплошным разочарованием, прости, Господи, ее непокорную душу! Бросив школу, она выскочила замуж за совершенно зряшного парня с комбината — Томаса Талла, которого презирала даже собственная мать. Мы с мужем с самого начала знали, что из этой женитьбы ничего хорошего не выйдет. Но, когда все закончилось ужасной катастрофой на Рениш-роуд, рядом с тем местом, где я живу, мы едва пережили это. Оба водители были пьяны, и все шестеро, кто был в автомобилях, погибли.

— И вы взяли на себя заботу о Тимоти?

— Без особого удовольствия, но взяла. Очень смышленый мальчик, но такой же своевольный, как его мать. Два года проучился в бесплатной школе Рединга, а затем с Божьей помощью перевелся в Хилл, так называется школа в Потстауне, это недалеко отсюда. Вы слышали, наверное, об этой школе. Она одна из лучших. Железная дисциплина, отличное преподавание — как раз то, что нужно таким, как Тимоти. — Тут она сунула два пальца в рот и свистнула. Мальчик и Ксеркес не замедлили вернуться. — Я рассказывала профессору Стрейберту о твоей учебе в Хилл.

В глаза бросилось, что Тимоти не проявил смущения, которое неизбежно охватывает каждого ребенка, когда взрослые говорят о нем.

— В новой школе, — ласково продолжала миссис Гарланд, — Тимоти пришел в чувство, и все увидели его необыкновенные способности, особенно в области литературы. Его быстро перевели в класс для тех, кто уже сдал вступительные экзамены в какой-то из колледжей.

— И как он там успевал?

— Тимоти, покажи профессору Стрейберту итоговые работы, которые ты захватил. — Увидев их, я не поверил своим глазам — «Приемы художественного повествования в романе Гюнтера Грасса «Жестяной барабан» и «Чушингура — прототип современной японской корпорации».

— Как вы придумали такие темы?

— Я много читал, слышал. Статья в «Форчун» навела меня на японскую вещь, после чего я начал копать.

— А немецкий роман?

— Журналы писали о нем как о первоклассной вещи, и «Тайм», и «Ньюсуик».

Постукивая пальцами по аккуратно отпечатанным работам, я обратился к миссис Гарланд:

— Такие темы сделали бы честь любому старшекурснику, если, конечно, они хорошо изложены.

— Они даже очень хорошо изложены. Я читала. — Тимоти молчал, и она решила наконец раскрыть причину, по которой я был приглашен сюда: — Осенью Тимоти будет почти семнадцать. Результаты экзаменов позволяют ему пройти в колледж.

— А готов ли он к этому в плане поведения?

— В принципе, у него были гадкие проступки, когда он учился в Рединге, не так ли, Тимоти?

— Ерунда, — пожал он плечами.

— Но такие школы, как Хилл, как раз и отличаются тем, что приводят в чувство взбалмошных детей...

— Я не был взбалмошным, просто любознательным, — возразил он, а я подумал о том, что никогда еще не вел подобного собеседования и что оба они либо сумасшедшие, либо гении. Между тем, миссис Гарланд продолжала выкладывать такое, что вряд ли оставило бы равнодушным любого подростка, будь то мальчик или девочка:

— Декан филологического факультета, человек проницательного ума, сказал мне, что не хотел бы видеть его в крупном университете вроде Чикагского, да к тому же живущим самостоятельно где-нибудь за пределами студенческого городка, «но поскольку вы в Совете управляющих Мекленберга, — заметил он, — и это всего лишь в нескольких милях от вас, то я бы рискнул. Ваш внук готов к колледжу». «Меня очень многое связывает с Мекленбергом», — сказала я ему и спросила, что он думает об этом учебном заведении. «Это не Гарвард и даже не Амхерст, — ответил он, — но вполне серьезный колледж. И там есть очень сильный преподаватель литературы. Кое-кто с нашего факультета присутствовал на его лекциях и остался очень доволен». «Так что же вы посоветуете?» — спросила я и услышала в ответ: «Я бы посоветовал пойти туда». Итак, мой вопрос к вам состоит в следующем, — сказала миссис Гарланд, — примете ли вы его в свой класс для подготовленных?

Едва сдержавшись, чтобы не выкрикнуть «Конечно!», я степенно объявил:

— Сочту за честь иметь ученика, который пишет такие работы.

Когда осенью 1985 года молодой Талл прибыл в колледж, я решил, что для него будет лучше, если он не сразу попадет в мой класс писательского мастерства, а пройдет адаптацию среди обычных студентов. Я внимательно наблюдал за ним и видел, что он почти ничем не отличается от остальных: несколько выше ростом, одет чуточку побогаче, волосы намного длиннее, чем позволялось в Хилл, но не длиннее, чем у некоторых студентов, уверенности в себе, может быть, меньше, чем у капитана школьной футбольной команды, но вполне достаточно для одного из лучших теннисистов школы.

Среди студентов он держался без стеснения, но компаний не искал. Вместо этого с головой ушел в учебу, чтобы проверить, способен ли заниматься наравне со старшими. Быстро убедившись в том, что не только не отстает, а во многом превосходит их в учебе, он решил расширить круг своих интересов.

Меня поразило разнообразие его увлечений. Занявшись теннисом, он быстро попал в сборную колледжа. Он увлекался шумным регби, не пропускал ни одного вечера танцев, где я обычно присутствовал в качестве стража порядка и где он выделывал такие па, которые мне никогда еще не доводилось видеть. Но за стремлением создавать впечатление типичного младшекурсника у него угадывалась неуемная жажда взрослой жизни. Между семестрами зимой 1986 года он, как многие из тех, кто преуспевал в английском и стре-

314

мился попасть в мой класс для подготовленных, подошел ко мне за разрешением пройти собеседование. Собеседование с ним я проводил так, словно никогда не видел его прежде. Но в двадцатиминутной беседе он продемонстрировал такое блестящее владение английским языком и такой интерес к литературному творчеству, что я сказал в конце:

— Я, безусловно, помню те школьные работы, которые вы показывали мне во время нашей встречи с вашей бабушкой, но у нас требуется, чтобы претендент представил работу, выполненную в последнем семестре. Так что отпечатайте что-нибудь и дайте мне посмотреть.

— Я не печатаю, сэр, а использую текстовой процессор.

— Вы много правите? Я имею в виду чернилами на распечатках?

— Я никогда не подаю черновые варианты. Они иногда довольно ужасны.

— Могу ли я посмотреть какие-нибудь из них? Может быть, они отвечают требованиям.

— Да. Я ничего не уничтожаю. — Удалившись на несколько минут, он принес небольшую подшивку материалов, над которыми работал в последнее время. Мне стало ясно, что он много правил от руки, а затем дважды редактировал каждый текст на компьютере. «Он делает это почти как профессионал, — отметил я про себя. — И через год уже сможет публиковаться, если ему есть что сказать». Я объявил ему:

— В зимнем семестре занятия у меня начинаются во вторник в десять утра в моей аудитории, добро пожаловать! Но вы должны понимать, что будете значительно младше всех по возрасту, и темы, над которыми работают другие, могут оказаться вам не по плечу, но, если вы хотите...

— Я способен трудиться, профессор Стрейберт. Если я по-настоящему заинтересован чем-либо, я работаю.

— И вы заинтересованы в том, чтобы стать писателем?

— Да.

Неожиданно мне захотелось узнать побольше об этом юноше и его необычных способностях.

— Как вы пришли к этому? Ваши родители много читали?

— Оба практически были безграмотными, и оба погибли, когда мне было шесть лет. Бабушка взяла меня к себе и читала мне каждый вечер. Отнюдь не детские книги, чем подтолкнула меня к тому, что я стал писать собственные рассказы.

— Какого рода рассказы?

— Разные. Подобные тем, что она читала, — если они мне нравились.

— У вас сохранились какие-нибудь из них?

— Я никогда ничего не выбрасываю.

Принимая на веру все, о чем говорил мне юноша, я спросил:

— Не могли бы вы захватить что-нибудь, когда будете дома в следующий раз?

— У меня целая коробка в общежитии.

— Написанных в разное время?

— Да.

— Вы можете дать мне три: ранний, средний и поздний?

— Вы окажете мне честь, уделив им свое внимание, сэр.

— Где вас научили этому «сэр»?

— В Хилл. Бабушка опасалась, что в бесплатной средней школе у меня могут быть неприятности. Оснований для этого не было. Я всего лишь экспериментировал с разными вещами, такими, как мотоциклы, компьютеры. Времени учебе уделял немного, поэтому она отправила меня в закрытую школу Хилл, где порядки были довольно строгие.

— Вы печатались в школьной газете?

— Мною написана большая часть того, что там напечатано. Я принесу вам пару номеров.

Через несколько минут он положил передо мной три больших рассказа и три номера газеты; я взял их, стараясь не проявлять удивления, и сказал:

— Я прочту их с большим вниманием, ибо если вы пишете и мыслите так, как это представляется мне, — я посмотрел в глаза Таллу, — то время пребывания в моем классе может стать переломным моментом во всей вашей жизни. — Я встал, пожал ему руку и сказал в дверях кабинета: — Приводите свои дела в порядок, Тим...

— Мне не нравится это имя. Тимоти, если это не затруднит вас.

— Приводите свои работы в порядок, Тимоти, потому что мы устроим вам настоящую проверку как писателю.

По иронии судьбы осенью 1986 года после объявления войны Лукасу Йодеру я оказался вовлеченным в драматическую конфронтацию, которая заставила меня проникнуться к нему сочувствием. Правда, это касалось наших личных с ним отношений и никак не затрагивало моего отношения к нему как к писателю, чей вялый и скучный стиль по-прежнему претил мне. Однажды утром, когда я, еще небритый, находился в своей комнате в общежитии, мне позвонил президент Росситер:

— Я просил бы вас зайти в зал правления. Не знаю почему, но они особо настаивают, чтобы вы присутствовали на этой встрече.

— Кто?

— Лукас Йодер и его жена. Да, они действительно ранние пташки, должен вам заметить!

Бреясь, я так нервничал, что чуть не порезался, ибо никак не мог представить себе, зачем я понадобился им после того выпада в газете «Мартин Лютер». Неужели они пришли жаловаться президенту и, если судить по строгому тону последнего, мне грозят неприятности? «Черт бы побрал этих Йодеров!» — сокрушался я еще и потому, что предпочитал не встречаться со своими противниками на людях, а скрещивать с ними шпаги на печатных страницах. А эта встреча может стать особенно неприятной из-за миниатюрной жены Йодера, которая, как я слышал, превращается в разъяренную тигрицу, когда дело касается защиты репутации ее мужа, которую я, безусловно, задел. Так что я шел на эту встречу без всякой радости.

Через пятнадцать минут, когда мы с президентом Росситером выглядывали из окна зала правления, нам открылась знакомая для этих мест картина. По кирпичному тротуару шагала маленькая и энергичная миссис Йодер, то и дело недовольно оглядываясь, чтобы убедиться, что ее благоверный еще не пропал. А вот появился и он сам — бесцветная личность с застывшей на лице улыбкой, то и дело задерживающий шаг, чтобы полюбоваться какой-нибудь пташкой или цветком. Как и Росситер, я не мог и представить себе цель их визита.

Когда они вошли, я ожидал по меньшей мере холодного отношения, а скорее всего, немедленных нападок, но они, к моему облегчению, приветствовали меня едва ли не по-дружески горячо:

— Доброе утро, профессор Стрейберт. Извините, что потревожили вас в столь ранний час. — Дышать мне стало легче.

Разговор повела миссис Йодер:

— Начиная с «Нечистой силы», романы Лукаса имели поразительный успех, и руководство «Кинетик», особенно миссис Мармелл, его личный редактор...

— Она и мой и с полсотни других авторов, — вставил Лукас.

— В «Кинетик» полагают, что Йодер сможет написать еще две или три книги, если будет продолжать свою грензлерскую серию. Первые четыре книги этой серии переживают возобновление интереса, что само по себе уже сенсация, — так считают они.

— Это, должно быть, самая приятная часть всей истории, — заметил президент Росситер, но Эмма, которая изучала экономику в Брайн Мауер, поправила его:

— Самое приятное — это распродажа почти миллионного тиража «Маслобойни» и уверенность миссис Мармелл в том, что следующая книга побьет этот рекорд.

— Будет еще и следующая?

Она постучала костяшками пальцев по дереву:

— Если Бог даст ему здоровья.

— Если Бог даст здоровья нам обоим, — добавил Йодер.

— Да, это необходимо, не так ли? — сказал Росситер. — Но вы, фермеры из немецкой Пенсильвании, живете вечно, слава Богу. — Больше добавить он ничего не мог.

Зато Эмма могла и сделала это довольно решительно:

— Мы считаем, а Лукас просто убежден, что он всем обязан этому колледжу, и я согласна с ним. Поэтому мы решили поделиться с вами своим состоянием. Мы хотим выделить вам десятую часть доходов от прошлых книг и гарантировать увеличение этой доли, если его следующая книга окажется удачной. — Прежде чем Росситер нашел, что ответить, она твердо добавила: — Вы должны, безусловно, понимать, что более скромная доля пойдет в Брайн Мауер. Я все же помогала заработать эти деньги.

— Я слышал, что вы провели свои годы в Саудертоне, — сказал ей с улыбкой Росситер, а Лукас заметил:

— Не забывайте, что я работаю дома, а это требование жены, которая заработала половину.

— Мне не нужна половина, — заметила она, — но женские колледжи нуждаются в деньгах, и я позабочусь, чтобы мой колледж получил хоть сколько-нибудь.

— Восхитительная идея! — воскликнул Росситер, которому очень хотелось узнать, какую сумму они имеют в виду, но спросить не позволяло воспитание.

К этому моменту я все еще не понимал, зачем меня пригласили на эту встречу, и, поскольку ни Росситер, ни я не знали размера пожертвования, каждый из нас неловко помалкивал. Затем Эмма все же сказала:

— Мы принесли вам чек, президент Росситер, и обещаем сделать то же самое в следующем году, когда увидим, как пойдут дела. — Она достала его, но продолжала держать в руке.

Когда она наконец вручила его и мы увидели цифру — один миллион, — Росситер просто задохнулся от нахлынувших чувств и воскликнул с искренним смятением:

— О Господи! Лукас, я знал о том, что вы неравнодушны к колледжу, но это не укладывается у меня в голове! — Он затрясся в нервном смехе. — Нет, никто не говорил мне, что книги приносят такие деньги.

— В большинстве своем не приносят, — вступила Эмма. — Но нам повезло, и мы знаем это.

Еще с полчаса Йодеры давали указания, как распоряжаться этой суммой и теми, которые могут последовать. Первую скрипку здесь опять же играла Эмма:

— Никаких сообщений в прессе. Знать должны только члены правления. Наши имена нигде не должны появляться. И самое главное, на зданиях. Есть много других, которые захотят, чтобы их имена красовались на фасадах. — Наконец она добралась до меня: — Наши деньги предназначаются книгам и всему, что связано с ними: студентам, которые будут писать их впоследствии, библиотекам, где они хранятся. Учитывая все эти пожелания, мы считаем, что решающее слово при распределении денег должно принадлежать профессору Стрейберту.

— Конечно, — согласился Росситер и серьезно добавил: — А нет ли между вами вражды? Мы не можем допустить ситуацию, которая способна привести к взрыву и нанести ущерб колледжу.

— О нет! — добродушно отозвался Йодер.

— Я имею в виду тот случай, когда вы публично разошлись во мнениях относительно Лонгфелло.

— Академические споры, — сказал Йодер. — Это то, что не дает крови застаиваться в венах хорошего колледжа.

— А довольно прямолинейная статья профессора Стрейберта в нашей университетской газете?

— Я не видел ее. — На лице немца не было и тени лукавства.

— Ее видела я, и она мне не понравилась, — объяснила миссис Йодер. — Но, поскольку Лукас старается никогда не читать того, что о нем пишут, я не стала показывать ее.

Я был сражен. Мне казалось, что я веду борьбу с серьезным противником по серьезному вопросу, касающемуся самой сути поэзии, а он даже не знает, что я сделал выстрел. Но больше всего меня убивало то, что, будучи моим интеллектуальным противником, он как ни в чем не бывало предлагал мне стать распорядителем своего миллиона долларов. И тогда мне стало ясно, что этот тихий маленький человек на самом деле живет сам по себе, отстранившись от всего, что его не трогает. Он был просто примитивной личностью и абсолютно глух к критике. Это повергло меня в благоговейный трепет.

Теперь слово взял Йодер:

— Мы подготовили меморандум, включающий все те условия, которые только что высказала моя жена. Каждое из них должно точно и строго соблюдаться, я подчеркиваю — строго. Вызовите нотариуса и давайте сейчас же заверим меморандум. — Когда пришла помощница нотариуса с печатью и штемпельной подушкой, Йодер накрыл документ чистым листом бумаги, чтобы нельзя было прочесть текст, и формальности были исполнены.

Происходившее вызвало во мне полное смятение. Я отвергал Йодера, потому что он олицетворял для меня в литературе то, что я презирал: популизм, романы, лишенные глубокого содержания, скучное повествование. И тем не менее он давал мне миллион долларов на развитие той области, в которой я работал. Мое смущение было столь велико, что я даже не поблагодарил его. Это сделал президент Росситер.

Когда мы с ним провожали супругов до их старенького «бьюика» — немногие из наших студентов хотели бы иметь такой, — Росситер обратился к Йодерам:

— Все колледжи получают подарки, слава Богу, но они редко бывают такими щедрыми и, наверное, никогда не бывают более великодушными.

— Подарки еще будут, — заметила Эмма, — если мне удастся удержать его за пишущей машинкой.

Когда они отъехали, президент сказал мне:

— Стрейберт, мы возлагаем на вас новые обязанности. Больше не плюйте в колодец, из которого пьете.

В 1987 году, в беспокойное время между Днем Благодарения и Рождеством, когда в голову не идет ничего серьезного, миссис Мармелл без каких-либо конкретных целей приехала в Мекленберг и поселилась в «Дрезденском фарфоре» на время своего отпуска. Тогда у меня впервые мелькнула догадка о том, что двигало этой экстраординарной женщиной. Жизнь в Нью-Йорке для нее превратилась в череду однообразных дней. Родители умерли, а друзей было немного — одни лишь коллеги по работе. Кроме того, жить в огромном городе одинокой женщине было небезопасно. Поэтому в сравнении с ним наш маленький городок должен был представляться ей тихой гаванью, особенно во время праздников, когда люди ищут компанию. К тому же здесь проживали два ее автора и вот-вот должны были появиться еще два, рекомендованных мною. Было очевидно, что она решила отдохнуть здесь душой.

Предлогом для ее приезда было сообщение Йодера о том, что он закончил черновой вариант своего седьмого романа из грензлерской серии — отчаянно скучной вещи под названием «Поля». Он предложил ей взглянуть на роман и определить, возможно ли его опубликовать в 1988 году. Сообщив мне, что будет в гостинице и сможет выкроить немного времени, чтобы встретиться со мной, она бросилась за город, прилетела на ферму Йодеров, подхватила рукопись и стала быстро просматривать ее, вернувшись в свой уголок с мейсенской утварью.

Когда я нашел ее там за чтением, она проговорила:

— Все тот же Йодер. — И быстро добавила: — И довольно неплохой.

Затем, словно для того чтобы показать, что я тоже занимаю важное место в ее планах, она сказала:

— Ваше письмо о многообещающем юноше из вашего класса заинтриговало меня. В Нью-Йорке многие редакторы мечтают получить сообщение от надежного преподавателя из хорошего университета: «Полагаю, что нашел по-настоящему хорошего писателя. Прошу взглянуть».

На этот раз автором подобного сообщения был я: «Этому парню всего девятнадцать, но из него может выйти новый Трумэн Капоте. Он обладает таким же живым и ярким умом. Позвоните мне, пожалуйста, когда окажетесь в наших краях». Мои слова были настоящей приманкой для любого редактора, мечтающего найти нового Гора Видала или близнеца Франсуазы Саган. Как-то Ивон высказалась: «Найти и вывести в люди по-настоящему талантливого и ранее неизвестного писателя было бы огромным облегчением после изнурительного просеивания пустой породы, вынутой натруженными руками шестидесятилетних писак, которым нечего сказать, — как прежде, так и сейчас».

— Его зовут Тимоти Талл, — начал я. — Его опекает бабушка — весьма влиятельная и состоятельная дама. Ее дочь, то есть мать юноши, против воли родителей выскочила замуж за ничтожество по фамилии Талл, они произвели на свет сына, а затем в пьяном виде погибли в автомобильной катастрофе. Мальчик — он и его бабушка будут здесь через минуту — был не по годам развитым ребенком, чуть не вылетел из одной школы и преуспел в другой — более престижной, а два года назад попал в мои руки. Я мало что сделал для его формирования. Он в этом совершенно не нуждается, потому что уже имеет вполне законченные рукописи, которые удивят вас. Они уже сейчас представляются мне готовыми к печати, но вы, прочитав их и оправившись от обморока, можете сказать: «Еще не вполне». — Я прервал свой поток восторженных слов и проговорил более сдержанно: — Но рано или поздно этот юноша...

— Вы сообщили мне его возраст, но я не помню, о чем еще вы говорили в своем письме.

— Ему почти двадцать.

— Возраст допустимый. Но я никогда не забываю случай с мальчиком по имени Путнам. Такое же головокружительное начало в подростковом возрасте. Есть еще один пример с дочерью писателя Фрисби. Но я отношусь к подобным случаям с осторожностью.

Только я раскрыл рот, чтобы дополнить портрет моего избранника, как Тимоти Талл и его бабушка появились в вестибюле и направились прямо к нам. Представив себя и бабушку, Тимоти продолжил без всякого замешательства и смущения:

— Это довольно глупо с моей стороны — привести с собой бабушку, не так ли? Но она заправляет всем, включая меня.

Я увидел, что он сразу же понравился миссис Мармелл.

Его рукопись оказалась для нее полной неожиданностью. Аккуратно отпечатанная на 256 листах дорогой мелованной бумаги, она не была пронумерована, а текст на страницах почему-то располагался четырьмя различными способами: по длине листа, по ширине листа, с выключкой справа и с выключкой слева. При этом было использовано шесть различных шрифтов с шестью разными интервалами между строками. Время от времени попадались страницы, набранные то курсивом, то жирным шрифтом. Это была какая-то необразимая мешанина, в которой каждая страница представляла собой нечто законченное, начинаясь с середины неопределенного предложения и заканчиваясь таким же образом. Но больше всего поражало то, что страницы никак не были связаны друг с другом и любая из них могла следовать за какой угодно. Все это удивляло и оправдывало название, которое юноша дал своей рукописи.

— Я назвал ее «Калейдоскоп», — объявил он так, словно речь шла об имени для новорожденного, которым он гордился. — Это такая игрушка, в которой осколки стекла на дальнем конце трубки кажутся беспорядочно разбросанными, но, когда поворачиваешь трубку и смотришь на них через увеличительное стекло окуляра, они образуют узоры, которые могут быть исключительно красивы.

— Это описание присутствует в вашем тексте? — спросила Ивон.

— Да, оно где-то там, — ответил он, сделав жест рукой, словно отмахиваясь от вопроса.

— Вы надеетесь стать писателем? — поинтересовалась Ивон.

— Он уже писатель, — вмешался я.

— Я спросила мистера Талла, — заметила Ивон и услышала в ответ:

— Я полон решимости стать им.

— И миссис Мармелл как раз тот человек, который может помочь вам в этом, — добавил я.

После обмена любезностями юноша и его бабушка удалились.

Я же замешкался с уходом и пожалел об этом, потому что услышал от нее отнюдь не лестный отзыв о своем романе, который недавно закончил:

— Карл, наши люди поработали над рукописью и, мягко выражаясь, прониклись сомнением. — Видя мою растерянность, она поспешила сказать: — Никому не понравилось название «Пустая цистерна». На заседании редакционного совета Джин вполне резонно заметила: «Какой-нибудь остроумный обозреватель не замедлит прочирикать, что не только цистерна пуста». Мы не должны давать повод для подобных насмешек. — Из осторожности она не стала говорить мне, что той самой Джин, слова которой прозвучали в нашем разговоре, была она сама.

— Что же мне делать? — спросил я. Голос мой дрожал, а к горлу подступил комок. Слишком больно было слышать от знающего редактора, что мой роман, на который я возлагал столько надежд, приговорен к смерти, причем на законных основаниях. Она, должно быть, видела мое отчаяние и, не желая еще больше огорчать меня, не стала отвечать на мой призыв о помощи. Вместо этого она покрутила в руках свой стакан с шерри и сказала:

— Какие великолепные напитки готовят в «Бристоль крим»!

— Что я должен делать? — спросил я еще настойчивее чем прежде, но вместо ответа услышал:

— Карл, нам еще долго работать вместе. Думаю, вам пора называть меня просто Ивон. Мне так больше нравится.

Не знаю, что толкнуло меня на это, но я пролепетал:

— Так это еще не все плохие новости?

Все тем же тоном она продолжила:

— Вы находитесь на опасном повороте своей карьеры критика, когда откровенная неудача с книгой может вызвать разговорчики: «Смотрите, сам-то он не опубликовал ни строчки. Осечка в самом начале». — Она не спускала с меня глаз, чтобы увидеть, как я восприму критику, которой обычно подвергал других.

— Неужели вы думаете, что все обернется именно так? — чуть ли не взмолился я.

— В формулировке не уверена. Но в том, что слухи разнесутся очень далеко, — не сомневаюсь. И рекомендую вам забрать свой роман. Давайте будем считать, что в «Кинетик» его не видели.

В отчаянии я пытался схватиться за любую соломинку:

— Профессор Девлан не сомневался в этом романе. — Но это была ложь — у Девлана были серьезные сомнения, после того когда я описывал ему свой роман. — И мне хотелось в честь него...

— Вы очень скучаете по нему, Карл, не так ли?

— Да. Роман посвящен ему, как вы заметили, наверное. — Я не стал говорить ей, что Девлан умирает и что роман должен был стать моим последним подарком ему.

— Заметила и считаю, что вы оказали ему не много чести, связав его имя с такой сырой работой.

Воспользовавшись именем Девлана для подкрепления своих доводов, она окончательно лишила меня присутствия духа. Чтобы успокоиться, я сосредоточился на фарфоровой фигурке молочницы Версальского двора. Почувствовав, наверное, какой катастрофой был для меня ее отзыв, она спросила сочувственно:

— А что предлагаете вы, Карл?

— Опубликовать его в таком виде как есть. — Но выпалив эти слова, я понял, что от меня тут ничего не зависит. — Если, конечно, «Кинетик» позволит мне сделать это.

— С вашим количеством печатных работ, Карл, вы имеете право требовать публикации романа, и мы согласны принять ваше требование.

— Вы зашли так далеко, что даже обсуждали у себя вопрос о том, чтобы отклонить его? — Я был в ужасе.

— Трое проголосовали против и двое за. Я была одной из двоих, но поскольку мой голос считается за три, то против было трое, а за — четверо. И так будет оставаться, пока вы не примете решение.

— Я уже решил. Это единственное, что я могу сделать для Девлана. Он отец этой книги.

Ивон имела репутацию одного из самых твердых и решительных редакторов Нью-Йорка, и своих авторов она отнюдь не боялась, невзирая на то, какими бы знаменитыми они ни были. Ее девизом было: «Если не я, то кто же скажет им правду?» Следуя этому принципу, она задала самый больной вопрос:

— Вы действительно считаете, что такой известный критик, как Девлан, захочет связывать свое имя с такой аморфной работой, как ваша?

Я, должно быть, покраснел, потому что она поступила самым неожиданным образом. Дотянувшись, она сжала мою руку, словно я был ребенком, которого надо было утешить:

— Давайте сменим тему разговора. Я хочу посмотреть, каких вершин достиг ваш феномен Талл. Если он хотя бы наполовину такой гениальный, как вы говорите...

— Давайте не будем менять тему разговора. Я окончательно решил в эти минуты, что буду публиковаться.

— Тогда я помогу вам, — быстро проговорила она. — И пожелаю... — тут она осеклась, потому что не хотела произносить слово «удачи», посчитав это дурной приметой, — ...чтобы вам повезло, — добавила она.

Но ей все же хотелось взглянуть на рукопись Талла. Поставив перед собой коробку, она сняла крышку и впилась в страницы без номеров и с текстом, отпечатанным вкривь и вкось. Когда, порывшись в ней, она взяла первые попавшиеся четыре страницы, я сказал:

— Здесь настоящая смесь, но не беспорядочная. Это действительно калейдоскоп, который создает в вашем воображении многозначительные образы.

— Это вы подсказали ему такой подход?

— Бог с вами, нет! Этот парень сам избирает свои подходы.

На следующий день рано утром у меня зазвонил телефон.

328

— Карл! Это Ивон. Ваш юноша действительно сконструировал захватывающий калейдоскоп. Мальчик умен. Поражает то, как имена собственные превращаются у него в нарицательные и как сменяются образы, один другого богаче. Великолепное исполнение, и, если его правильно преподнести и заручиться поддержкой, он может иметь крупный успех.

(страницы из «Калейдоскопа»)

приобретенное его прадедом в начале 80-х годов прошлого столетия и с тех пор стоявшее в семейной библиотеке в качестве достопримечательности. Десятки посетителей в нынешнем столетии часами сиживали в замечательном кресле, по достоинству оценивая его удобство и оригинальность конструкции, от которых чтение толстых романов становилось не столь утомительным. В этом поколении кресло находилось в распоряжении Альбертины, сделавшей из него, по словам Дортмунда, «собственный трон, с которого она осуществляла безраздельный диктат».

С улыбкой отмахнувшись от этих слов, она вручала каждому страничку размноженного на ксероксе описания кресла:

ПОРАЗИТЕЛЬНАЯ ПРАКТИЧНОСТЬ ЭТОГО ЗНАМЕНИТОГО КРЕСЛА ЕСТЬ СВИДЕТЕЛЬСТВО ТОГО, ЧТО ЛЮБОЙ ЧЕЛОВЕЧЕСКИЙ ТРУД, К КОТОРОМУ ПРИКЛАДЫВАЕТСЯ ПРИРОДНЫЙ УМ ЧЕЛОВЕКА, ИМЕЕТ ВЕРНЫЙ ШАНС СОЗДАТЬ НЕЧТО ОТЛИЧНОЕ И НЕПОДВЛАСТНОЕ ВРЕМЕНИ, А ЕСЛИ В НЕГО ВКЛАДЫВАЕТСЯ ЕЩЕ И ЧУВСТВО ПРЕКРАСНОГО, ТО ЭТОТ ШАНС УВЕЛИЧИВАЕТСЯ ВДВОЕ.

УИЛЬЯМ МОРРИС (1834 — 1896) — АНГЛИЙСКИЙ ПОЭТ, АРХИТЕКТОР, СТРОИТЕЛЬ, СТОЛЯР-КРАСНОДЕРЕВЩИК И РЕФОРМАТОР. ОТДАВАЛ

ВСЕГО СЕБЯ ЛЮБОЙ РАБОТЕ, ЗА КАКУЮ БЫ НИ БРАЛСЯ. КОГДА ЕМУ ЗАХОТЕЛОСЬ ИМЕТЬ КРЕСЛО, ОН ОПРЕДЕЛИЛ ХАРАКТЕРИСТИКИ, КОТОРЫЕ ДЕЛАЛИ БЫ ЕГО ПРЕВОСХОДНЫМ. ЭТИ ХАРАКТЕРИСТИКИ, ПОХОЖЕ, СВОДИЛИСЬ К СЛЕДУЮЩЕМУ: КРЕСЛО ДОЛЖНО БЫТЬ МЯГКИМ, ИМЕТЬ ПОДЛОКОТНИКИ И ОТКЛОНЯЮЩУЮСЯ СПИНКУ, КОТОРАЯ БЫ ФИКСИРОВАЛАСЬ В ПОЛОЖЕНИЯХ, УДОБНЫХ ДЛЯ РАБОТЫ И ОТДЫХА. КОНСТРУКЦИЯ ОКАЗАЛАСЬ ОДНОЙ ИЗ ЛУЧШИХ.

КРЕСЛО МОРРИСА БЫЛО ВСТРЕЧЕНО С ВОСТОРГОМ, И МОЙ ДЕД ПРИОБРЕЛ ЕГО ОДНИМ ИЗ ПЕРВЫХ. НО ОН БЫСТРО ПОНЯЛ, ЧТО К НЕМУ МОЖНО ДОБАВИТЬ ОДИН ЭЛЕМЕНТ, КОТОРЫЙ СДЕЛАЕТ ЕГО ИДЕАЛЬНЫМ. ОН ПРИДЕЛАЛ К ЛЕВОМУ ПОДЛОКОТНИКУ ЧТО-ТО ВРОДЕ СТОЛИКА, КОТОРЫЙ УСТАНАВЛИВАЛСЯ НАД КОЛЕНЯМИ И ИМЕЛ ЗАЖИМЫ, ЧТОБЫ УДЕРЖИВАТЬ КНИГУ В РАСКРЫТОМ ПОЛОЖЕНИИ. ТАК ЭТИ ЛЮДИ ПРОДЕМОНСТРИРОВАЛИ СВОЮ СПОСОБНОСТЬ ПРОЯВЛЯТЬ УМ И ИЗОБРЕТАТЕЛЬНОСТЬ В ЛЮБОМ ДЕЛЕ, ЗА КОТОРОЕ БРАЛИСЬ.

Иногда она проводила в своем кресле целые дни. То она сидела подавшись вперед и сочиняла стихи, то отдыхала полулежа и глядела на море. Стопка книг рядом с ней становилась все выше. Время от времени Лаура заходила в конце дня в кабинет и обнаруживала свою хозяйку спавшей в кресле так крепко, словно та находилась в удобной кровати.

— Когда я умру, — сказала Альбертина, — отдайте это кресло в музей в Дойлстауне. — Однако это предложение так разозлило Дортмунда, что он

ненастным вечером, когда на дворе зловеще завывал ветер, от которого гремела кровля дома. Но такие бури всегда доставляли ей удовольствие. Она не раз говорила ему об этом по пути к поляне, обнаруженной ими недалеко от берега: «Шторм напоминает мне бурно струящуюся кровь в моих венах».

Как раз во время одной из таких бурь они, укрывшись в хижине под дубом, занимались нежной любовью, которая таила теперь столько опасностей.

Буря усиливалась, она откинулась в кресле и, наблюдая, как дождь хлещет по окнам, поймала себя на том, что ей хочется вновь оказаться с ним в хижине во время той бури.

— Пусть грянет гром! — произнесла она, пытаясь перекрыть шум ветра.

— Игривое настроение? — донесся голос из холла, и, прежде чем она успела ответить, вошел Дортмунд. Он остановился прямо перед ней и грубо спросил: — Ты думала о такой буре, когда писала ему это письмо? — И помахал серым листком у нее перед носом.

— Кого ты нанял, чтобы выкрасть его? — тихо спросила она, привычным движением поднимая спинку, чтобы сесть прямо и смотреть ему в лицо. Но манипуляция с креслом еще не закончилась, когда он бросил письмо и прыгнул на нее, обрушившись с такой силой, что спинка откинулась далеко назад и кресло, прослужившее уже больше века, переломилось сразу в нескольких местах, издав оглушительный треск.

— Будь ты проклят! — крикнула она, пытаясь освободиться из-под огромной туши, припечатавшей ее к креслу, и видя, как поднимается его правый кулак, чтобы со страшной силой опуститься на ее лицо, как это было прошлой ночью.

— Нет, ради Бога! — беспомощно вскрикнула она и, судорожно дернувшись в последний момент всем телом, чудом избежала удара в лицо.

Это привело Дортмунда в такую ярость, что он уперся ей локтем в горло и приготовился ударить с удвоенной злостью. Но в тот момент она освободила правую руку и, судорожно пошарив ею, нашла нож для бумаг, который всегда держала рядом во время работы. Крепко зажав его, она высоко, как только могла, вскинула руку и со всей силой, какая только была в ее теле, вонзила нож в спину мужа.

Он стал хватать ртом воздух, содрогнулся и прорычал:

— Ты что сделала?

Не успев ни ответить, ни обрадоваться своему избавлению, она лишилась сознания, в то время как его бесчувственное тело продолжало лежать на ней, заливая кровью ее одежду, ее саму и подушки кресла Морриса, в котором относимый безжалостным отливом все дальше от берега.

В очередной раз хватая воздух после отхлынувшей волны, он заметил слева на берегу зеленый коттедж Альбертины.

В голове застучала мысль: «Увижу ли я её когда-нибудь вновь?» И в сердце начал заползать страх.

Пытаясь подавить это губительное чувство, он зарылся лицом в волны и так отчаянно заработал натруженными руками, что коттедж стал увеличиваться в размерах, по мере того как он продвигался к спасительной отмели, на которой его ноги нашли бы опору. Но, как только сердце

стало наполняться надеждой, измученное тело дало знать: «Я не смогу это одолеть!» Сразу налетело отчаяние, сковавшее мышцы и разорвавшее нервы. «Помогите!» — пытался крикнуть он, но налетевшая волна захлестнула горло и накрыла его

сюда слетались лесные птицы, и их голоса вливались
в общий хор. Вскоре весь луг звенел от птичьего пения.

Восходящее солнце обрушивало на луг каскад красно-золотых
лучей, засивших своим светом пронзительную зелень трав.
Для него не было ничего прекраснее этого тайного убежища,
которое они с Альбертиной открыли и которым очень
дорожили. «Это все мое! — прокричал он небесам, —
птицы, неугомонные лягушки, склоненные деревья,
звезды, исчезающие в свете дня, и даже это

солнце, отодвинувшее своим шествием по небу
все горести и печали! Посмотри, как оно прокладывает
свой путь, диктуя теням, где им падать. Упиваясь
радостью обладания лугом и глядя, как деревья завлекают
птиц вернуться на свои пышные груди, когда над лугом
опускалась залитая солнцем благодать, он думал:
«Я должен подняться подобно солнцу, рассеять ночь,
поселить мир на этом лугу и построить здесь убежище
для Альбертины, чтобы выманить ее из того одинокого
дома на краю штормового моря. В жизни царствует
солнце, а не взбаламающие океан бури и грозы»

— Вы думаете, в «Кинетик» захотят опубликовать ее?

— Я для того и существую, чтобы они захотели. Не все же время печь один грензлерский роман за другим. — Она быстро спохватилась и добавила: — Мне не следовало так говорить. Забудем об этом.

— Я запомнил только то, что вы опубликуете мой роман.

— Да. «Кинетик» опубликует «Цистерну» и «Калейдоскоп», хотят ли они этого или нет.

В 1988 году «Кинетик» переживало лихорадочный издательский сезон, за которым я следил с большим вниманием. Как и ожидалось, седьмой грензлерский роман Лукаса Йодера под названием «Поля», изданный в янтарного цвета обложке с изображением обширных ланкастерских ферм, пользовался огромным успехом. За его первым тиражом в 750 тысяч экземпляров вскоре последовал второй, в четверть миллиона. Он получил премии в четырех странах и был немедленно переведен на одиннадцать языков, оставаясь при этом одуряюще скучным.

Сенсацией сезона, конечно же, стал вышедший в свет «Калейдоскоп» Тимоти Талла, представлявший собой случайный набор отдельных страничек. Они были связаны между собой общим фоном, узнаваемыми персонажами и идейной направленностью, но сюжетная линия отсутствовала. Помещенный в красивую коробку с ярким изображением калейдоскопа на крышке, он быстро расходился в книжных магазинах и определял главную тему разговоров, как только попадал к читателю.

Люди ругали и поносили его, насмехались и возвращали «Калейдоскоп» в магазины, но не переставали обсуждать новый роман. Молодежь угадала, что хотел сказать их современник, и приветствовала его дерзкие усилия. На телевидении Джордж Уилл приводил «Калейдоскоп» как доказательство того, что американское общество скатывается к полному вырождению, а Билл Бакли утверждал, что аятолла указал на него как на писателя, противного Аллаху. У карикатуристов был праздник, особенно у провинциальных. На одной из таких карикатур Лев Толстой в мужицком одеянии и меховой шапке подводил пару читателей к огромной куче листов рукописи с пометкой «Война и мир» и говорил: «Берите охапку».

Опытная Ивон знала, как поддержать кипение страстей. Она дирижировала за кулисами усилиями рекламного отдела издательства, организуя высказывания в поддержку книги. Она же набросала заявление, которым, по ее расчетам, должен был воспользоваться Лукас Йодер, давая собственную оценку книги: «Америке нужны смелые молодые голоса, и я рад, что один из моих земляков, Тимоти Талл, выступил со своим видением современного мира».

Йодер превзошел самого себя, сделав звонкое заявление, которое заканчивалось словами:

— Если бы сегодня ко мне вернулась молодость, я бы уж точно не стал писать так, как я пишу сейчас. Я бы не стал, наверное, подражать моему одаренному земляку мистеру Таллу, но наверняка написал бы что-нибудь более современное, чем мои «Поля».

Получив письмо Йодера, Ивон позвонила мне:

— Дрезденский триумвират — вы, я, Йодер — работает в полную силу, двигая вперед книгу Талла. — И, зачитав мне заявление Йодера, добавила: — Оно показывает, почему я люблю этого милого старикашку. Вчерашний день, но человек с характером.

Благодаря высказыванию Йодера о Талле услышали не только у нас в стране, но и в Европе. А когда сезон закончился распродажей двадцати семи тысяч его коробок, «дрезденский триумвират» предпринял новую кампанию, определяя его в письмах как блестящего, высоко профессионального и серьезного новатора, который точно знает, чего хочет. Результатом всех этих дифирамбов было то, что ему предложили занять место ассистента на нашей расширяющейся кафедре литературного творчества, что вполне устраивало меня, так как я мог в этом случае более пристально наблюдать за его прогрессом.

Среди книг, вышедших в «Кинетик» в 1988 году, мой роман «Пустая цистерна» стал откровенным провалом. Даже мощные усилия Ивон не смогли вдохнуть в него жизнь. Однако Ивон оказалась достаточно изощренной, чтобы его отметил ряд маленьких журнальчиков, чьи издатели, воспринявшие девлановскую теорию диалога между избранными, увидели, к чему я стремился, и дали роману высокую оценку. Крупные же издания, которые владели вкусами широких читательских кругов, приговорили мой роман к смерти. При этом газета «Нью-Йорк таймс» и журнал «Тайм» приводили слова одного из персонажей книги: «Она действительно пустая», — и это было мнение о моей книге, то есть они давали понять, что там нет ни убийств, ни дерзких ограблений, ни пылких любовных страстей, и вообще ничего, кроме нескончаемых разговоров о природе и назначении искусства.

Но Ивон, державшая нос по ветру, все же смогла написать мне: «Глупо скрывать, что среди широкой публики «Цистерна» не вызывает интереса. Как и следовало ожидать, магазины возвращают ее пачками. Но могу заверить, что в тех кругах, которые вы стремились покорить и которые так четко определил Девлан, все в порядке. Того, чего вы хотели достичь, вы достигли, и вполне успешно. Мне хочется, чтобы вы ценили это достижение, каким бы незначительным оно вам ни казалось в данный момент. Начинайте работать немедленно над тем, что у вас получается лучше других, а именно: над Тимоти Таллом, из которого надо сделать победителя. Напишите короткий критический труд под названием «Наши смелые новые голоса», и я гарантирую вам его быстрое издание. Еще ничего не потеряно, ни в коем случае. У вас мощный голос, Карл, который сто́ит того, чтобы его услышали».

Мудрый совет Ивон помог мне избежать ошибки, которая могла бы прикончить меня как критика, ибо, когда провалилась «Цистерна», я в отчаянии дал себе клятву: «Раз они отвергли мой роман, я буду делать все, чтобы не проходили те, которые по их меркам являются верхом мастерства. Берегитесь, ничтожества!» — и бросился точить нож для охоты за скальпами. Ее письмо вернуло меня к реальности. Критик не должен руководствоваться в своей работе личными обидами.

Прогуливаясь вдоль Ванси, я выстраивал теорию, которая, как я надеялся, будет служить мне до конца моих дней: я написал, как мне казалось, отличный роман и пришел в отчаяние от его неудачи. И бесполезно винить публику в том, что она испорчена дешевой беллетристикой из числа бестселлеров. Виноват я сам, ведь Девлан говорил мне: «Уделом художественной литературы являются реальные люди, действующие в реальном окружении. Любая проза, построенная на абстрактных идеях, обречена на неудачу — пиши о людях, а не о носителях идей». Это я твердил студентам, а сам не усвоил.

Теперь я понимал, что роман должен рождаться в муках, с персонажами, чьи страсти и боль автор воспринимает так же остро, как свои собственные. Я наполнил свой роман светлыми идеями, но их носителями оказались плохо вырисованные персонажи, действующие в какой-то нежизненной среде. И как ни горько было признать, но Йодер прав: «Эта вещь не пела».

Израненный осколками разбитых иллюзий, которые питал по отношению к себе, я должен был честно признаться, кем я был и кем не был. Прозаиком я не был. У меня не было интуиции и поэтичности, необходимых для плодотворного творчества. А что у меня было? Зримое понимание того, каким должно быть хорошее произведение. Безошибочное чутье на подделку. И я вправе учить других делать то, чего не мог сделать сам. Ивон права, я был тем, кто должен написать «Наши смелые новые голоса», ибо слышал, как они поют.

Ходили упорные слухи, что песенка «Кинетик» спета. Компания «Рокланд ойл», как никогда настроенная избавляться от издательства, от которого у нее была лишь одна головная боль и никакой выгоды, срочно вступила в переговоры с пятью фирмами, серьезно заинтересованными в приобретении «Кинетик», и постепенно становилось ясно, что в конечном итоге оно скорее всего попадает в руки немецкого конгломерата «Кастл». Это слово не было немецким, но, поскольку эмблемой конгломерата являлся симпатичный средневековый замок и поскольку его владельцы видели свое будущее в Англии и Америке, они сохранили этот символ и перекроили на свой лад название. «Здесь, конечно, неправильное употребление слова, — говорили издатели, — но все же получилось не так противно, как у их лондонских конкурентов, чья компания носит название «Паук».

Можно было предположить, что, добившись успеха, Ивон купается в лучах славы. Как бы не так! Однажды вечером она позвонила мне и возбужденно спросила, может ли приехать в Дрезден в конце недели и провести важное совещание с Йодером и со мной. Меня раздражала необходимость постоянных контактов с Йодером, к которому я по-прежнему относился враждебно, но был вынужден сказать:

— Приезжайте!

Когда мы встретились, она перешла прямо к сути своей проблемы:

— Позавчера наш президент Джон Макбейн беседовал со мной за закрытыми дверями.

Мы с Йодером нетерпеливо подались вперед, и она в присущей нью-йоркцам экзальтированной манере стала рассказывать о потрясающих вещах, которые время от времени происходят в американском бизнесе:

— Не успела я сесть, как он говорит: «Миссис Мармелл, вы, конечно же, слышали, о чем шепчутся по всему зданию. Мне нет необходимости говорить, что большинство этих слухов не более чем просто слухи». «Я бы покривила душой, если бы сказала, что не обращала на них внимания, но я им не верю», — ответила я. Он нахмурился, печально покачал головой и промолвил почти шепотом: «Что же, то, что я вам сейчас скажу — не слухи. Нас скоро проглотит... «Кастл». «И вы согласились?» Он уставился на меня, как на дебильного ребенка: «Согласились! Не думал, что вы такая наивная, миссис Мармелл!» — Здесь она остановилась в нерешительности, вспоминая, очевидно, неприятную сцену, которую ей хотелось бы забыть: «Разве вы не понимаете, что, когда вами владеет американский конгломерат, ваше мнение никого не интересует? Они приказывают, вы подчиняетесь. А когда приходит время избавиться от вас, они делают это без лишних слов. — Он щелкнул пальцами. — Им плевать на то, что думаете вы, потому что они хозяева, а ваша участь — плясать под их дудку!» Мертвенная бледность его лица неожиданно подсказала мне, что он испытывает сильную боль — не просто терзающую плоть, а разъедающую душу. Он прекрасный человек, он получил «Кинетик» под свое начало, когда то плелось в хвосте, и, проявив свои незаурядные деловые и человеческие качества, вновь вывел его в ряд лучших. Возможно, среди множества предприятий, входящих в конгломерат, «Кинетик» не представляет собой ничего особенного, но в издательском бизнесе оно играет огромную роль и пользуется высокой репутацией.

Чувствуя себя обязанной выступить на стороне человека, который долгое время оказывал ей всяческую поддержку, она задала ему несколько коротких вопросов: «Вы хотите сказать, что «Рокланд» продаст нас без нашего согласия?» — «Да». — «Ублюдки! И именно немецкой компании?» — «Да. Они единственные, у кого достаточно денег в банке». — «Они оставляют вас?» — «В начале все так обещают, а потом увольняют». — «Позволят ли они вам оставить меня на прежнем месте, когда узнают, что я еврейка?» — «Если они собираются уволить всех наших евреев, то им не стоит покупать издательство, потому что от него мало что останется». — «Но я занимаю довольно высокое положение благодаря вашей поддержке». — «Они особо подчеркивали, что хотели бы сохранить тех, кто «держит нос по ветру», как они выражаются. А вы продемонстрировали это особенно наглядно». — «По правде говоря, господин Макбейн, я не хочу работать здесь без вас. И я уверена, что большинство сотрудников тоже...» — «Миссис Мармелл, все это должно остаться между нами. «Кастл» запретил мне даже вести разговоры с вами». — «Кастл» запретил! Да кто они такие, чтобы отдавать вам приказы?» — «Отныне они распоряжаются здесь всем».

Ивон сказала, что на глазах у нее выступили слезы, удивившие Макбейна и ее саму, потому что она не отличалась излишней сентиментальностью. «Позор», — пробормотала она, и Макбейн согласился с ней. «Это позор, — заключил он с такой горечью, какой не было в нем даже в самые трудные времена. Крупное американское издательство, выпустившее немало книг общенационального значения, выбрасывают на рынок, как мешок картошки. Это страшный позор, но я не в силах предотвратить продажу. «Рокланд» настаивает на ней, и я уже был представлен тому, кто станет моим новым боссом».

Поскольку мы с Йодером тоже были кровно заинтересованы в том, кто станет новым владельцем, я спросил:

— Но им же не может быть немец?

— Макбейн сказал, — медленно проговорила она, — что новый глава — Людвиг Люденберг. Он из Гамбурга, но образование получил в Оксфорде. Так что английским владеет не хуже любого из нас. Люденберг заверил

Макбейна, что оставит на месте не только его самого, но и ведущих специалистов, потому что понимает, что они необходимы. — Здесь Ивон остановилась и попросила меня заказать чай, который она разливала, как настоящая английская леди. Собравшись таким образом с мыслями, она перешла к самой неприятной части нашей беседы: — Макбейн сказал также, что новый босс просил его осторожно выяснить, будут ли такие ведущие писатели, как вы двое и Тимоти Талл, пытаться разорвать свои контракты в случае перехода издательства в руки немецкой фирмы.

— Что вы ответили на это? — спросил Йодер.

— Я металась по кабинету и кричала, что не собираюсь шпионить за своими писателями в угоду каким-то заморским торговцам, что писатель — это святое и что мои остаются со мной только потому, что видят, что я действительно так считаю. «Джон, — сказала я, впервые назвав его по имени, — не задавайте мне больше вопросов. Я сгорю со стыда, если дам на них ответ».

— И как прореагировал на это Макбейн? — спросил я Ивон.

— Он дал мне выпустить пар и сказал: «Запомните, что сделка еще не состоялась. Но я уверен, она состоится, и хочу, чтобы переход был мирным. Все боятся повторения неприятных событий, имевших место несколько лет назад, когда одно из крупных издательств обнаружило, что большинство его лучших писателей уйдет, если состоится неугодная им продажа. В итоге сделка сорвалась. Так что немцам важно знать, кто останется, а кто уйдут. Если вы не скажете, мне придется гадать, и если я угадаю неправильно, то вся вина ляжет на меня».

Ивон замолчала, достала носовой платок и призналась:

— Это был самый неприятный момент. Когда я из принципа не стала делиться своими соображениями, он достал список моих писателей и стал поочередно тыкать в имена, спрашивая, остается тот или иной из них или нет. В ужасе, оттого что мне приходится играть роль предателя, я продолжала молчать, но всякий раз кивала, когда он указывал на того, кто собирается остаться, и отрицательно качала головой, когда его палец приходился на того, кто, скорее всего, уйдет.

— И когда он добрался до нас?.. — спросил Йодер. Она честно призналась:

— Я сказала, что Тимоти Талл как молодой идеалист, очевидно, уйдет, а вы, Лукас, будучи немцем по происхождению и человеком в летах, скорее всего, останетесь. Только про вас, Стрейберт, я не знала, что сказать, но и не была уверена, что смогла бы дать вам совет, если бы вы попросили об этом.

— А почему нет? — спросил я.

— Потому что вы на переломном этапе вашей карьеры. Следующий шаг будет для вас решающим. — Она замолчала, улыбнулась мне и сказала: — И мой тоже. И я тоже не знаю, как поступить.

К моему удивлению, Йодер заявил:

— Миссис Мармелл, как только вы уйдете из «Кинетик», я немедленно последую за вами. Если я лишусь вас, то окажусь чем-то вроде ягненка, брошенного во время бури. — Прежде чем она успела ответить ему, я добавил:

— Я выйду с ним в те же двери.

Наградив каждого поцелуем, она заметила:

— Я привыкла избегать поспешных решений. У вас есть около недели, чтобы сделать выбор. Но, если случится худшее, запомните, что «Кастл» пишется на немецкий манер с начальной буквы «К».

Осенью 1989 года заботы, связанные с двумя моими пишущими студентами, вытеснили из моей головы мысли о судьбе «Кинетик», находившегося в далеком Нью-Йорке. В Мекленберге, как во всяком серьезном колледже, в конце каждого семестра среди студентов распространялись опросники, где они оценивали своих преподавателей. По итогам первого года своего преподавания Тимоти Талл собрал столь благоприятные отзывы, что меня вызвал к себе декан факультета и сказал:

— Стрейберт, похоже, что вы нашли настоящее сокровище в лице этого парня. — И показал мне результаты опроса, которые оказались даже выше, чем у меня. В конце концов он был утвержден моим ассистентом, но при этом декан обратил мое внимание на один факт, который я проигнорировал по той причине, что не хотел, чтобы Тимоти покидал наш колледж:

— Вы должны предупредить Талла о том, что, если он собирается остаться на кафедре, ему следует получить степень доктора и сделать это надо, пока он молод и пока его полностью не захватила карьера писателя. Мне нет нужды напоминать вам, что, если бы вы в свое время не покинули колледж, чтобы получить степень доктора, ваша жизнь сложилась бы совершенно по-другому. Так что повлияйте на Талла в этом плане.

Но, когда я поспешил рассказать Тимоти о том, как я горжусь, что его высоко ценят студенты, его сосед по общежитию сказал мне:

— Он в отъезде. Проводит семинар в Принстоне.

Я проглотил горькую пилюлю: я был рад за Талла, но в прошлом году на эту работу приглашали меня. В этом году подобные приглашения от солидных школ мне уже не приходили.

Другой личностью, занимавшей меня, была недавно прибывшая в мой литературный класс возмутительница спокойствия по имени Дженни Соркин.

Как-то в середине сентября, когда я сидел в своем кабинете, в него влетела нахальная девица лет двадцати в майке с ярко-красной надписью: «НЕ СТОЙ ПРОСТО ТАК! ЧТО-НИБУДЬ ДЕЛАЙ!» С крашеным ярко-рыжим хвостом на голове, она была одета в драные джинсы, а на ногах носила огромные ботинки военного образца. Прежде чем я успел раскрыть рот, она представилась и сообщила, что закончила Брандейс, училась в аспирантуре в Беркли, подрабатывала официанткой в забегаловке в Оклахоме, а прошлый год провела в писательском цехе университета Айовы.

Пораженный ее внешним видом и напором, я спросил:

— Да откуда вы только прознали об этом колледже?

— В некоторых кругах вы пользуетесь высокой репутацией. — Ее слова польстили мне. — Ваша «Цистерна» оказалась близка и понятна кое-кому из нас в Калифорнии и Айове. Я решила, что вы — современный гуру, и принесла вам завершенный роман, который требует небольшой шлифовки. — С этими словами она взгромоздила на мой стол коробку с рукописью, листы которой были гораздо опрятнее, чем их автор.

Не имея представления ни о серьезности намерений девицы, ни о ее способностях, я сказал:

— Я прочту ее сегодня вечером. Приходите завтра примерно в это же время, и мы поговорим.

Вечер был потрачен не зря. Ее роман под названием «Большая шестерка» состоял из глав, рассказывавших о похождениях похожей на автора деревенской девушки из Оклахомы, которой приходится отбиваться от домогательств футбольных звезд в каждом из университетов «Большой шестерки Запада», превратившейся к настоящему времени в «Большую восьмерку», включающую в себя Оклахому, Небраску, Канзас, Колорадо, Миссури, штаты: Оклахома, Канзас и Айова.

Я прочел три эпизода: о закоренелом головорезе из университета штата Оклахома, о парне с привычками бойскаута из Небраски и о чудаке из Миссури, который никак не может решить, быть ему футболистом или поэтом. И в каждом из эпизодов действовала вышеназванная героиня — одна из самых обаятельных, но неотесанных плутовок в современной литературе, которую непрерывно дубасят ее любовники, но которая оказывается умнее любого из них. Писать Дженни Соркин могла, и в постель я отправлялся, сожалея, что у меня нет времени, чтобы узнать, как она преподнесла своих героев из Оклахомы, Канзаса и Колорадо.

Когда на следующий день она ворвалась в мой кабинет, надпись на ее майке вопрошала: «ГДЕ ТОТ, КТО НОЧЬ НАПОЛНИТ СОДЕРЖАНИЕМ?» У меня возникло ощущение, что в нашем добропорядочном колледже на востоке Америки она пытается сыграть роль, которую придумала для своей героини, послав ее куролесить по университетам Запада.

— Судя по вашей ходячей афише, — смущенно произнес я, — вы ищете, кто бы вас изнасиловал.

— Я вижу, вам нравится, — рассмеялась она.

Справившись с неловкостью и вновь ощутив себя профессором, я подтолкнул к ней рукопись:

— Мисс Соркин, из вас может выйти писатель.

Улыбка на ее плутоватом лице растянулась от уха до уха.

— Я ужасно боялась, что он может показаться вам слишком притянутым к месту, слишком оклахомским.

— С Оклахомой все в порядке. Герои Стейнбека довольно хорошо чувствуют себя в Оклахоме.

— Да. Но он быстренько переселяет их в настоящий мир, каким является Калифорния.

— Вы тоже неплохо развернулись на равнинах Запада.

— Значит, вы берете меня к себе?

— Я запру дверь на замок, если вы попытаетесь сбежать в другое место. — Я придвинул к себе рукопись: — Сегодня вечером закончу читать, а завтра составлю для вас программу.

— Это значит, что я могу зарегистрироваться как студентка?

— Вы пришли ко мне, не будучи формально принятой в колледж?

— Я не могу позволить себе тратить деньги впустую. Если бы вы сказали «нет», я бы уже вечерним автобусом ехала назад в Айову.

Следующие две недели мисс Соркин я не видел, а лишь слышал забавные истории, которые стали распространяться о ее вызывающем поведении в колледже. Ей нравилось дразнить наших степенных студентов возмутительными рассказами с еврейским акцентом и шокировать чопорных лютеран пародиями на религиозные темы: «Что Дева Мария говорила Иисусу? Сын мой, равви, будь хорошим мальчиком», или: «Что Дева Мария говорила Иисусу? Будешь есть куриный супчик, вырастешь большой».

Я редко видел ее в эти первые недели семестра, но все же она представила три своих рассказа, которые требовались от всех новых студентов и которые подтвердили мое первое впечатление об этой неугомонной и дерзкой девице. Писать она умела. Через несколько дней, когда мне пришлось звонить миссис Мармелл по поводу собственной работы, я сказал:

— Спасибо, Ивон, что удержали меня от попытки написать еще один роман. Книга, которую вы предложили — критические очерки о работах наших молодых самородков, — продвигается и может получиться довольно удачной.

— Я очень рада за вас, Карл.

— И, кроме того, я, возможно, нашел для вас еще одного по-настоящему отличного писателя. На этот раз молодую женщину. Ее зовут Дженни Соркин. Закончила Брандейс с высокими результатами, вполне успешно учится в Айове, а недавно перешла в Мекленберг, узнав о нашей программе и заинтересовавшись ею.

— Она правда интересна?

— Очень.

— Как вы смогли это определить? Ведь вы говорите, что она только недавно попала к вам.

— Правильно. Но она пришла к нам, имея на руках законченную рукопись. И рукопись эта — просто сногсшибательная.

— О чем она?

— Она назвала ее «Большая шестерка», имея в виду ассоциацию футбольных команд Дикого Запада.

— Сколько ей лет?

— Двадцать три.

— Как может дитя написать такую книгу, как вы говорите?

— Действительно, как? Когда видишь ее, в голову приходит, что это сделал за нее кто-то другой. Высоченная, худющая, с конским хвостом на голове и развязными манерами, словом, смотреть жутко, однако она написала такой рассказ, что я уже убедил один из маленьких журналов напечатать его. Девица может оказаться новым Тимоти Таллом в юбке.

— Я бы предпочла сначала на нее посмотреть.

И мы договорились, что, когда она приедет на предварительные консультации с Йодером по поводу последнего романа из его «Грензлерского октета» — мрачной истории о том, как пенсильванские немцы насиловали свои земли, — то попросит Эмму пригласить Дженни на чай к Йодерам.

Когда я напомнил ей о ее же принципе: «Никогда не беседовать с двумя писателями одновременно», она рассмеялась:

— У вас хорошая память, Карл. Но это совершенно другое дело. И вы, как ее учитель, должны присутствовать на встрече.

— Мне очень жаль, но у меня в этот день встреча в университете города Темпл.

Положив трубку, я подумал: «Дженни Соркин в своих теннисках и маленькая Эмма Йодер с манерами школьной учительницы — это будет гремучая смесь». И пожалел, что придется пропустить такое зрелище.

Приехав в пятницу вечером в Дрезден и остановившись в гостинице, Ивон почувствовала, что должна позвонить и Эмме Йодер, и Дженни Соркин, чтобы отменить намеченный чай. И тогда Дженни сможет приехать на беседу к ней либо в гостиницу, либо организует встречу где-нибудь в студенческом городке. Но ни то, ни другое не устраивало ее, тем более что она не знала, как найти Дженни. Я находился в это время в Филадельфии, где проводил семинар по современной литературе, отражая нападки обиженных поклонников Гора Видала, Германа Вука, Леона Уриса и Джона Чивера.

Когда я вернулся в Мекленберг, факультетские жены, держась за животы, бросились наперебой рассказывать мне подробности того, что произошло за чаем с появлением там Дженни Соркин, и я поблагодарил про себя Бога за то, что меня в это время там не было. Приехав на ферму Йодеров в середине дня, Ивон узнала, что Эмма разыскала мисс Соркин и передала ей приглашение.

Другие приглашенные, среди которых были в основном жены преподавателей факультета, тоже собрались рано, и разговор сосредоточился на этой молоденькой еврейке — возмутительнице спокойствия в их городке.

— Эта штучка с запада питает огромное отвращение к нашей восточной утонченности, — заявила одна из присутствующих, но ее поправили:

— Она из Бруклина, училась в Брандейсе, затем набиралась ума в Айове.

— Но как она оказалась в этом Богом забытом уголке? — спросила Эмма.

— Я поинтересовалась, — пояснила одна из женушек, — и она ответила, что провела семестр в Беркли, проверяя свои штучки на радикалах, а теперь приехала сюда, чтобы разобраться с консерваторами.

Ивон, чувствуя себя обязанной защищать всех писателей, спросила:

— Кто-нибудь встречался с ней?

— Я встречалась, — вступила Эмма. — Она напомнила мне некоторых девиц, которых я знала в Брайн Мауер. Тех, которые редко пользуются ванной. — Услышав это, Ивон передернула плечами.

Около четырех часов дня факультетские жены увидели, что к дому направляется долговязая девица, только что вышедшая из автомобиля, который сразу же двинулся в обратный путь. В глаза Ивон бросились грязные волосы, неровно подрубленная юбка и ярко красная майка с черной надписью. Больше она ничего не разглядела, потому что к двери подошел Лукас, перебросился с девицей парой фраз и сурово сказал:

— Нет, вы не можете войти в таком одеянии. — И захлопнул дверь у нее перед носом. На счастье, шофер, который ее привез, остановился, для того чтобы убедиться, что это действительно дом Йодеров, так что ей было на чем добраться до колледжа. Но, когда она уже собиралась сесть в машину, Лукас, которому стало стыдно, оттого что он так грубо обошелся с ней, приоткрыл дверь дома и крикнул:

— Приходите, когда будете прилично одеты.

Женщины поинтересовались, что же было не так у нее с одеждой. Он покраснел как рак и сказал:

— На груди у нее была яркая надпись, призывавшая совокупляться... или что-то в этом роде.

— Лукас! — с осуждением в голосе произнесла Ивон, — мы же взрослые люди и не должны так болезненно на это реагировать.

— Я приношу извинения за то, что сорвал вам работу, миссис Мармелл, — пробормотал он. — Думаю, что мы больше не увидим мисс Соркин, и слава Богу. Скорее всего, она не тот человек, с которым можно иметь дело.

Он ошибся. Когда прошло ровно столько времени, сколько было необходимо, чтобы слетать на скорости семьдесят миль в час до колледжа и обратно, мисс

Соркин стояла перед входной дверью и, вежливо посту-кивая в нее, говорила шоферу:

— Вам лучше подождать, вдруг они опять выставят меня.

Ее впустили, но только потому, что у двери, опере-див Лукаса, первой оказалась Эмма. Открыв дверь, она прыснула со смеху, ибо на сей раз на груди у девушки крупным шрифтом было написано: «ВНИ-МАНИЮ НАСИЛЬНИКА: ЗДЕСЬ ВЕРХ».

— Увидев это послание, я хохотала как ненормаль-ная, — рассказывала мне Ивон, — а вот Лукас был вне себя и отказался пожать ей руку.

Он еще больше смутился, когда Эмма рассказала об одном случае, который произошел с ними в те времена, когда Лукас еще только ухаживал за ней:

— Однажды он приехал в Брайн Мауер на свида-ние со мной и оказался среди скопища девиц из Пенна, Вассара и Маунт-Холли. Они собрались, на-сколько я помню, чтобы отстаивать права женщин, и когда мы с Лукасом шли через парк, то случайно натолкнулись на группу студентов, распевавших:

Май так близко, близко, близко,
Расти, расти моя редиска...

Когда присутствующие угомонились, она объясни-ла Дженни Соркин:

— Они, конечно, употребляли тут непристойное слово, вроде того что Лукас подсмотрел на вашей первой майке.

— Так что же произошло? — спросила Ивон.

— Лукас, как вы, наверное, догадались, пришел в ужас, — сказала Эмма. — Он покраснел и сбежал, бросив меня одну в парке. — И, как бы рассуждая про себя, она добавила: — Мне всегда казалось, Лукас, что твои романы могли бы быть чуточку современнее, не будь ты таким стеснительным в отношении секса.

Но он оставался все таким же стеснительным и опять сбежал, оставив хихикающих женщин одних в комнате.

Когда подошло время чая, Эмма сказала:

— Пойду попробую завлечь Лукаса назад.

Появившись с довольно растерянным видом, он взглянул на грудь Дженни Соркин и расхохотался:

— Такого я еще никогда не видел. Для чего это, позвольте полюбопытствовать?

— Дети называют это — «для преодоления барьеров». Для девчонки самое главное — обратить на себя внимание. И для этого все средства хороши.

— Но вы уже не девочка, — заметил Лукас.

— В своих привычках и мыслях всегда остаешься девчонкой, пока не заарканишь мужичка, — ответила Дженни.

— Разве это так важно? — спросил Лукас, заинтересовавшись вдруг этой странной девицей, вообразившей себя писательницей.

— Даже трудно выразить словами. Дело даже не в том, чтобы заарканить его. Важно сделать так, чтобы он сам захотел заграбастать тебя.

— А ваша книга? Она о том, как грабастают футболисты?

— Лучшие места в ней связаны с мужчиной, который является вашей полной противоположностью, а именно: с моим отцом — увлеченным футболистом, нескладехой и законченным ослом.

Повернувшись к Ивон, Лукас спросил:

— Неужели вы надеетесь укротить это дикое существо и сделать из нее писателя?

— Если есть перспективы для роста, я могу укротить кого угодно, — парировала Ивон. — В противном случае я — пас. Но вот в данном случае, — она одобрительно посмотрела на мисс Соркин, — мне кажется, что я смогу приручить ее, но только при условии, что она будет идти навстречу.

— Идти навстречу? Да я перепишу каждую страницу, стоит только вам сказать слово. — Дженни помолчала. — Но вы же еще не сказали ни слова, не так ли?

Ивон утвердительно кивнула головой. И тогда Дженни тихо спросила:

— Вы посмотрите мою рукопись?

В ответ Ивон опять утвердительно кивнула головой.

То, что я не мог присутствовать на этом нашумевшем чае у Эммы Йодер, было правдой — у меня действительно был семинар в Темпле, — но это была не полная правда. Главное, для чего я ездил туда, — встреча с тремя деканами, которую и я, и они решили сохранить в секрете.

А произошло следующее. Я получил письмо от декана Менделя Исковича из так называемой «Школы общественных связей» с неожиданным для себя предложением:

«Наши профессора, побывавшие на ваших лекциях и имеющие представление о творческих успехах ваших выпускников, да и ваших собственных научных достижениях, убедили меня в том, что вы могли бы внести ценный вклад в программу, которую мы проводим у себя в Темпле.

Благодаря неожиданному пожертвованию некоторой суммы от Вальтера Анненберга, чей офис в «Филадельфия инкуайер» находится в нескольких кварталах от нас, а также в результате двух щедрых подарков от городских промышленников мы можем позволить себе взять трех новых преподавателей с высокой репутацией для работы в новой увлекательной области. Не найдете ли вы возможным встретиться с нашими деканами и обсудить вопросы, которые могут оказаться взаимовыгодными для обеих сторон?»

Мне не хотелось покидать Мекленберг, и я не мог представить себе, что буду преподавать в колледже, который находится в таком беспокойном городе, как Темпл. Но я был обязан ответить декану Исковичу хотя бы из вежливости. В письме я дал ясно понять, что вполне доволен своим нынешним положением, однако не стал наотрез отказываться от сделанного мне предложения. Этого оказалось достаточно, чтобы деканы из Темпла, проехав сорок с лишним миль на север, встретились со мной в отеле Аллентауна, где удивили меня своей заинтересованностью и знанием моей сферы деятельности. В действительности их предложение показалось мне столь заманчивым в интеллектуальном и социальном плане, а финансовое положение колледжа, в котором мне предстояло работать, столь прочным, что я опять не стал говорить «нет», когда они настоятельно просили посетить их в Филадельфии. В результате я опять же, главным образом из вежливости, отправился на неделю в Темпл под предлогом проведения там семинара. Оказавшись там, я убедился, что все обещанное мне соответствует действительности, однако окружение огромного города настолько не соответствовало моим представлениям о том, где должен располагаться настоящий университет, что, расставаясь, я смог сказать только:

— Мне нужно время, чтобы обдумать ваше интересное предложение. — На самом деле я знал, что мне потребуется всего лишь несколько минут, чтобы прийти к отрицательному решению.

Провожая меня, декан Искович — моложавый мужчина с дипломами университетов Северной Каролины, Висконсина и Гарварда — сказал:

— Профессор Стрейберт, отнеситесь серьезно к нашему предложению. Вы в таком возрасте, когда надо браться за проблему, которая обеспечила бы вам рост до самого конца вашей академической карьеры. Вам сорок, и у вас еще четверть века до отставки. Используйте эти годы плодотворно.

Остаток 1989 года проходил у нас в заботах, огорчениях, но и в радостях тоже. Дженни Соркин дубасили с двух сторон: в колледже этим занимался я, пытаясь очистить и упростить ее синтаксис, а во время ее приездов в Нью-Йорк к этому подключалась Ивон, настойчиво выжимая из нее глубину мысли.

На одной из таких встреч мне довелось присутствовать. Редактор добивалась, чтобы каждый из шести мужских персонажей в романе Дженни был индивидуален во всех отношениях.

— Чтобы и слепой мог узнать каждого темной ночью. — Но Ивон не могла уделять так много времени каждому из своих писателей. — Кончились те времена, когда Максвелл Перкинз водил за ручку своих писателей. Я могу указать только на то, что мне кажется неправильным, а уж устранять это надо вам самим.

— Говорите прямо, Ивон. Что у меня не так?

Спокойно и глядя прямо в лицо Дженни, Ивон ответила:

— Я бы предпочла, чтобы вы называли меня миссис Мармелл — до выхода двух ваших первых бестселлеров. — Но затем она улыбнулась. — Извините, сказывается дурное воспитание. — Нам нужны... — местоимение, которое употребила Ивон, показывало, что она признала рукопись Дженни и будет сражаться за нее, пока не откроет ей дорогу в свет. — Нам нужны шесть потрясающих портретов, рисующих людей, смешных, человечных, раздражающих, амбициозных, крутых. Портрет вашего отца с его сумасбродством — довольно неплох. И знаете почему? Вы знали его. А вот в отношении ваших пятерых футболистов у меня не возникает ощущения, что вы знаете их. Исключение, разве что, поэт из Миссури.

— Вы, случайно, не спали с кем-нибудь из своей «Большой шестерки?» — спросила Ивон однажды за ленчем.

— Я избегаю футболистов.

— Дело в том, что вы пишете о них как-то отстраненно. Пытаетесь сделать из них героев, но не вкладываете в них свое сердце. Отбросьте эту героическую мишуру, пришпильте их к страницам своей тетради, как делали это с насекомыми на уроках биологии в школе. И заостряйте, заостряйте!

Всякий раз, когда Дженни уставала от подобных накачек, не содержащих в себе никаких конкретных указаний, она вспоминала слова, сказанные мной во время одной из неофициальных встреч с наиболее способными студентами:

— Печально то, что большинству ребятишек из класса так никогда и не удастся создать настоящий образ.

Не желая принадлежать к этому большинству, однажды утром, промучившись всю ночь с персонажем из Оклахомы и добившись в конце концов того, чего хотела, Дженни позвонила Ивон и сообщила ей с ликованием:

— Теперь с романом порядок. Семь страниц переделано как надо. Всякая шелуха отпала. Остались только мышцы, музыка и смысл.

— Вы начинаете говорить как профессионал, — сказала Ивон.

Что же касается Тимоти Талла, который так блестяще начал свою карьеру и которого я выдвинул своим ассистентом, то тут я все время раздумывал над тем, потянет ли он должность заведующего кафедрой, если мне случится уйти. Для кропотливой административной работы он, похоже, был недостаточно терпелив. И решение мне предстояло не из легких, ибо еще при выдвижении его ассистентом многие считали, что он слишком молод для этой должности. Но однажды, неожиданно вернувшись за какими-то бумагами в аудиторию, где он читал лекцию, я поразился тому, как легко и свободно он держится со своими студентами. Впитав все то, чему я учил его, он трансформировал эти знания, используя свои природные качества.

Однажды вечером, прогуливаясь по городку, я увидел его играющим в регби. Когда он, неожиданно взвившись вверх словно Икар, перехватил пас, я понял, что если его роману суждена долгая жизнь, а моему в этом отказано, то это, вероятно, потому, что сам он живет наполненной жизнью, чего нельзя было сказать обо мне. В свои двадцать два года он уже был разносторонним человеком, а я, будучи чуть ли не вдвое старше него, так и не сумел достичь этого. В теннис он играл с такой грациозностью, что в моих мыслях неизменно возникал образ Аполлона, тогда как сам себе я казался неуклюжим сельским жителем. Помимо моей воли я начал завидовать Таллу. Передав ему свои знания, я видел теперь, что он приготовился к самостоятельному полету, и понимал, что мне не удержать его. Мысль об этом болью отзывалась в моем сердце.

Через несколько дней я пережил сокрушительную потерю. Один из коллег Девлана по Оксфорду написал мне в конце 1988 года: «Он попросил меня сообщить вам, что слишком слаб, чтобы писать, и что, похоже, наступает его конец. Я счел необходимым предупредить вас, потому что весит он не более 120 фунтов*, и этот процесс остановить невозможно. Но дух его силен, и он все так же продолжает клеймить посредственность и посылает вам свои заверения в любви».

Явственно представляя себе Девлана, все еще воинственного перед лицом надвигающейся смерти, все еще выпускающего стрелы своего едкого ума по бездарностям этого мира, я в течение трех дней послал ему три длинных письма, напоминая в каждом из них о тех радостных моментах, которые мы познали с ним в Греции, и о том огромном влиянии, которое он оказывал на мою жизнь. Мне хотелось немедленно вылететь в Оксфорд и облегчить его страдания, но я никак не мог придумать уважительную причину для такой поездки. Я чувствовал, что не могу просто так бросить занятия, и даже если бы я получил разрешение, то слухи о том, что я отправился утешить «своего близкого друга», могли бы привести к моему увольне-

---

* В 1 фунте — 0,453 кг. — *Прим. ред.*

нию. Так что я продолжал ходить на работу, чувствуя себя при этом совершенно несчастным. Проходя по тихим рощицам городка и по берегу Ванси, я представлял, что я в Оксфорде и направляюсь к каменному особняку XVIII века, в котором умирал мой друг, и испытывал неимоверную боль.

В конце концов, всклокоченный и несчастный, я ворвался без предупреждения в кабинет президента Росситера и пробормотал:

— Сэр, я должен немедленно вылететь в Оксфорд.

К моему удивлению, он отнесся к этому очень спокойно:

— Конечно. Узнав о болезни вашего друга, я так и подумал: «Вам надо лететь». Талл сказал, что он с радостью возьмет ваши часы. Дайте ему возможность проявить себя на более высоком уровне.

— А как же слухи, которые тут же поползут по городку?

— Стрейберт, если бы умирал ваш отец, разве бы мы не отпустили вас? Или когда жена Андерсона умирала от рака? Где же ему было находиться, как не у постели больной?

Совершенно не ожидавший встретить такое понимание, я почувствовал, что ноги у меня вот-вот подкосятся.

— Можно я сяду? — Когда он кивнул, я почувствовал, что на глазах у меня выступили слезы.

Через некоторое время, провожая меня до двери, он положил мне руку на плечо и сказал:

— Стрейберт, на факультете и в правлении уже давно решили не воспринимать ваши отношения с Девланом как порочащие колледж.

— Направляясь сюда, я приготовился к отставке, — уже в дверях признался я.

— Я не сомневался в этом, — ответил он и предложил мне воспользоваться служебной машиной и шофером, чтобы добраться до аэропорта Кеннеди.

Когда я прибыл в Оксфорд, Девлан был еще жив.

Он был так немощен и весил чуть больше сотни фунтов. Как мне представляется, ему пришлось собрать остатки последних сил, чтобы поговорить со мной. Слова его разрывали мне сердце:

— Что бы я хотел сделать в оставшееся мне время? Вновь побывать в Уффици. Послушать «Лоэнгрина». Встретиться в последний раз со своими студентами, чтобы поделиться с ними... — Голос его затих, и, когда я наклонился поближе, чтобы расслышать его, он добавил: — Послушать «Агамемнона» в древнегреческом театре... — последовала долгая пауза, во время которой он взял меня за руку, — и побродить по оливковым рощам, где мы гуляли когда-то.

...Его похоронили на Оксфордском кладбище и, выполняя волю покойного, поставили на могиле небольшой камень с надписью: «КРИТИК ДЕВЛАН».

По возвращении в Мекленберг я впал в такую депрессию, какой не испытывал со времени смерти своих родителей. Мой горький опыт с «Цистерной», слабость которой Девлан понял еще давно, заставил меня усомниться в своих способностях к самостоятельному творчеству:

— Я тоже нуждаюсь в добрых советах, как нуждаются в этом Тимоти Талл и Дженни Соркин. Ибо ни один писатель не знает толком свой язык, своих героев и своего дела. Майкл, ты был нужен тогда, и ты нужен сейчас.

Когда умирал Девлан, я думал о том, что следующим в цепочке Левис — Девлан — Стрейберт мог бы стать Талл и повести диалог между избранными. Он вполне подходил для такой роли и после шести-семи лет пребывания в Мекленберге мог занять достаточно высокое положение, в особенности если ему удастся тем временем получить степень доктора в каком-нибудь престижном университете типа Йельского или Кембриджского.

При мысли о последнем я подумал: «Ведь со своими данными он вполне мог бы получить стипендию Родеса». Но, занявшись этим вопросом, я узнал, что она дается только в течение определенного периода после окончания колледжа. У Талла этот срок уже истек.

Тут я раздраженно нахмурился: «О чем я думаю? Да с миллионами его бабушки ему не нужна никакая стипендия. Он и сам может оплатить свою учебу в Оксфорде!» И действительно, «Филадельфия инкуайер» недавно сетовала на несправедливость: что-де «Калейдоскоп» Талла, включенный в список бестселлеров, приносит немалые деньги молодому человеку, который и так уже является наследником миллионов своей бабушки, тогда как двое не менее одаренных и зрелых авторов в городе едва лишь сводят концы с концами, зарабатывая на жизнь своим писательским трудом. Закончив читать эту оскорбительную статью, я спросил себя вслух:

— Кто сказал, что они такие же одаренные, как он? Хорошо, если у них есть хотя бы десятая доля его таланта.

Но одновременно с этими словами в защиту Талла в ушах у меня прозвучал предостерегающий шепот: «Стрейберт, не ставь его выше, чем он того заслуживает. Он всего лишь один из твоих студентов, который проявил определенные способности. Он не Бог. Пусть сам ищет свое место».

Но, несмотря на это предостережение, меня все же беспокоил один из аспектов его жизни. Мне не хотелось, чтобы он совершил ошибку, женившись слишком рано и на какой-нибудь неподходящей женщине. Такой, как Дженни Соркин, которая, похоже, заинтересовала его. Это предчувствие усиливалось, оттого что Дженни Соркин мне все больше не нравилась. Она постоянно сбивала меня с толку. Как только я начинал думать, что она как-то исправилась, стала более или менее цивилизованной, Дженни тут же выкидывала какой-нибудь возмутительный номер. Но, когда я начинал считать ее безнадежной, она вдруг обнаруживала какой-нибудь новый талант, который приводил меня в изумление.

Ее развязные манеры раздражали, а нелепые надписи на майках были просто оскорбительными для нашего колледжа. Чего стоила, например, та, которая после некоторой правки перекочевала к ней с зеркала бокового вида: «ТО, ЧТО СКРЫТО ЭТОЙ РУБАХОЙ, МОЖЕТ БЫТЬ, БОЛЬШЕ, ЧЕМ ВАМ КАЖЕТСЯ». Но прежде всего меня коробило то, что она больше прислушивалась к советам Тимоти и Мармелл, чем к моим. Поэтому однажды вечером, движимый лишь стремлением защитить Талла, я постучался в его дверь:

— Тимоти, я знаю, что вмешиваюсь не в свое дело, но я делаю это не как друг, а как ответственный за определенный участок работы в нашем колледже.

— Присаживайтесь.

— У тебя могут быть неприятности, если ты будешь продолжать встречаться с Дженни Соркин. У нас консервативный колледж, и малейший скандал будет подобен взрыву бомбы.

— Я закончил его, если вы помните, мистер Стрейберт.

— Но тогда вы не были молодым профессором и не работали со студентками.

Он возмутился, но я не отступал:

— В последнее время в американских колледжах, особенно тех, где есть аспирантуры, без конца вспыхивают скандалы, связанные с отношениями преподавателей и студенток. Зачастую дело доходит до суда.

— Это ко мне не относится, мистер Стрейберт, — расхохотался Талл. — Вы же знаете. Я порой встречаюсь с Дженни, мы беседуем с ней о ее книге. Мне двадцать два года, и я знаю, что делаю.

— А ей двадцать четыре. Когда женщина старше мужчины, могут происходить странные вещи. Такие женщины часто затевают судебную тяжбу просто из мести, когда видят, что мужчина уходит к более молодой.

— Ничего, переживу.

— Но мы не знаем даже, кто она такая. У меня есть серьезные сомнения в том, что она подходит для того, чтобы связывать с ней свою жизнь. Это может плохо кончиться, Тимоти, а ты знаешь, что я желаю тебе только добра.

Глаза его вдруг сверкнули, он вскочил и впервые за все время наших отношений повысил голос:

— Это идиотизм! — выкрикнул он. — О чем вы говорите, черт побери?! — Я пытался его успокоить, но он продолжал кричать: — Я преподаватель колледжа, у меня есть определенные успехи, я написал неплохую книгу. Найдется немало людей, которые захотят взять меня, если здесь вознамерятся дать мне пинка только потому, что я встречаюсь с женщиной примерно своего возраста.

— Тимоти, — чуть ли не взмолился я, — ты отказываешься слушать. Я хочу предостеречь тебя от того, что случается во многих университетах, когда...

— Вы уже говорили это, — презрительно бросил он. — И во многих случаях суд становился на сторону женщины, а преподавателей увольняли.

— Преподаватель и студентка, — сказал я примирительно, — это опасное сочетание. А ты со своим семейным наследством и всем остальным можешь стать главным объектом притязаний.

— У вас получается прямо как у Кафки. Суд без обвинения, свидетелей и присяжных. Лучше бы вам не затевать этот разговор. — И, когда я снова попытался предостеречь его, он рассвирепел так, что, наверное, пожалел об этом впоследствии: — Насколько я понимаю, мистер Стрейберт, — презрительно бросил он, — вы не были столь щепетильны в вопросах морали, когда учились в Колумбийском университете, а ваш профессор был чуть ли не на два десятка лет старше вас — и мужчина к тому же.

Это было жестоко с его стороны — насмехаться над моими отношениями с Девланом, и я прекратил разговор. Но, прежде чем я смог выскочить из комнаты, в глазах у меня все поплыло и я чуть не лишился сознания. Наскочив на дверной косяк, я прошептал:

— Профессор Девлан умер на прошлой неделе. От спида, — и бросился вон из комнаты.

В течение двух следующих недель мы не разговаривали друг с другом.

Я не мог допустить, чтобы наши отношения прервались таким неприятным образом, но и не находил благовидного предлога, чтобы возобновить их. Некоторое время спустя, столкнувшись однажды с ним в холле, я поздравил его с умелым использованием моей схемы «Рода Атрея» и поинтересовался, как продвигается его новый роман.

— Кровью и потом, — ответил он. — Много сил отнимают пространные диалоги, но думаю, вы одобрите их.

— Мне бы очень хотелось посмотреть, — сказал я.

— Вы будете первым, — откликнулся он.

Однажды вечером после встречи со студентами я проходил мимо комнаты, где жил Тимоти, и услышал доносившийся оттуда замечательный голос певицы и не менее замечательную музыку. Голос был удивительный. Он повисал где-то между глубоким меццо и легким сопрано, легко взлетая к небывалым высотам, и, подобно золотому листу, падал вниз. Слов я разобрать не мог, но было ясно, что Тимоти приобрел какой-то редкий диск. Не справившись с искушением, я толкнул дверь и оказался лицом к лицу с Дженни Соркин, лежавшей на его кровати, подперев подбородок руками. Тимоти сидел в кресле, стоявшем в противоположном углу рядом с торшером. Под рукой у него находился проигрыватель. У противоположной стены громыхали колонки. Они с Дженни, несомненно, слушали музыку и совсем не были смущены моим появлением.

— Что это за музыка? — спросил я, стоя в дверях.

— Песни Оверни, — сказал Тимоти. — Подборка народных песен южной Франции.

— Крестьянская девушка, обеспокоенная тем, что останется старой девой, — донесся голос Дженни с кровати, — стоит на одном берегу реки и поет молодому пастуху на другом берегу.

Вслушиваясь в невероятно красивые рулады богатого голоса, я чувствовал, как по спине у меня ползут мурашки. Затем опять заговорила Дженни:

— Наверное, такое пение слышалось Улиссу, когда он был вынужден привязать себя к мачте, чтобы противостоять искушению сирен, превращавших мужчин в свиней.

— Такой необыкновенно глубокий голос скорее был у рейнских русалок, завлекавших мужчин на скалы, чтобы потом сбросить их в бездну, — предположил я.

— Давайте не будем излишне мистифицировать, — сказал Тимоти. — Это просто тоска влюбленной женщины по реальному мужчине, которого она видит на противоположном берегу моря.

— Мне показалось, вы сказали, что это была река, — заметил я, и на лице Дженни появилась провокационная улыбка:

— Когда ты разлучена со своим мужчиной, то даже ручеек становится рекой, а река превращается в море.

Песни столь захватили меня, что, решив на следующий день разузнать о них побольше, я выяснил, что эта подборка считалась лучшей и исполнялась во многих странах. И как я пропустил ее! Но теперь, слушая ее в своей комнате в исполнении французской певицы, я понимал, что звучавшие в ней чувства были чужды мне: тоска молодой женщины по мужчине. Через некоторое время я вновь оказался перед дверью Тимоти с намерением поговорить с ним, но оттуда опять донеслась очаровательная музыка вперемешку с воркованием обитателей комнаты, и я вынужден был с горечью признать, что вход в нее для меня заказан.

В этот мрачный период я почти не покидал по вечерам своей комнаты, слушал «Песни Оверни» и представлял себе Дженни Соркин, выводившую эти очаровательные ноты, похожие на биение человеческого сердца, в то время как Тимоти управлялся со своим стадом на другом берегу ручья. И огромное желание, на какое только способно человеческое сердце, начинало переполнять меня. С приближением полуночи я чувствовал себя так одиноко, как никогда прежде.

Именно в этот момент своей жизни я стал сомневаться в полезности своего пребывания в Мекленберге. И как раз тогда Лукас Йодер нанес мне еще один удар ниже пояса. Правда, надо отдать ему должное, сделал он это неосознанно. Да и узнал я об этом совершенно случайно.

Однажды утром, вылетая из моего класса, Дженни Соркин остановилась и, едва переводя дыхание, воскликнула:

— Наконец-то я начинаю чувствовать себя профессиональным писателем.

— И что же вы почерпнули на моих занятиях такого, что вселяет в вас эту уверенность?

— Ваши занятия тут ни при чем, — сказала она. — Лукас Йодер берет нас с Тимоти на встречу со своим агентом мисс Крейн, которая, как говорят, лучший специалист в своем деле. Хотите верьте, хотите нет, но она может взять меня своим клиентом. Тимоти-то она точно возьмет, но мистер Йодер рекомендовал и меня тоже. — С этими словами она побежала разыскивать Тимоти.

Я видел, как Йодер подъехал на своем старом «бьюике», подобрал двоих моих студентов и направился в Нью-Йорк. Глядя им вслед, я чувствовал себя обокраденным. Две главные цели, которые я преследовал — научить их писать и добиться, чтобы они попали в руки хорошего редактора, — были достигнуты, и видеть теперь, как Йодер увозит их, чтобы решить проблему, с которой я мог справиться сам, было нестерпимо.

Во время весенних каникул, когда студенты разъехались по домам и в колледже, кроме меня, находились только секретари, рассылающие зачетные ведомости, мне представилась прекрасная возможность разобраться в той запутанной ситуации, в которой я находился. Это была явно черная полоса в моей жизни. И в личной жизни и в профессиональном плане все складывалось не так, как надо. Девлан умер, оставив меня без якоря. «Цистерна» тоже умерла, не оставив никаких надежд на то, что я когда-нибудь стану писателем. Вместо этого она поселила во мне страх, что критически я могу относиться только к работам других и никак не к своим. Это влекло за собой еще более пугающий вопрос: «А способен ли я вообще критически оценить свою жизнь?»

Я задал себе этот вопрос, прогуливаясь в сумерках по берегу Ванси, и он был сродни самоизбиению. Опустившись в полном замешательстве на одну из скамеек под деревьями, что росли вокруг озера, я сидел с опущенной головой, безвольно вытянув руки. И сам собой напрашивался вывод, который я боялся даже сформулировать, столь страшными могли быть его последствия: «Дело в том, что ты устал преподавать и лишь симулируешь бурную деятельность в Мекленберге». Эти слова привели меня в ужас, ведь колледж был для меня домом. В отличие от других неженатых преподавателей, у меня не было своей квартиры ни в Дрездене, ни в Бетлехеме. Я всегда жил в общежитиях — хотя и в отличных апартаментах, если быть честным, — но был узником в тюрьме, которую выстроил собственными руками. Хватит ли у меня смелости покинуть ее?

Тряхнув головой, словно прогоняя эту мысль, я обратился к другим своим слабостям, которые раньше не решался признать за собой: «Ты критик, Стрейберт, и у тебя была возможность стать довольно влиятельной фигурой в этой области, но ты поступился принципами. Это началось с того, что в погоне за контрактом «Кинетик» ты дал уговорить себя отказаться от критики Йодера. Здесь и начался твой провал. Но, что хуже всего, ты заткнул себе рот, потому что Йодер пожертвовал крупную сумму на твою программу подготовки писателей. Ты считал, что обязанность писателя или критика — стоять в оппозиции к обществу и быть честным. Но, как только обстоятельства надавили, ты тут же сломался».

Я встал и, закинув руки за голову, закричал:

— Но это ведь замкнутый круг, и я ничего не могу с этим поделать!

Случайно проходивший мимо профессор Харкнесс с факультета химии заметил мое отчаяние, хотя слов не разобрал:

— С вами все в порядке, Стрейберт? На вас лица нет!

— Борюсь с абстракциями, — соврал я, и, когда он спросил, не проводить ли меня до общежития, я снова соврал: — Нет, спасибо. Слишком много работы. Я в порядке. — И, чтобы убедить его в этом, прошел с ним часть пути. Он не хотел оставлять меня одного, но я настоял на этом, и, когда он ушел, я опустился на другую скамью и продолжил свои болезненные самокопания: «Нечего никого винить, кроме самого себя. Ни Девлана за то, что подцепил спид, ни Тимоти за то, что перерос меня, ни Йодера за то, что описал Грензлер прежде, чем я смог подобраться к нему, ни колледж за то, что тот не сумел обеспечить меня более способными студентами. Подкачал не кто-то другой, а я сам, и только потому, что утратил возможность идти вперед, что непростительно для того, кто хочет быть критиком или вести за собой других. Мои усилия напрасны, я оказался в ужасной трясине, которая затягивает меня все глубже».

Не отличаясь особой смелостью, я все же считал себя способным признать неизбежное, поэтому в тот

366

момент, когда судьба отвернулась от меня, я сидел, уставившись на озеро и стиснув зубы, собирая свои силы в кулак, чтобы во что бы то ни стало вытащить себя из трясины, в которую попал. К счастью, на помощь ко мне пришли слова, сказанные когда-то Исковичем в Темпле: «У вас еще четверть века до отставки. Используйте эти годы продуктивно». В этот печальный вечер его предложение, которым я пока так лихо пренебрегал, показалось мне спасительным выходом. Оно давало возможность выбраться из затянувшего меня болота и нацелиться на новые дела.

Окрыленный надеждой, я вскочил со скамьи и бросился звонить Исковичу, чтобы сообщить свое решение. Но, прежде чем предъявить свои права на свободу, я должен был преодолеть еще одно препятствие. Мой путь проходил мимо библиотеки, там я неожиданно для себя остановился и вошел в пустовавший зал, покинутый студентами на время каникул. Кивнув Дженни Соркин, трудившейся в углу, я попросил библиотекаря дать мне проспект Темпла. С книгой под мышкой я вернулся к себе и стал разглядывать на карте, в каком беспорядке разбросаны здания университета по северной части Филадельфии. Когда я понял, что в этом гетто не будет ни Ванси, ни ухоженных аллей парка, ни просторных апартаментов в общежитиях, смелости у меня поубавилось: «Боже, Стрейберт! Да ты спятил! Это же такой неравноценный обмен!» Но тут у меня в ушах прозвучало: «Сделай шаг вперед или навсегда останешься в хвосте». И, чтобы не дать сомнениям вновь одолеть себя, я бросился к телефону и набрал домашний номер декана в Темпле:

— Извините, что беспокою вас дома, но я согласен принять ваше предложение. Оно привлекает меня все больше и больше.

Догадываясь, очевидно, с каким трудом далось мне это решение, Искович спокойно произнес:

— Вы не пожалеете. — Повесив трубку и взглянув из окна на тихое Ванси, я понял, что в глубине души буду сожалеть об этом решении до конца своих дней. Но реальный мир манил, и мне уже не терпелось распорядиться, чтобы на стену в Темпле нанесли мою схему «Обреченного рода Атрея». Пора смятений прошла, и я вновь буду честным учителем и критиком.

Первая задача, которую я должен был решить, став свободным человеком, была не из легких и не терпела отлагательства. Быстро добравшись до дома президента Росситера, я постучал в дверь.

— Пожалуйста, извините за вторжение, но я должен сказать вам это, пока не лишился присутствия духа. Я решил, сэр, что мне пора сменить место работы. В конце семестра я собираюсь оставить колледж.

За плечами у Росситера было немало таких бесед, инициатором которых зачастую был он сам, когда дело касалось увольнения, поэтому я не увидел на его лице ни малейшего удивления. Пригласив меня войти, он принялся произносить обычные в таких ситуациях фразы:

— Я знал, что мы не сможем удерживать вечно такое светило, как вы, Карл. Мы желаем вам всяческих удач на новом месте. Где оно, кстати?

— В Темпле. Новая программа. Солидное финансирование. — У него хватило такта не выразить своего удивления по поводу того, что один из его ведущих преподавателей уходит не в Принстон или Стэнфорд, а в Темпл, но брови его все же взметнулись кверху.

— Ну что ж, — проговорил он, быстро справившись с собой, — это крупное и стабильное заведение. Они, как я слышал, практикуют интересные формы обучения. Вам будут предоставлены замечательные возможности. Еще раз примите наши наилучшие пожелания. — Не прошло и четырех минут с начала беседы, как он проводил меня до выхода из своего дома. Но, когда я уже миновал дворик, он сказал мне вслед: — Карл, мы не будем трезвонить об этом по всему свету, не так ли?

Студенты могут поднять шум из-за того, что мы теряем популярного профессора, так ведь?

Я согласился с ним, потому что был готов на любые условия. Именно в те моменты эмоционального подъема я дал себе клятву: «В Темпле я не позволю обстоятельствам помешать мне честно оценивать американскую литературу. Два семинара, которые Искович запланировал для меня, особенно «Деконструктивизм — путь к содержанию», станут моим диалогом с равными». Полный воодушевления я возвратился в свое общежитие.

На протяжении нескольких лет у меня вошло в привычку прочитывать в «Таймс» раздел, посвященный средствам массовой информации, выискивая между строк крупицы информации, которая создавала у меня ощущение собственного участия в крупных играх, что велись в издательском мире. И вот однажды утром я обнаружил нечто такое, что едва поверил своим глазам:

«По слухам, распространяющимся в высоких кругах, предполагавшаяся выдача нью-йоркской компании «Кинетик пресс» замуж за габсбургский «Кастл» не состоится. В срыве свадьбы виноваты обе стороны. «Кинетик» хочется более твердых гарантий по поводу продолжения прежней политики, чем те, которые готовы предоставить немцы, а «Кастл» требует более существенных деловых уступок, чем те, на которые могут пойти американцы. Специалисты полагают, что теперь, когда стороны возвратились к исходному положению, появляется вероятность, что белый американский рыцарь все же спасет эту компанию, которая в прошлом публиковала знаменитых отечественных авторов, а сейчас может похвастать совершенно разнообразным списком, где вы найдете и старомодного автора бестселлеров Лукаса Йодера и молодого ниспровергателя традиций Тимоти Талла. Один из претендентов на руку компании-Золушки сказал: «Было бы здорово, если бы Золушку сосватал местный принц».

Еще не закончив читать, я набрал номер телефона Ивон, но не смог передать свои эмоции, потому что она тут же прокричала возбужденно:

— Карл, слава Богу, что вы позвонили. Я могу приехать и поговорить с вами?

— Как скоро вы сможете оказаться в гостинице? — Когда она ответила, что надеется добраться туда к одиннадцати, я спросил: — Вы хотите, чтобы я собрал там Йодера, Талла и, возможно, Соркин?

— Только вы, — твердо заявила она. — И не надо, чтобы об этом знали другие. Идут военные действия.

Приехав, она оказалась более взволнованной, чем когда-либо, и, чтобы успокоиться, заказала себе виски без содовой, чего раньше она себе не позволяла. Когда принесли заказ, она сделала большой глоток и удивила меня, схватив мою руку и воскликнув:

— Я так рада, что наша с вами встреча состоялась. — Она откинулась на спинку стула и продолжила: — Карл, вы можете оказать мне услугу? Вы знаете этот город. Если вам попадется по-настоящему хороший дом, выставленный на продажу, дайте мне знать.

— Что случилось? Вы ушли? Вас уволили?

Залившись нервным смехом, она стиснула мою руку:

— Нет. У меня все нормально. Просто начинаю приходить в себя. Сейчас такое время, что приходится задумываться о жизни, и, делая это, я вижу, что, оставшись без родителей и родственников, я оказалась совершенно одинокой в этом мире. У меня нет настоящего дома. Нью-Йорк меня не прельщает. А здесь, в этом провинциальном городке, у меня столько интересов, что он стал для меня родным. Мне хочется жить среди полей, деревенских полицейских и вообще среди людей, которые узнавали бы тебя при встрече. — Она сникла, отвела глаза и энергично высморкалась. — Я так рада, что вы позвонили. Мне нужно посоветоваться, а в Нью-Йорке у меня нет никого, с кем я могла бы это сделать.

Она была так расстроена, что я не решился сообщить ей о своем намерении покинуть Мекленберг.

Затем она принялась подробно рассказывать о тех запутанных ходах в издательском бизнесе, которые привели к срыву наметившейся сделки по продаже «Кинетик». Но, едва приступив ко всем хитросплетениям, она вдруг объявила:

— В багажнике моей машины лежит магнитофон. Принесите, пожалуйста. Вот ключи. Я хочу, чтобы вы знали все до последнего слова.

Когда я принес магнитофон и включил на воспроизведение, она проговорила:

— Вы можете выключить его пока. То, что я скажу сейчас, должно остаться только между нами. — Я щелкнул переключателем. — Насколько я понимаю, ваша небольшая книга о молодых писателях почти закончена?

— Да, и думаю, что получилось неплохо.

— Я в этом не сомневаюсь, — торопливо бросила она, стремясь поскорее перейти к главному вопросу. — Карл, на помойку выбрасывают отличное американское издательство. В этом не виноват никто конкретно, и одновременно виноваты все. Я хочу, чтобы вы прямо сейчас, отложив все дела, взялись за изучение и описание этого убийства. Я расскажу вам все, что знаю. Я же устрою так, что мои коллеги, которым можно доверять, дали вам обстоятельные интервью. Запишите их на пленку, и вместе с этим материалом, а также тем, что вам уже известно, — а это весьма существенно, так как вы больше других моих авторов заинтересованы в том, чтобы издательство не умерло, — вы получите основу для мощной статьи. Я хочу, чтобы вы назвали ее «Убийство издателя». В «Нью-йоркском книжном обозрении» у меня есть редактор, который с радостью ее напечатает. Как многие из тех, кто связан с миром книг, он хочет, чтобы эта история стала достоянием гласности. А теперь включайте магнитофон.

«Когда сделка между «Кастл» и «Рокланд ойл»

провалилась, — рассказывала она, — причем мы, книжники из «Кинетик», не имели к этому никакого отношения — этим заправляли только денежные мешки, — основная причина срыва была скрыта, так как она могла иметь плохие последствия для всего издательского бизнеса. Группа наших лучших писателей, ни один из которых, как ни странно, не входит в мою когорту, заявила, что не будет писать на «Кастл», разорвет свои контракты и обратится в суд, чтобы защитить свои права. Это настолько меняло условия сделки, что «Кастл» пришлось отступиться, и это было вполне разумно с его стороны, как я считаю».

— В статье «Таймс» ничего не сообщается о решении писателей — речь идет только о каких-то «деловых уступках», — вставил я.

— Дымовая завеса, чтобы скрыть внутренние уродливые дрязги, — отмахнулась она.

«Затем были предприняты мощные попытки сохранить издательство в собственности Соединенных Штатов. Но один потенциальный покупатель отпадал за другим, как только они заглядывали в бухгалтерские книги. Одна баснословно богатая группа из Канзас-Сити, включавшая трех членов, чьи просвещенные жены были не прочь побаловать таких известных писателей, как Лукас Йодер, чуть было не купили издательство. Но в последний момент мужья прикинули, каковы в ближайшем будущем будут их доходы и расходы, и старейший из них прорычал: «Что мы тут морочим себе голову этим бизнесом, который и гроша ломаного не принесет?!» Мужья подумали и сняли свое предложение.

Это развязало руки «Рокланд ойл», и в тот же день его воротилы обратились к людям из «Кастл» в Гамбурге с вопросом: поднимут ли те свою ставку до сорока шести миллионов, если «Кинетик» даст заверения в том, что из него уйдет не более шести знаменитостей. Но «Кастл» хотел иметь еще одно заверение:

«Останутся ли с нами Йодер и его редактор миссис Мармелл?»

Она рассказала, что за десять минут до того, как по редакционным кабинетам распространился слух о новом предложении «Кастл», у нее уже вполне сформировалось решение уйти, прихватив своих четверых дрезденских писателей, если они не будут возражать. Но, поняв, что это поставит под угрозу всю сделку, в то время как «Кинетик» отчаянно нуждается хоть в каком-то пристанище, она мгновенно передумала и решила остаться. Таким образом сделка оказалась возможной.

В последующие недели я взял интервью у десятков людей и стал крупнейшим специалистом в вопросе о предстоящей передачи права собственности на «Кинетик пресс», разбираясь в его хитросплетениях даже лучше лощеных юристов, которые контролировали значительную часть жизни нашей страны. Мой дальнейший рассказ основывается на этих интервью.

Ивон правильно определила причину первоначального срыва сделки — ультиматум группы писателей: «Нет — немецким хозяевам», который разрушил экономическую основу соглашения. Она была права и в том, что больше десятка потенциальных американских покупателей совали свой нос в корыто, но отказались есть из него. Но она не знала, что многих из них отвратило прежде всего пренебрежительное отношение людей из «Рокланд ойл», считавших, что «Кинетик» ничем не отличается от устаревшей бензозаправки в Альбукерке, которая должна быть ликвидирована.

Когда публично стали делаться заявления о предстоящей официальной передаче «Кинетик» в собственность немцам, сотрудники издательства бросились к своему президенту Джону Макбейну с вопросом, что им делать. «Но, — как свидетельствовала Ивон, — мы вскоре обнаружили, что ему известно не больше нашего. Ни «Рокланд», ни «Кастл» не побеспокоились поставить его в известность о том, как идут переговоры. Отношение к нему было самое что ни на есть пренебрежительное».

Из обстоятельных бесед в разных юридических фирмах я узнал, что как раз в то время, когда Макбейн и его старшие сотрудники пытались выяснить участь, которая ждет компанию, договоренность о заключении сделки была достигнута по всем вопросам. И «Рокланд», и «Кастл» получили почти все, на что рассчитывали. В течение трех последующих дней, пока оформлялись бумаги, сотрудники «Кинетик» оставались в неведении относительно того, какая участь их ждет.

Теперь подошло время, когда Ивон должна была поставить Макбейна в известность об авансе, который она исподтишка выдала мне.

— Хорошо, — проговорил он, выслушав ее, — нам просто необходимо иметь беспристрастное описание этой катастрофы в американском издательском бизнесе. А Стрейберт как раз тот человек, который делает свою работу честно.

К моему удивлению, пожелав услышать о фактическом положении дел из моих уст, он пригласил меня к себе в кабинет и, похвалив из вежливости мои критические работы, сказал:

— Мы рассчитываем на длительное сотрудничество с вами, профессор. Как представляется нам, у вас разумный взгляд на вещи.

— И слух, надеюсь, тоже, поскольку в истории с «Кинетик» приходится разбираться в основном при помощи магнитофонных записей.

— И что вы в ней обнаружили?

— Странные сведения о том, что «Рокланд ойл» скрывает от вас, как идут переговоры, хотя всем известно, что они имеют место. Это точно?

— Точнее не бывает. — Он произнес это с таким напором и отвращением, что я в упор спросил его:

— И что, «Рокланд» может пойти на окончательное заключение сделки, так и не сообщив об этом вам?

— Если они не ставили меня в известность в прошлом, — с горечью заметил он, — то зачем им это делать сейчас? — Положение его было столь унизительным, что он не вытерпел и позвонил своей секретарше: — Попросите ко мне старших редакторов, пожалуйста. Я хочу, чтобы они оказали профессору Стрейберту всяческую поддержку в решении его задачи. — В кабинет пришли пожилые люди, которые годами держали «Кинетик» на плаву в бурном море издательского бизнеса. А теперь не могли найти защиты у компании, у истоков которой они стояли, и всех тайно терзали страхи за собственную судьбу.

В этот момент раздался звонок телефона, и каждый с надеждой подумал, что это, наверное, звонит президент «Рокланд», чтобы сообщить им о заключенной сделке. Но это была всего лишь какая-то мелкая сошка из офиса «Рокланд».

— Макбейн, это Ральф Консидайн из офиса президента Корнуолла. — Звонивший говорил так громко, что некоторые стоящие рядом с телефоном смогли расслышать. — Он просил меня передать, что с сегодняшнего дня «Кинетик» продан концерну «Кастл» на условиях, которые представляются выгодными для обеих сторон. «Кастл» согласен держать вас во главе «Кинетик» еще два года, после чего вам будет предоставлена достойная пенсия. Массовых увольнений не предвидится, но кое-какой чистки не избежать. — Он еще что-то сказал, но деталей я не запомнил.

Когда Макбейн опустил трубку, я увидел его побледневшее лицо.

— Сделка была заключена еще три дня назад, но только сейчас они удосужились сообщить нам об этом. — И, посмотрев на каждого из своих сотрудников, он продолжил: — Полагаю, что по условиям продажи все старшие сотрудники останутся на своих местах. Те, кто стоит ниже, могут оказаться уволенными. — Побарабанив пальцами по столу, он снял телефонную трубку: — Мисс Харкорт, соедините меня, пожалуйста, с мистером Консидайном из «Рокланд». — Когда того разыскали, Макбейн проговорил: — Это опять Джон Макбейн. Поскольку мистер Корнуолл не удосужился проинформировать меня лично о продаже издательства, я также не считаю себя обязанным сообщить ему лично о своем намерении. Передайте ему, когда он найдет для вас время, что я слагаю с себя все полномочия, связанные с «Кинетик». И объясните, что это было официальное заявление об отставке.

В наступившей тишине я изучал лица присутствовавших и видел, что на глазах у одних выступили слезы, другие хлюпали носом, остальные выглядели просто потерянными. Ивон, сидевшая крепко стиснув зубы, оказалась первой, кто высказала то, что было у всех на душе:

— Мы все должны уйти в отставку. Я, по крайней мере, считаю так. В прошлом месяце я обещала остаться, но при таком отношении — пошли они к черту! Я уверена, что большинство моих писателей присоединятся ко мне.

Когда такие же заверения последовали от других, Макбейн удивил всех, выступив в духе завзятого официального представителя издательских кругов:

— Друзья, друзья! Не принимайте поспешных решений только потому, что я ухожу. Мне часто приходилось слышать угрозы редакторов: «Все мои писатели уйдут со мной», но они редко когда уходили. В девятнадцати случаях из двадцати, поразмыслив, они трезво оценивали, где лежат их интересы, и оставались. Кроме того, «Кастл» унаследует солидный пакет уже подписанных контрактов, и, поверьте мне, новые владельцы, обладающие тонким нюхом, ударятся во все тяжкие, чтобы добиться их соблюдения. Мы были солидной и порядочной компанией, и я уверен, что в новых условиях ей удастся сохранить прежний имидж. Оставайтесь на своих местах, умоляю вас. — Когда утих возмущенный ропот, он сказал с присущим ему юмором: — Не пытайтесь избежать неминуемого. В начале этого века мой дед содержал платную конюшню. Когда появился автомобиль, он не стал восставать против Генри Форда. Вместо этого он продал своих лошадей, купил «форд», а конюшню превратил в доходный магазин по продаже автомобилей Форда.

Когда один из редакторов заметил, что Форд, однако, был американским патриотом, Ивон, выросшая в трудовой семье, где Форд был известен прежде всего как противник профсоюзов, проворчала:

— Было немало и таких, кто в этом сомневался.

В этот мрачный момент одна из молодых редакторш оживленно заявила:

— У ирландцев на похоронах всегда принято закусывать, а поскольку это и есть похороны, то я, будучи ирландкой, пойду принесу пива с бутербродами. — Я заметил, как Макбейн передал ей две десятидолларовые бумажки.

Пока она ходила, одна из женщин сказала:

— Я следила за этим с самого начала, и что больше всего возмущает меня, так это презрение к книгам, неспособность сбыть солидное издательство покупателю из своей страны и неуважение и даже насмешка, с каким денежные тузы отнеслись к господину Макбейну. Я чувствую себя так, словно унизили меня лично, поэтому скажу вам открыто: господин Макбейн, если вы решите перейти в другое издательство, ваш Редакционный совет последует за вами, если вы пригласите его.

Не разделявший подобной уверенности Макбейн откликнулся на это чуть ли не смеясь:

— Может быть, кто-то и пошел бы, но большинство все же смекнут, что рабочие места в наше время на дороге не валяются.

Один из редакторов, скрытный парень, специализировавшийся на истории Запада с его ковбоями, удивил меня, заявив:

— Глупо сетовать на иностранное владение. Вспомните, что иностранные инвесторы финансировали чуть ли не все наше развитие к западу от Миссури — наши железные дороги, наши первые фабрики.

— Вот уж чего не знал, — заметил один из экономистов. Тот редактор криво усмехнулся на эти слова.

— Многие этого не знают. Когда они видят, как Джон Уэйн тащится по прерии в Додж-Сити с Монтгомери Клифтом, им даже в голову не приходит, что эти американцы работают на ранчо, принадлежащем какому-нибудь капиталисту из шотландского города Данди. Самые крупные ранчо на Западе финансировались и управлялись людьми с такими именами, как Ангус Мактавиш, которые раньше можно было встретить только в Шотландии. Если немцы хорошо организуют работу, мы выживем.

На этой оптимистической ноте совещание закончилось.

Последовавший эпизод, по словам Ивон, разрядил обстановку.

— Все старшие редакторы были вызваны на совещание к нашему новому боссу — выпускнику Оксфорда Людвигу Люденбергу (мы сразу стали звать его за глаза «генералом Людендорфом»), а когда оно закончилось, Люденберг попросил меня остаться:

— До меня дошли слухи, что вы подумывали о том, чтобы уйти из издательства.

— Это можно сказать о каждом из присутствующих на совещании, — ответила я.

— Теперь, когда уходит Макбейн, нам без вас просто не обойтись, — откровенно признался он. — У нас вы будете иметь неограниченные возможности для роста.

Я ответила, что пока планирую остаться.

— А ваши авторы? — Скрытое опасение, прозвучавшее в его голосе, говорило о том, что его больше интересовали они, поэтому я сказала:

— Большинство останется. Двое евреев — нет.

— Миссис Мармелл, в «Кастл» нет евреев или неевреев, как нет черных, желтых или белых. Лично у вас есть хоть одна чернокожая помощница?

— Нет.

— Возьмите себе хотя бы одну. Установите прогрессивную оплату. Чернокожую и женщину.

— Мы обменялись рукопожатием, и на этом беседа закончилась.

События, связанные с «Кинетик», прибавили мне решимости начать новую интеллектуальную жизнь, предвестником которой стала моя статья, состоящая из трех частей, опубликованная в «Нью-йоркском книжном обозрении». Она была столь прозрачной, что вдумчивые читатели должны были понять, что я вернулся к своим прежним убеждениям. Почувствовав под ногами твердую почву, я вновь обрел уверенность в себе, результатом чего стали три перемены в моей жизни. Я нарушил печать молчания о своем переезде в Темпл, сообщив об этом Ивон. Услышав новость, она поздравила меня со смелым решением:

— Оставить уютное гнездышко в Мекленберге и броситься в водоворот крупного университета — для этого нужна смелость. Я горжусь вами, Карл. — На этом ее оптимизм иссяк. — Но я, конечно, уже заметила, что когда вы, писатели, меняете один из аспектов своей творческой жизни, то можно ждать похожих изменений и во всем остальном. Вскоре вы, вероятно, покинете «Кинетик», а значит, и меня тоже. И это печально.

Я заверил ее, что не намерен делать ни того, ни другого:

— Вы и «Кинетик» вывели меня в люди. Если бы не вы, в Темпле никогда бы не услышали обо мне. Так что я ваш навечно.

А вот с двумя своими подопечными, Тимоти Таллом и Дженни Соркин, я порвал полностью, смирившись наконец с тем, что сделал для них все, что мог, и что теперь они должны следовать своими путями без какого-либо вмешательства с моей стороны. Слово «пути» не случайно было использовано мной во множественном числе, ибо я все еще втайне надеялся, что Тимоти не станет губить свою молодую жизнь, связывая ее с такой крайне неподходящей девицей.

Но главным в моей жизни было сейчас вот что: когда после публикации статьи о «Кинетик», словно желая испытать меня на прочность, мне позвонили из редакции «Нью-йоркского книжного обозрения» и сказали, что в преддверии выхода в свет последнего из восьми романов Лукаса Йодера они хотели бы отдать дань уважения как самой книге, так и ее автору, и, поскольку я знаком с немецкой Пенсильванией, они готовы предоставить мне не только первую полосу для рецензии на книгу, но и полный разворот для отдельного очерка об авторе и его произведениях.

Поскольку это было как раз то, что могло бы подтвердить мое возрождение как серьезного критика, я ответил звонившему:

— Сочту за честь. Присылайте книгу. Постараюсь уложиться в ваши сроки.

Однако, когда я в последний раз прогуливался вдоль Ванси и мысленно намечал общие направления рецензии и сопровождающего ее очерка, мне постепенно открывались причины, по которым мне следовало бы отказаться от этой работы: у меня слишком предвзятое отношение, чтобы отнестись беспристрастно к книге Йодера и к нему самому. Неприятие его работ и его самого уже вошло в мою кровь. С другой стороны, я не забывал, что класс, где я преподавал, процветал благодаря тем средствам, которые Йодер так щедро жертвовал колледжу. Однако меня до сих пор возмущало его сентенциозное выступление на том вечере поэзии, когда он пытался сыграть на одной из немногих удачных строк бедного Лонгфелло: «Как корабли расходятся в ночи...» Кроме того, он задел меня за живое, когда мою «Цистерну» так безжалостно бичевали критики. Йодер влился в общий хор и заявил: «Роман Карла не поет». Правда, позднее мне стало известно, что на самом деле он сказал следующее: «Это отличное произведение во всех отношениях, кроме одного — оно не поет». В глубине души меня возмущало также его вмешательство в профессиональную жизнь моих студентов Талла и Соркин. И должен признаться, что у меня все еще не пропала горечь с той поры, когда я искренне верил, что мой роман будет лучше, чем его. И, наконец, больше всего меня раздражало то, что он опередил меня, успешно взявшись писать о моей немецкой Пенсильвании.

Имей я более глубокие представления о порядочности, от меня не укрылись бы те многочисленные причины, по которым мне следовало отказаться от рецензии на книгу Йодера. Но в тот момент своей жизни я еще не познал всей глубины морального значения этого понятия. Судья, который знает, что он настолько тесно связан со стоящим перед ним ответчиком, что может либо обелить, либо очернить его, обязан заявить суду: «По личным мотивам я беру самоотвод в этом деле». Точно так же ответственные критики отводят свои кандидатуры, когда их просят дать рецензию на книгу друга. В случае с Йодером я, без всяких сомнений, должен был взять самоотвод, но я не сделал этого.

Мой довод, который в то время казался мне заслуживающим внимания, состоял в том, что я должен был использовать пережеванную беллетристику Йодера в качестве примера того, как не надо писать, и которую я, вновь заострив свое критическое перо, впредь буду бичевать. В результате сурового самоанализа я сел за машинку с убеждением, что теперь избавлен от враждебного отношения к Йодеру. И, если мне предстояло высказаться резко, то причиной тому была не моя антипатия к нему, а его чахоточные романы. Я никогда еще не садился за работу с такими чистыми намерениями, но и результаты у меня никогда еще не были такими желчными.

Могу только догадываться, что произошло, когда

моя рецензия с очерком попали в «Таймс». Но говорили, что кто-то из редакции тайком позвонил Ивон Мармелл и сообщил:

— В «Санди» лежат две статьи твоего Карла Стрейберта.

Думаю, что Ивон при помощи одного из своих трюков, которыми она мастерски владела, все же раздобыла копию рецензии, если не весь материал полностью, ибо через пару дней после его отправки телефон у меня не смолкал. Знакомые писатели и издатели спешили уведомить меня, что с ними разговаривала Ивон и вкрадчиво пыталась представить Йодера и его книгу как украшение американской духовной жизни, а меня характеризовала как неблагодарного тупицу. Стало ясно, что Ивон занялась тем, что у политиков · во время последней президентской избирательной компании называлось «манипулированием общественным мнением».

Она знала, кому звонить, и была преисполнена решимости свести к нулю будущее воздействие моей отрицательной рецензии на книгу. Так же она, насколько я мог судить по тому, что мне рассказывали друзья, надеялась убедить «Таймс» снять мой пространный очерк с анализом несостоятельности Йодера. Она представлялась мне в те дни одним из тех пожарных с Запада, которые, появляясь на телеэкранах, уставшие и закопченные, объясняют, как они зажигают встречный огонь, чтобы потушить полыхающий пожар.

Вряд ли она звонила в «Таймс» сама, так как однажды ужс говорила мне:

— Еще на заре своей редакторской карьеры я усвоила одну прописную истину: никогда нельзя заставлять журнал пересмотреть рецензию или, наоборот, настаивать на рецензии, когда он решил не давать ее. Был у меня один молодой человек, ужасно высокого мнения о себе и своей книге, которая гроша ломаного не стоила. Я редактировала ее только потому, что на этом настояло издательство. Она представлялась мне настолько плохой, что я вздохнула с облегчением, когда «Таймс» полностью проигнорировала ее. Однако молодой человек развернул бешеную кампанию, чтобы заставить меня убедить газету в необходимости публикации рецензии на его книгу. Когда я отказалась и посоветовала ему бросить это дело, он настрочил гневное письмо обозревателю газеты с вопросом, побеспокоился ли тот о том, чтобы вообще прочесть его книгу.

Через несколько дней в газете появилась рецензия, начинавшаяся со слов: «На прошлой неделе я получил письмо от Гарри Джекмана с вопросами, удосужился ли я вообще прочесть его книгу «Ночь в пустыне» и когда собираюсь поместить на нее рецензию. Так вот, я удосужился, и вот моя рецензия». Статья была столь убийственна, что Ивон никогда ничего больше не слышала об этом молодом человеке. Но она размножила ее и посылала копии молодым авторам, когда те пытались проталкивать свои книги в оскорбительной манере.

Кроме того, существовала еще одна причина, по которой ей нельзя было ссориться с «Таймс». Отвечая ежегодно за редактирование и выпуск по меньшей мере восьми книг, она не решалась лезть на рожон из-за Йодера, ибо могла поставить под угрозу семь остальных книг. Поэтому ее ответом на плохую рецензию обычно было: «В следующий раз нам повезет больше».

Но, по-видимому, серьезные сомнения в моих статьях были у самой «Таймс», ибо в колледж позвонила женщина из «Книжного обозрения» и попросила меня к телефону. Ей ответили:

— Профессор Стрейберт на занятиях. Его нельзя беспокоить.

— Его надо побеспокоить, потому что это весьма важно.

Когда я взял трубку, она сказала:

— У нас две ваших статьи: рецензия и сопровождающий ее очерк. В них оказалось больше негатива, чем ожидалось. Мы решили зарезать очерк, но гонорар за этого покойника вы, безусловно, получите.

— Вы просили две статьи определенного объема, и я представил их.

— Рецензию мы опубликуем в том виде, в каком она написана, тут уж мы никуда не денемся, разве что опустим отдельные слова, которые нас не устраивают.

— Для меня это равнозначно цензуре.

— Профессор Стрейберт, учтите такой момент, — мягко проговорила она, — ходят слухи, что вы собираетесь занять высокое положение в университете Филадельфии. Не начинайте на новом месте с того, что может стать скандалом в сфере ваших профессиональных интересов.

Этим советом нельзя было пренебречь. При написании очерка мною двигало не личное отношение к Йодеру, а лишь желание приподнять американскую литературу над уровнем его жалких романов, но, если читатель воспримет мои слова как примитивную месть, это лишь повредит моей карьере, которая вновь находилась на взлете.

— Будем считать его зарезанным, — смиренным голосом сказал я. — А вот рецензию вы обещали опубликовать в том виде, в каком она будет написана.

— Это обещание будет соблюдено.

Я знал, что Ивон непременно попытается осторожно разнюхать намерения «Таймс» относительно публикации моей рецензии, и позднее мне стало известно, что один из ее приятелей из этой газеты сообщил ей, что они возмущены и спрячут рецензию где-нибудь на странице 11 или 12. При этом газетчик сообщил:

— Мы сделаем так, чтобы эта ядовитая писанина Стрейберта заняла не больше четверти страницы. —

Но затем он предупредил ее, чтобы она не сбрасывала со счетов очерк, который еще может всплыть в одном из мелких журналов.

Каким был следующий шаг Ивон, стремящейся защитить своего бесценного Йодера, стало ясно, когда мне позвонил владелец книжного магазина Бетлехема и, едва сдерживая смех, сказал:

— Карл, дружище, не иначе как ты сбросил бомбу на Йодера. Только что звонила запыхавшаяся Ивон. Просила не обращать внимания на несколько негативную рецензию в «Санди таймс», так как срочно высылает мне целую кучу восторженных откликов других не менее солидных изданий. Сказала, что «Каменные стены» — это лебединая песня Йодера в «Кинетик» и что эту книгу ждет блестящее будущее. Когда я спросил, а как быть с неблагоприятными отзывами книжных клубов и тем, что заявки на нее снимаются пачками, она сказала: «Это не имеет никакого значения. Мы уверены, что роман быстро войдет в число лучших, если, конечно, вы, торговцы, отнесетесь к нему так же, как относились к другим книгам Йодера».

Чтобы упредить события, она, похоже, обзвонила всех крупных представителей «Кинетик» на местах. Вот что позднее рассказал мне о ее звонке один из них, когда я брал у него интервью в связи с историей «Кастл»:

— Она была спокойна и сладкоречива. Сразу поведала о том, что «Таймс» поместила на нас убийственную рецензию, но тут же заверила, что отзывы других колеблются между очень хорошими и восторженными, и честно призналась, что «Кинетик» рассчитывает заработать на этой книге миллионы долларов и будет биться за нее до конца. В производство запущено полмиллиона экземпляров. По ее прогнозам, книга с полгода будет входить в число бестселлеров. А закончила она в привычной манере «кровожадной Мармелл»: «Пол, если когда-нибудь найдете на своем редакторском столе какой-нибудь роман Стрейберта, сожгите его».

Специалист по рекламе, с которым я близко сошелся во время интервью, сообщил мне, насколько я был близок к тому, чтобы оказаться под непосредственным обстрелом Ивон:

— Когда ее гнев прошел, она дала мне три задания: «Найдите мне самый шикарный грензлерский пейзаж — с фермами Ланкастера, пасущимся скотом или что-то в этом роде. Откопайте самую благоприятную рецензию на последнюю книгу и шесть восторженных отзывов на предыдущие грензлерские романы. И, наконец, мне нужна приличная фотография Карла Стрейберта».

— А для чего все это? — поинтересовался я.

— Вместе с ней мы сварганили броский плакат. Вы крупным планом посередине, а внизу слова: «Этому известному критику, живущему в Грензлере, не интересен блестящий роман Лукаса Йодера «Каменные стены». А всей остальной стране интересен».

— Я никогда не видел такого плаката.

— А он так и не вышел. Когда я доводил его до ума, Ивон подошла к моему рабочему месту, постояла несколько минут, постукивая каблуками, и, накрыв ладонью ваше лицо, сказала: «Кончай это, человек пытается начать новую жизнь, и я не хочу перекрывать ему путь дешевым плакатом».

Моя рецензия на «Каменные стены» нигде не вызвала такой бури, как в нашем колледже, где ее восприняли как пасквиль одного выпускника на другого. Когда президент Росситер вызвал меня на ковер, передо мной был уже не тот чиновник, который лебезил перед потенциальными меценатами. Как бульдог, защищающий свою кость, он прорычал:

— Что это за ребячество, Карл! Вы злитесь, уходя от нас, потому что у вас не сложилась личная жизнь. И вы, как шестнадцатилетний юнец, хотите сделать это, громко хлопнув дверью. Но учтите, себе вы навредите больше, чем нам. В любом колледже на вас будут смотреть как на человека, способного оскорбить того, от кого вы приняли миллионы долларов на развитие своей кафедры.

Когда я попытался защищаться, он нанес мне удар в самое уязвимое место:

— Вы не задумывались о том, что вам, как профессиональному критику, нельзя было даже рецензировать книгу Йодера, не говоря уже о том, чтобы бичевать ее? Даже если бы вы написали хвалебную рецензию, все равно бы вызвали подозрение в академических кругах — слишком близко вы знакомы с автором, слишком тесно переплетены ваши личные отношения. Надеюсь, что в Филадельфии вы будете вести себя более зрело, чем у нас. Вы правильно делаете, Стрейберт, что уходите. Вы больше не пользуетесь нашим расположением.

Миссис Гарланд тоже не преминула отчитать меня:

— Позор! У вас, должно быть, поехала крыша, если она у вас есть вообще.

Что касается реакции самого Йодера, то я узнал о ней от одного из своих студентов и не смог скрыть удивления:

— Моя тетка, которая помогает миссис Йодер делать уборку в доме, рассказывала мне, что в воскресенье он раскрыл «Таймс», посмотрел вначале «Недельный обзор», затем небрежно полистал «Книжное обозрение» и на странице 12 увидел жирный заголовок: «Грензлерский октет» рухнул не с грохотом, а с визгом». Взгляд его задержался на подписи «Карл Стрейберт», но читать рецензию он по своему обыкновению не стал. После беглого просмотра первой полосы, где были новости, он отложил пухлый воскресный выпуск в сторону и пошел в свою столярную мастерскую.

А вот Эмма, по словам студента, не пропустила рецензию, появления которой она ожидала в этом выпуске, и издала яростный рык, когда прочла все девять абзацев, в которых я громил ее мужа и его роман. И, зная, что Лукас старается избегать таких моментов, тем не менее ворвалась в мастерскую со словами:

— Дорогой, ты должен знать об этой ужасной вещи... — И срывающимся голосом прочла два моих заключительных абзаца:

«Каменные стены», замковый камень в цепи скучных романов, со всей очевидностью демонстрирует хлипкость основы, на которой выстроена вся эта эпопея. Он затянут, сентиментален и топорно сработан. Его персонажи деревянные, а диалоги мелкие, как опилки. Действие хромает, сюжет трещит по швам, а манера рассказчика, которой якобы знаменит мистер Йодер, набила оскомину. И, что самое прискорбное, своих земляков из пенсильванской Германии он представляет какими-то забавными чудаками и напрочь лишает их ореола непокорности современному миру, которому те не доверяют».

«Трудно себе представить, чтобы мало-мальски серьезный писатель тратил свое время на такую слащавую стряпню. Еще труднее представить, что разборчивый читатель сможет дотерпеть до конца, читая эту утомительную болтовню. Точно так же, как шестнадцать пустышек из серии «Джална» не имеют никакого отношения к Канаде, так и восемь томов эпопеи «Грензлер» не имеют ничего общего с Америкой, ни прошлой, ни настоящей. Из двух печальных эпопей этот последний роман о немцах самый плохой. Как предсказывал поэт: «Не каменными стенами возводится роман!»

Тетка студента рассказывала: «Хлопнув газетой об пол, Эмма закричала: «Ну, Лукас, и что ты собираешься делать с этим?» А он ответил ей со скамьи, где восстанавливал один из своих магических знаков: «Что делать? Собираюсь закончить его раскраску».

IV

ЧИТАТЕЛЬ

ВОСКРЕСЕНЬЕ, 6 ОКТЯБРЯ. Проснувшись рано утром, я знала, что сегодняшний день будет особенным в жизни нашей немецкой глубинки. Книги настолько важны для меня и я так горжусь тем, что мой внук уже издал одну и, похоже, заканчивает другую, что с особым интересом встречаю все написанное в нашей округе. Я радовалась успехам профессора Стрейберта из нашего колледжа, когда вышел его критический труд, и огорчилась, когда провалился его роман. Но особую радость последние пятнадцать лет мне доставлял успех, который встречали в стране, да и во всем мире, романы моего друга Лукаса Йодера.

Все, кто следил за его творчеством, знали, что завтра выходит его последний роман грензлерской серии «Каменные стены». А это означало, что сегодня в «Нью-Йорк таймс» должна появиться важная рецензия на него. Стыдно признаться, но я в свое время не обратила внимания на его первые три романа и даже не слышала о них, хотя действие в книгах разворачивается как раз там, где я живу. Однако в то время о нем не слышали миллионы американцев, так как тиражи его книг были мизерными.

В публичной библиотеке Дрездена работала милая и умная женщина, которая напоминала мне мою несчастную дочь тем, что тоже связала свою жизнь с конченым человеком. Но в отличие от моей Клары ей хватило ума избавиться от него, убедившись в том, что он не что иное, как сквернослов, пьяница и бабник. Ходили слухи, что свои отпуска она проводит вместе с женатым профессором филологии из Пенсильванского университета. В наших местах это вызывало пересуды, но я считала, что если такой образ жизни устраивает ее, то другим до этого не должно быть дела.

Будучи профессиональным библиотекарем, она пятнадцать лет назад раскрыла мне глаза, сказав:

— Миссис Гарланд, вам надо обязательно прочесть новый роман Лукаса Йодера «Изгнанный». Он отличается классической простотой и глубоким трагизмом.

Меня всегда привлекали реалистические произведения с глубокими страстями, такие, как «Мадам Бовари» или «Анна Каренина». «Изгнанный» оказался как раз такой книгой, персонажи которой можно было встретить на рынках Ланкастера в начале столетия, и я рада, что по этому роману снимается кинофильм.

Но коммерческого успеха книга не имела. По крайней мере, в момент своего выхода — это теперь она издается по всей Европе. И сейчас мне не терпелось узнать, как будут встречены его «Каменные стены», так как хотелось, чтобы он закончил свою писательскую карьеру триумфом.

Спускаясь из своей спальни, я по привычке задержалась на лестничной площадке и обвела взглядом комнату, напоминавшую мне о моем муже Ларриморе и том оптимизме, с которым он смотрел на жизнь и ее проблемы, возглавляя сталелитейную компанию. Он сам проектировал этот дом, следил за его строительством и определял дизайн — американский «колониальный стиль», со вкусом дополненный элементами немецкой культуры. Именно он настоял на том, чтобы окна находились на южной стене, откуда открывался широкий вид на долину.

Когда посетители входили в эту комнату — мы называли ее «Большой», — перед ними оказывались два помещения поменьше: слева — столовая на двенадцать мест, справа — уютная библиотека, расстановка книг в которой не отличалась нарочито показной красивостью, потому что их постоянно читали и перечитывали. Эти три комнаты я особенно любила. Ларримор называл это место поющим, потому что сюда долетали звонкоголосые бризы, гуляющие над долиной. Местные называли дом дворцом. А для меня он был родным домом.

В нетерпении позвонив Оскару, я спросила:

— «Таймс» еще не приносили?

— Мадам, вы же знаете, что воскресный выпуск верстается в последнюю минуту и приходит поздно, — терпеливо разъяснил он.

— Да, да, я забыла. Не терпится поскорее прочесть.

— Если я пойду за ним прямо сейчас, мне придется просто сидеть и ждать, — рассмеялся он.

— Да, конечно. Но, пожалуйста, принесите его как можно скорее.

Когда через некоторое время он принес толстый воскресный выпуск, я быстро нашла в нем раздел «Книжное обозрение». Мне казалось, что о таком важном произведении, как роман Йодера, будет написано на первой странице, но, к моему разочарованию, там не было о нем ни строчки. Перелистывая газету со все возрастающим беспокойством, я добралась наконец до страницы 12, где и обнаружила дикую рецензию своего просвещенного друга Карла Стрейберта.

Сраженная его расправой над тем, что, по мнению многих, должно было стать лучшим романом грензлерской серии, я бросила «обозрение» на кофейный столик, перевернув пустую чашку, и пробормотала:

— Позор! Они же соседи! Почти коллеги!

Вновь взяв в руки газету, я перечитала каждое предложение так тщательно, как вчитывалась когда-то в учебные задания в Вассаре, но это лишь прибавило мне злости. Я всегда любила книги. Они повсюду в моем доме. И я не могла оставаться безучастной, когда моему автору наносили такое оскорбление.

Едва сдерживая ярость, я набрала первый из многочисленных номеров, по которому должна была позвонить в этот день. Это был номер Стрейберта, но его не оказалось в общежитии колледжа. Нетерпеливо набрав телефон своего внука, я застала его еще в постели:

— Тимоти! Ты читал рецензию Стрейберта на роман Лукаса Йодера?

— Да. Сильный разнос, не так ли?

— Это бесчестно!

— Бабушка...

— Они же друзья... они чуть ли не вместе работали... над такими хорошими проектами в колледже.

— Вот что, бабушка! Стрейберт в своей рецензии затрагивает вопросы, которые имеют огромное значение для всех писателей...

— Но как можно опускаться до оскорблений в адрес друга!

— Он не опускается до оскорблений. Он обозначает нравственную проблему и делает это, надо сказать, довольно аккуратно.

— Ты что, забыл, как мистер Йодер поддерживал тебя, когда ты написал свой «Калейдоскоп»? Ты такой же, как твой профессор Стрейберт! Нет, ты хуже! Ты неблагодарный! А среди джентльменов это непростительно!

— Стрейберт и я — мы не злодеи. Ты знаешь, что я хорошо отношусь к мистеру Йодеру и благодарен ему за поддержку. Просто среди тех, кто преподает настоящую литературу, Йодер уже давно считается вымершей птицей додо*. — После паузы в трубке послышался его смешок. — Какое название для моего собственного очерка — «Йодо — додо».

— Только попробуй написать нечто подобное, и я отрекусь от тебя! Нет, я лишу тебя наследства!

— Не говори чепухи, дорогая допотопная старушенция.

Я — единственный опекун своего внука, и сама способствовала тому, чтобы он относился ко мне, не как к

---

* Dodo — дронт (*англ.*). — *Прим. ред.*

идиллической бабушке из сказок братьев Гримм, а чуть ли не как к ровне. И это нас вполне устраивало.

— Иди и почитай «Близнецов Боббси», — продолжал он, — а Йодера оставь нам.

— Почему вы оба такие бешеные?

— Потому что в условиях существующей в Америке системы такой человек, как Йодер, приносит очень много вреда. Его книги — вчерашний день. Маловнятные, не затрагивающие ни одной крупной проблемы. Их принимают за неимением лучшего и еще, наверное, потому, что без них не смогли бы выжить издательства.

— А что в этом бесчестного? Он помог «Кинетик» стать таким, каким оно понадобилось тебе.

— Бесчестного — ничего. Но и значительного тоже ничего.

— Тогда в чем же дело?

— Люди, подобные Йодеру, оккупируют пространство, необходимое настоящим писателям. Они наводняют рынок отбросами, которые вытесняют доброкачественную продукцию Стрейберта.

— Роман Стрейберта невозможно было читать, и ты знаешь это.

— Непосвященным — да. Профессионалы же находят его значительным. Отразившим будущее.

— Бедная Америка, если «Пустая цистерна» — это ее будущее! Там хоть две пары очков надевай, все равно ничего не увидишь.

— Я люблю тебя, бабушка, но у нас совершенно разные представления о том, что стоит читать.

— А деньги, которые Йодер приносит «Кинетик», помогают публиковаться тебе.

— Бабуля, ты прелесть! Я пришлю тебе экземпляр «Йодо — додо» с автографом.

Мой следующий звонок был президенту Росситеру в колледж:

— Вы видели разгромную рецензию вашего профессора Стрейберта на новый роман Лукаса Йодера?

— Да. Я был шокирован. — После того как мы

обменялись мнениями по тем вопросам, которые поднимал критик, он сказал: — Джейн, это гораздо серьезнее,
чем вы можете представить... Я хочу сказать, что вы не
знаете деталей, которые за всем этим кроются.

Поскольку он был взволнован сильнее, чем я ожидала, мне пришлось сказать:

— Норман, вы лепечете что-то бессвязное. Поведайте
мне эти подробности. Я все же член вашего Правления.

— Это должно, безусловно, остаться между нами.
Какое-то время назад, как вы знаете, Лукас и Эмма
предоставили мне миллион долларов на нужды колледжа.
Без каких-либо публичных заявлений на этот счет, конечно.

— Это похоже на Йодера.

— Вы не знаете о том, что, вручая мне чек, они дали
понять, что если дела пойдут так же хорошо и с их
будущими книгами...

— То от них будут еще пожертвования? Они намекали на это?

— Больше чем намекали.

— Но ничего в письменном виде?

— Конечно, нет, мы ведь и от вас не получаем
никаких письменных документов. Это нормально, я считаю. А сейчас мне нужен ваш совет. Как вы думаете,
рецензия Стрейберта может настроить Йодера против
нас?

Поразмыслив какое-то время, я выдала свое мнение:

— Эмма будет в ярости. Она готова будет поджечь
аудиторию Стрейберта. А вот Лукас, как мне кажется, не
обратит на нее внимания.

— На рецензию, может быть, и не обратит. Но не
лишит ли это нас дальнейших поступлений от Йодера?

Я снова задумалась.

— Йодеры не такие люди, — проговорила я.

— Как мне поступить?

— Как поступила бы я? Я бы устроила небольшой
коктейль у себя в доме. Сама выступила бы в роли
хозяйки, а гостей пригласили бы вы. Йодеров, их друга

Цолликоффера... и вела бы себя так, как будто ничего не случилось. Важно показать Эмме, что вы по-прежнему дорожите ее мужем. Ведь последнее слово останется за ней, Норман.

— Что вы имеете в виду?

— Ну подумайте сами. У Йодеров точно такое же положение, как у меня. Даже хуже. У нас нет своих детей. У меня только внук Тимоти, а у них нет даже этого. Поэтому мы должны как-то распорядиться нашими средствами на случай смерти. Эмма понимает это так же хорошо и готова передать их любому, кто относится к ее мужу с уважением.

— Вы только что рекомендовали устроить коктейль?

— Конечно. Я бы пригласила еще местного библиотекаря — прекрасную женщину по фамилии Бенелли. Это придаст коктейлю характер литературного праздника по случаю выхода романа. И никто не увидит, что у вас страшное нервное напряжение.

— Договорились, но я действительно страшно нервничаю.

Потом я позвонила мисс Бенелли и Цолликофферам, которых я знала мало, но уважала за то, что они помогали Йодеру писать его книги. Все они с удовольствием согласились посетить мой дом в следующий вторник.

Покончив с этими приятными хлопотами, я приготовилась к долгожданной встрече с мисс Дженни Соркин, о которой много слышала от Тимоти, но встречаться с которой мне еще не довелось. Поскольку Тимоти виделся с ней довольно часто, я считала своим долгом получить представление об этой девушке. Это было что-то новенькое: высокое, хрупкое, неухоженное, с вызывающе озорными огоньками в глазах, готовой сорваться с губ улыбкой и в майке с надписью «ГДЕ ТЫ БЫЛ, КОГДА МНЕ НАДО БЫЛО ПРОШВЫРНУТЬСЯ?». Увидев это, я не сдержалась и захихикала: «Со мной творилось то же самое в двадцатилетнем возрасте. В Вассаре в те годы было несладко. Призыв на Вторую мировую войну начисто лишал нас мужчин, особенно если ты не была смазлива, а я таковой не была».

Когда молодые люди устроились подле огромных окон, за которыми мелькали огни автомобилей на объездной дороге, я подала бутерброды и «осеннее блюдо Фенштермахера», приготовленное так, что пальчики оближешь.

— Ну а теперь, — сказала я, — объясните мне, если можете, почему вы, юные янычары, считаете, что должны объявить войну Лукасу Йодеру?

— Подождите! — всполошилась мисс Соркин. — Я не в счет. Мне нравится Йодер и его книги. Если говорить прямо, то у меня с ним много общего. Мы оба пишем книги, которые доступны и понятны простым людям.

Я улыбнулась ей и сказала:

— Как только я увидела вашу майку, вы мне сразу понравились. — Затем я повернулась к Тимоти. — Таким образом, получается, что две женщины, предпочитающие книги, которые можно читать, выступают против тебя и Стрейберта, отстаивающих книги, которые читать невозможно.

— Ну, кто из нас бешеный? — с притворным ужасом воскликнул Тимоти. — О Йодере я не сказал ничего даже отдаленно напоминающего те обвинения, которые ты сейчас бросила в адрес Стрейберта, бабуля, — якобы его роман невозможно читать.

— Я говорила отвлеченно, — заметила я, — имея в виду, что обычный читатель не в силах постичь ни его роман «Пустая цистерна», ни твою захватывающую приключенческую повесть «Калейдоскоп». Такую мягкую формулировку ты принимаешь?

— Зарываешься, бабуля, — хмыкнул мой внук. — И мы со Стрейбертом будем продолжать делать свое черное дело.

— Нет! — выкрикнула я. — Если бы он был сейчас здесь, а не прятался в Филадельфии, я бы плюнула ему в глаза. Отведайте вот блюдо Фенштермахера. Оно так же по душе Грензлеру, как и романы Йодера.

— И оно так же губительно для пищеварения, — добавил Тимоти. — Во времена, когда в культурной сфере сгущаются сумерки, повсюду люди, подобные Стрейберту, начинают понимать, что призванием серьезной литературы должно стать поддержание возвышенного диалога между избранными — теми немногими, которые будут принимать решение, чтобы сохранить жизнь нашему обществу.

— Значит, из него будут исключены такие, как я, кому нравятся Джейн Остин и Уилла Кэсер?

— Нет, нет! Ты как раз относишься к избранным. — Он показал на два маленьких шкафа, приютившихся в большом зале. В них находилась впечатляющая подборка книг, должна заметить: серьезные романы, очерки о женщинах, научные трактаты и внешнеполитические исследования. Надо признаться, что я не без гордости считала все это отражением тех интересов, которые под стать неравнодушной женщине на седьмом десятке лет. И вот, когда меня распирало от нескромной гордости, Тимоти заговорил о поэте, который займет большое место в моей жизни:

— Думаю, что наш великий поэт Эзра Паунд выразил это лучше всего, когда находился в заточении в психиатрической больнице Святой Элизабет. Он обратился к своим соратникам по перу, которые не побоялись общественного осуждения и посетили его место заключения, со следующими словами: «Пишите только для равных себе. Игнорируйте толпу. Она всегда поклоняется ложным Божествам».

Мы с мужем приучили себя относиться с подозрением к подобным идеям, потому что считали, что они ведут к фашизму. И теперь я вынуждена была протестовать:

— Не думаю, что могу согласиться с идеями твоего мистера Паунда.

Но Тимоти продолжал свою тему:

— Профессор Стрейберт взял концепцию Паунда и

выстроил на ней то, что он называет «Императивом настоящего времени».

— И что бы это значило?

— Что в центре внимания художника должны оказаться те проблемы, которые возникают в современном ему обществе в конкретное время, и решать он их должен при том уровне понимания, который характерен для его времени.

Я уже собралась было сказать, что считаю это само собой разумеющимся, но тут в разговор вступила мисс Соркин:

— Знаете что, миссис Гарланд, если хотите понять, о чем говорит Тимоти, прочтите рукопись его нового романа. — И пояснила: — В название здесь вынесено любимое слово Стрейберта — «диалог». Он состоит из ста шестидесяти страниц непрерывного разговора между мужчиной и женщиной, которые никак не называются и никоим образом не персонифицируются, кроме как посредством своей нескончаемой беседы. Их споры, рассуждения и размышления начинаются с середины предложения на первой странице и тянутся нескончаемым потоком до страницы сто шестьдесятой. Только через восемь или десять страниц обнаруживаешь, кто говорит, мужчина или женщина.

— Но образы все же возникают?

— Да, и вполне определенные. И становится еще интереснее, если удается их удержать.

— Похоже, что эта вещь еще труднее, чем твоя первая, Тимоти.

Он пожал плечами, очевидно, недовольный тем, что обсуждается его еще не изданная работа, но Дженни продолжала:

— Она написана так искусно, что еще лет десять будет оставаться непревзойденным образцом художественного повествования. Это блестящая книга, миссис Гарланд, такая, которой вы будете гордиться!

— Но смогу ли я одолеть ее?

— Если сможете продержаться пятьдесят страниц, то одолеете.

— Мне интересно знать суть. Мне нужно, чтобы действие начиналось в первом предложении. «Ночь была темная и тревожная» — вот как я представляю себе начало романа, — пошутила я.

Желая, очевидно, поддержать Тимоти в его смелом начинании, Дженни сказала:

— Как говорила моя бабушка: «Отведайте. Не пожалеете!»

— Ты позволишь взглянуть? — спросила я Тимоти, искренне заинтересованная в его успехах.

— Да. Здесь — все, кроме последней части, — объяснил он, вручая мне плоскую коробку из картона. — И, знаешь, бабуля, я очень ценю твое мнение и рассчитываю на него, особенно когда ты не улетаешь назад в XIX век.

— Ты читал когда-нибудь Джозефа Эндрюса? Его хулиганские проделки в XVIII веке могли бы удивить тебя. — Не став больше задерживаться на Эндрюсе, я поинтересовалась: — А о чем будете писать вы, мисс Соркин? После того как выйдет ваш роман про футболистов?

— Я пытаюсь написать вещь специально для вас — с сильным началом и неожиданным концом.

— Я прямо сгораю от любопытства. А тема?

— Так и быть, скажу! Если мне везет пока с футболистами и их похождениями, то почему бы не попробовать проделать то же самое с надменными профессорами и членами Правления какого-нибудь респектабельного колледжа, скажем, в Огайо, где таких воз и маленькая тележка? Или в Восточной Пенсильвании?

— Уберите эту диверсантку! — закричала я, и она послала мне воздушный поцелуй.

Провожая своих талантливых молодых гостей до двери, я задержалась, чтобы взять по пути на одной из полок роман Маргарет Дрэбл, и, когда мы стояли и смотрели на залитую лунным светом долину, я подняла руки с книгами:

— В левой руке — роман Тимоти для дешифровки, в правой — Дрэбл для удовольствия.

...Отъезжая от дома, они дружно показывали мне рожки.

СРЕДА, 9 ОКТЯБРЯ. В этот день я принимала в своем доме четверых милейших жителей Грензлера — Цолликофферов и Йодеров. Это были типичные немецкие семьи Пенсильвании, каждая из которых уже разменяла свой седьмой десяток лет.

Лукас Йодер — невысокого роста мужчина, круглолицый и светловолосый — отличался спокойными и несколько неловкими манерами, которые немцы обычно демонстрировали в присутствии незнакомых людей. Его миниатюрная жена Эмма выглядела так, словно годами кормила целую свору работников фермы — такой она была тоненькой и подвижной.

Самым очаровательным из всей компании был их ближайший сосед Герман Цолликоффер — огромный толстый немец с всклокоченными волосами, сияющим лицом и повадками стареющего буйвола. Он выделялся тем, что носил одновременно подтяжки и ремень. Другой его чертой была молчаливость, однако слетающая с него, как только разговор касался вещей, по которым у него было твердое мнение. Тут же его прорывало, и он мог ораторствовать долго и назидательно, ибо никогда не вступал в разговор, не имея убедительных доводов. Замкнутым его назвать нельзя было, а вот благоразумным — можно.

Его жена Фрида, встречаться с которой мне еще не приходилось, была идеальным воплощением образа немецкой жены: веселая, но сдержанная в присутствии незнакомых людей, с крупным плоским лицом и чрезвычайно пышными формами, которые поддерживались в таком состоянии благодаря ее непомерному аппетиту, в чем мне вскоре пришлось убедиться. Фрида не могла не нравиться, особенно когда она открывала рот и начинала говорить на своем пенсильванско-германском наречии.

Когда она вошла в нашу большую комнату и уставилась на долину, тянувшуюся до Рениш-роуд, ее первыми словами были:

— Вот это красотища, да? — Затем она ткнула пальцем через плечо, указывая вниз по долине. — А вон там — ферма Фенштермахера, да? — И вопросительно посмотрела на меня, желая найти подтверждение своей догадке. Я согласно кивнула.

Я оказалась права, предсказывая реакцию Йодера на желчный выпад профессора Стрейберта. Когда пришла мисс Бенелли и собрались другие гости, один из них спросил:

— Как вы чувствовали себя, мистер Йодер, когда читали эту ужасную рецензию, вышедшую из-под пера вашего соседа?

— Такому профессионалу, как мой муж, — опередила с ответом Эмма, — не надо беспокоиться по поводу каких-то там рецензий, особенно если у него уже куплено полмиллиона экземпляров еще до публикации.

Я видела, как при этом поморщился Лукас, как бы говоря: «Я не хотел бы, чтобы она это говорила, но разве к мужу прислушиваются».

Но кто-то продолжал настаивать:

— А что предприняли лично вы?

— Я работал над раскраской своих магических знаков, — сказал он.

Здесь последовали многочисленные вопросы, потребовавшие от него объяснений, как он выискивает магические знаки на старых амбарах и превращает их, по мнению некоторых ценителей, «в оригинальные по замыслу и элегантные по исполнению коллажи». Но сам он отметал такую оценку:

— Я всего лишь пытаюсь сохранить крупицы прекрасных традиций нашего народа, слегка украсив их готическим орнаментом.

Это тоже вызвало интерес у присутствующих, но в конце своего объяснения он подвергся неожиданной критике со стороны Германа Цолликоффера, которому на этот раз было что сказать:

— Лукас, я никак не могу простить тебе твои проделки с этими магическими знаками. Я не раз предупреждал тебя, но ты не слушаешь. Немцы Пенсильвании никогда не верили в то, что такая мишура, как эти знаки, отвращает нечистую силу и навлекает проклятье на врагов. Это просто твоя выдумка. Даже название «магические знаки» придумал ты сам.

— А для чего же тогда нужны магические знаки, — спросила мисс Бенелли, — если не для отворота дурного глаза?

— Для украшения. Эта традиция пришла к нам из Германии, постройки получаются более привлекательными. Их вешают ради красоты, а не из-за нечисти. — Но затем его упреки сменили теплота и уважение, с которыми он всегда относился к Йодеру, ведь тот открыл миру этот уголок Германии, затерявшийся на окраине Пенсильвании: — В своих первых четырех книгах ты придерживался моих советов и с уважением относился к нашим традициям. Вот почему они оказались хорошими. А в «Нечистой силе» ты рассказываешь какие-то байки, и поэтому в ней нет ничего хорошего.

Йодеры дружно заулыбались, и Эмма заметила:

— Ты все перевернул с ног на голову, Герман. Когда он следовал твоим советам, его книги почти не раскупались, а как только стал жить своим умом, они стали идти нарасхват.

Началась другая долгая дискуссия о том, как автор должен использовать фактический материал. Здесь козыри оказались в руках мисс Бенелли, которая блеснула знанием конкретных примеров из известных произведений, демонстрировавших самые противоречивые подходы к решению проблемы. Один из участников дискуссии считал, что Герман Вук не побоялся заставить работать на себя целую мировую войну. Но другой возразил ему:

— Если бы я умел писать, я бы попробовал создать нечто подобное «Костру тщеславия» Тома Вулфа. Избрал бы один предмет и по-настоящему вгрызся в него — на небольшом полотне, проникая в суть вещей.

— Или одну ячейку общества — такую, как Грензлер, — вмешалась Эмма, вызвав улыбку своей готовностью защищать мужа в любых обстоятельствах.

— Я бы хотел извиниться, — спохватился Цолликоффер, — за свои несколько неуместные слова. Думаю, что Лукас был прав, когда прислушивался к тому, что я советовал ему, но поступал по-своему.

— А что вы скажете тем, кто считает, что лучшей из всех его книг является роман «Изгнанный»? — спросила мисс Бенелли.

— Ага! — стремительно вступила в разговор миссис Цолликоффер со своим сильным немецким акцентом. — Знаете, что сказал мой муж, когда прочитал книгу второй раз: «Наконец-то парень ухватил правду». И я тоже так считаю.

— Я хотел сказать, — возбужденно выкрикнул Цолликоффер, — что в ней есть хорошее сочетание правдивости, с которой я ему об этом рассказывал, и воображения, с которым он увидел эту правду. Что это за книга? История с мужскими подтяжками? Ничего подобного. Или о чем-то в этом роде? Или о чем-то другом? Я рассказал ему, а он — всему миру.

Единственный раз нотки раздражения по поводу разгромной рецензии Стрейберта на «Каменные стены» мелькнули у Йодера, когда он уже собирался уходить. Ожидая в дверях, пока Эмма распрощается с присутствующими, он случайно взял с полки один из романов о Джалне, который Стрейберт сравнивал с его грензлерской серией, желая уничтожить и то и другое.

— Что представляют собой эти книги? — спросил он. — Я вижу, их у вас шесть.

— Ничего особенного, — сказала я. — Но в свое время Мазо де ла Рош была сенсацией.

— Она из Канады, не так ли?

— Да. Канадцы высмеяли ее книги, называя их детскими сказками. Но англичанкам и американкам они доставляли огромное удовольствие. Я читала «Седые дубы Джалны» еще, наверное, в колледже и плакала, сочувствуя героине. А может быть, это была какая-то другая из ее книг... Они все перемешались у меня в памяти. — Тут я рассмеялась и погрозила ему пальцем. — И вы еще говорите, что никогда не читаете рецензий на ваши книги. Где же еще вы могли услышать о Джалне и заинтересоваться этой писательницей?

— Эмма прочла мне последние абзацы. Лучше бы она не делала этого. — Больше он ничего не сказал, но я видела, что характеристика, которую я дала этим книгам, не понравилась ему.

Когда гости собрались расходиться, я попросила мисс Бенелли остаться и поужинать со мной:

— Мне уже давно хочется задать вам один вопрос, касающийся литературы.

Мы устроились в удобных креслах у больших окон, за которыми над долиной сгущались вечерние сумерки. Но, прежде чем я успела задать свой вопрос, она спросила:

— Если Цолликоффер помогает Йодеру писать книги, то имеет ли он что-нибудь от этого?

— Совершенно случайно, но я знаю ответ на этот вопрос, — сказала я. — Мой дальний родственник посещает меннонитскую церковь в долине. Туда же ходят и Цолликофферы, и когда Йодер однажды предложил Герману деньги за его ценную помощь, тот сказал: «В былые времена мы все дружно помогали соседу строить его амбар. Сегодня мы помогаем ему создавать его книгу», — и отказался принять от него какие бы то ни было деньги.

Пока мисс Бенелли молча восторгалась таким великодушием, я с усмешкой продолжала:

— Но не стоит недооценивать этих пенсильванских немцев. Цолликоффер сказал Йодеру: «Мне лично — ни пенни. А вот церковь собирается делать пристройку. Ты можешь помочь в этом».

— И он помог? Я имею в виду Йодера?

— Конечно. Он согласился. Но, как только Цолликоффер получил его согласие, он тут же шепнул церковному совету: «Йодер заплатит», и архитектор просидел целую ночь, превращая пристройку в то, что сейчас называется Молитвенным залом. На следующий день Йодер посмотрел проект и сказал: «Отлично. Приступайте». Теперь церковь Цолликофферов хочет построить воскресную школу, и, поверьте, она внимательно следит за списком бестселлеров, прикидывая доходы Йодера.

Посмеявшись, я перешла к более серьезному предмету, который уже давно не давал мне покоя.

— Мисс Бенелли, что вам известно об американском поэте Эзре Паунде, который, похоже, оказывает нездоровое влияние на моего внука?

Она задержала дыхание и сосредоточенно нахмурилась:

— С чего начать? Эта проблема многогранна.

— Попытайтесь начать с начала.

Тщательно подбирая слова, она принялась рассказывать:

— В 30-х годах в Англии, в Кембриджском университете, существовала небольшая группа мужчин — а может быть, и не такая уж небольшая, — которые в своем интеллектуальном высокомерии дошли до того, что предали Англию, выдав государственные секреты этой страны Советскому Союзу. Эта дурная примета времени так повлияла на Паунда, что он предал Соединенные Штаты, став на сторону Муссолини и Гитлера. И он был не одинок в этом. Время было такое сумасшедшее, что многие писатели сбивались с пути истинного, так, Т.С.Элиот и его сторонники были ярыми антисемитами, а Э.М.Форстер заявил, что он «скорее предаст свой народ, чем изменит своему другу-любовнику».

— Странное заявление!

— Некоторые специалисты заявляют, что Форстер на самом деле не употреблял слово «любовник», но мы-то знаем, что он имел в виду именно это.

— И Стрейберт унаследовал идеи этих людей?

— В определенной степени. Он, конечно же, не антисемит. Его редактор — еврейка, так же как и та студентка, которую он проталкивает как писательницу, — Дженни Соркин. И я уверена, что он никогда не задумывался о предательстве. Но он развил эту сомнительную теорию о том, что писатель...

— Которую пытался объяснить мне Тимоти? — перебила я. — «Императив настоящего времени»?

— Да. Стрейберт заявляет, что о художнике должны судить по тому, как он относится к проблемам сегодняшнего дня. Он не обязательно должен найти их решение, как вы понимаете, достаточно того, чтобы определить их и последовательно ставить во главу угла в своем творчестве. Непременным условием этого должен быть его разрыв с прошлым, для того чтобы постичь настоящее. Он может изучать прошлое — и даже должен делать это, — чтобы видеть его ошибки и вносить соответствующие коррективы в настоящее.

— Очень уж нелегкое бремя взваливает он на плечи писателя, — заметила я.

— Стрейберт провозглашает это единственной достойной задачей писателя, — ответила она. — Игра красивыми словами и фразами была уделом прошлого века. А теперь призванием писателя становится постижение настоящего.

— Настоящего? Вы понимаете под ним такие вещи, как предательство Паунда?

— Да. Люди, которые превозносят Паунда за его действительно великолепную поэзию — а она по-настоящему прекрасна — и за ту огромную роль, которую он сыграл в формировании других поэтов, — он даже помог многим пересмотреть отношение к своему творчеству, сделав его более ярким... Он оказал влияние на творчество большинства замечательных поэтов своего времени. Так о чем я сейчас говорила?

— Что профессора, которые превозносят его...

— Чуть ли не насильно заставили интеллигенцию сделать его своим героем. Он стал лакмусовой бумажкой. «Если вы не поддерживаете Паунда, значит, вы расходитесь с нами и по всем остальным вопросам».

— Будь я одним из поэтов или интеллектуалов, я бы чувствовала то же самое. Как те пилоты авиалиний, которые участвовали в забастовке и которые потом отказываются даже разговаривать со штрейкбрехерами, сидящими рядом с ними в кабине. Расскажите-ка мне лучше о предательстве Паунда. Я об этом почти ничего не знаю. Слышала от Тимоти, что здесь фигурирует какой-то госпиталь.

— Факты здесь опять-таки противоречивые. Во время войны Паунд в своих выступлениях по радио из Италии призывал к поражению Англии и Соединенных Штатов. Может быть, не прямо, но все же выражая поддержку и симпатию врагу. Он также поддерживал истребление евреев или, по крайней мере, жестокое обращение с ними. В конце войны он был захвачен в Италии союзными войсками и какое-то время, как я понимаю, находился в концлагере. Когда Паунда возвратили в Штаты и привлекли к суду за предательство, его рьяные сторонники выступили с протестом, заявив, что человека нельзя судить за одни только слова, в которые он к тому же вкладывал другой смысл. Они даже выдвинули его на престижную премию Боллинджена, продемонстрировав тем самым, что он является выдающимся поэтом Америки. Фонд Боллинджена предоставил деньги, но премия была вручена от имени Библиотеки конгресса. Таким образом, все обвинения полетели к черту.

— А когда в его биографии появился госпиталь?

— Это печальная история. Не желая из-за протестов в среде интеллигенции предавать Паунда открытому суду как предателя, правительство смалодушничало и, объявив его сумасшедшим, потихоньку упрятало не в обычную тюрьму, а в филиал госпиталя Святой Элизабет в Вашингтоне для душевнобольных преступников, избежав таким образом общественного скандала.

— Это было ошибкой, — вставила я, и она согласилась со мной.

— Он находился там двенадцать лет. Его посещали

другие поэты, и в литературе появилась целая тема «мученика Святой Элизабет». Этот эпизод был позорнее, чем то, что сделал Паунд в Италии. В этой тюрьме для умалишенных он написал свои лучшие стихи.

— Давайте перейдем ближе к делу. Какое, по вашему мнению, влияние взгляды Стрейберта на Паунда и роль писателя могут оказать на такого впечатлительного молодого человека, как мой внук, который так блестяще начал свой путь? Может ли это сбить его с правильной дороги?

Мисс Бенелли ответила не колеблясь, и по напору в ее голосе я поняла, что ей тоже хочется оградить Тимоти от дурного влияния:

— Это может привести к тому, что он станет членом узкого круга молодежи, убежденной в том, что они живут в особой атмосфере и все видят более отчетливо, по-иному, чем другие, и острее других воспринимают веления времени.

Я спрашивала ее об этом, потому что меня беспокоило будущее моего внука, но сейчас меня стал разбирать смех:

— Я очень рада, что Тимоти познакомился с молодой мисс Соркин, которая говорит, что пишет книги, понятные мне. Она представляется мне ответственным человеком и может стать его спасением. А вот его увлечение Паундом и теми мошенниками, предавшими Англию, я не могу понять и буду весьма сожалеть, если он пойдет по их стопам.

— У вас есть видеомагнитофон? — В моем взгляде она прочла полное непонимание. — Ну, такой аппарат, с помощью которого можно смотреть фильмы на телевизионном экране.

— Был такой, но я так и не научилась пользоваться им и отдала кому-то.

— Не беда. Он есть у нас в библиотеке.

— Что вы хотите показать?

— В магазине видеопроката в Аллентауне есть чудесный фильм — двухчасовое телешоу, снятое в каком-то университете. В нем объясняется все, что вам нужно знать об Эзре Паунде.

— Для меня это очень важно.

— Назовите день, — сказала она, и мы договорились, что через два дня, если она найдет эту кассету, встретимся в библиотеке, чтобы посмотреть фильм «Узник Святой Элизабет».

ПЯТНИЦА, 11 ОКТЯБРЯ. Сегодня в пять часов дня в Дрезденской публичной библиотеке, разместившейся в небольшом, но аккуратном здании в центре города, я была посвящена в любопытную историю зарождения и развития предательства. Хотя библиотека была подарена городу в начале столетия шотландским филантропом Эндрю Карнеги, последующая ее модернизация оплачивалась с моей подачи моим мужем. И после его смерти библиотека оставалась главным объектом моей благотворительной деятельности, поэтому в ее просмотровом зале я чувствовала себя как дома. Мне нравилось это добротное старинное здание, пропитанное духом шотландской основательности. Найдется ли более достойный вклад состоятельного человека в общество, чем сотни библиотек Карнеги в городах, подобных Дрездену?

Добропорядочный Эндрю Карнеги был бы шокирован зрелищем, которое должно было развернуться сегодня в стенах его библиотеки. Мисс Бенелли без труда вставила кассету в видеомагнитофон, оказавшийся для меня в свое время непостижимым механизмом, и мы уселись смотреть горестную историю заблуждения, падения и триумфа Эзры Паунда.

Фильм состоял из двух взаимосвязанных частей. Первая строилась на документальных материалах, где высокомерный поэт представал в самых разных ситуациях, а вторая была игровой и воссоздавала самые важные моменты его жизни. В этих кадрах английский актер, играющий Паунда, с поразительным мастерством соединял реальное с воображаемым.

Мы видели Паунда то молодым бунтарем из Айдахо, который противопоставил себя своему поколению, то мятущимся преподавателем, то ссыльным в Италии, где он выступал в роли апологета Бенито Муссолини и поборника победы Италии и Германии в Европе и, в конечном итоге, во всем мире. В документальных кадрах, снятых во время триумфального появления Муссолини на фронтах, Паунд представал как человек, которому ненавистно все американское.

Кроме жалости, ничего больше не вызывали сцены, непосредственно следовавшие за поражением Муссолини и Гитлера, когда мстительные американские победители, разъяренные предательскими выступлениями Паунда по радио во время войны, арестовали и бросили его в тесную клетку из стальных прутьев. Как дикое животное, он был выставлен в этой клетке на обозрение толпе, которая плевала в него. Менее жестокими, но достойными еще большего осуждения были эпизоды, где американские чиновники, побоявшиеся открытого суда над ним из-за хрупкости предъявленного обвинения — ибо предательство его проявилось лишь на словах, а не в делах, — решают объявить его умалишенным. Отыскав подходящих врачей, они без суда упекают его на долгие годы в вашингтонский психиатрический госпиталь для преступников.

Я вынуждена была согласиться с создателем фильма, что клетка и незаконное заточение в психиатрическую лечебницу черными пятнами ложатся на американское правосудие. Но все равно высокомерие, предательство и откровенный антисемитизм Паунда не подлежат прощению.

Когда мисс Бенелли спросила меня после фильма, есть ли у меня вопросы, я отрицательно покачала головой. Слишком много чувств переполняли душу, чтобы об этом можно было говорить. Но позднее, оказавшись в своем одиноком доме и глядя, как вдали на Рениш-роуд мелькают огни автомобилей, я рассмеялась: «Глупые ослы! Ничтожные предатели, считавшие себя единственными, кто может правильно оценить современную историю, и уверенные в конечной победе коммунистической России, что бы сказали вы теперь, когда коммунизм рухнул повсеместно, продемонстрировав свою полную несостоятельность?!» Я задумалась о своем прозаическом муже, которого Паунд, наверное, презирал бы, потому что тот был простым американцем, старавшимся как можно лучше делать свое дело, управляя сталелитейной компанией. Насколько Ларримор был прав в своих представлениях об обществе, настолько же ошибался в них Паунд. И я не хотела, чтобы хоть одна из его ошибок вкралась в душу моего внука!

ЧЕТВЕРГ, 24 ОКТЯБРЯ. Сегодня я впервые ощутила себя в роли пожилого государственного деятеля. Роль просто пожилого человека была мне не в новинку, ибо я ощущала ее своими артритными суставами, а вот государственным деятелем я почувствовала себя только сегодня, когда за профессиональным советом ко мне обратились сразу две женщины, которые были гораздо моложе меня.

Первой попросила меня ответить на несколько ее вопросов миссис Мармелл, приехавшая в наш маленький, но богатый талантами уголок, чтобы поработать со своими авторами — а их насчитывалось четверо, — каждого из которых судьба случайно связала с другими. Предположив, что вопросы касаются моего внука, я согласилась.

Приехав в мой «поющий дом», она удивила меня прямотой своего подхода:

— Миссис Гарланд, я благодарна вам за протекцию, которую вы стараетесь составить вашему внуку. Теперь в ней нуждаюсь я. Вы знаете Дрезден лучше других. Откажется ли город принять одинокую женщину, желающую приобрести здесь дом?

— Конечно... Вас бы встретили здесь с распростертыми объятиями. Ведь вас уже многие знают в этом городе.

— Где я могла бы найти дом?

— У Адама Трокселя всегда найдется с десяток домов на продажу. На него можно положиться. Но зачем жительнице крупного центра, где у нее есть отличная работа, хоронить себя в маленьком провинциальном городишке?

— Последние события плохо повлияли на мою жизнь

в Нью-Йорке: продажа нашей компании немцам, смерть последней моей тети — все это делает Нью-Йорк неприемлемым для меня. Я уже немолода — мне сорок семь. Так что если переезжать, то лучше сейчас.

— Но вы же не бросаете издательство?

— Пока нет, но мне хочется пустить корни где-нибудь за пределами бетонных джунглей. Нью-Йорк не совсем гостеприимное место для одинокой женщины.

Мне рассказывали, что Ивон в молодости была замужем за непростым человеком по фамилии Раттнер — очень талантливым и очень бесхарактерным — и что он был убит во время какого-то неприятного инцидента в Гринвич-Вилледж. Если так, то она достойно справлялась со своей вдовьей долей и очень тем нравилась мне. Это была остроумная и смелая женщина, овладевшая искусством выживания в мире мужчин. Кроме того, она помогла моему внуку начать писательскую карьеру, и уже за одно это я была ей признательна.

— Оставьте свою машину здесь. Поедем на моей, и Оскар покажет нам окрестности. Вас интересует место в городе или за его пределами?

— В городе. Я хочу, чтобы кто-нибудь жил по соседству. Соседи мне просто необходимы.

Когда мы проезжали мимо симпатичных домиков, выстроившихся вдоль дороги к колледжу, она отвергала каждый из тех, что я ей предлагала. Но, когда все по той же Колледж-роуд мы возвращались назад, приближаясь к городу с северо-востока, я почувствовала, как что-то привлекло ее внимание, и услышала ее слова, обращенные к Оскару:

— Здесь помедленнее, пожалуйста!

Слева от дороги, на самой окраине города, стоял старинный двухэтажный особнячок, само очарование. Он словно бы восклицал: «Остановись и посмотри, что я могу предложить».

— Вам хочется именно такой?

— Пожалуй. Оскар, вы не могли бы объехать вокруг,

414

чтобы я рассмотрела его со всех сторон? — И, когда мы завершали объезд, она показала на вывеску: «На продажу — Троксель и Бинген». — Они достойные люди? — спросила она.

— Трокселя я знаю давно. Он прекрасный человек. А вот с молодым Бингеном не знакома.

— Мы не могли бы заехать в их офис? — Так было положено начало процессу, в результате которого она переселилась в нашу маленькую немецкую колонию. Еще более неожиданным стало для меня второе обращение за консультацией. После того как я помогла редактору своего внука найти дом, меня просили, чтобы я помогла его молодой подруге выйти из писательского тупика, в котором она вдруг оказалась. Это была Дженни Соркин, которая уже успела понравиться мне и на которой я увидела новую майку, когда Тимоти привез ее ко мне в дом: «ЕСЛИ ТЫ ЧУВСТВУЕШЬ ХОРОШЕЕ, ЗНАЧИТ, ТЫ ЧУВСТВУЕШЬ МЕНЯ».

Я не имела представления, о чем она хочет поговорить со мной, но Тимоти объяснил:

— Бабушка, Дженни закончила свой роман про футболистов, но в Нью-Йорке считают, что он нуждается в доработке, и каждый советует, как это сделать. Стрейберт советовал, будучи ее преподавателем. Я советовал, поскольку теперь я ее преподаватель. Миссис Мармелл засыпает ее советами.

— И что же после всего этого могу предложить вам я?

— Многое. И твой совет может оказаться решающим. Я хочу сказать, что ты единственная из нас, кто является просто читателем. Ты потребляешь книги, но ты их не пишешь. Дженни могло бы помочь твое мнение, особенно теперь, когда Стрейберт сбежал в Темпл.

— Так о чем эта книга? Мои познания в области футбола крайне ограничены, — предупредила я, но Дженни отвела этот довод с заискивающей улыбкой:

— Эта книга на самом деле о людях и о такой

девятнадцатилетней девушке, которой, возможно, были вы в этом возрасте.

— Мне еще не приходилось читать роман, который бы находился в процессе своего рождения. Так что сочту за честь.

— Ты читала мой, — напомнил Тимоти.

— Я имела в виду такой, который можно читать, как книгу, — ответила я и обратилась к Дженни: — Приходите через пару дней. Я читаю быстро.

СУББОТА, 26 ОКТЯБРЯ. Редкие произведения доставляли мне такое удовольствие, какое я испытала, когда читала рукопись Дженни. Это было уморительное повествование о неотесанной, но смышленой девушке из провинции и ее злоключениях с шестеркой футболистов из шести университетов Запада. Причина, по которой оно доставило мне такое удовольствие, была неведома ни Дженни, ни Тимоти. Случилось так, что мой покойный муж был в свое время председателем комитета по спорту в колледже Мекленберга, главное место в деятельности которого отводилось футболу. Он сам был когда-то капитаном футбольной команды и бурно радовался вместе с командой, когда та разгромила Ла-Фейетт, и сокрушался ее поражению, нанесенному соседями из Лихая. Однажды он даже попал на страницы «Нью-Йорк таймс» за то, что тайно выплачивал стипендии спортсменам в Мекленберге, чем наносил ущерб колледжу. В результате всего этого я тоже была отчасти знакома с университетским спортом, и книга мисс Соркин оживила во мне эти воспоминания, хотя я мало что знала о западных университетах, где происходило действие.

Однако от меня не укрылись сильные и слабые стороны рукописи, и, когда она снова приехала, у меня уже была готова страница замечаний и вопросов. Пока она устраивалась в кресле напротив меня в «Большой комнате», я не стала ходить вокруг да около:

— Совершенно бесподобно, мисс Соркин.

— Вы можете называть меня Дженни, Джейн.

416

— А вы можете называть меня миссис Гарланд, Джен-ни.

— Из этого можно сделать забавный водевиль, мис-сис Гарланд, и я признательна вам за лестный отзыв о моей работе.

— Я понимаю, почему миссис Мармел; взялась за нее. Но...

— Но... — Дженни не могла скрыть разочарования. — Я больше не могу придумать ничего, что можно было бы с ней еще сделать.

— А я могу. Это не давало мне покоя два последних дня, и сегодня, в четыре утра, я наконец сообразила, в чем промахи. Вы написали ее как остроумный комментарий современной жизни части нашей лучшей молодежи. Но вы не хотели, чтобы это была только комедия, не так ли? Вы пытались создать нечто более глубокое, более значительное — я права?

— В глубине души я рассчитывала на это.

— Хорошо. Только не надо больше извинений или уверток. Вашему роману явно недостает какой-то сцены, которая сгустила бы краски, может быть, даже привнесла бы в него некий оттенок трагедии. Ему просто необходимо это, иначе роман останется легкой комедией.

Я видела, как у Дженни пропадает решимость отста-ивать свое детище, и, к моему удивлению, она пробормо-тала:

— Согласна, — удивив меня своим отказом защи-щаться.

— Давайте вместе подумаем над образом одного из футболистов или, может быть, поэта (хотя я не жду от него ничего особенного)... С ним могло бы произойти какое-то решающее... происшествие, и это было бы шо-ком для читателя. Давайте для начала подумаем, что это может быть за происшествие.

— Нет, — возразила Дженни неожиданно убежден-но. — Сначала займемся игроком, потому что мне не хотелось бы, чтобы поэт появился в романе слишком рано и задавал бы общее настроение.

Мне понравилась ее агрессивность. Интуитивно я чувствовала, что направляю ее поиск оптимального решения по верному пути.

— Можно изменить порядок появления персонажей, — предложила я.

— Исключается. Он тщательно выстроен. Такого рода изменения... — она остановилась, — они перевернут всю шкалу ценностей.

— Я рада это слышать. Значит, мысль у вас работает... и есть внутреннее чутье.

— Итак, я думаю, что мы остановимся на пятом номере, — сказала Дженни. — Вы правы: поэт ничего нам не даст. К тому же я влюблена в гориллу из Небраски. «На выездные игры мы перевозим его в клетке».

— Мне нравится это. Ну, остановимся на пятом?

— Да.

Мы вместе пробежались по перечню печальных происшествий, которые обычно сопутствуют спортсменам, и я предложила:

— Может быть, его ловят на употреблении наркотиков или стероидов за две недели до того, как будет определяться лучший игрок, которому присуждается премия Хейсмана.

Но она отвергла это:

— Уже было. Бен Джонсон и Олимпийские игры.

— Он связывается с аферистами, они исчезают, а его разоблачают?

Она опять покачала головой:

— Нет, мелодрама Пита Роуза слишком долго смаковалась телевидением. — И, желая потрафить мне в расчете на дальнейшие подсказки, она сказала: — Вот уж чего не ожидала, миссис Гарланд, так это того, что вы так хорошо знаете спорт.

— А почему бы нет, — ответила я. — Мой муж был королем спорта здесь, в Мекленберге. «Таймс» бичевала его за то, что он тайно предоставлял футболистам стипендии. А не может быть такого, что у вашего парня больные родители, которые не могут позволить себе лечение

418

по причине бедности? Хотя нет, это тоже было в одном из телеспектаклей на прошлой неделе.

— Черт, вы знаете и литературу, и спортивные передачи на телевидении. Вас надо опасаться втройне.

— Это как раз то, что поддерживает тебя, когда тебе перевалит за седьмой десяток.

В тихом отчаянии мы отметали один замысел за другим, пока я не предложила:

— Пойдем прогуляемся по лужайке.

Прохладный октябрьский воздух словно подстегнул ее:

— Черт, это же настоящая футбольная погода! — воскликнула она и, прищелкнув пальцами, добавила: — Ладно, не такие уж мы недотепы, чтобы не справиться с этим делом.

Но мои мысли были заняты в тот момент другим. Медленно подбирая слова, я проговорила:

— Больше всего меня раздражает в университетском спорте, каким я его видела, когда был жив мой муж, и вижу сейчас по новостям, отнюдь не то, что ловкие тренеры имеют миллионы долларов в год побочных доходов от телевидения, выездов в лагеря, протаскивания спортсменов в учебные заведения, в то время как их игроки не получают ничего. Меня убивает, что спортсмены повсеместно считают, будто можно безнаказанно насиловать студенток, с которыми они учатся. Причем это право представляется им чуть ли не как данное Богом. Посмотрите, что происходит в последнее время во всех концах станы. Трое футболистов насилуют первокурсницу. Четверо хоккеистов, двое баскетболистов... а сколько дел не попадает на страницы прессы! Тренеры, похоже, думают, что их звезды для подтверждения своей зрелости могут насиловать кого им захочется — Испугавшись резкости собственных слов, я осеклась: — Может быть, это слишком. Вообще-то сомнительно, что тренеры знают и поощряют это.

Повисла долгая тишина, и, когда я посмотрела на спускавшуюся по склону Дженни, мне стало ясно, что в этот момент она выбирает, как ей пройти по минному полю своих мыслей. Наконец она остановилась, показала на скамейку и, пригласив меня сесть рядом, не спеша изрекла:

— Итак, номер пятый — а это наиболее яркая, выдающаяся натура — насилует нашу героиню. Она вне себя от ярости и немедленно заявляет об этом, но — тут я заимствую вашу мысль — его выдвигают на премию Хейсмана. Если он получает ее, то университет выигрывает тоже. Он приобретает огромную популярность по всей стране, и в следующем году не будет отбоя от желающих поступить.

— Интересное начало!

Дженни пропустила мои слова мимо ушей. Голова ее была занята неожиданной развязкой, к которой она хотела подвести меня:

— Университетские адвокаты, кое-кто из профессуры, тренеры, и особенно главный, — все давят на нее, чтобы она сняла свое обвинение. И заставляют замолчать. Они, может быть, и не угрожают ей физической расправой, но она напугана до смерти. Во всем университете у нее не находится друзей, кроме одной-единственной чернокожей девушки, которая уже прошла через все передряги, связанные с посягательствами мужчин. Она советует нашей героине: «Не отступай!» Проходит неделя, и негритянка оказывается отчисленной из университета. Доводами администрации являются плохая успеваемость и нарушение правил поведения.

— Интересное добавление!

— Но это еще не все. Наш герой получает премию Хейсмана. Наш университет получает поздравления. А наша героиня получает беременность. — Последовала еще одна долгая пауза, после чего она осторожно произнесла: — Когда беременность подтверждается, она идет к тем, кто затыкал ей рот, и спрашивает, что ей делать. Самым сообразительным оказывается главный тренер. Он дает ей деньги и находит врача, чтобы сделать аборт. Но наша героиня соглашается на это только при условии восстановления в университете своей чернокожей подружки. Ее восстанавливают, и они вместе идут в клинику.

После некоторых размышлений я призналась:

— Мне не приходило в голову ничего подобного! Но вам придется повесить эти события на Небраску. Использовать реальное место не совсем удобно.

— Нет! — неожиданно и твердо заявила Дженни. — Это было бы слишком явно. Небраску трогать нельзя. Мы придумаем другое заведение.

— Какое?

— Откуда я знаю? — И мне стало ясно, что в этом деле у Дженни гораздо больше личных мотивов, чем она хочет показать. Но было ясно и то, что сейчас не время исследовать эти темные закоулки ее прошлого.

Мы еще долго сидели в тишине под октябрьским солнцем. Посматривая искоса на ушедшую в себя Дженни, я была преисполнена чувством сопричастности к самой сути процесса создания книги. «Интересно, что пришлось пережить ей в тех студенческих городках Запада? — задала я себе вопрос и тут же остановила себя: — Не пытайся добиться от нее правды. Все писатели выдумщики, даже когда описывают пейзаж. Им приходится быть такими. Они дают нам свои интерпретации событий, и мы принимаем их».

Наконец Дженни заговорила:

— Уверена, что знаю, о чем вы думаете. Нет, я не была той девушкой, что забеременела и с которой так дурно обошлись. Я извратила факты. Та девушка была черной. Ее же подружка, наоборот, была белой. Ну-ка, догадайтесь, кто она.

ВТОРНИК, 29 ОКТЯБРЯ. Когда умер мой муж, я решила, что не стану той, кого называют «безутешной вдовой», имея в виду достойную женщину с приемлемой наружностью, которая посчитала свою жизнь законченной и заточила себя в доме, озабоченная лишь тем, что она оставит после себя своим детям и внукам. Ко мне это никак не относится.

Вскоре после похорон (может быть, даже раньше, чем это могло понравиться некоторым из моих друзей) я возобновила свою разнообразную общественную деятельность, которая всегда приносила мне удовлетворение. И, поскольку в моем распоряжении осталось очень много денег — целых тридцать миллионов, я могла заниматься тем, чем хотела.

Как и мой муж, я инвестировала городскую библиотеку и ежегодно выплачивала мисс Бенелли премию, о которой ее Правление не знало. Приплачивала колледжу. Потихоньку перечисляла деньги на счет Лиги юных бейсболистов Ньюмюнстера и, конечно же, щедро помогала нашему небольшому местному госпиталю, церквам Ларримора и так далее.

Но самое большое внимание я уделяла дружескому сотрудничеству с местными фермерами и торговцами, которые стояли на страже моего благосостояния. Поэтому, когда нашей новой жительнице Ивон Мармелл потребовалось познакомиться со своим теперешним окружением, в моем лице она нашла самого лучшего гида. Отправившись в путь в девять утра, я провезла ее по всей нашей округе, снабдив предварительно картами местности, как типографскими, так и изготовленными собственноручно.

— Вот здесь наша дорога Кат-офф пересекается с Рениш-роуд, а там, где буквально на днях был снесен старый амбар, — печально известная ферма Феншермахера. Когда-то семья владела сотнями акров земли, но постепенно растеряла ее. Я пыталась помочь Отто и его жене, которую тоже обожаю, но их сыночек оказался невыносимым человеком. Мы с Ларримором предоставили ему своего рода стипендию, когда он учился в Ньюмюнстере, но он все равно ничего не добился. Думаю, вы тут будете часто бывать, потому что Феншермахер готовит лучшее в округе мясо с кукурузой.

Когда она поинтересовалась, что это такое, я заметила:

— Вы еще не готовы к жизни в Дрездене. Это то, что Бог придумал сразу после яблочного пудинга. Неописуемая немецкая мясная вкуснятина, которую нарезают небольшими ломтиками и поджаривают до хрустящей корочки. Приходите сюда почаще, если любите блюда из свинины... Простите, а вы едите свинину?

— Дядя Юдах поднялся бы из своей могилы, если бы застал меня за этим занятием, но то же самое произошло бы, узнай он, что я работаю на немецкую фирму.

— Как обстоят дела в «Кинетик»?

— Все стабилизировалось довольно быстро. А дяде Юдаху я буквально обязана своей судьбой. Никогда не забуду тот день в публичной библиотеке Бронкса, когда он увел меня от полки с яркими детскими книгами и показал мне менее красочные, но предназначенные уже для подростков. Эта картина и сейчас у меня перед глазами: мне одиннадцать или двенадцать лет, правая рука в гипсе.

— А что случилось?

— Сломала ее во время игры. — И она, обрадовавшись возможности излить кому-то душу на своей новой родине, поведала: — Играла в мяч, но это не важно. Первый парень, в которого я влюбилась, — рыжеволосый мальчишка из ирландской семьи — оттолкнул меня с отвращением. Я ударилась о стену и сломала руку. Годы спустя второй мужчина, которого я любила, тоже оттолкнул меня с отвращением, и опять я сломала руку. — Она подняла ее и стала закатывать рукав, но затем остановилась. — Поверьте на слово, следы этих переломов до сих пор еще видны.

Тронутая этим невеселым рассказом, я продолжила свою экскурсию:

— В этом маленьком домике обитает миссис Дитрих — лучшая портниха Дрездена. Она доведет до ума ваш наряд за полчаса до праздника. Нуждается в деньгах, и я стараюсь дать ей заработать. Вам надо будет делать то же самое.

Мне особенно хотелось, чтобы она знала мастеров, которым можно доверять:

— Вот здесь находится самая надежная в городе автомастерская, которую содержат братья Мойеры. А вот другой Мойер — вскоре вы убедитесь, что половина населения в этом городе носит фамилию Мойер, — он столяр, которому Ларримор помог открыть свое дело, после того как тот закончил свои работы в нашем «поющем доме». Большинство интерьеров, вызывающих восхищение людей, было предложено Мойером.

— Вы, похоже, знаете всех в этом городе.

— Да, мы с Ларримором познакомились со многими с тех пор, как обосновались здесь.

Когда я познакомила Ивон с директором нашей школы, тот сказал ей:

— Мы считаем миссис Гарланд почетным членом нашего коллектива — так много она делает, чтобы помочь нам.

Вгоняя меня в краску своей дотошностью, Ивон спросила:

— В каком смысле?

— В смысле музыкальных стипендий, новой химической лаборатории, премий для наших конкурсов чтецов. — Он упустил из виду то, чем особенно гордился Ларримор, — три стипендии для тех выпускников колледжа, которые не имеют собственных средств, — многие из них впоследствии стали чрезвычайно полезными для города людьми.

Последней остановкой на нашем пути была библиотека, где мы встретились с мисс Бенелли. Она показала все, чем сможет воспользоваться Ивон, когда станет жительницей города.

— И это только часть того, что мы имеем в своем распоряжении, ибо можем заказать по почте любую книгу, имеющуюся в библиотеке штата Пенсильвания, а через нее любую книгу в любой библиотеке страны. Кроме редких изданий, конечно. — Пока мы ходили по библиотеке, восхищаясь тем, как все здесь устроено, мисс Бенелли взяла свежий номер «Таймс»: — Миссис Мармелл, вы видели в сегодняшней газете статью о себе? — Мы нетерпеливо потянулись к газете.

В статье, которую я прочитала вслух, говорилось, что

профессор Карл Стрейберт, преподающий литературное творчество в филадельфийском университете Темпл, решил покинуть своего нынешнего издателя «Кинетик пресс», а также своего давнего редактора Ивон Мармелл и перебраться в более мелкое издательство, которое больше отвечает его взглядам на то, какой должна быть литература.

До этого момента Ивон слушала, горестно покачивая головой и приговаривая:

— Я знала, что это случится.

Однако то, что я прочла дальше, поразило ее больше, чем можно было ожидать: «Профессор Стрейберт признался, что подписал большой контракт с Артуром Джеймсоном из «Пол Пэррот пресс»... Когда я произнесла это, у Ивон перехватило дыхание, она поднесла руку к лицу и зашлась нервным смехом.

— Значит, это Пол Пэррот! — сквозь смех проговорила она, но, когда я попыталась узнать, что ее так удивило, она ничего не ответила, и мне оставалось только продолжить свое чтение: «Уход этого критика-авангардиста может грозить «Кинетик» потерей его контрактов с молодыми писателями, однако под крылом Ивон Мармелл все еще остается такой потенциально плодовитый писатель, как Лукас Йодер, и ее новая многообещающая находка — Тимоти Талл».

Когда я закончила чтение, она тихо заметила:

— Неужели, черт возьми, нельзя было уйти по-джентльменски — без этих дурацких заявлений. Он как мальчик-неврастеник, который бьет свою мать за то, что та не разрешила ему покататься на санках.

Чувствуя, что внутри у нее все кипит от ярости, я попыталась отвлечь ее, указав на очередную местную достопримечательность:

— А здесь находится лучший в городе салон красоты Саймона. — И она рассмеялась.

Когда мы подъехали к гостинице, она стиснула мою руку:

— Я уже простила его. Спасибо, что отвлекли меня

показом достопримечательностей моего нового места обитания.

Но я поправила ее:

— Вы еще не видели настоящих достопримечательностей. Я устраиваю обед в вашу честь в самом знаменитом из наших ресторанов, который называется «7+7». Он находится за городом, но мы ездим туда, потому что там подают семь знаменитых сладких и семь кислых блюд, которыми славится немецкая кухня Пенсильвании. Ожидаются и другие сюрпризы.

СРЕДА, 30 ОКТЯБРЯ. Сегодня Ивон надо было поработать с Йодерами, и я, зная, что там будут обсуждаться деловые подробности, изъявила желание остаться у себя дома, но Ивон была непреклонна:

— Вам пора посмотреть, как редактор зарабатывает себе на хлеб.

С Оскаром за рулем мы ехали по Грензлеру, на полях которого кипела работа.

В доме Йодеров, где была наша первая остановка, Эмма заканчивала говорить по телефону с коммерческим агентом Лукаса в Нью-Йорке. Положив трубку, она поспешила поделиться хорошими новостями:

— «Каменные стены» будут переводиться еще на три языка: на шведский, португальский и иврит. Итого на сегодняшний день одиннадцать, но это еще не конец.

Лукас смутился, прочтя ликование на наших лицах, и я попыталась разговорить его:

— Правда ли, что это ваш последний роман?

Вперед выступила Эмма и ответила за него:

— Похоже, что так. Он больше не пишет, только и делает, что занимается своими художествами.

В разговор вступила Ивон, которой явно пришлось не по душе это откровенное признание:

— Эмма, вы не должны заявлять публично, что «Каменные стены» — его последняя книга. — И, когда маленькая немка довольно задиристо спросила почему, Ивон дала, как мне показалось, довольно исчерпывающее

426

объяснение: — Если мне придется уйти из «Кинетик», то я гораздо быстрее найду хорошее место, имея при себе Лукаса.

Это озадачило Эмму, и Ивон добавила:

— Если я уйду одна, ко мне не проявят большого интереса. Если вместе со мной на новое место пойдут Талл и Соркин, интерес будет бо́льшим. А если при мне будет ваш муж, я смогу заказывать музыку.

Эмма спросила:

— Вы собираетесь уходить из «Кинетик»?

— Не сейчас, — ответила Ивон, — но, если дела пойдут плохо, мне придется бороться за себя. И тогда ваш муж будет мне спасательным кругом. Так что береги́те его, пожалуйста.

Откровенное признание тронуло Эмму, и она, расчувствовавшись, сказала:

— Вы обязательно должны быть завтра с нами возле Ланкастера, где будут снимать фильм по книге.

В ответ я пригласила Йодеров на обед, который давала вечером следующего дня.

— У меня много работы, — попытался было отказаться Лукас, но, когда я объявила, что он состоится в ресторане «7+7», Эмма воскликнула:

— Это будет чудесное пиршество! Мы приедем обязательно.

Когда Ивон призналась, что замышляет купить здесь дом, Йодеры сказали ей:

— Прежде чем подписывать какие бы то ни было бумаги, надо, чтобы дом посмотрел Герман Цолликоффер. Он — гений в этом деле. — Убедившись по телефону, что «большой немец» находится дома, Йодеры отправились с нами на его ферму, расположенную неподалеку и считавшуюся лучшей в округе.

Узнав, что Ивон интересуется старым домом Хертцлера, Цолликофферы не смогли скрыть своего возбуждения:

— Он построен на редкость искусно и добротно. Полы там не будут скрипеть.

Мы приехали туда, и Герман с Лукасом обследовали абсолютно все: крышу, канализацию, подвал, водопровод, электропроводку. При этом Эмма ходила за ними и фиксировала, что требовалось отремонтировать перед вселением. Наблюдая, как эти дотошные немцы суют нос в такие места, о существовании которых я даже не подозревала, я начинала понимать, каким образом их кропотливым предкам удалось создать столь приспособленный для жизни город, как Дрезден.

Убедившись, что все мелкие изъяны в доме могут быть легко устранены, мы уже вшестером приехали в офис фирмы по торговле недвижимостью «Троксель энд Бинген», где старший компаньон сообщил Ивон:

— Вы можете приобрести его за двести сорок тысяч.

И Цолликоффер тут же спросил:

— Это включает участок через улицу? — Когда Троксель кивнул, Герман прошептал: — Это грабеж. Предлагаем двести тысяч, но только при условии, что Хертцлеры возьмут на себя весь необходимый ремонт.

Троксель обещал, что обдумает это предложение и посмотрит, примут ли его Хертцлеры, но Герман предостерег:

— Будьте осторожны. Хертцлеры коварные и упрямые люди.

Когда же Троксель удивился:

— А откуда вы их знаете? — Герман объяснил:

— Моя тетка замужем за одним их них. — Когда среди нас раздались смешки, он сказал, сурово нахмурив брови: — Не смейтесь. Откуда, вы думаете, у Хертцлеров взялись деньги на постройку понравившегося вам дома? Им выплатили огромную страховку — вот откуда.

За этим последовала деревенская байка, которая показалась бы чистейшей выдумкой, если бы фигурировавшая в ней жена не была его теткой, вышедшей замуж за Хертцлера. Вот как об этом рассказывал Хертцлер: «Еду я со своей хозяйкой на своей колымаге по проселочной дороге, и вдруг сзади нас ударила огромная черная машина. Да так, что мы оба летим на землю. И, когда я увидел, что моя жена лежит без сознания, а богатеи в машине со своими огромными страховыми полисами не смотрят на нас, мне хватило ума взять и разбить ей лицо».

ЧЕТВЕРГ, 31 ОКТЯБРЯ. Этим утром Оскар подбросил меня до гостиницы «Дрезденский фарфор», где я встретилась с Ивон и Йодерами, и на их старой машине мы двинулись на юг. Мой автомобиль они отвергли, сказав, что на дорогах амишей большой «кадиллак» рядом с их колымагами будет выглядеть смешным.

С Эммой за рулем, Ивон на переднем сиденье, Лукасом и мной, занятыми разговором на заднем сиденье, мы направлялись к месту съемок на грунтовой дороге, что восточнее Ланкастера.

Над съемкой простой сцены в поте лица трудились больше восьмидесяти человек, каждый из которых вносил свою лепту в создание образа тихой фермы амишей в один из октябрьских дней 1880 года. В объективы камер должна была попадать только местность, находившаяся севернее проселочной дороги, где не мешали телефонные провода.

Основной дубль, как они называли это, был несложным — так, по крайней мере, казалось нам, зрителям, хотя никто из нас не мог привязать его к какому-то конкретному эпизоду из книги. Но помощник режиссера объяснил:

— Нам нужна сцена, олицетворяющая пуританство деревенской жизни амишей, и наши сценаристы написали ее. Она не только впечатляет, но и способствует развитию сюжета. Справа налево по дороге проследует традиционно черная коляска с холеной лошадью, правит которой молодой амиш в подтяжках. Рядом с ним сидит его жена. Вдали слева камера выхватит коляску поменьше. В ней сидит один ездок. Он мрачен и не носит подтяжек. Его коляска пройдет совсем рядом с камерой, чтобы мы могли разглядеть суровое выражение его лица.

Очевидно, что главным для всей сцены, особенно для

прохода колясок, была синхронизация во времени, требовавшая, чтобы мрачный амиш оказался перед камерой в тот момент, когда мы могли бы наблюдать его реакцию на появление в кадре его врага на другой коляске. Чтобы добиться точного попадания во времени, понадобилось несколько пробных прогонов. Однако для придания этой сцене дополнительной эмоциональной наполненности постановщикам потребовалось, чтобы по дороге шли двое школьников — мальчик и девочка в характерных одеяниях, — не обращающих никакого внимания на две коляски, которые они видят каждый день.

Кроме того, камеры, повозки и дети должны были сработать по времени так, чтобы на заднем плане в кадре одновременно с ними оказался симпатичный амбар с красными и синими магическими знаками на стенах, выполненными художниками-оформителями. Ученый-консультант из Ланкастера предупреждал:

— Большинство амишей предпочитали не иметь магических знаков на стенах своих фермерских построек. И не потому, что они были лишены предрассудков, а потому, что изготовители знаков запрашивали за свою работу слишком дорогую цену. Как сказал нам один из амишей — «это было просто расточительством».

Но постановщики возразили:

— Миллионы людей читали другую книгу мистера Йодера — «Нечистая сила». Мы тоже прочли ее и захотели увидеть магические знаки, и вот они здесь.

Прошло несколько минут, прежде чем мистер Сайто и его партнер узнали о появлении на съемочной площадке автора экранизируемой ими книги. Прослышав об этом, они побросали свои дела и прибежали, чтобы поприветствовать его как своего старого друга.

— Вы приносите нам удачу, — говорил мистер Сайто, останавливая подготовку к съемке. Он хотел было представить Лукаса съемочной группе, но израильтянин оборвал его речи:

— Мы должны снять эту сцену в течение ближайшего часа. Иначе солнце станет слишком ярким.

430

Ивон зашептала мне на ухо:

— Теперь мне понятно, почему выпуск книги обходится «Кинетик» в несколько тысяч долларов, а съемка фильма киносъемочной компании — в несколько миллионов.

Когда актеры уже знали свои роли назубок, подкачали лошади и запачкали дорогу своими экскрементами. Это вызвало долгую дискуссию о том, следует убрать конские яблоки с дороги или нет, и, если следует, кто должен это сделать.

Вмешался консультант:

— Я хотел, чтобы они присутствовали с самого начала, но этот человек сказал, что такое оформление сцены будет стоить слишком дорого.

Тут израильтянин не выдержал и рявкнул:

— Пусть это лежит.

Когда люди и лошади уже играли идеально, один ребенок глянул в камеру и над величественно складывающейся картиной увидел самолет, следующий своим курсом из Питсбурга в Филадельфию, и дубль полетел коту под хвост.

Еще сорок пять минут ушло впустую. За все это время директор ни разу не произнес заветных слов: «Дубль снят», потому что ни один кадр не выдерживал критики. Тогда израильтянин схватил мегафон и прорычал:

— У нас осталось пятнадцать минут. Ради Бога, давайте сделаем наконец как надо.

К нему подошел раздраженный директор:

— Если не снимем сегодня, у нас есть еще завтра.

— У нас все есть, — огрызнулся израильтянин, — кроме денег.

После безупречного дубля на тринадцатой минуте директор крикнул:

— Дубль снят, давайте попробуем сделать еще три.

Мелкой рысью потрусили назад лошади, пошли опять надевать свои черные причудливые головные уборы дети: плоскую шляпу — мальчик, кружевной капор — девочка, и вторая попытка закончилась словами: «Дубль снят».

Третий резервный дубль с треском провалился. Лошади ржали, дети прыгали, актеры не справлялись с управлением. Зато четвертая попытка удалась на славу. Когда октябрьское солнце уже давало слишком много света, все элементы чудесным образом сложились в почти идеальную картину жизни амишей, отобразившую их поля, их детей и их старинные средства передвижения. Директор захлопал в ладоши, а израильтянин крикнул фермерам, предоставившим свои конные экипажи:

— Могу я поцеловать этих лошадей?

Амиши посмотрели на него как на сумасшедшего.

На обратном пути в Дрезден Лукас констатировал:

— Целое утро, восемьдесят человек и шесть лошадей — и все это ради одной минуты и двадцати секунд отснятого фильма.

— Если только это те восемьдесят секунд, то еще ничего, — заметила Ивон.

Когда я поинтересовалась у Йодеров, что они думают о съемке, Лукас сказал:

— Она на меня произвела огромное впечатление. Им приходится в поте лица создавать свои картины. А вот я недостаточно прилежно выстраивал свои образы, и Ивон приходилось много работать, чтобы привести все в порядок. Я уважаю профессионалов.

Оставшуюся часть пути мы ехали молча. Лишь однажды Эмма заметила:

— Как замечательно! Когда эти двое были здесь в прошлом году, они едва лопотали на ломаном английском. Сегодня они говорят бегло и выразительно. Я всегда восхищалась теми, кто умеет учиться, кто отлично справляется с поставленной перед ними задачей.

Немецкий ресторан к югу от Кутцтауна, широко известный под названием «7+7», славился немецкой деревенской кухней. Большие столы в нем ломились от окороков, говядины, кур, свинины с кукурузой и приправами и всевозможных колбас. Не было только рыбы, баранины и телятины. По немецкой традиции на каждом столе стояло по четырнадцать небольших горшков: семь — с ярко-красной пометкой «сладкое» и семь — с зеленой пометкой «кислое». В этом ресторане — единственном в округе, где были настоящие горшочки, — в качестве «сладкого» подавали запеченные яблоки, яблочный соус, сладкие пикули, три вида желе и другие сладкие смеси. В качестве «кислого» служили маринованные огурцы и другие овощи, а также по-особому приготовленная горчица и другие приправы.

На обеде нас было восемь человек: Йодеры, Цолликофферы, Ивон, Тимоти со своей подружкой Дженни Соркин и я. Владелец ресторана, польщенный присутствием таких важных гостей, выделил нам уютный зал с огромным столом в центре, на котором громоздилось четырнадцать цветных горшочков. Когда мои гости вошли туда, чтобы занять свои места, они обнаружили, что стульев было девять. Ивон, рассылавшая приглашения, тут же принялась допытываться:

— Для кого предназначен девятый стул? — Я помалкивала, надеясь устроить ей сюрприз. И вот сюрприз появился! В зал вошел Карл Стрейберт, впервые оказавшийся в наших краях после своего поспешного бегства в Темпл. Должна сказать, что резкая перемена в нем приятно удивила меня. Это был уже не тот неуверенный в себе молодой человек с понуро опущенными плечами. Теперь он выглядел даже возмужавшим, держался прямо и был одет в роскошный костюм в тонкую полоску, какие обычно предпочитают носить высокопоставленные чиновники и руководители кафедр в престижных университетах.

Не обращая на нас внимания, он прошел прямо к Ивон, взял ее за руку и тихо сказал:

— Я должен извиниться перед вами. Та статья в газете по поводу моего ухода от вас и из «Кинетик» была ужасной. Хуже того, это просто был дурной тон. Я вам очень обязан.

Ивон предпочла промолчать, но я не выдержала:

— Тогда зачем же вы сделали такое резкое заявление?

— Это было интервью по телефону, — объяснил он. — Я не видел человека, задававшего мне вопросы. Это был просто отвлеченный голос... Я был сбит с толку и наговорил всякого. Мне правда очень жаль.

В его голосе было такое раскаяние, что Ивон проговорила:

— Когда я прочла ее, я сказала миссис Гарланд, что вы просто мальчик-неврастеник, который бьет своих родителей. Это тоже было неучтиво с моей стороны, поэтому мне остается только принять ваши извинения.

Мир был восстановлен.

Когда Карл занял свое место рядом с Ивон, мне бросилась в глаза реакция Йодера на такое проявление чувств. Он поднял брови, словно говоря: «Не думаю, чтобы я мог сказать такое на людях». А я подумала: «Что мне действительно хотелось бы услышать, так это объяснение Карла по поводу его дикой рецензии на «Каменные стены».

Перед тем как подали закуски, Ивон произнесла трогательную речь:

— Как странно, что в Дрездене я нашла четверых своих главных писателей. — И она перечислила их, включая Стрейберта, которого она назвала последним, лукаво добавив: — Полагаю, что теперь надо говорить «троих», потому что недавно я, похоже, лишилась одного из них. — И, прежде чем кто-либо успел что-то вставить по этому поводу, она продолжила: — Кому-то может показаться преждевременным причисление Дженни Соркин к разряду главных писателей, поскольку публика еще не видела ее книги, но зато ее видели четверо сидящих в этом зале, и мы знаем, что победа будет за ней. Предлагаю выпить за прозаика, который вот-вот должен родиться. За Дженни Соркин!

Тогда Эмма спросила:

— Как вы можете говорить «вот-вот должен родиться», если у нее уже закончена книга?

— Для нас она не закончена до тех пор, пока не издана, — ответила Ивон.

— Интересный подход, — заметила Эмма. — Мы с Лукасом знаем профессора в Мекленберге, который может написать про немецкую Пенсильванию гораздо лучше Лукаса. Но он никогда не сможет сесть и довести книгу до конца — такой уж он непоседа, — и получается, что он никогда не станет писателем.

Я обратила внимание, что Ивон как-то странно отвела взгляд в сторону.

Три официанта принесли гору тарелок с мясом, и все приступили к трапезе, с особенно завидным аппетитом ела миссис Цолликоффер, да и муж ее не отставал. В разгар пиршества пришла официантка и сообщила, что миссис Мармелл просят к телефону. Уходя, Ивон подмигнула Цолликофферам и пожелала им удачи, незаметно подав им знак стиснутыми вместе руками.

Разговор по телефону длился так долго, что я почти забыла о существовании Ивон. Тем более что в это время меня занимала Дженни Соркин. Наклонившись ко мне, она шептала:

— Посмотрите на это изумительное квадратное лицо Цолликоффера. Оно так напоминает меннонитский амбар, что когда смотришь на него, кажется, что вот-вот увидишь магический знак у него на лбу. — Я с удовлетворением отметила, что мой внук нашел девушку не только остроумную, но и толковую.

Возвратившаяся раскрасневшейся Ивон не спешила присесть:

— Звонил мистер Троксель. Он сказал, что Хертцлеры приняли мое предложение о покупке их фамильного дома — подождите радоваться, — но они настаивают, чтобы я взяла на себя весь необходимый ремонт — подождите возмущаться, — потому что они возвращают мне полторы тысячи долларов на покрытие его стоимости.

Чтобы успокоиться, она потянулась за своим запотевшим стаканом и прижала его к разгоряченному лбу, затем провозгласила, поднимая его:

— За старых и новых друзей! Теперь я среди вас и не могу представить себе более подходящей возможности отпраздновать это событие.

Звучали поздравления, вперед вышли Стрейберт с Тимоти и стали обнимать ее. Йодер довольно кивал головой, а Эмма пожимала ей руку. Я постучала по стакану и предложила:

— Предлагаю выпить за нашего нового налогоплательщика. Салют!

— Прозит! — поправили меня Цолликоффер с Йодером, и раздался звон стаканов.

Со стола убрали. Пока ожидали перемену блюд, поднялся Стрейберт, тихо откашлялся и сказал:

— Я удостоился чести быть принятым вновь в этот круг только благодаря отзывчивости моего давнего друга миссис Гарланд, за что я ей премного благодарен. В прошлом году было запланировано, что я буду председательствовать на симпозиуме, который состоится завтра вечером в Мекленберге, на тему, близкую моему сердцу, — «Место художника в обществе». Увы, я не смогу на нем присутствовать. Но всех вас я приглашаю посетить его в качестве моих доверенных лиц. Вечер обещает быть бурным.

Он сел, мы зааплодировали, и я спросила:

— А заметили ли вы, что, убирая со стола, официанты оставили один горшочек? С пометкой «сладкое», он символизирует самую сладкую из всех сладостей...

Прозвучал звонок, дверь кухни отворилась и вышли три официанта, все они вынесли на вытянутых руках пышные и ароматные пироги — яблочный, тыквенный и миндальный. Один за другим они были водружены перед женщинами, которым дали затем сервировочные ножи.

Пироги были встречены возгласами восхищения, и Эмма, взявшая на себя роль церемониймейстера, выкрикнула, размахивая ножом:

— Делайте свой выбор!

Наибольшей популярностью пользовался тыквенный пирог, но знатоки предпочитали миндальный, ибо это замечательнейший из немецких пирогов. Некоторые просили по маленькому ломтику двух разных пирогов, а миссис Цолликоффер захотела отведать все три, не указывая при этом размеры ломтиков.

Покончив с одним куском, многие просили второй. В это время Эмма, постучав по стакану, чтобы привлечь внимание, загадала загадку:

— Кто мне может сказать, что еще, кроме орехов, используется в качестве начинки миндального пирога?

Немцы почувствовали себя в своей стихии. Высказанные ими догадки были на редкость точными: «Яблоки, изюм, цукаты, смородина, пряности, жженый сахар». Но Эмма сказала:

— Очень хорошо, но вы не назвали самого главного.

Гости попробовали аппетитную начинку еще раз, но так и не смогли отгадать эту загадку.

— Мясо! Да, мелко нарезанные кусочки говядины со свининой. Именно это делает пирог таким вкусным и сытным.

Ивон осенило:

— Ломтики ветчины и окорока — вот чего не хватает моей лимонной меренге! Надо будет попробовать.

ПЯТНИЦА, 1 НОЯБРЯ. Сначала Ивон не собиралась задерживаться в Дрездене. Но теперь она решила остаться, чтобы совершить покупку дома. Это дало мне возможность обсудить с ней одну важную тему, которая давно волновала меня.

Ее, наверное, удивило, что чай, на который я пригласила ее, не напоминал старинную церемонию XVIII века, во время которой две светские дамы лениво обмениваются сплетнями. Это больше походило на допрос с пристрастием:

— Помогите мне разобраться в проблемах моего внука Тимоти.

— Мне кажется, что любая бабушка была бы только рада иметь такие проблемы, какие доставляет этот удивительный молодой человек.

Я подалась вперед:

— Скажите, он действительно одаренный?

Удивленная моим напором, она произнесла с большой осторожностью:

— Таких, как Тимоти, приходится один на десять тысяч. При правильном отношении к нему со стороны и вас, и Стрейберта, и «Кинетик» он может достичь небывалых вершин.

— Мне бы хотелось поговорить с вами начистоту, миссис Мармелл. Тимоти двадцать три года. Он уже практически завершил свой второй роман, отличающийся такой же новизной, как и первый. Как вы, наверное, слышали, мой муж — его дед — унаследовал значительное состояние, которое затем многократно увеличил, возглавляя сталелитейную компанию Бетлехема.

У нас с Ларримором был один ребенок — прелестная, но ужасно своенравная дочь, сбежавшая впоследствии с прожигателем жизни, который женился на ней из-за денег. Оба они погибли, когда Тимоти был еще совсем маленьким. Я взяла его под свою опеку и воспитывала как умела — иногда допуская ошибки, иногда находя на редкость правильные решения. Но это не важно. Главное то, что у меня нет других наследников, и, когда я умру, Тимоти станет очень богатым человеком, настолько богатым, что мне иногда становится страшно. Сможет ли он справиться с таким состоянием и продолжать карьеру писателя?

Раздумывая над ответом, Ивон отмела несколько резких подходов, каждый раз встряхивая головой:

— Я росла в благородной нищете еврейской семьи: не слишком много нарядов, но зато горы книг. Некоторые из моих подружек и друзей имели все. Но мне не казалось тогда, что они были намного счастливее меня. А вспоминая их теперь, я вижу, что достаток только навредил им. Но была еще одна девочка, которой я по-настоящему завидовала. Ее родители были богаты, по нашим меркам, и ничего не жалели для нее, но щедры они были и на любовь к ней. Она пошла учиться в Барнард, закончила его с отличием и сейчас замужем за ректором университета на Среднем Западе и имеет троих детей. Я по-прежнему завидую ей.

— Вы думаете, у Тимоти есть характер?

— Он не боится сражаться со мной. И то же самое я слышала от Стрейберта.

— А какого вы мнения о молодой мисс Дженни Соркин? — внезапно спросила я.

— Очень одаренная девушка. Основательная и крепко стоит на ногах. Я бы гордилась, если бы у меня была такая дочь.

— Я рада слышать это. Тимоти, как они говорят, «тащится от нее», и я вижу в ней его спасение. Она может стать тем якорем, который не даст ему оторваться от реальности.

— В моей книге жизни она мисс Реальность, и Тимоти повезло, что он встретил ее.

Я успокоилась, мы наскоро перекусили, и она отвезла меня в расположенный неподалеку колледж. Там мы увидели взволнованную толпу, собравшуюся на симпозиум. Председательствующий на симпозиуме профессор изящных искусств из университета штата Огайо пояснил нам:

— План проведения и, по сути дела, весь список выступающих были составлены еще год назад профессором Стрейбертом, который, к сожалению, не сможет быть здесь сегодня, но его блестящая концепция под названием «Императив настоящего времени» будет определять весь ход дискуссии.

Первым на симпозиуме выступил профессор Ноттингемского университета из Англии, который в своем блестящем обзоре показал, как интеллектуальная жизнь Европы 30-х годов, способствовавшая превращению таких впечатлительных людей, как Паунд и Элиот, в ярых антисемитов и подталкивавшая растерявшуюся молодежь из Кембриджского университета на путь предательства интересов союзников, в конечном итоге привела к тому, что кое-кто из них стал работать на коммунистическую Россию, выдавая ей секреты, главным образом Соединенных Штатов. После такого начала он бросился в самую гущу споров, которые все еще велись вокруг фигуры Паунда:

— Профессор Стрейберт ввел в обиход термин «Императив настоящего времени», с помощью которого ученые теперь все чаще характеризуют это явление, исподволь подводящее всякого молодого художника или интеллектуала к опасной пропасти предательства, не обязательно предательства своего народа, а предательства своей веры, своего образа жизни или, что особенно характерно для Англии, своего класса.

Посмотрите на интересные парадоксы. В Мехико нет памятников величайшему герою этой страны Кортесу, потому что как испанцы, так и индейцы считали его предателем их интересов. В Южной Африке вы не увидите мало-мальски заметных мемориалов, посвященных их благороднейшему сыну Яну Христиану Смэтсу*, потому что буры убеждены, что хотя во время Второй мировой войны он, возможно, и был одним из тех, кто спас Англию, но то, что предал их интересы, — это уж точно. А здесь, в Соединенных Штатах, кто ваш величайший человек века? Франклин Д. Рузвельт. Но вы не можете воздвигать ему памятники, потому что консерваторы, доминирующие при принятии решений в вашей стране, не позволят   сделать это. Они знают, что Рузвельт, стремившийся помочь простому человеку, предавал тем самым интересы своего класса.

Художники подобны великим политическим лидерам. Они склонны отвергать свой класс и жить по велению времени, обращаясь к проблемам, которые являются императивом настоящего. Истеблишмент ненавидит их и определяет такое поведение как измену.

Аудитория с восторгом встретила его прекрасное и энергичное выступление.

---

* Смэтс Ян Христиан (1870—1950) — премьер-министр Южно-Африканского Союза в 1919—1924 и 1939—1948 гг. — *Прим. ред.*

Затем на трибуну вышел мой внук, и я с гордостью отметила при себя его выправку, спокойную уверенность в себе и оригинальность построения его выступления. Он начал с того, что просто и доходчиво изложил свою главную мысль:

— Сомневаюсь, что кто-либо из собравшихся здесь будет оспаривать тот факт, что Эзра Паунд, подчинявший себя «императиву своего времени», воплощал в себе три разных личности: одной из них была личность величайшего поэта Америки, другой — личность самого передового в мире наставника других поэтов и третьей — печально известная личность предателя времен войны. Но мне хотелось бы поговорить о четвертом аспекте, в котором он предстает перед нами как узник Святой Элизабет, и этот факт отнюдь не украшает нашу страну.

Затем он перешел к рвущему душу рассказу о двенадцати годах, проведенных Паундом в сумасшедшем доме, куда правительство заключило его без суда и следствия, просто объявив умалишенным.

— Тем самым правительство само сделало из этого великого поэта символ творческой личности, которая восстает против власти, задает неуместные вопросы и так или иначе приводит в бешенство истеблишмент. Паунд напоминает нам о том опасном канате, на котором художник балансирует между прошлым и будущим. Молодой человек, который стремится называться художником, но не желает подвергать себя риску, не имеет шансов остаться в памяти людей. Искусство — это конфронтация, а ставка в ней — жизнь самого художника.

Заключительные слова Тимоти вызвали такой шум одобрения, что я была вынуждена признать его выступление удачным, несмотря на несогласие с его выводами. Когда аплодисменты продолжали громыхать так, словно он открыл какую-то Божественную истину, я почувствовала, что кто-то другой, с более глубоким пониманием ценностей, должен напомнить аудитории о существовании более высоких идеалов. Встав со своего места, я знаком попросила переносной микрофон, и, когда мне принесли его, председательствующий сказал с кафедры:

— Мы очень рады, что среди нас сегодня присутствует женщина, которая так много делает для поддержки искусства. Она предоставляет нам финансовую поддержку, чтобы мы могли заниматься им. Это миссис Гарланд, член нашего Правления.

— Сегодня мы много слышали о призвании художника и его праве поступать так, как ему хочется, — твердо начала я, взяв микрофон. — В этой аудитории находится человек, который, наверное, написал в своей жизни больше любого из здесь присутствующих и который ежедневно бился над практическим решением этих проблем в своем творчестве. Я имею в виду Лукаса Йодера, хорошо известного не только в наших краях, но и по всей стране. И мне хотелось бы, чтобы он вышел и поделился с нами своими взглядами.

Я могла видеть, что Йодер не намерен был участвовать в дискуссии, так как помнил ту свару, что вспыхнула в этом зале вслед за его выступлением в защиту Лонгфелло, и не хотел, чтобы подобное повторилось. Но Эмма подтолкнула его:

— Что ты теряешь? — И он уступил ей.

Первые слова Йодера прозвучали подобно взрыву бомбы:

— Мы много слышали сегодня о героизме и интеллектуальном величии Эзры Паунда, но все выступавшие обошли стороной один ужасный факт из его жизни, который, по моему мнению, заслоняет собой все остальные в его биографии. Сколько в этой аудитории присутствует евреев? Поднимите руки, пожалуйста, потому что вы являетесь свидетелями тому, что я хочу сказать.

Когда вверх поднялось значительное количество рук,

442

включая Дженни Соркин, но не миссис Мармелл, Йодер мрачно сказал:

— Благодарю вас. Если бы Паунду дали волю, вас бы не было здесь сегодня. Вас бы не было вообще, поскольку ваших родителей постигла бы участь евреев Германии, Польши, Чехословакии... Они были бы просто истреблены физически.

Эти слова вызвали переполох, во время которого профессор филологии кричал:

— Это запрещенный прием!

Его коллега из Пенсильванского университета рвался к трибуне со словами:

— Я хочу возразить ему!

Часть студентов, возглавляемая моим внуком, улюлюкала, другая, включавшая Дженни Соркин, аплодировала и пыталась угомонить остальных. Президента Росситера все больше шокировал оборот, который принимала дискуссия; он остолбенело глядел в одну точку, пока жена не заставила его хоть что-то предпринять, чтобы спасти ситуацию. Без особой уверенности он двинулся к микрофону и пробормотал, пытаясь восстановить подобие порядка:

— Это университетская аудитория, и мы должны соблюдать правила приличия. Наш добрый сосед был приглашен к микрофону, а не завладел им по собственной воле. Так дайте же ему сказать, я вас умоляю.

Лукас во время этого взрыва эмоций не сказал ни слова и не сделал даже попытки защититься — перед тем как уйти на покой, он был переполнен идеями, которыми хотел поделиться с другими. Но когда тишина была восстановлена, он вдруг выпалил такое, что удивило даже Эмму:

— Я написал свою последнюю книгу. — Здесь последовали многочисленные выкрики «Нет! Нет!», но он не обратил на них внимания. — И сделал это в стиле явно старомодном и даже отжившем. — Опять послышались протесты. — Но, если бы сегодня я начинал все заново, я бы раздумывал, как мне поступать. Я бы эксперимен-

443

тировал. Использовал новые стили, новые формы, новые открытия в психологии, новые подходы к читателю — все новое. Я тоже считаю, что все течет и все изменяется.

По правде говоря, мне иногда кажется нелепостью приверженность моих амишей отжившим традициям. Но то, как они блюдут основы, доставляет мне большое удовлетворение. И в своих работах я старался подражать им.

Так что в этой дискуссии я всем сердцем на стороне тех молодых художников, кому хватает смелости освободиться от сковывающих их пут, но при этом считаю, что долг каждого из них перед обществом — помочь совместить несовместимое, поддерживать правительство в его благих начинаниях, проявлять заботу о несчастных и оказывать поддержку молодым талантам. Все это близко и понятно моему сердцу.

Но мое сердце не принимает тех, кто утверждает, что стремление к свободе творчества толкает людей на путь измены своему народу и оправдывает истребление людей, которые им не нравятся.

Когда он уходил с трибуны, аудитория задумалась, тишину нарушали только аплодисменты самых горячих сторонников. Тем не менее казалось, что все были тронуты его мнением о себе как писателе и его готовностью поделиться с ними непреходящими ценностями рода человеческого. Когда он добрался до своего места, Эмма сказала просто:

— Это надо было сделать. Впустить свежую струю воздуха в эту аудиторию.

Для меня лично симпозиум так ярко высветил предательство Паунда, что мне нестерпимо захотелось до конца разобраться в решающем вопросе, который я так и не смогла прямо поставить в нашей долгой беседе с Ивон, состоявшейся накануне. Поэтому, когда она подвезла меня домой на своей машине, взятой напрокат, мы еще какое-то время посидели с ней около дома. Я задала ей вопрос, который так мучил меня:

— С тех пор как Стрейберт бросил свою работу или

был уволен — мне это трудно понять, — Тимоти несколько раз ездил к нему в Темпл. Говорит, что ему нужна помощь Стрейберта в его работе над «Диалогом». Как вы думаете, не может ли это вылиться во что-то, скажем, более запутанное?

— Вы хотите сказать, не оказывает ли он на него дурного влияния?

— Вы догадливы.

— Миссис Гарланд, сегодня днем я вам сказала с полной уверенностью: ваш внук совершенно самостоятельный человек. И никто не в состоянии оказать на него дурное влияние. — Она засмеялась и указала мне на то, о чем я никогда не задумывалась: — Миссис Гарланд, ваш внук работает также и со мной. И частенько приезжает для этого в Нью-Йорк. Вы никогда не задавались вопросом: а не может ли она сбить его с пути истинного?

— Значит, вы считаете, он достаточно прочно стоит на ногах, чтобы не быть в опасности?

Она уклонилась от ответа на мой вопрос, спросив:

— Кстати, а кто пригласил Стрейберта на обед вчера вечером?

— Я пригласила. Он мне нравится. И нравился всегда. Я считаю его прекрасным человеком. Кстати, кто подбежал вчера вечером, чтобы поцеловать его?

— Я всегда уважала его. И все еще уважаю, несмотря на его заявление в газетах. Надеюсь, что он образумится.

— А вот пожилая женщина, — продолжала я, — может получать удовольствие от общения с ним, но, тем не менее, опасаться его влияния на своего внука.

— Вы спросили, крепко ли Тимоти стоит на ногах. Да он просто бульдог! Не хотела бы я оказаться на его пути. — И добавила: — Я считаю, что более прекрасного парня его возраста не сыскать по всей Америке. Ему удается все без исключения, так что будьте спокойны.

Ее слова прозвучали столь убедительно и недвусмысленно, что я, отправляясь спать, говорила себе: «Иметь сына с ярко выраженным талантом, которому открыта дорога, — это то, о чем мечтают все родители». И сон мой был безмятежен.

РАНО УТРОМ В ПОНЕДЕЛЬНИК, 4 НОЯБРЯ. В этот день по причинам, которые откроются позднее, я оставила страницу незаполненной, но через несколько дней от миссис Мармелл потребовалось представить полиции объяснение, как она провела день 4 ноября, и я предпочла привести ее рассказ в дословной записи полицейского стенографиста, вместо того чтобы самой восстанавливать события того времени.

Комиссару полиции
Дрезден, Пенсильвания
Среда, 6 ноября 1991 года
Заявление миссис Ивон Мармелл
«Кинетик пресс», город Нью-Йорк

Ранним утром 4 ноября 1991 года из-за перегруженности автострады транспортом, возвращающимся в Нью-Йорк, я ехала на своем автомобиле проселочными дорогами штата Пенсильвания до пригородов Нью-Джерси. Рассвет только занимался. На въезде в тоннель Линкольна из моего автомобильного приемника послышалось сообщение, которое полностью завладело моим вниманием. Сразу вслед за новостями о встрече глав государств в Брюсселе диктор произнес: «Прошлой ночью один из самых талантливых писателей Америки погиб при загадочных...» В этот момент я уже въехала в тоннель и прием радиопередачи прекратился, так что дальше я ехала в тишине, лихорадочно соображая, кто этот погибший. Перебирая в памяти, о ком можно было сказать «один из самых талантливых писателей Америки», я заключила, что, если бы это был Йодер, диктор наверняка сказал бы «один из самых популярных писателей Америки», так как это была общепринятая формулировка. «Под такое определение мог бы подойти Стрейберт, — подумала я, — но ему вряд ли бы уделили такое место в новостях». После этого я стала перебирать имена других писателей и на

446

выезде из тоннеля на Манхэттен меня осенило: «Наверное, это не мужчина. Диктор ничего не говорил на сей счет». И, прежде чем радиопередача возобновилась, я быстро пробежалась в памяти по именам писательниц и опять же не нашла, на ком остановиться.

Затем на открытом пространстве радио вдруг громыхнуло оглушающе, ведь я, проезжая в тоннеле, включила громкость до предела: «Президент твердо заявил, что, если законопроект будет представлен с такими оговорками, он наложит вето». Раздраженно вращая ручку настройки приемника, я ехала так медленно по Десятой авеню, что водители автомобилей сигналили мне. Я прослушала окончания нескольких утренних выпусков новостей, и вдруг из приемника прозвучало: «Многие писатели и критики, высказавшиеся в связи с гибелью, отмечали, что Тимоти Талл был одним из наиболее обещающих...» Раздался вой полицейской сирены, замелькали мигалки, и меня прижали к обочине.

Когда полицейский наклонился к окну моего автомобиля и стал кричать, я, должно быть, взглянула на него с явным ужасом на лице:

— Сэр, я редактор издательства и только что услышала, что один из моих авторов...

— А, да, тот парень из немецкой Пенсильвании, забит до смерти, самым ужасным образом... Леди! Леди! Эй, Макс! Она потеряла сознание!

Когда полицейские привели меня в чувство, с дрожью в голосе я пробормотала:

— Извините. Вы не могли бы уточнить имя убитого?

— Нет. Но несомненно, что это убийство и произошло оно в Пенсильвании. Вот почему мы проверяем выезды из Джерси.

— Не могли бы вы помочь мне? Я очень слаба. Мне надо позвонить...

— Леди, здесь нельзя стоять. Дорога переполнена транспортом.

— Погибший, возможно, мой автор.

— Эй, Макс! Присмотри за машиной. Одну минутку. —

Он отвел меня к телефону, помог отыскать в сумке записную книжку и дал две монеты, пока я набирала номер репортера из «Таймс»:

— Иззи, это Ивон Мармелл. У тебя есть ночное сообщение об убийстве писателя в немецкой колонии Пенсильвании?

— Пришло после полуночи. В утренние газеты не попало, но два корреспондента работают над ним.

— Имя человека?

— Тимоти Талл. Написал тот самый перевернутый вверх дном роман. Говорили, что он гений, новый Трумэн Капоте.

— Зверски убит?

— По-моему, в первом сообщении от местного шерифа говорилось «страшно избит».

Испугавшись нового обморока, я попросила помощи у полицейского. Затем собралась с силами и дошла вместе с ним до машины.

— Все, как я и думала... Невероятно талантливый молодой человек...

— Вы куда едете?

— Гараж на Шестьдесят девятой Восточной.

— Вы уверены, что сможете доехать?

— Да, — прошептала я, но, взглянув в молодое лицо полицейского, увидела Тимоти Талла, который только начинал свою славную жизнь, и ноги у меня подкосились. Сдерживая рыдания, я не смогла удержаться на ногах и оказалась в объятиях полицейского.

— Помогите мне, пожалуйста, добраться до дома. Мне сейчас опасно сидеть за рулем.

Добравшись до квартиры и постояв под душем, я позвонила одному из литературных редакторов «Таймс», назвала себя и сказала взявшей трубку секретарше:

— Это чрезвычайно важно. Передайте, пожалуйста, Анжелике, чтобы она позвонила мне.

Моя подруга перезвонила мне неожиданно быстро и была готова ответить на мои вопросы.

— У нас есть полный отчет по этому жуткому факту, —

говорила она. —Но совершенно ничего о мотивах и убийце.

— Продолжай. — Я опустилась в кресло.

— Тимоти Талл, — быстро заговорила Анжелика, — двадцати трех лет, сын беспутных родителей, оба погибли, внук известного сталелитейного магната Ларримора Гарланда, ныне покойного, и его жены, Джейн, все еще здравствующей и известной своими пожертвованиями на цели искусства. Затем говорится немного о «Калейдоскопе» и его перевернутых страницах, упоминается твое имя как редактора, открывшего ему дорогу.

— Это было убийство?

— Мы дойдем до этого. Тело обнаружено в четыре утра, в понедельник, то есть сегодня. Шофером по имени Оскар. На лужайке семейного поместья, в девяноста ярдах* от дома. Увечья нанесены неизвестным предметом, тип его не установлен. Рядом находилась убитая собака по кличке Ксерксес. Никаких предполагаемых мотивов. Убийца неизвестен. На трупе и вокруг него — ничего, что изобличало бы преступление, за исключением того, что Талл и его собака пытались защищаться. Его правая рука сломана так, как будто он пытался отразить ею удар. Никаких свидетельств применения огнестрельного оружия. Самого оружия тоже не обнаружено. Будут ли у тебя какие-нибудь комментарии по поводу его смерти?

— Примерно часа в три, не раньше, — ответила я.

— Тогда я скажу Пауле, чтобы она позвонила тебе, — сказала Анжелика. — Мне кажется, она работает над статьей об этом событии.

И когда позвонила Паула — она стремилась узнать как можно больше подробностей, которые бы обострили реакцию публики на эту трагедию, — меня словно прорвало и я рассказала, как встретилась с ним, о его уме, его обходительности с бабушкой и что, несмотря на юный возраст, он не только написал свой поразительный «Калейдоскоп», но и стал преподавателем писательского мастерства в Мекленберге. Это оказалось итогом его молодой жизни.

_____

* В 1 ярде — 0,9144 м. — *Прим. ред.*

Завершая разговор, Паула сказала:

— У него осталась какая-нибудь незавершенная работа?

Вспомнив об аккуратно отпечатанном и на три четверти завершенном романе, я почувствовала, что должна немедленно заявить о его существовании. Итак, даже не задумываясь о тех последствиях и конфликтах, которые могла привести в действие, я рассказала:

— В пятницу — это, мне кажется, было первое ноября — я увидела в доме его бабушки почти завершенный роман, готовый на три четверти. Мне было позволено прочесть значительную часть его, и я берусь утверждать, что он станет сенсацией.

— Вы сказали то же самое о его первой работе, увидев ее в рукописи?

— Да, и об этом есть запись.

— Название нового романа?

Я ответила без колебаний:

— «Диалог», и это будет более крупная вещь, чем «Калейдоскоп».

Важно отметить мой следующий шаг, и если кому-то это покажется бездушным после свалившейся страшной новости, то этот человек ошибается. Я — редактор, я сражаюсь за законность существования важного произведения искусства. В эти мгновения я могла думать только о двух вещах: о погибшем писателе и о его незавершенной работе.

Через минуту после разговора с Паулой я уже звонила в «поющий дом», где на телефонные звонки вместо миссис Гарланд отвечала Марта Бенелли. Я была настойчива:

— Это надо не только мне, а в первую очередь ей самой. Скажите, что в ее руках находится репутация ее внука. Скажите ей прямо...

Очевидно, что это были единственные слова, способные заставить подойти к телефону убитую горем женщину, и вскоре мисс Бенелли проговорила: «Она идет». Но прошло еще немало времени, прежде чем миссис Гарланд добралась до телефона, а когда она заговорила, ее голос был похож на загробный шепот:

— Ивон... — В трубке послышались рыдания. — Это не укладывается в голове, но спасибо, что позвонили. Лучше бы вам быть здесь... — Испугавшись, что она вот-вот уронит трубку, я торопливо и настойчиво заговорила:

— Миссис Гарланд, Джейн, мне нужна ваша помощь.

— Моя помощь? Да я едва дышу...

— Джейн! Послушайте! Нам с вами надо многое сделать — и немедленно, — чтобы Тимоти занял свое место в истории литературы — в мире книг.

Последовало долгое молчание, во время которого миссис Гарланд, должно быть, собирала оставшиеся у нее силы, ибо, когда она заговорила вновь, слова, произносимые ею, звучали четко, а в голосе чувствовалась воля к действию:

— Говорите, что я должна сделать.

— Мне кажется, Тимоти оставил рукопись у вас в тот день, когда я увидела ее.

— Да, оставил.

— И она все еще у вас?

— У меня.

— Хорошо. Миссис Гарланд, нам с вами придется побороться, чтобы утвердить законность вклада Тимоти. А теперь слушайте внимательно, что я скажу вам, так как каждое указание может иметь решающее значение. Найдите рукопись и отдайте ее мисс Бенелли. Пусть она немедленно отнесет ее в копировальное бюро Дрездена и снимет по три копии с каждого листа. Внизу каждой страницы должно быть указано сегодняшнее число, 4 ноября, и ее фамилия. Затем она должна отнести всю эту кипу в нотариальную контору, где ей упакуют один экземпляр в пачку, опечатают ее сургучной печатью и заверят сегодняшним числом, указав библиотекаршу в качестве свидетеля. После того как это будет сделано, она должна отнести опечатанный пакет в банк, арендовать депозитный сейф на свое имя, положить в него рукопись, закрыть сейф, а ключ оставить у себя. Затем она может вернуть оригинал и две копии вам. Вы оставите оригинал себе, а две ксерокопии вышлете мне.

— Вы хотите повторить эти указания мисс Бенелли? — спросила она.

— Да, и скажите ей, чтобы она взяла карандаш и бумагу.

Только тогда у меня появилась уверенность, что рукопись будет защищена, и я сказала миссис Гарланд:

— Это ужасно! Услышав о случившемся, я упала в обморок, и полиции пришлось отвезти меня домой.

— Я вряд ли перенесу это... Я так любила его, и он подавал такие надежды.

— Вот для того, чтобы защитить эти надежды, мы и должны нотариально засвидетельствовать все, что мы делаем, — говорила я. — Пройдут годы, и найдутся люди, которые станут заявлять, что он не писал своей второй книги. Что это мы сфабриковали ее после его смерти.

— Мы с вами не позволим этому случиться, — обещала миссис Гарланд.

Затем я сделала еще несколько коротких телефонных звонков. На работу я сообщила, что должна немедленно возвратиться в Пенсильванию, и попросила, чтобы один из наших сотрудников по имени Чак взял в гараже мой автомобиль и отвез меня в Дрезден, ибо я после обморока не рискую садиться за руль. Покончив с этим, я почувствовала, что не могу не сообщить о случившемся Карлу Стрейберту, так как он был близок с Тимоти в интеллектуальном плане, как никто из нас. Однако меня останавливало то, что после его публичного отречения от «Кинетик» и меня, несмотря на частичное восстановление наших отношений за обедом в ресторане «7+7», между нами остались кое-какие трения из-за его дикой рецензии на «Каменные стены». Теперь мне придется чуть ли не ежедневно контактировать с ним, обсуждая очень щепетильные вопросы, и я не была уверена, что мы выдержим с ним подобное напряжение. Однако я знала, что звонить ему все равно придется, но внутренний голос подсказал, что вначале следует позвонить Дженни Соркин:

— Дженни? Это Ивон Мармелл. Давайте не будем плакать, ни вы, ни я... Тимоти оставлял вам что-нибудь из своего нового романа? Ох, слава Богу! Лучшую часть главы? Три отдельные сцены, не связанные между собой? Я дам вам странные, но совершенно необходимые указания, и я хочу, чтобы вы выполнили их до мельчайших деталей. — Повторив то, что уже говорила библиотекарше, я добавила: — Если вам понадобятся для этого деньги, возьмите в долг. Я буду в гостинице сегодня после полудня. Никому об этом не говорите. Никому. Мы принимаем эти меры безопасности, чтобы защитить репутацию замечательного молодого человека, которого знали и вы, и я. Помогите мне в этом.

Стрейберту я звонила с замирающим сердцем, потому что совершенно не представляла, какой будет его реакция на мой звонок. Его долго искали, наконец он подошел, и в трубке прозвучало:

— Ивон, слава Богу, что вы позвонили. — И послышались рыдания. Но, взяв себя в руки, он продолжил: — Я пришел в аудиторию, еще ничего не зная, и тут один из студентов выпалил: «Профессор, вы знаете, что вчера вечером убит Тимоти Талл?» Мне пришлось прервать занятия и уйти в комнату отдыха, где я сейчас нахожусь.

— Карл, если мы забудем все, что случилось в последнее время...

— Ивон, я хочу объяснить, почему мне пришлось оставить вас и «Кинетик»...

— Карл, я повторяю, забудем это. Срочно нужна ваша помощь.

— Чем я могу вам помочь?

— Помогите мне защитить репутацию Тимоти. Его место в литературе. — Эти слова произвели на него такой же эффект, как и на миссис Гарланд.

— Что я должен сделать?

В следующие минуты выяснилось, что Тимоти оставил у него два значительных раздела своего романа, но опять-таки это были изолированные отрывки, никак не связанные с другими. Как и Дженни, он предполагал, что Тимоти собирался использовать их в заключительной части своего романа. Как только я принялась перечислять ему свои указания, он прервал меня:

— Я понимаю вашу озабоченность и разделяю ее. Мы должны добиться признания подлинности этого материала. Я немедленно сделаю ксерокопии с указанием даты.

— И заверите их у нотариуса.

— Безусловно, — обещал он.

— Не могли бы вы подъехать в Дрезден? И встретиться со мной в три часа в гостинице? Я сейчас отправляюсь туда.

— Увидимся там.

Наконец я позвонила новому президенту «Кинетик» и сказала ему:

— Во всей этой трагедии есть одно светлое пятно. Тимоти Талл оставил после себя великолепную рукопись, которую я прочла процентов на восемьдесят, но меня заверили, что всего написано процентов девяносто. Я хочу, чтобы вы дали мне устное обещание, которое я не буду предавать гласности до тех пор, пока мы с вами не оговорим все детали письменно, что, если я смогу опубликовать рукопись Талла в надлежащем виде и добьюсь успеха, который я предвижу, вы от лица «Кинетик» и во имя всего лучшего в американской художественной литературе пожертвуете часть прибыли отделению писательского искусства Мекленбергского колледжа, где Талл учился своей профессии, а затем преподавал. Договорились? Хорошо. Нет, я не приеду, потому что мне надо вернуться в Дрезден, чтобы помочь его бабушке с похоронами. Одобренное вами пожертвование вернется в «Кинетик» сторицей.

Когда с этим было покончено, с Чаком — в качестве шофера — я отправилась в Дрезден, но не успела еще машина въехать в тоннель Линкольна, как я уснула.

Конец заявления миссис Ивон Мармелл.

Свидетели: Вальтер Стампф

Леонард Дрейфус

Дрезден, Пенсильвания

Отпечатала: Фанни Трумбауэр.

СРЕДА, 6 НОЯБРЯ. Я привела полицейский отчет Ивон Мармелл, чтобы объяснить, почему не могла собственноручно описать предыдущие дни. Смерть Тимоти, оборвавшая жизнь, которую я пестовала, убийство такого многообещающего мальчика и таким варварским способом привели меня в состояние шока, который усиливался холодным осознанием того, что с его смертью исчезает всякая надежда на продолжение славного рода Гарландов. Я впала в такое болезненное смятение, что только забота мисс Бенелли, да спокойный голос Ивон Мармелл из Нью-Йорка помогли мне пережить этот день. К вечеру, когда Ивон и ее водитель добрались до Дрездена, я уже была на ногах. Она позвонила мне и спросила:

— Вы сможете увидеться с Карлом Стрейбертом сегодня в три часа? Я попросила его подъехать, чтобы обсудить положение с рукописью.

Впервые за день дело касалось живых людей, и я сказала:

— Пора вам опять начать работать вместе.

Прежде чем появиться кому-то из них, в мою дверь постучалась Дженни Соркин, которая могла бы стать женой моего внука.

Когда мы сели в глубокие кресла перед окнами, выходившими на место убийства, я сказала, пытаясь сдержать слезы:

— Мне бы очень хотелось, Дженни, чтобы это был случай, о котором я однажды читала в романе XVIII века. Мой внук убит в схватке с герцогом Фландрским, а вы его дама сердца, за которой он ухаживал. Вы пришли сказать мне, что беременны и что мы с вами будем растить его сына. О Боже, как мне хочется, чтобы это было наяву, Дженни. — У меня хлынули слезы, но, прежде чем она смогла что-то сказать, я добавила: — Вот что получается, когда вас, писателей, воспринимаешь всерьез.

455

В своей открытой манере, которая так импонировала мне, она произнесла:

— Боюсь, что я не ношу в себе его семя, миссис Гарланд, но у меня есть зародыш завершающей части его романа и указания миссис Мармелл, как сохранить его.

Вскоре к нам присоединился профессор Стрейберт, которого мы встретили как блудного сына. Мисс Бенелли сказала:

— Библиотека словно опустела с тех пор, как вы перестали бывать в ней.

— Нам с Тимоти не хватало вас. — Это вступила Дженни и обняла его. — Вы научили нас держать носы в нужном направлении.

Ему пришлось вытирать слезы.

Через несколько минут появилась миссис Мармелл, чьей первейшей задачей после того, как утешить меня, было навести мосты с профессором Стрейбертом, с которым она встречалась впервые после нашего обеда в «7+7». В глаза бросилось, что эта встреча доставляет ему больше волнений, чем ей.

— Здравствуйте, Карл. Я благодарна вам, что вы смогли приехать, чтобы помочь нам, — произнесла Ивон и поцеловала его в щеку.

У нее появились наполеоновские замашки, ее выдержка и напор восхищали меня.

— Можем ли мы в приватной беседе восстановить все передвижения Тимоти за последние дни? — И, когда мы стали вспоминать все, что происходило после ее звонка ранним утром знакомому редактору в «Таймс», она включила свой магнитофон, чтобы не упустить какую-нибудь важную деталь.

Первой начала Дженни:

— В субботу вечером у него было свидание со мной в «Нечистой силе» — это забегаловка в колледже, где мы встретились еще с двумя парами. Одна пара проводила Тимоти до общежития, другая отправилась со мной. Никаких сцен или чего-то подобного. Время было около часа ночи.

Потом Дженни рассказала, что в воскресенье Тимоти в компании четверых мужчин и двух женщин — все они из колледжа — ходил в поход вдоль берега Ванси. В конце двенадцатимильного перехода их с Дженни ждала его машина. На открытом воздухе, в котором уже чувствовалось первое дыхание ноябрьского мороза, они устроили пикник в студенческом городке. В конце его, примерно в семь вечера, Тимоти сказал: «Я ночую сегодня в «поющем доме». Бабушка живет одна, и ей доставляет удовольствие видеть меня время от времени».

Теперь настала моя очередь, и, как ни тяжело это было, мне все же удалось, хотя и с частыми остановками для того, чтобы вытирать слезы, поведать все, что я знала:

— То, что мы услышали от Дженни, вполне вяжется с последующим. Он приехал один около семи тридцати вечера и сказал, что уже поел, но не откажется от порции ромового мороженого с изюмом, которое, как он знал, всегда стоит в моем холодильнике. Лакомясь мороженым, мы говорили о его рукописи, которую я нашла вполне профессиональной и остроумной. Я сказала, что беру на себя смелость заявить, что она удалась, за исключением одного места на странице девяносто. Он попросил показать ему это место и воскликнул: «Ничего удивительного! Машинистка пропустила целый кусок». Взяв ручку, он сделал пометку, что нужно будет вставить пропущенные абзацы. Мы посмотрели конец сериала Д.Б.Флетчер, в котором она раскрывала очередное преступление, и отправились спать. После этого никто не видел его живым, кроме убийцы.

Затем инициативу взяла Ивон, начавшая с извинения:

— Я могу показаться бессердечной, поднимая эти вопросы в скорбное время, но мы четверо несем ответственность за литературную репутацию талантливого молодого человека. Шаги, которые мы предпримем в ближайшие дни, определят, каким он запомнится людям. Прежде всего, миссис Гарланд, есть ли у вас какой-либо документ, дающий вам право на рукопись? Принадлежит ли она вам?

— Предвидя нечто подобное, мои адвокаты настояли на двух заявлениях: моем, по которому все переходит к Тимоти, и его, в соответствии с которым все, принадлежащее ему, становится моим, — ответила я спокойно.

— Хорошо. Мы можем двигаться дальше.

Следующий вопрос миссис Мармелл был адресован мисс Бенелли:

— Вы сняли копии с рукописи, все заверили и сдали одну на хранение в банк? Хорошо. Книга может стать чрезвычайно важной — если будет правильно преподнесена. Карл, я вижу ее как коллективный труд пяти авторов объемом в сто шестьдесят страниц, если удастся восстановить заключительные страницы, поэтому хочу, чтобы вы написали вступительный очерк за своей подписью, объемом в тридцать две страницы, о том, какой ее замышлял и видел Тимоти, об условиях, в которых она писалась, и, самое главное, о его привычке показывать вам с Дженни и своим коллегам готовые разделы по мере их появления. Вы должны заявить, что он обсуждал с вами свои планы завершения книги. — Она щелкнула пальцами. — Зачитывал ли он когда-нибудь свой текст студентам своего класса? Прекрасно! Дженни, я хочу, чтобы вы собрали с полдюжины заверенных заявлений студентов о том, что он рассказывал им о своей работе над книгой. Карл, постарайтесь припомнить самого способного из студентов, и я предложу ему написать однудве странички воспоминаний. Надо только, чтобы он указал, что именно читал им Тимоти из своей книги.

Обращаясь к Карлу, она предупредила его:

— Вы должны быть самым что ни на есть скрупулезным летописцем, поскольку только так можно оправдать наши коллективные усилия по завершению рукописи. Поэтому писать вы будете под своим именем.

— Разумная стратегия, — сказал Стрейберт, и все согласились с этим.

— Давайте проясним один момент. — Ивон прервала

свой инструктаж. — Я называла три разных показателя завершенности рукописи: семьдесят пять процентов, восемьдесят и девяносто. На каком из них мы остановимся?

Стрейберт и Дженни оба указали на восемьдесят, и Ивон продолжила:

— Теперь самое главное. У вас, Карл, два раздела, которые он давал вам почитать, а у вас, Дженни, три. — Стрейберт бросил быстрый взгляд на свою бывшую студентку. — А вот есть ли у вас страницы, над которыми он все еще продолжал работать — еще набело не отпечатанные?

Оба — и Стрейберт, и Дженни — достали из своих портфелей листы, на которых была видна правка, сделанная рукой Талла.

— Потрясающе, — вырвалось у Ивон. — Четыре фотокопии нужно будет воспроизвести в вашем очерке, Карл, чтобы исключить всякие сомнения в их подлинности. — Возвращая черновики, она спросила: — Располагаем ли мы чем-нибудь в подтверждение того, как он собирался закончить свою книгу? Какие-нибудь записки? Фрагменты?

Стрейберт молчал, а Дженни заговорила:

— Он рассказывал мне об этом. Я ясно представляю себе, что было у него на уме.

— Но это не документально. А есть какие-нибудь заметки?

— Нет, но если вы посмотрите на ксерокопии моих страниц, то в трех местах найдете мои заметки с соображениями о том, как эти страницы, которые он давал мне посмотреть, будут вписываться в его общий замысел.

— Где? Где? — И, когда Дженни показала эти страницы, мы убедились, что все это именно так. Там были ее пометы на полях, увязывающие отдельные наброски Талла в единую картину, а также ее оригинальное замечание — «Кайф!», выражавшее высшую степень качества.

— Этому нет цены! — воскликнула Ивон. — Рукопись может быть закончена, и тысячи людей будут читать ее, сотни тысяч. — Затем она дала ряд строгих указаний, не допускавших никаких отклонений: — Карл, вы можете приступить к работе над своим очерком немедленно? Все подтверждайте документально. Давайте назовем его как-нибудь вроде «Талл в Мекленберге». Но, прежде всего, Карл, и вы, Дженни, давайте пообедаем в гостинице и попытаемся свести воедино пять ваших разделов. В опубликованной книге мы ясно покажем читателю, что роман включает часть, законченную и отредактированную Таллом; пять разделов, написанных, но не отредактированных и не отшлифованных автором, и те короткие связки, которые были предложены нами, но не были выверены им. Все должно быть честно и открыто. — Встав со своего кресла, она подошла ко мне: — Рукопись Тимоти должна предстать сенсационной книгой, которую будут изучать десятилетиями.

— Мне очень бы хотелось этого, — согласилась я. — Но важнее всего, что этого хотел он. Давая мне незавершенную рукопись, он заметил: «Эта книга будет гораздо лучше первой».

Тут Ивон повернулась и спросила:

— Это попало на пленку, Карл? — И, когда они уходили, я услышала, как она попросила его: — Ну а теперь расскажите мне о своем новом сказочном отделении в Темпле.

ЧЕТВЕРГ, 7 НОЯБРЯ. Последние четыре дня я поддерживала постоянные контакты с человеком, к которому прониклась большим уважением. Капитан Вальтер Стампф из нашей дрезденской полиции напоминает мне Германа Цолликоффера в молодости. Такой же плотный, с заостренной головой, мощной шеей, широкими плечами и короткими пружинистыми ногами, которые не знают усталости. Краснолицый и покрытый испариной даже в ноябре, он работает как заведенный. У него забавный немецкий акцент, из-за которого его речь иногда может показаться безграмотной, хотя он получил образование в университетах Франклина и Маршалла. Судя по тому, что я видела и слышала о нем, он просто бульдог, а не человек. Каждый раз, когда мы расстаемся, он говорит: «Миссис Гарланд, мы найдем, кто это сделал».

Первый раз я увидела его около четырех часов утра в день убийства. Мой шофер Оскар, услышав в два часа лай собаки, узнал голос Ксерксеса, но он не понял, почему в такое время тот находится на улице. Заснув вновь, он проснулся в четыре и, отправившись на поиски Ксерксеса, обнаружил тело. С громким криком он бросился в дом, разбудил меня, и я, выбежав на лужайку в ночной сорочке, увидела зрелище, от которого кровь стыла в венах. Это было так ужасно. Кругом кровь... И поза убитой собаки, показывающая, что она до конца защищала своего хозяина... Меня трясло. Оскар произнес: «Оставайтесь здесь. Я позвоню в полицию».

Он дал мне фонарик, но я выключила его, не в силах смотреть на кровавое месиво, и в холодной темноте чувствовала, что это — катастрофа.

Оцепеневшая, я охраняла тело, пока капитан Стампф не подъехал на своей полицейской машине с включенной сиреной и сверкающими мигалками. Осветив фонариком изувеченные тела Тима и Ксерксеса, он пробормотал: «Безумец!» — и начал свою работу.

Вызвав по радио помощников, он расставил их так, чтобы никто не мог потревожить тело и затоптать возможные следы на лужайке. Затем, отступив назад, чтобы видеть обезображенный труп, он поклялся перед своими сотрудниками найти того, кто это сделал.

Солнце еще не успело взойти, а он уже собрал все, что было известно о моем внуке, о его знакомых, о том, где он бывал в последние дни. Его сотрудники связывались с редакциями газет в Филадельфии и Нью-Йорке, а он в это время отправился (даже не позавтракав) в колледжи, чтобы взять показания у тех, с кем работал Тимоти, в том числе и у Дженни Соркин. Страшная новость, которую он принес, потрясла всех. Президент

Росситер прибежал в пижаме, поверх которой был наброшен пиджак от вечернего костюма. Все говорили о прекрасном характере Тимоти, его блестящих способностях и о том, что у него не было врагов. В Мекленберге Стампфу не удалось найти ни одной зацепки.

Вернувшись назад, он провел два часа в Ньюмюнстере, где опрашивал каждого, кто мог иметь сведения о связях Тима или его передвижениях. Но, с кем бы он ни разговаривал, всюду слышал одно и то же:

— Прекрасный молодой человек! Учился в нашей школе только до седьмого класса, но никогда ни в чем замешан не был.

— Он встречался с кем-нибудь из местных девушек?

— Ему бы не позволили этого. После того как его родители погибли в автомобильной катастрофе, Тима взяла к себе бабушка, которая держала его в ежовых рукавицах. Она же и определила его в закрытую частную школу в Потстауне.

— Я считал, что отсюда он пошел учиться в Рединг?

— Да, это так. Думаю, там было неподходящее для него окружение. Во всяком случае, бабушка быстренько вырвала его оттуда и отправила в частную школу. Дисциплина там была получше.

Посещение школ в Рединге и Потстауне дали то же самое:

— Нельзя сказать, чтобы у Тима здесь были неприятности. Прохладное отношение к учебе, и не более того. Он водил компанию только с лучшими детьми. Девочки? Нет, об этом нам неизвестно.

В потстаунской школе Хилл об убийстве знали из сообщения, прозвучавшего по радио, поэтому там заранее приготовили личное дело, которое было безупречным: «Прекрасный ученик. Досрочно сдал экзамены в колледж. Хорошо играл в теннис. Превосходно писал сочинения и был удостоен премии Эдмунда Уилсона, выдающегося литературного критика, начинавшего свой путь в нашей школе. Неприятности? У Тимоти не было ничего подобного. Дурные компании? В нашей школе нет таких. Девочки? Нам ничего не известно об этом».

Поскольку наша усадьба находилась всего в десяти милях от центра Аллентауна, Стампф поспешил туда, но местной полиции не было известно даже имя погибшего. Не знали там и случаев хулиганства, связанных с нашей усадьбой: «Наши хулиганы считают, что она слишком хорошо охраняется полицией Дрездена, так что им даже в голову не приходит забраться туда».

Ничего здесь не добившись, он устремился по шоссе в Бетлехем, расположенный столь близко, что невозможно даже заметить, когда ты выехал из Аллентауна и когда въехал в этот промышленный центр. В офисе сталелитейной компании Стампф осторожно поинтересовался, не нажил ли Ларримор Гарланд себе врагов за время управления этим огромным комбинатом.

— Во время забастовок страсти, конечно, накалялись до предела, но Ларримору всегда удавалось сводить разногласия только к вопросам оплаты труда. Он никогда не доводил дело до того, чтобы кто-то обиделся на него лично.

— С профсоюзами, может быть, да. А как насчет обид в руководстве по поводу таких вещей, как, например, повышение в должности?

— Ничего подобного не было. Мы искренне горевали, когда Ларримор умер.

— А конкуренты?

— Им не на что было обижаться.

— Но кто-то яростно ненавидел его внука. Я убежден в этом.

— Капитан Стампф, в нашей отрасли обиды, связанные с делом, если таковые были вообще, не вымещаются на внуках.

— Кто-то все-таки выместил их на Тимоти Талле, и довольно зверским образом. Я был бы благодарен за любые догадки по этому делу, если они появятся у вас позднее.

Итак, в пять часов тридцать минут в понедельник, как раз в тот момент, когда заканчивалось наше совещание по поводу рукописи Тима, Стампф заехал ко мне, чтобы сообщить о ходе расследования. Увидев моих гостей, он припомнил, что Ивон обращалась к нему за консультацией в связи с покупкой дома:

— Как ваша сделка с Трокселем?

— Мы оба остались довольны ею.

— Поскольку вы все собрались здесь и каждый из вас заинтересован в этом деле, позвольте мне сообщить, как идет следствие. Коронер полагает, что смерть наступила примерно в два часа ночи. На полицейских снимках видно, что смерть могла наступить от любого из шести или семи ударов, так что некоторые из них наносились, когда он уже был мертв. Прошу прощения, мэм.

— Продолжайте, — сказала я.

— Я побывал в местной школе, в Потстауне, в колледже. Ни одной зацепки. Никаких дурных компаний, ни врагов, ни девиц, желающих поквитаться. Нет врагов у семьи и в сталелитейной компании, отсутствуют какие-либо зацепки в Аллентауне, а в наших дрезденских архивах нет даже сведений о том, что на него налагался штраф за нарушение правил дорожного движения.

— А что у вас есть? — спросила я, и он ответил:

— Ничего, кроме огромной решимости раскрыть это дело, которое пока напоминает загадку, но не может остаться таковой по причине количества пролитой крови и открытого характера местности. Кто-то должен был видеть что-нибудь.

В отличие от капитана Стампфа, лихорадочно гонявшего своих людей в поисках каких-то улик, Ивон спокойно и умело руководила подготовкой материала «Талл в Мекленберге», добиваясь, чтобы каждый был занят своим делом. Стрейберт немедленно приступил к очерку на тридцати двух страницах. Дженни писала воспоминания о Тимоти. Мисс Бенелли наводила справки, сама же Ивон сидела в гостинице и составляла подробную докладную записку. А я выверяла все полученные сведения.

Вечером Ивон убеждала меня:

— Мы делаем книгу, которую прочтет каждый, кто ценит литературу. Книгу, которой будут восхищаться, если хотите. — С этими словами она села в автобус и отправилась в Нью-Йорк.

А капитан Стампф по прошествии трех тяжелых дней смог лишь повторить свою прежнюю фразу:

— Мы найдем того, кто сделал это.

СРЕДА, 13 НОЯБРЯ. Наблюдая за энергичными, но тщетными усилиями капитана Стампфа, его подразделения и нескольких полицейских штата, взаимодействующих с ним, я обратила внимание, что этим делом особо озабочены два частных лица.

В колледже во время заседания по распределению средств, предоставленных Лукасом Йодером, тот бросился ко мне. Йодер очень волновался, выражая свои соболезнования:

— Каждый, кто знал Тимоти, разделяет вашу скорбь. Он был редкостным парнем, и мы найдем преступника, сделавшего это. Миссис Гарланд, мы найдем его. — Он показался мне таким расстроенным, что я, улучив момент, поинтересовалась у Эммы:

— У Лукаса что-нибудь стряслось? Он такой взвинченный.

— У него все валится из рук, — печально промолвила она. — Убийство для него оказалось очень сильным ударом. Он постоянно твердит: «Такое не должно было случиться в Грензлере», и проникся такой ненавистью к убийце, словно пострадал сам лично. В довершение ко всему, у него не ладится работа над очередным из магических знаков, и не дают покоя синяки, полученные в споре о Паунде.

— Следите за ним, Эмма. Хороших людей не так уж много на этом свете.

— Когда у него были подобные депрессии, он всегда находил утешение, посещая по вечерам Германа Цолликоффера. Он говорит: «Герман сам от земли и меня возвращает на землю». Но теперь даже это не помогает, потому что, когда Лукас приходит к нему, тот ни о чем не хочет говорить, кроме убийства. Они просто помешались на этом.

Услышав, что два моих земляка, Йодер и Цолликоффер, всячески пытаются выяснить, кто убийца, мне нестерпимо захотелось узнать, как далеко они продвинулись в своих поисках, и я спросила Эмму:

— Можно мне завтра заехать к вам поговорить?

Когда я приехала на их ферму, там меня ждали. не только Эмма с Лукасом, но и Цолликоффер. Первым заговорил Лукас:

— Я души не чаял в Тимоти и с большим уважением относился к его творчеству. У нас были расхождения во мнениях, например, по вопросу о Паунде, когда он резко выступил против меня, но в его возрасте именно так и поступают.

Я одобрительно кивнула в ответ на его слова, и он продолжил:

— Два источника, из которых я пытаюсь почерпнуть сведения об убийстве, дают прямо противоположную информацию. На почте время от времени возникают слухи, часто не связанные друг с другом и больше похожие на ребусы. В лице Цолликоффера я нашел терпеливого и проницательного аналитика — он не раз за свою долгую жизнь в Дрездене наблюдал, как разгадывались неразрешимые на первый взгляд загадки, когда их тщательно анализировали или когда они оказывались в руках умных полицейских. В результате долгих наблюдений за подобными делами в нашей округе — от Бетлехема на севере и до Ланкастера на юге, — он открыл для себя одну непреложную истину: «Лукас, везде действует одно и то же правило: если это преступление не на сексуальной почве, значит, здесь замешаны деньги. Ты удивишься, как часто это правило срабатывало при выяснении мотивов, которые в конечном итоге приводили к преступнику».

Я не знала Цолликоффера близко, по сути дела, мы встречались лишь дважды — когда Йодеры приводили его с женой ко мне на коктейль и когда я устраивала обед в «7+7». Но то, что я услышала сейчас, заставило меня по достоинству оценить его аналитический ум.

— Замешана ли здесь какая-нибудь девушка? — спросил он.

— Нет, — ответил Йодер, — кроме серьезной молодой писательницы по имени Дженни Соркин... если только полиция говорит нам все, что знает.

— Она не обязана этого делать, но я не слышал ни о какой другой девушке, а вы?

— Ни словечка, — заметил Лукас, — а в колледже любят пошептаться по таким поводам.

— Значит, это деньги.

Догадка Цолликоффера показалась мне разумной, и я спросила:

— У вас есть что-нибудь еще? Даже такое, что может показаться совсем незначительным?

— Одна из газет в Филадельфии как-то опубликовала статью о вашем мальчике, — напомнил Цолликоффер. — Может быть...

Я прервала его:

— Лукас, можно воспользоваться вашим телефоном?

Когда Стампф взял трубку, я спросила:

— Вам известно, что несколько лет назад в «Филадельфия инкуайер» была статья о перевернутом романе Тимоти и в ней сообщалось, что мой внук — миллионер или что-то в этом роде? Не могла ли она навести на его след какого-нибудь маньяка?

По его реакции можно было определить, что он раздражен моим вмешательством:

— Миссис Гарланд, экземпляр этой газеты лежал у меня на столе в три часа дня в день убийства.

— Хорошо работаете, — сказала я, и он добавил:

— Статья действительно вышла с фотографией вашего мальчика и действительно намекала на то, что он очень богат. Так что предчувствие вас не обманывает. Мы найдем убийцу.

Когда я пересказала слова Стампфа, Цолликоффер кивнул:

— Он прав, вы знаете. Мы найдем его. — Мне оставалось только благодарить судьбу за то, что по следу шел такой упорный человек, как Цолликоффер.

СУББОТА, 16 НОЯБРЯ. Тот факт, что нам с Йодером приходилось часто встречаться в колледже по различным вопросам, имел две положительные стороны. Это отвлекало меня от мыслей об ужасной утрате и давало мне возможность получше узнать человека, которого так любили в Америке. А недавно открылась еще и третья сторона, когда я получила возможность наблюдать, как у писателя рождается замысел романа. Для такой закоренелой любительницы чтения, как я, это была новая привилегия.

Все вышло совершенно случайно. В конце одного из таких заседаний я спохватилась, что не сказала Оскару, когда ему следует заехать за мной. Оказавшись без машины, я вынужден был воспользоваться предложением Йодера и отправиться домой вместе с ним. Вместо того чтобы ехать прямо к моему дому, мы двинулись проселочными дорогами, петлявшими среди полей, которые в это время года были облачены в свои лучшие наряды.

— Если бы вернулись мои сорок лет, — грустно

заметил Лукас, любуясь красотами родного края, — я бы смог оказать людям важную услугу.

Когда я поинтересовалась, в чем эта услуга могла бы состоять, он поведал об этом так, словно говорил с незнакомым человеком, а не с женщиной, которая только что пережила убийство собственного внука:

— Я бы взялся за роман об этой трагедии. Место действия — Грензлер. Привычные мне персонажи. Все дышит миром, и вдруг происходит это ужасное убийство. — Он помолчал, раздумывая над возможными подходами к нему: — Мне бы не хватило смелости показать то, что увидели вы, на лужайке. Слишком ужасно. А вот окружение, мысли, связанные с происшествием, и конечный смысл — я бы мог заставить их послужить великой цели. — Но тут он замолчал, словно отказался от своей идеи.

Однако через некоторое время, не в силах оставить захватившие его мысли, он стал перебирать в уме тех, кто мог бы написать такой роман:

— Стрейберт мог бы сделать это. Дженни Соркин тоже могла бы, но она слишком причастна ко всему этому лично, и к тому же она новенькая в наших местах. Есть многообещающий парень в Рединге, он мог бы, если бы был постарше. Есть еще один преподаватель в Ла-Фейетте, к которому я отношусь с большим уважением, но он придерживается другой точки зрения на подобные вещи. — И тут ему в голову пришла совсем неожиданная мысль: — Человеком, способным сделать это, несомненно, был сам Тимоти Талл! Он бы продемонстрировал принципиально новый подход. Не знаю, какой именно, но тут были бы и вспышки озарения, и разрывы повествования, и многоликие персонажи. Он нашел бы такой ход, который как нельзя лучше отвечал бы действию романа. Результат мог превзойти все ожидания.

Невозместимость утраты, которую общество понесло со смертью моего любимого внука, и идея написания романа об убийстве подействовали на него так, что вместо прямого пути через Дрезден по автостраде он пустился в объезд по университетской дороге, огибавшей колледж, словно надеялся встретить на ней голосующего Тимоти, и едва сдерживал рыдания, пока мы колесили по ее пустынному и пыльному полотну. Мы почти заблудились, а когда разобрались, где находимся, выяснилось, что крутой поворот вправо ведет туда, где находится ферма Цолликофферов.

— Заедем и узнаем, нет ли у них новостей.

Когда мы вошли в кухню, Фрида с Германом готовили ужин. В воздухе носились соблазнительные запахи.

— Щас позовем Эмму и .уже устроим праздник, — обрадованно выкрикнула Фрида на своем немецком наречии.

Герман отвел нас с Йодером в сторонку:

— Я все думаю о той статье про Тимоти и его миллионы. Кто в наших краях мог видеть газету, издающуюся в другом городе? Уж конечно, не обычные негодяи из Ньюмюнстера или Дрездена, о которых известно полиции. Скорее всего, кто-то из студентов колледжа, где эти газеты имеются в библиотеке. Сдается мне, что вы найдете убийцу среди его друзей из колледжа.

Но Лукаса интересовал другой подход к этому делу:

— Возвращаясь окольными путями домой, я думал — или, скорее, фантазировал — о том, как бы обошелся с этой историей сам Тимоти Талл — писатель, понимающий эти края и их людей. Если бы он был жив, я бы задал ему такой вопрос: «Хорошо зная нас, что ты можешь сказать, какого сорта мужчина или женщина из нас — а не из чужих — могли бы совершить подобное?» А теперь представь, что ты молодой Тимоти. Тот же самый вопрос: «Кто из немцев способен на такое, Герман?»

— Хороший вопрос, Лукас. — Цолликоффер откинулся на стуле, демонстрируя подтяжки с ремнем. — Предположим, что это был кто-то из нас. — И он медленно начал рисовать словесный портрет, состоявший из черт знакомых ему людей. — Не нашего возраста. Мы слишком старые, чтобы решиться на подобное. Слишком слабые, чтобы действовать с такой силой, даже в ярости. Крепкие кости не так-то легко сломать.

— Они были сломаны?

— Ты разве не читал заключение эксперта? Сломаны правая рука и левая скула. Это были удары страшной силы. — Меня передернуло, но Цолликоффер не стал обращать на это внимания. — Лукас, им был мужчина. Даже самой сильной женщине это не по плечу. Мужчина лет до сорока пяти, мне думается. Не способный контролировать себя, потому что он продолжал наносить удары даже тогда, когда все уже было кончено.

— У тебя получается какое-то чудовище.

— О, нет! И адвокаты, и священники способны выделывать кошмарные вещи, если они застигнуты врасплох, не так ли, миссис Гарланд? Или когда они напуганы до смерти. Кстати, на месте убийства ведь была собака?

— Да, — ответила я. — Симпатичный лабрадор по кличке Ксерксес.

— Но ведь его держали в доме?

— Да. Когда Тимоти оставался у меня, Ксерксес спал на его кровати.

— Итак, человек, который скрывается среди нас, немцев, это мужчина в возрасте, скажем, от восемнадцати до сорока пяти лет. Достаточно сильный, чтобы нанести столь мощные удары, и достаточно свихнувшийся, чтобы пойти на такое. Скорее всего, фермер, раз у него такая сила. Наслышанный о миллионах Талла. Три года раздумывавший, прежде чем решиться. — Он остановился. — Предположим, что он прочел или услышал о богатстве, когда ему было девятнадцать или двадцать. Но тогда у него еще не было смелости. Теперь ему двадцать два—двадцать три. Надо двигаться в этом направлении. — Но сказав это, он тут же поправился: — Нет, я все же думаю, что такой тип не мог видеть этой газеты. Им должен быть кто-то из колледжа — может быть, даже какой-нибудь футболист. Эти стероиды, которыми они пользуются, могут придавать им огромную силу. Запомните, Лукас, убийца должен быть чуть ли не гориллой. Имейте это в виду.

— Кто бы ни был убийца, он не извлек никакой прибыли из смерти Тимоти, — заметила я, желая вернуть их на землю. — А что, если это была попытка похитить его с целью выкупа?

Вопрос показался Цолликофферу совершенно нелепым.

— Миссис Гарланд, — терпеливо разъяснил он. — Убийца вовсе не собирался убивать вашего внука. А похищение вообще исключается. Ведь Тим был взрослым и довольно крепким парнем. Убийцу застали врасплох. Тим с собакой столкнулись с ним, и он набросился на них от неожиданности. Машинально, можно сказать.

— Каковы были тогда его намерения?

— Ограбление. Замышлялось обычное ограбление. В руках у него было какое-то приспособление, чтобы проникнуть в ваш дом. Все, что он собирался сделать, так это украсть сколько-то денег, если они попадутся под руку, или, возможно, телевизор или видеомагнитофон. Кража, которая вылилась в убийство.

Прежде чем я успела сказать, как это ужасно сознавать, что Тимоти погиб из-за каких-то вещей, послышался звук подъезжающей машины и перед домом появилась Эмма. Войдя в кухню, она не удержалась от упрека в адрес мужа:

— Я давно приготовила ужин. Где ты был?

Он показал на меня:

— В колледже.

Она обняла меня и сказала:

— Вы правильно делаете, что не даете горю одолеть себя.

Я с завистью смотрела, как все четверо энергично принялись за знаменитую еду Фриды Цолликоффер.

— Вы едите, как птичка, — кудахтнула в мою сторону Фрида, а мне-то думалось, что я налегаю изо всех сил.

ПЯТНИЦА, 29 НОЯБРЯ. С тяжелой утратой мне помогали справиться две вещи. В трудные времена облегчение мне всегда приносили книги, поэтому я вновь обратилась к своим старым знакомым, которых открывала для себя в разные периоды жизни: «Зеленые особняки» — в детстве, «Сладкая отрава» — когда стала постарше, «Верная нимфа» — когда вышла замуж, «Анна Каренина» — в тяжелый период, последовавший за смертью дочери. Но все эти книги, если можно так выразиться, были в «одном ключе», написаны примерно в одной и той же манере повествования и традиционным языком. К тому же все они вышли из-под пера европейских писателей. Их я перемежала с последними романами молодых американских авторов, хорошо встреченных в читательских кругах. Некоторые из них оказались такими свежими, увлекательными и даже смелыми, что я вновь воспряла душой. Великие мысли и захватывающие приключения, изложенные прекрасным языком, всегда были мне бальзамом на раны.

Вторым фактором, который помог мне сохранить рассудок, было удивление. Я выросла в добропорядочной семье, вышла замуж за добропорядочного человека, который работал в добропорядочной корпорации, находившейся в таком же добропорядочном американском городе. Вы можете сказать, что я жила в изоляции, потому что круг моего общения не включал ни негров, ни евреев и совсем мало католиков. У моей семьи не было предубеждений против них, так же как и против славян — чехов, поляков, — работавших на комбинате. Родители просто учили меня не замечать их. В поле моего зрения не попадали даже забавные пенсильванские немцы, жившие особняком от нашего общества.

Но теперь, оставшись наедине со своими книгами, я оказалась в обществе двух еврейских женщин, ставших моими подругами, и двух немецких семейных пар, которые давали мне огромное утешение. В эти мрачные недели ноября я поняла, что люблю Ивон Мармелл и Дженни Соркин за их смелое отношение к жизни и дорожу Йодерами и Цолликофферами, как людьми, бесконечно приверженными своей земле и древним правилам, по которым тысячелетия жили все добрые люди со времен второго пришествия. Эти шестеро стали мне прибежищем на неприветливом берегу, маяками в бушующем море.

В эти дни я все чаще оказывалась вовлеченной в орбиту бурной деятельности миссис Мармелл, которая неожиданно завладела моими мыслями и отвлекала от трагедии. Хотя я всегда любила книги, они для меня были загадочными вещами, которые я находила в законченном виде на библиотечных полках, появляющимися там как по волшебству и без участия человека. Но теперь, оказываясь свидетельницей ее телефонных звонков в офис, я ловила отдельные сведения о том, как делаются книги. Однажды я услышала, как Ивон говорит по телефону с Нью-Йорком:

— Я ведь просила, чтобы все вдовы были ликвидированы. — Поскольку я была одной из них, да и сама она тоже, это распоряжение показалось мне странным, если не бесчеловечным. Когда же я выразила недоумение, она объяснила: — Делая книгу, мы обращаем внимание на то, как конец предыдущей страницы стыкуется с началом следующей. И стараемся не допускать, чтобы в конце страницы оказывалась первая строка следующего абзаца. А уж когда страница начинается словами, оторванными от абзаца на предыдущей, мы просто рвем на себе волосы. Такие слова мы называем «вдовами».

Она приоткрывала мне тайны своей профессии, я же в свою очередь помогала ей обосноваться в новом доме. Мы вместе работали над подготовкой презентации незавершенного романа моего внука, и я не переставала радоваться ее редакторским успехам. Отношения с новыми немецкими боссами у нее складывались довольно

474

удачно, что, впрочем, было неудивительно, поскольку роман Йодера возглавлял список бестселлеров, другая ее книга была выдвинута Гильдией литераторов на премию, а еще одну Голливуд избрал для телевизионной экранизации. На подходе был роман Дженни Соркин, который после переработки оказался не просто удачным, а совершенно изумительным и уже находился в производстве. Коллеги в издательстве говорили об Ивон: «Она на гребне успеха».

Но наибольшее удовлетворение ей приносило то, что в Дрездене ее признавали за свою. Умелому плотнику потребовалось всего две недели, чтобы устранить в новом доме все перечисленные Эммой недостатки. С помощью Стрейберта Ивон к концу ноября привела его в жилой вид и, наперекор ожиданиям, отпраздновала День Благодарения уже в нем вместе с Йодерами и Цолликофферами, которые натащили на праздник такое множество немецких блюд, что запаса еды в ее холодильнике теперь хватит, наверное, до следующего Рождества. Праздничное застолье на День Благодарения омрачали лишь непрекращающиеся споры двух немцев о том, кто мог быть убийцей Тимоти.

Радовало Ивон то, как на ее призыв о помощи откликнулся профессор Стрейберт.

— Ему было нелегко, — говорила она мне, — вернуться в Мекленберг после столь скандального ухода и вновь начать работать со мной, после того как он отрекся от меня.

— Я все еще не могу простить ему те неприятные вещи, которые он говорил о вас. Он обязан вам всем и должен помнить об этом.

— Когда честолюбивый человек пробивается наверх в своей профессии или встает на защиту того, во что верит, он зачастую наступает кому-нибудь на мозоль. — Но эти слова показались ей недостаточно убедительными, и она привела другой довод в оправдание его поведения: — Возможно, он был вынужден уйти из «Кинетик», поскольку посчитал неприемлемым для себя работать в издательстве, принадлежащем немцам. К тому же мы постоянно отходим от тех идей, которые он поддерживает в литературе. Это мешает ему высказывать те критические суждения, которые не высказать он не может.

— Но зачем ему надо было отказываться от вас?

— Возможно, он перерос и меня тоже.

— Вы защищаете его? После того как он публично оскорбил вас?

— Редакторам присуща одна черта. Мы всегда радуемся, когда у писателя, с которым мы работали, появляется по-настоящему хорошая книга, независимо от того, кто ее издал. Такой успех помогает нам верить в себя. К Карлу же я вынуждена обратиться, потому что нам нужна его помощь в работе над романом вашего внука. Его одобрение придаст роману больший вес. Кроме того, Стрейберт всегда нравился мне.

Должна признаться, что Стрейберт отлично справился с порученным ему очерком, в котором он сравнивал Тимоти с такими безвременно ушедшими из жизни литераторами, как поэт Сильвиа Плат и прозаик Натанаэл Уэст. Предисловие Карла должно было сослужить роману неплохую службу. Еще больше удовлетворения приносила мне работа по реконструкции романа, когда при моем участии Мармелл, Стрейберт и Соркин выстраивали в логической последовательности пять отдельных фрагментов романа и увязывали их в единое целое. При этом у меня было такое ощущение, что Тимоти обрел вторую жизнь и находится с нами. Мое сердце переполнялось благодарностью к возродившим его чародеям, и в первую очередь к Стрейберту — моему вновь обретенному другу.

Но пришло время, когда ему надо было возвращаться в Темпл. В последний день его пребывания с нами Ивон, я и он сидели перед большими окнами и говорили о его будущем.

— Карл, — начала я, — это просто нелепо с вашей

стороны — рвать связи со своими земляками. Вы здесь родились, получили образование, сделали здесь главные шаги в жизни, здесь ваши друзья: Тимоти, Ивон, я — вы не найдете нигде лучших друзей.

Но это не задело его за живое.

— Вы не представляете, какое удовлетворение приносит мне новая работа. И Филадельфия вполне может стать привлекательной, когда у тебя там есть друзья.

— Но неужели вы не скучаете по Ванси и своим старым друзьям, которые у вас остались здесь?

— Скучаю... — после долгой паузы ответил он.

Ивон молчала, а я продолжила:

— Карл, Филадельфия не так уж далеко. Всего каких-то сорок миль. Многие люди преодолевают такое расстояние ежедневно.

— Я не могу.

— Я хотела сказать, что вы могли бы обосноваться здесь. Приезжать сюда на уик-энды. Поддерживать связи со своей родиной... и колледжем.

Подперев подбородок кулаками, он раздумывал целую минуту, что было слишком долго, когда две заинтересованные женщины ждут ответа. А затем сказал такое, чего ни Ивон, ни я не ожидали услышать:

— Я не могу преодолеть чувство, что Лукас Йодер украл у меня мою родину. У меня нет желания...

— Карл! — воскликнула Ивон. — Вас ждет блестящее будущее, я не сомневаюсь в этом. Оно может быть еще более светлым, если вы сохраните свои корни. Я знаю, Карл, потому что сама стремлюсь к тому, чтобы почувствовать под ногами твердую почву.

Теперь настала моя очередь:

— Вам никогда не приходило в голову, что со смертью моего мужа и внука этот дом стал слишком велик для меня одной? Часть его легко превратить в квартиру, которую вы могли бы иметь... или арендовать, по своему желанию.

— У меня тоже теперь просторный дом, — тут же добавила Ивон. — Можно прорезать отдельную дверь, которая вела бы в ваши собственные комнаты.

Услышав эти слова, Стрейберт вскочил и воскликнул чуть ли не с болью:

— Почему вы предлагаете мне это?

— Потому что мы любим вас, — ответила я. — Потому что вы часть нашей жизни. И немаловажная часть.

Мысль о том, что двое людей, никак не связанных с ним напрямую, могут быть так заинтересованы в его судьбе, оказалась для него настолько непривычной, что он не смог сразу переварить ее, и мы трое сидели и молчали. В вечерних сумерках на лужайке, где было найдено тело, появилась одинокая фигура капитана Стампфа. Уставившись в землю, он сосредоточенно пытался восстановить события той ночи.

ВТОРНИК, 3 ДЕКАБРЯ. В гуще событий этого дня я оказалась совершенно случайно. Все началось со звонка Эммы:

— Вы не могли бы приехать к нам и помочь мне образумить моего отупевшего супруга?

Я мечтала покинуть свой дом под любым предлогом и тут же попросила Оскара отвезти меня на ферму Йодеров. Эмма ждала меня на кухне, а ее муж находился в мастерской, откуда вместо стука пишущей машинки доносились звуки пилы.

— Чем он там занят? — поинтересовалась я.

— Возится с Цолликоффером над очередным магическим знаком, — сказала Эмма. — Вот, полюбуйтесь.

Заглянув в мастерскую, я увидела, что мужчины с головой ушли в работу. Цолликоффер распиливал доски и делал заготовки, а Йодер разукрашивал старый знак, снятый им с какого-то обреченного на снос амбара.

— Он создает настоящее произведение искусства, — с

гордостью заметил Цолликоффер. — Находит знак на стене какого-нибудь старого сарая, — продолжал он, — укрепляет его древесину при помощи эпоксидного клея, находит для него подходящую подложку, украшает узорами в немецком стиле — и вещь готова.

Наклонившись, чтобы взглянуть на нарождавшееся произведение искусства, я увидела, что, несмотря на старания мужчин, на обработанной поверхности знака был какой-то недостаток, но, чувствуя себя дилетантом, я не стала указывать на него. Однако Йодер, всегда внимательный к реакции людей, заметил набежавшую на мое лицо тень и спросил в упор:

— Что вам не понравилось?

Его прямой вопрос потребовал от меня такого же прямого ответа:

— Вы оставили незаделанной вот эту царапину, которая проходит прямо посередине знака.

— Это не случайно, — разъяснил Лукас. — Я оставил ее специально, чтобы подчеркнуть возраст знака, а также то, что это подлинник, который реально находился на старом амбаре и является частью нашей истории.

Такое объяснение удовлетворило меня, но не Цолликоффера. Он склонился над знаком.

— Но это свежая царапина. Похоже, что ее оставил острый топор.

Бросив случайный взгляд на Йодера, я увидела, что он замер. В мастерской стало так тихо, как будто в ней объявился магический знак дьявола. Цолликоффер оторвал взгляд от изображения и заметил, что с Йодером что-то происходит:

— В чем дело, Лукас?

Побледневший Йодер спросил:

— Что ты сказал только что?

— Ничего.

Лукас показал на царапину:

— Об этом сколе на знаке?

— А, это! Я подумал, что тебе надо бы заделать его.

— А еще?

— Ты сказал, что он старый, этот скол, а я посчитал, что это не так. Посмотри сам. Похоже, что по знаку ударили топором.

Лукас быстро оглянулся на дверь, убедился, что она прикрыта, и прошептал:

— Ты прав, Герман. Разве я не говорил тебе, что в октябре прошлого года, когда я вез тебе законченную рукопись, я купил эти три знака у Отто Фенштермахера?

— Нет, не говорил.

— А я думал, что говорил. Но это не важно. Когда мы с Отто попытались сбить знаки с амбара, это оказалось не так-то просто, и он позвал своего сына — того здоровенного детину, которого прозвали Повидло. Парень заартачился. Сказал, что ему некогда. Но его отец стал настаивать, говоря, что мне надо помочь, а тот, обругав меня сквозь зубы, принялся яростно крушить стену огромным топором, пытаясь оторвать знак. Не контролируя себя, он рубанул топором прямо по знаку, как ты и говорил. Я закричал: «Эй, смотри, что ты делаешь!» — а он бросил в мою сторону такой взгляд, словно хотел огреть топором и меня. У меня до сих пор стоит перед глазами его перекошенное злобой лицо.

Я невольно подалась вперед, а Цолликоффер тихо попросил:

— Повтори-ка еще свой рассказ.

Но Йодер проговорил лишь:

— Здоровенный и неуравновешенный детина с огромным топором...

— Теперь он, наверное, стал еще здоровее и сильнее, — заметил Цолликоффер, и Йодер добавил:

— У меня, помнится, было такое чувство, что, если бы мы были вдвоем, он бы накинулся на меня с топором.

Но никогда не терявший головы Цолликоффер сказал:

— Мы знаем, что орудием убийства выступил не топор.

— Но он мог оказаться там с чем угодно, что попалось ему под руку.

Вместо ответа Цолликоффер наклонился над поврежденным знаком, внимательно разглядывая след удара:

— Говоришь, он рубанул топором? Не контролируя себя?

Когда Лукас утвердительно кивнул головой, Цолликоффера словно подстегнули.

— Нам надо встретиться со Стампфом! — Резко толкнув дверь мастерской, он пронесся по кухне, направляясь к своему пикапу. Мы с Йодером побежали следом.

— Куда это вы? — воскликнула Эмма.

— Скоро вернемся, — бросил через плечо Лукас.

Когда стало ясно, что всем троим придется взгромоздиться в двухместный пикап, я предложила:

— Давайте поедем на моей машине. Оскар довезет нас быстрее.

По дороге Цолликоффер сказал:

— Единственный раз я ехал в подобной машине на похоронах моей тетки.

Быстро добравшись до Дрездена, мы направились прямо в полицейский участок, где Цолликоффер вежливо объяснил, что хочет видеть капитана Стампфа.

— И остальные тоже? — спросил молодой полицейский, и Цолликоффер ответил:

— Мы все по одному делу.

Проходивший через приемную Стампф заметил меня и немедленно провел нас в свой кабинет, где Герман тут же объявил:

— То, что мы обнаружили, нельзя назвать уликой, но все же это заставило нас с Лукасом остолбенеть. — И он принялся пересказывать, как они отметали одну возможную версию за другой. Для Стампфа все они давно уже были пройденным этапом, и он поторопил их:

— Давайте ближе к делу.

Но Цолликоффера было нелегко сбить с избранного им пути, и он продолжал:

16 Роман

— Мы сказали, что убийцей должен быть молодой парень, очень сильный, которому знакомы эти места и, может быть, даже усадьба.

— Мы пришли к этому выводу еще месяц назад.

— Но вот что произошло сегодня. — И он стал рассказывать, как Йодер разрисовывает свои магические знаки и наносит орнамент по краям. Сбитый с толку Стампф смотрел на меня в замешательстве. Затем Цолликоффер с торжественным видом передал слово Йодеру, который быстро и коротко рассказал о том, как покупал знаки у Фенштермахера, как они срубали их со стены амбара и о том, как при этом вел себя парень, которого именуют Повидло. Лукас говорил так быстро и с такой неприязнью к этому парню, что Стампф попросил его повторить свой рассказ помедленнее.

— Я знаю, — сказал Йодер, — и все мы уверены, по крайней мере, я так считаю: это был Повидло.

— О Господи, — проворчал Стампф. — Ни один уважающий себя полицейский не скажет, что он сел на хвост парню, которого называют Повидло. Как его зовут на самом деле?

— Отто.

— Тоже не лучше. А теперь, господа, никому ни слова об этом, даже вашим женам. Отто не числился у нас среди подозреваемых, миссис Гарланд. Но теперь будет.

— Что вы собираетесь предпринять на этот счет? — не вытерпел Цолликоффер.

— Этого вам не нужно знать. Но мы искренне благодарны вам за помощь.

Прежде чем покинуть кабинет, Йодер попытался сказать:

— Когда вышла книга Талла, в «Инкуайер» появилась статья...

— Мистер Цолликоффер уже сообщал об этом — несколько недель назад. — И, когда я со своими доморощенными детективами уже была в дверях, он добавил: —

482

Я внесу в журнал, что в этот день миссис Гарланд, Герман Цолликоффер и Лукас Йодер заходили, чтобы обсудить ход расследования убийства.

ВТОРНИК, 17 ДЕКАБРЯ. Все дни после нашего визита в полицию люди капитана Стампфа работали не покладая рук, пытаясь разобраться в том, что представляет собой Повидло. Сам Стампф время от времени заезжал ко мне, чтобы в общих чертах информировать меня о том, что происходит. От него я узнала, что молодой человек отличался несдержанным характером, вызывающим поведением и шалостями с автомобилями, как с родительскими, так и с теми, которые он заимствовал у соседей с согласия или без такового с их стороны. Футбольный тренер говорил о нем, что он один из лучших, а директор школы утверждал, что хуже не бывает. Полиции не удавалось раскопать о нем ничего существенного, кроме того, что он обладал дурными манерами и избыточным весом. Но они стали незаметно следить за ним, и четырнадцатого декабря, когда он проехал на красный свет да еще и оказался под градусом, у них появилось достаточно оснований, чтобы задержать его и посадить в камеру предварительного заключения. Пока он находился там, в полиции получили ордер на обыск и тщательно обшарили его дом, несмотря на дикие протесты его матери и угрозы отца. В среднем ящике комода в комнате парня среди массы хлама и книг, пропавших из школьной библиотеки, им удалось обнаружить копию статьи с фотографией Тимоти Талла, в которой говорилось о его возможных миллионах.

И тогда его взяли в оборот. А поскольку родители, наслышанные о правах своего сына, только на третий день сподобились нанять адвоката, чтобы подать исковое заявление в суд о законности его содержания под стражей, в ходе тщательных допросов стали один за другим всплывать подозрительные факты. Стампф, заверивший меня, что внимательно следит за допросами, но сам не участвует в них, постоянно предупреждал своих людей:

— Никто даже пальцем не должен трогать этого парня. Напоминайте ему его права на каждом допросе. Захочет пить — дайте воды. Время для сна —обязательно. И я хочу, Хикман, чтобы вы вели почасовые записи всего, что происходит.

На второй день, когда Повидло — полицейские называли его только так — дошел до кондиции, его спросили:

— Почему ты не воспользовался пистолетом?

И он совершил свою первую ошибку:

— Понятное дело — с пистолетом всегда нарываешься на неприятности.

— А почему же тогда не топор, с которым ты так ловко управляешься? Ребята говорят, что ты творишь с ним чудеса.

И он допустил вторую ошибку:

— Что я — ненормальный, чтобы разъезжать с топором в пикапе?

— А что же тогда у тебя было с собой, Повидло?

И тут вдруг лед тронулся:

— На меня налетела та собака. Надо же было чем-то отбиваться.

— И чем же?

— Стальным прутом.

— А зачем тебе нужен был стальной прут?

— Чтобы открыть окно, если бы я обнаружил, что все они закрыты изнутри.

— Ты собирался поискать в особняке деньги?

— Да. Но тут зажегся свет, и ко мне побежал мужчина, а собака чуть не схватила меня за горло. Я вынужден был защищаться, а что делать?

— Ты ударил собаку?

— Да. Я ударил, и она отскочила назад.

— Ты ударил мужчину?

— Нет. Но собака не унималась, и мне пришлось

убить ее. Мужчина попытался защитить собаку и попал мне под руку. Я не хотел ударить его.

— Ему было нанесено много ударов, Повидло.

— Она продолжала лаять на меня, и я бил ее со всего размаха.

— Мужчине было нанесено множество ударов — наверное, с десяток.

— Я не хотел этого, я бил только собаку.

— Ты взял какие-нибудь деньги?

— В доме зажегся еще свет, и я побежал к пикапу.

— Что ты сделал со стальным прутом?

— Бросил в Ванси.

— Это совсем не по пути.

— Мне было страшно возвращаться прямой дорогой, и я поехал в объезд.

— Ты знал, что убил человека?

— Нет. Я знал только, что попал по нему несколько раз.

Когда в среду наконец появился адвокат, он страшно возмутился, узнав, сколько наговорил его клиент:

— Вы лишили его права презумпции невиновности.

Тогда Стампф показал ему протокол:

— Каждый раз в начале допроса, начиная с момента его задержания за управление автомобилем в нетрезвом состоянии, ему зачитывали его права. Это было общим счетом девять раз.

— У вас нет ни одной улики против него! — выкрикнул адвокат, на что Стампф ответил:

— Да, но прямо сейчас трое аквалангистов в зимнем снаряжении обследуют дно вдоль берега Ванси при помощи мощных металлоискателей.

ПЯТНИЦА, 20 ДЕКАБРЯ. На одиннадцать часов утра капитан Стампф назначил пресс-конференцию, но приказал Цолликофферу, Йодеру и мне находиться дома и никого не принимать в течение двух следующих дней.

Когда из трех немецких городов съехались репортеры, он объявил, тщательно выбирая слова, — мы слушали его по телевизору в «Большой комнате» моего дома, — что в результате интенсивных усилий полиции и помощи заинтересованных граждан найден убийца известного писателя Тимоти Талла. Молодой человек, тщательно предупрежденный о своих правах, признался в совершении убийства, и с трехметровой глубины Ванси извлечено орудие убийства. Когда репортеры потребовали назвать имя убийцы, Стампф членораздельно произнес:

— Отто Фенштермахер, девятнадцати лет, проживающий с родителями на ферме у перекрестка дорог Рениш-роуд и Кат-офф.

Через несколько минут после завершения пресс-конференции ферму Фенштермахеров наводнили фотокорреспонденты и репортеры. Одна особенно пронырливая корреспондентка из «Аллентаун кроникл» металась по Дрездену и наугад брала интервью у всех, кто подвернулся ей на пути. Она узнала, что прозвище убийцы — Повидло. Начинался всеобщий ажиотаж.

Прослушав свои записи и вспомнив, что капитан Стампф использовал в речи фразу «с помощью заинтересованных граждан», они одолели его вопросами о том, кто эти граждане и какую конкретно помощь они оказали. Предвидя эти вопросы, он заявил, что ввиду предстоящего суда не может раскрыть ход расследования, и наотрез отказался назвать своих осведомителей. Он понимал, что стоит ему только упомянуть имя Йодера, как пресса тут же заполонит всю его ферму, а если он назовет Цолликоффера, то разговорчивый немец не удержится от того, чтобы не приплести сюда Лукаса, который, собственно, и привел в действие машину правосудия.

ПОНЕДЕЛЬНИК, 23 ДЕКАБРЯ. Мы с Эммой скоро почувствовали, что арест Повидло и последовавшая шумиха в прессе странным образом повлияли на Лукаса. Эмма рассказывала мне по телефону:

— Он уезжает из дома на рассвете и медленно направляется проселочными дорогами в Ньюмюнстер, чтобы поглядеть на город, где Повидло учился в школе, а затем через тоннель продвигается к вашему поместью, чтобы вспомнить, как оно выглядит при различном освещении. Затем чуть ли не со скоростью пешехода он едет по Кат-офф к ферме Фенштермахера, где молча сидит в машине, отбирая себе детали: снесенный теперь амбар, новый навес, окружающие поля. Пытается представить себе, как выглядело крестьянское подворье в начале века, до того как его нынешние владельцы распродали лучшие земли. Затем едет на восток по Рениш-роуд, пытаясь понять, что связывает Фенштермахеров с Дрезденом. Ближе к полудню, — рассказывала она, — он возвращается тем же путем, чтобы рассмотреть местность под другим ракурсом в ярком свете морозного декабрьского дня. Поездка обычно заканчивалась у Цолликофферов, от которых он звонит мне, чтобы предупредить, что будет обедать с Германом. Потом он принимался обсуждать с Цолликофферами печальные факты убийства. Лукаса, похоже, страшно интересует, как Герман реагировал на различные аспекты этого преступления.

К двум часам Йодер возвращался домой, чтобы вздремнуть, затем вставал, садился в машину и повторял свой утренний маршрут, стараясь увидеть те же самые места в сумерках. После этого, дождавшись полной темноты, отправлялся туда, где Повидло выбросил в Ванси свой стальной прут. Когда за поздним ужином Эмма спрашивала его, что он делал, ответ у него всегда был одним и тем же:

— Рыскал по земле.

ВТОРНИК, 24 ДЕКАБРЯ. В этот день по давно сложившейся традиции я нагрузила машину тщательно упакованными подарками и, чтобы лично вручить их, отправилась объезжать округу с Оскаром за рулем. В новом доме Ивон Мармелл меня ждало известие, что рукопись моего внука скоро будет подготовлена к печати, а в мотеле, где остановился профессор Стрейберт, я получила окончательный вариант очерка, написанного им, который стал для меня настоящим подарком. В него было вложено столько чувства, что Тимоти представал как живой.

Заехав к Цолликофферам, чтобы выпить сидра и отведать рождественских угощений, я узнала, что Йодер бывает у них почти каждый день и задает бесконечные вопросы об убийстве и их реакции на него.

— Он не отступится до тех пор, пока все не разложит по полочкам в своей голове, — добавил Герман.

Поэтому к ферме Йодеров я подъезжала с неким предчувствием в душе. И только я вошла в их уютную кухню со множеством рождественских деликатесов, как тут же стало ясно, что дебаты по поводу убийства были как раз в разгаре, потому что Эмма встретила меня словами:

— Как хорошо, что вы приехали! Лукас собирается засесть за новый роман, а я пытаюсь отговорить его от этого.

Лукас, отдыхавший в своем любимом кресле, робко поднял глаза и сказал:

— Нет, нет! Я не собираюсь. Мне это уже не по возрасту.

— Но я знаю, как ты работаешь, Лукас, — говорила она, подавая угощения. — Ты изучаешь место действия, беседуешь с теми, кого собираешься использовать в качестве прототипов, с Цолликоффером, например.

— Мне просто не дает покоя смерть Тимоти... и та проницательность, с которой Цолликоффер разгадал, как все случилось. — Он адресовал эти слова мне, но вступила Эмма:

— Я предупреждаю тебя, Лукас. Ни ты, ни я не выдержим больше такой осады.

— Почему она все время твердит про осаду? — спросил он меня. — Это будет такая же работа, какую я делал всегда.

— Нет, *это* осада, Лукас. Для нас обоих. И я слишком устала, чтобы выдержать ее еще раз.

— Я заехала не только для того, чтобы вручить подарки, — постаралась я разрядить обстановку, — но и пригласить вас на вечернюю рождественскую службу в меннонитской церкви.

Они оба с готовностью приняли мое предложение.

К одиннадцати часам вечера Оскар привез меня назад, и мы, взяв Йодеров с Цолликофферами, отправились в расположенную неподалеку церковь, возвышающуюся над долиной, спускавшейся к Дрездену.

Многие из женщин, собравшихся на службу, надели белые кружевные меннонитские чепчики, тогда как их мужья красовались в своих лучших черных костюмах. Дети, которых здесь было великое множество, были одеты в такие яркие наряды, что у меня защемило сердце: в первое Рождество с того момента, когда Тимоти остался сиротой после ужасной гибели своих родителей, я решила порадовать его новой праздничной одеждой и накупила всякой яркой всячины, предназначенной для малышей, забыв, что ему уже шесть лет. Увидев все это разложенным на своей кровати, он поцеловал меня и сказал: «Ты же сама говорила мне, что теперь я должен быть большим мальчиком». И мы передали эту детскую одежду толстому мальчику Фенштермахеров, который позднее получил прозвище Повидло.

Боль постепенно отступила, и я стала ощущать радостную атмосферу рождественского ликования, которая наполняла эту простую, но добротно сработанную церковь. Окна увиты еловыми ветками. Торжественно красуется рождественское дерево. Вдоль одной из стен размещались около двух десятков старинных статуэток (многие из которых были привезены из Германии еще в XVII веке — они изображают сцены из жизни апостола Луки). Здесь и чернокожие принцы, пришедшие поклониться младенцу Иисусу, и эмиры в струящихся одеждах, и римские солдаты, устремившие угрожающие взгляды на

Деву Марию с младенцем, и характерные для пенсильванской Германии стада домашних животных, выполненные мастером не в масштабе, и поэтому свинья здесь была размером с корову, а теленок — не больше упитанного цыпленка.

Для меня, справлявшей Рождество по Чарлзу Диккенсу, посещение меннонитской церкви служило напоминанием, что этот праздник пришел в Америку из Германии и что только пенсильванские немцы знают, как его следует отмечать.

В дальнем конце стояли два стола, уставленные местными деликатесами, пирожными, пирогами, печеньем и различными соленьями и вареньями. Они предназначались для бедных и немощных. Зазвучавшие незнакомые мне немецкие гимны несли в себе отзвуки далеких колониальных дней, но вскоре их сменило знакомое английское песнопение, закончившееся «Тихой ночью» на немецком языке, и впервые после смерти последнего члена моей семьи в моем сердце вновь поселилась любовь.

СРЕДА, 25 ДЕКАБРЯ. На Рождество я вместе с новыми соседями Ивон пришла поздравить ее и вручить подарки. В два часа дня, когда веселье было в разгаре, к ней заехал Стрейберт в сопровождении Дженни Соркин, которую мы не ждали, но которой были очень рады.

Пока мы, женщины, обсуждали со Стрейбертом рукопись, уже почти готовую к сдаче в набор, Йодер с Цолликоффером сидели в сторонке и толковали о разных сторонах преступления. Бросив случайный взгляд в их сторону, я обратила внимание, что лицо у Йодера было бледным, а нижняя губа тряслась.

— Мистер Йодер! — позвала я. — Вы нездоровы?

— Я подумал о том, каким недобрым должно быть это Рождество у Феншптермахеров, — произнес он с дрожью в голосе и, как он ни сдерживался, не справился со слезами, выступившими у него на глазах. Я отвела взгляд

490

от его страдальческого лица, и мне показалось, что передо мной сидит сам Фенштермахер. Лукас был не с нами, он находился на той ферме с родителями убийцы и испытывал те же чувства, что и они. В этом заключался его секрет писателя: он становился тем, о ком писал, жил его жизнью, страдал и мучился вместе с ним. Все мы могли позволить себе забыть о Фенштермахерах в этот рождественский день, а он не мог. Вот почему он был писателем, а мы — нет.

Заминкой воспользовалась миссис Цолликоффер:

— Сами виноваты. Они ужасно распустили его и даже терпели его сквернословие. В первый же раз, когда наш сын раскрыл свой рот на меня, мой хозяин чуть не свернул ему шею.

— Этим ничего не добьешься, — проговорила Эмма, оставаясь все такой же решительно настроенной школьной учительницей.

— Зато он уже никогда больше не бранился, разве нет? — ответила Фрида.

Через несколько дней Эмма рассказала мне о том, как ее муж умеет перевоплощаться в других.

— Когда Лукас писал «Изгнанного», я обнаружила, что он носит подтяжки, чего раньше за ним никогда не замечалось. «Что это с тобой?» — поинтересовалась я. Он ответил: «Пытаюсь представить, что чувствовал твой дед». Через неделю на нем уже не было ни ремня, ни подтяжек, и я не удержалась, чтобы не пошутить: «Ну, теперь ты осваиваешь роль его брата?» И он ответил: «Ты, как всегда, права».

СУББОТА, 28 ДЕКАБРЯ. О том, что происходило у Йодеров в течение трех следующих дней, я узнала от Эммы, которая рассказывала об этом с нежным пониманием:

— На следующий день после Рождества Лукас исчез вообще и даже не заезжал к Цолликофферам на обед, а когда он появился поздним вечером, я взорвалась и заявила, что не буду смотреть безучастно, как он губит себя чрезмерной работой. Он не стал слушать, заметив лишь, что не работает над новой книгой. Однако добавил: «Но, если бы я попытался написать еще одну, она была бы совершенно иной. Не в той манере, в какой я писал раньше. Некоторые из идей Стрейберта вполне разумны. Нужны новые подходы, новые взгляды на вещи, новые средства выражения». Я спросила, уж не тронулся ли он умом. «Нет, — ответил он. — На днях Дженни Соркин — а она теперь преподает в колледже вместо Талла — попросила меня прочесть главу, которую недавно закончила. Сильная вещь. Белый футболист насилует свою однокурсницу, а затем заставляет ее сделать аборт. Она негритянка, и вся университетская администрация набрасывается на нее...» Я поинтересовалась почему, и он пояснил: «Чтобы спасти свою репутацию и дать парню возможность получить известность в стране, а заодно и подписать выгодный контракт». Я спросила, что представляет собой ее книга, и он ответил: «Она отличается исключительно сильной манерой изложения». Я сказала, что кесарю — кесарево и что он, к примеру, не обязан описывать неистовые сцены любви — это не его стихия, к тому же это потребует от него слишком сильного нервного напряжения, если он попытается. «Не в этом дело, Эмма, — ответил он, — она пишет о футболе по-настоящему. А я подумываю о том, чтобы описать Дрезден по-настоящему».

Здесь Эмма остановилась и прижала пальцы к глазам:

— Я была в ужасе от того, что он говорил, мне представилось, что он летит головой вниз с этого натуралистического обрыва. Но такова его участь, и мне приходится разделять ее. Поэтому я спросила, что у него на уме и как в этом возрасте он представляет себе новые пути. «Мне бы хотелось показать, — пояснил он, — как закостеневшая в своем привычном укладе жизни немец-

492

кая провинция могла воспитать убийцу. Никаких развернутых описаний, формальный введений. Как в пьесе. И, уж конечно, без нудных объяснений, растягивающихся на целые главы. Сцены должны стремительно сменять друг друга, а диалоги будут наполовину короче, чем это было у меня раньше».

— Что вы ему на это ответили? — спросила я, и она сказала:

— Хотя я предвижу, что такая резкая ломка стиля в его возрасте может закончиться лишь катастрофой, я знаю, что не останусь безучастной к его новому начинанию. Поэтому я подошла, обняла его и сказала, что он не обязан писать, как молодые. Он слушал, кивал, а затем добавил: «Но проблема здесь глубже. Когда я читаю их вещи, я нахожу их блестящими, но никто из них не знает, как надо строить рассказ, чтобы он жил и звал читателя за собой. Мне бы хотелось объединить их новые подходы со своими старыми. Это могло бы произвести фурор». И я отвела взгляд в сторону.

ВТОРНИК, 31 ДЕКАБРЯ, 1991 г. Во время прогулки с Йодерами по празднично украшенному городу, где на каждом шагу нас приветствовали друзья и знакомые, Лукас попросил нас: «Подождите минутку» — и бросился в магазин канцелярских товаров.

Вскоре он вышел оттуда с двумя небольшими записными книжками.

Увидев их, Эмма воскликнула:

— Лукас! Ты купил их для работы над романом! — И, повернувшись ко мне, объяснила: — Ему не терпится начать новый роман в новом стиле.

Не желая быть свидетельницей семейной перебранки, я отстала от них на входе в наш маленький гастроном с забавным названием «Суперетт» и, видя, как они схватили две тележки, для того чтобы сделать свои новогодние покупки, сказала себе: «Ты только посмотри на эту парочку! Судя по тому, что мне говорила Ивон, они заработали в этом году больше трех миллионов долларов. Но им не приходит в голову, что они могут позволить себе прислугу. Приходящую уборщицу раз в неделю — да. А вот повара, вторгающегося в царство Эммы на кухне, — никогда в жизни!»

Возвратившись домой, я помогла Оскару и горничным завершить приготовления к встрече гостей, которые вскоре нагрянули со своими соболезнованиями в связи со смертью моего внука. Я тепло приветствовала каждую пару, искренне радуясь нашей дружбе, но, когда некоторые из них стали говорить о том, как они возмущены тем, что совершил отпрыск Фенштермахеров, дала им понять, что этот неандерталец меня больше не интересует.

— Я делала все, чтобы помочь найти и разоблачить его, но мною никогда не двигала жажда мести. Скорее, это была потребность узнать, кто сделал это и почему. Сегодня я не жажду, чтобы его посадили на электрический стул, даже если это предусмотрено законодательством Пенсильвании.

К четырем часам гости разошлись. Я не спеша приняла ванну и с нетерпением стала ждать тех, кого я называла окружением Тима и с кем собиралась после скромного ужина встретить Новый год. Ивон Мармелл, Дженни Соркин и профессор Стрейберт были дороги мне, и, когда они пришли, я обняла каждого из них, особенно нежна была я с Дженни — словно она моя дочь или внучка.

В десять часов вечера в уютной обстановке тесной от книг библиотеки я предложила легкий французский ужин и извинилась:

— Это, конечно, ничто в сравнении с тем, что мы ели в «7+7», но в следующем году нам всем предстоит работа, а ужин, который был там, способен вывести человека из строя до самого марта. — Однако к концу ужина, чтобы повеселить гостей, я позвонила в звонок, и две официантки, которым помогал Оскар, внесли на десерт три огромных пирога, закупленных накануне в «7+7», — яблочный, тыквенный и миндальный, — и относительно скромный ужин получил истинно немецкое завершение.

Когда мы вернулись в «Большую комнату», разговор опять зашел о литературе.

— Я все раздумывала, — начала я, — о тех великих, которые рано ушли из жизни. О Чаттертоне, Китсе и своем любимом Кристофере Марло. Какой это был удивительно одаренный человек, он написал за свои двадцать девять лет очень мало, но осветил огнем гения все, к чему прикасалась его рука. Многими своими строчками он превзошел даже Шекспира.

— Что-то не верится, — засомневался Стрейберт.

Я послала горничную за тетрадкой, где у меня была выписана одна из бессмертных строчек Марло: «Так вот краса, что в путь суда подвигла и Трои башни гордые сожгла!»*, а ниже приводился неуклюжий перепев Шекспира: «Как, неужели это личико прелестное причиной стало поруганья Трои?»

— Я посрамлен вместе с Шекспиром, — сдался Стрейберт.

— Но одно из трехстрочий Марло, — продолжила я, — преследует меня со времен моей учебы в колледже. Мы ставили на сцене «Трагическую историю доктора Фауста», и все молодые женщины оплакивали его смерть:

Сломалась ветвь, пленявшая красою,
Сожжен отросток лавра Аполлона,
Что процветал в ученом этом муже.

— Последняя строка на самом деле звучала так: «...в мудрой душе человека», но я в эти дни ее видоизменила, чтобы было более созвучно моей душе...

Я представила, как Марло убивают в пьяной драке, и спросила:

— Кем он мог бы стать, если бы ветка не была срублена?

---

* Перевод Е.Бируковой.

— Кто? — спросила Дженни. — Марло или Тимоти?

— Я не знаю точно, кого я сейчас... имела в виду.

— Вы можете быть уверены, миссис Гарланд, что Тимоти было уготовано судьбой сыграть великую роль в своей области...

— Вы искренне верите в это, Дженни?

— Да. Работа над заключительными страницами «Диалога» убедила меня в этом. Я знаю, что он был близок к тому, чтобы самым неожиданным образом отойти от обычной манеры повествования. — Сказав это, молодая писательница извинилась, что ей пора уходить: — Я обещала своим студентам, оставшимся в городке, присоединиться к их новогоднему пивному кутежу.

Вскоре мы услышали, как под колесами ее автомобиля зашуршал гравий. Когда звук затих, Ивон сказала:

— Вы не можете представить себе, Карл, каких успехов эта молодая женщина добилась в третьем варианте своей рукописи. Но больше всего меня заставляют верить в ее будущее та свобода и естественность, с которой она использует сравнения и метафоры.

В подтверждение этого она показала нам несколько страниц рукописи, на которых карандашом были легко помечены понравившиеся Ивон фразы и предложения: «Взбешенная, как мамаша, которая силится протиснуть троих малолеток сквозь вращающиеся двери», «Он был бы неоценимым помощником Ганнибалу, когда тот пытался перетащить своих слонов через Альпы» — это было описание второго тренера из Небраски; или: «Он все всегда откладывал до следующего понедельника» — так она пришпилила заносчивого полузащитника, который никогда не попадал по воротам.

— Боюсь, что я относился к ней с предубеждением, — признался Стрейберт. — Дженни представлялась мне лишь источником дурного влияния на Тимоти.

А я видела в ней его спасение. Но в этот вечер я не стала возражать против ее ухода, потому что хотела поговорить со Стрейбертом и Ивон о том, что касалось только нас:

— У нас так много общего. Все мы теряли тех, кого любили. Я трижды: моего мужа, мою дочь, моего внука. Вы, Карл, дважды — ирландца-профессора, с которым встречались в Греции, а теперь — Тимоти. Вы, Ивон, того одаренного молодого человека, который умел рассказывать, но не умел написать.

— Откуда вы все это знаете? — недоуменно воскликнула Ивон, и Карл отозвался ей в тон:

— Да. Вы просто Пинкертон.

— Приходилось быть внимательной к тем, кого мой внук избрал в качестве своих наставников. Его выбор был правильным — мне нравятся обожженные жизнью ветераны. — После паузы я продолжила: — Вначале я опасалась вас, Карл. Вы могли очень дурно повлиять на моего внука, но, к счастью, подвернулась Дженни, которая увлекла его на более безопасный путь. И вас я тоже побаивалась, Ивон. Вы представлялись мне слишком сухой, о таких студенты говорят: «Ловкая, но бездушная еврейская интеллектуалка». Но то, как вы пестовали своего друга-писателя, стало для меня одним из лучших любовных романов последнего времени. Так что по части душевных мук вы для меня как брат и сестра. Поэтому я предлагаю вспомнить тот разговор, который мы прервали несколько недель назад. Карл, собираетесь ли вы возвратиться в Дрезден? И если да, то на каких условиях? — Он сидел, задумавшись, а я за десять минут до полуночи включила телевизор и, когда истекали последние мгновения 1991 года, сказала:

— Хорошо, что этот год прошел! Кто сможет вынести еще один такой год? — Но затем несколько изменила свое суждение. — Были, конечно, и хорошие моменты, которыми судьба всегда вознаграждает за терпение.

Когда в Нью-Йорке истекли последние секунды старого года и ликование огромной толпы заполнило комнату, я встала, поцеловала Стрейберта и обняла Ивон, стараясь при этом, чтобы они оказались рядом и, поздравляя друг друга с Новым годом, не смогли уклониться от поцелуя.

Вскоре гости засобирались домой, и я достала из книжного шкафчика в большой комнате антологию, подаренную мне мужем несколько лет назад во время поездки по Англии. Мне нравилось сидеть такими зимними ночами, как эта, с книгой в руках, представляя себя заточенной в средневековом замке. Когда гости ушли, я устроилась в глубоком кресле под лампой с книгой на коленях. Горничная выключила верхний свет и оставила меня почти в полной темноте.

И тут со мной произошла странная вещь. Глядя на знакомые строчки «Святой Агнес», я всем своим существом ощутила, что они потеряли для меня свою прелесть и больше не волнуют меня. Пришедшие из другого века, они казались чуть ли не избитыми, пустыми и ничего не значащими. Все в них было предсказуемо, лишено свежести и смысла. Перелистывая длинную поэму, я видела фразы, отличавшиеся лишь формой от банальных рифм Лонгфелло, которые высмеивал мой внук. Наконец мне стало понятно, почему Карл Стрейберт, Эзра Паунд и Девлан выступали за диалог между интеллектуалами, исполненный высокого смысла и возвышенных чувств.

Раскрытая книга лежала на коленях, но не она занимала мои мысли. В голове у меня засели слова Ивон, которые я раньше осуждала, а теперь находила вполне справедливыми: «Сентиментальные романы Лукаса Йодера о немецкой Пенсильвании и забавные истории Дженни Соркин про футбол доступны и доставляют удовольствие всякому, кто умеет читать, тогда как Стрейберт, Паунд и Тимоти стремятся к общению на более высоком уровне».

Время приближалось к двум часам, а из головы у меня не выходила пугающая мысль: «Стрейберт был прав. Если популярный роман сегодня находится там, где была популярная поэзия в 1850 году, тогда наш роман наверняка постигнет участь нашей поэзии, когда все более и более блестящие романы будут находить все меньше и меньше читателей». Расстроенная этой безрадостной перспективой, я не могла уснуть и все сидела в кресле, не притрагиваясь к раскрытой книге стихов.

Новогодняя ночь не закончилась на этой печальной ноте. Когда я уже собиралась подняться в свою спальню, зазвонил телефон и в трубке послышалось:

— Миссис Гарланд? — Я не сразу сообразила, что это была Ивон.

— Вы откуда звоните, дорогая? — спросила я.

— Из своего дома, — ответила она. — Можно мне подъехать к вам?

— В такой час? Это может быть небезопасно. Хотя нам с вами есть о чем поговорить.

— Когда Карл подвозил меня, я очень надеялась, что он зайдет. Так и случилось. Мы вначале поговорили о его удачной работе над рукописью Тимоти. И хотя он всегда с подозрением относился к Дженни Соркин, но на этот раз с искренним удовольствием выслушал, что в «Книге месяца» мне шепнули: если мы подождем с публикацией «Большой шестерки» до открытия футбольного сезона, они берутся издать ее. Какой успех для начинающей писательницы!

— Но не из-за этого же вы позвонили мне?

— Нет. Я волновалась, как школьница перед первым поцелуем. Не знала, как начать, но в конце концов выпалила: «В словах миссис Гарланд есть здравый смысл: вы вполне могли бы переехать к ней — разница в возрасте у вас довольно значительная, поэтому сплетен не будет».

— И что он ответил? — спросила я.

— Ничего. Стоял и молчал. Мне даже показалось, что он не слышит меня. Наверное, вспомнил своего великого Девлана, потому что достал платок и вытер глаза. «Да высморкайтесь же вы как мужчина!» — вырвалось у меня. Это было гадко с моей стороны, но так уж получилось.

— Он, должно быть, как-то отреагировал на это!

— Нет. Он спросил совершенно упавшим голосом: «Вы тоже одиноки?» И я сказала: «Ужасно. Зачем же мне было тогда переезжать в Дрезден, как не для того, чтобы обрести таких людей, как Цолликоффер. Или миссис Гарланд. Или вы».

— И что же он?

— Он отступил назад и смотрел на меня изучающе. И когда я подняла глаза, то увидела перед собой совершенно другого человека. Не было больше того неуверенного интеллигента, сломленного смертью Девлана. Не было больше молодого профессора, травмированного убийством своего лучшего ученика. Он стал даже выше ростом, осанистее, а в голосе явно прибавилось силы.

— Что он сказал?

— Вы не поверите! Его пригласили в Оксфордский университет. В течение целого года он будет читать там курс американской литературы.

— Как чудесно! Я очень рада за него.

— А его отделению в Темпле выделены дополнительные финансы, и теперь он сможет иметь троих ассистентов из числа аспирантов.

— А как насчет возвращения в Мекленберг? Как он отреагировал на наши предложения?

— Он отклонил оба.

Почувствовав в моем голосе разочарование, она расхохоталась:

— Вы даже представить себе не можете, что он ответил.

— Наверное, что-то сенсационное, иначе вы не стали бы звонить в такой час.

— Он сказал — я точно передаю его слова: «Как сказала миссис Гарланд, нам с вами нужны корни, поэтому три дня назад я купил себе квартиру в том новом кондоминиуме на краю Дрездена».

Было четыре часа утра, и, взглянув на лежащую за окном долину, я не смогла скрыть своей печали:

— Именно в этот час мы нашли в ту ночь Тимоти на лужайке. Я просто задыхаюсь от горя, когда думаю о том, что мы с вами потеряли с его смертью. — Затем, прогнав от себя эти мысли, я спросила: — Как, вы думаете, поведет теперь себя воспрявший Карл?

— Оказавшись в Оксфорде и поплакав у могильного камня, поставленного им Девлану, он задумается: «Эти две умные женщины в Дрездене знали, что они говорили» — и начнет взвешивать сделанные нами предложения. Важнее было бы ответить на вопрос: что мне делать, если я полюбила мужчину? Нового мужчину, только что ставшего им в результате такого болезненного превращения?

Она вопрошала об этом с такой жаждой совета, что я тут же представила себе ее давнишнего любовника хныкающим хлюпиком и мне захотелось придать ей смелости на еще одну попытку в жизни:

— Ивон, подождите! Хорошее в жизни — это как рождение ребенка. На девяносто процентов состоит из ожидания.

СРЕДА, 15 ЯНВАРЯ, 1992 г. Вчера у меня открылись глаза. Как видно из моих последних записок, мне пришлось выдержать нелегкую борьбу с собственной совестью, чтобы честно сказать себе, что я думаю о писателях, которые приобрели для меня такое большое значение. Несколько лет назад я считала Лукаса Йодера патриархом прозаиков, но профессор Стрейберт со своей блестящей логикой заставил меня усомниться в этом. Мой внук показал мне, что может принести новая, более смелая творческая манера, а в дерзкой непочтительной Дженни Соркин мне привиделась свежая струя ветра, ломающего старые устои. Но основу всего этого составили профессиональные суждения Ивон Мармелл, задача которой заключалась в том, чтобы держать огромное издательство на правильном курсе. Она была моей путеводной звездой, предлагавшей готовые мнения и укреплявшей мои нарождающиеся. И я действительно поверила, что приоткрыла для себя секреты литературы и разложила их по полочкам. Но вчера, заехав поговорить с Эммой о наших с ней пожертвованиях колледжу, я спросила ее, когда мы уселись на кухне:

— Чем в эти дни занимается Лукас?

— Ты удивишься. В эти относительно спокойные дни после праздников он, по его словам, «несет свой крест».

— И что это за крест?

— Отвечает на письма. После каждой новой книги их накапливаются целые горы.

— Но уже прошло несколько месяцев, как вышли «Каменные стены».

— Да, но в разных странах издаются его более ранние книги. Для тех читателей они новые.

Она провела меня в заваленный бумагами кабинет, где Йодер сидел за своей пишущей машинкой и усердно строчил письма в разные концы света.

— Это часть профессии, — объяснил он, отрываясь от своего старомодного механического «Ройяла».

— Неужели вы отвечаете на каждое из них? — спросила я, показывая на ожидавшую его гору писем.

— Да. Ведь все эти люди, — ответил он, похлопав по письмам, — заставляли меня идти вперед.

— Могу я прочесть какие-нибудь из этих писем?

— Да хоть все, — рассмеялся он. — Я уже все их прочел.

Это стало началом моего знакомства с миром, о котором я не знала, — с миром сотен и тысяч людей, таких же, как я, и так же считавших чтение книг бесценным опытом. Я знала, что думаю так, но не подозревала, что такое множество людей думает со мной в унисон.

Вначале я лишь бегло пробегала письма глазами, а затем стала внимательно вчитываться и вскоре обнаружила, что они делятся на три категории. Среди них, безусловно, было много пустых: студенты просили поведать им «все о секретах писательского мастерства», люди в годах умоляли выслать фото с автографом для коллекции, тезки литературных героев Йодера задавались, например, таким вопросом: «А не мог ли мой дядя Исаак Шмандтц быть прототипом вашего лавочника? Фамилия у него довольно редкая». И подобных посланий было поразительно много. Но более серьезные письма несли в себе откровения.

Одна, не самая многочисленная группа, попросту сообщала, что за годы знакомства с произведениями Йодера читатель стал доверять ему как искреннему рассказчику реалистических историй о судьбах достойных людей, с которыми тот был бы рад познакомиться и которые живут в краях, где он хотел бы побывать. Авторы этих писем обычно говорили: «Вы мой любимый писатель, наверное, лучший из всех современных, и я с нетерпением жду вашу следующую книгу». При этом в меня закрадывалось подозрение, что некоторые из этих корреспондентов вряд ли читали произведения других авторов.

Вторая группа писем тронула меня больше, потому что каждое из них могло быть написано моим мужем, будь он жив:

«Мне приходится много работать, и на чтение, поверьте, совсем не остается времени. Моя жена попрекает меня этим и говорит, что я вырождаюсь. Несколько лет назад, когда вышел ваш известный роман «Нечистая сила», она так долго уговаривала меня прочесть его, что я вынужден был согласиться. Ваша книга вывела меня из тупика. Она была настолько хороша, настолько правдива, что я не смог остановиться: «Что еще есть у этого писателя?» И жена назвала мне роман «Изгнанный», добавив, что он еще лучше, чем «Нечистая сила». Она оказалась права, и я могу с гордостью заявить вам, господин

Йодер, что читаю теперь все, что у вас выходит, а также и некоторых других авторов. Вы привели меня в мир идей, которые гораздо крупнее, чем мой бизнес, и за это я вам очень благодарен».

Именно так было с Ларримором. Он почти ничего не читал, кроме отчетов о положении в сталелитейной промышленности, пока я не заставила его взять в руки «Нечистую силу». После этого он тоже прочел остальные книги Йодера и много других, кроме них.

Но больше всего меня поразила третья группа писем, многочисленные авторы которых использовали на удивление похожие выражения:

«Каждый раз, когда подходит к концу одна из ваших книг, я испытываю глубокое сожаление, оттого что мне предстоит расставание с героями, которых успел полюбить. Жаль также покидать тот уголок земли, где мне довелось провести незабываемые недели и даже месяцы, ибо читаю я медленно и внимательно. Когда убывают страницы, появляется такое чувство, будто меня обворовали, лишив чего-то драгоценного и невосполнимого».

«Вас, наверное, рассмешит, но, когда я вижу, что до конца книги остается совсем немного страниц, я начинаю ограничивать себя, позволяя прочитывать только определенное количество страниц в день, а когда заканчивается последняя и я закрываю книгу, то еще долго рассматриваю приложенную в конце карту, чувствуя, что прикоснулся к чему-то бесценному в своей жизни».

Отодвинув письма, которые нельзя было читать без волнения, я посмотрела на сидевшего за машинкой Лукаса. Он не был похож на человека, способного вызывать такие чувства.

— Вы всегда получаете подобную почту?

— Она стала приходить после «Изгнанного», и с тех

пор поток уже не прекращается. — Смущенный этим признанием, он прикусил верхнюю губу и подтолкнул ко мне еще пачку писем, на которые, как он сказал, будет отвечать завтра. Я удивилась, увидев по их разноцветным маркам, что они были из самых разных концов земли, с разных континентов и из многих стран. Было интересно видеть, что их авторы открывали для себя его книги отнюдь не в хронологическом порядке, а в зависимости от того, когда тот или иной издатель в Германии, Бразилии или Швеции решил перевести и выпустить ту или иную книгу. О произведениях, вышедших из печати десятилетие назад, в них говорилось так, словно он написал их вчера.

Все его книги словно ожили на этой неделе, будто бы они только что сошли с печатного станка. Ведь книга начинает жить не тогда, когда она издана в Нью-Йорке, а в тот счастливый день, когда попадает в руки читателя где-нибудь в Йоханнесбурге, Буэнос-Айресе или Стамбуле. Письма именно из этих городов я держала в руках в этот момент.

Я была потрясена. Прикоснувшись к чувствам, которые наш тихий немец смог вызвать в разных частях страны и по всему миру, я увидела его в другом свете.

— Вы владеете мощным пером, Лукас.

— Мне повезло в том, что я появился в такое время, как наше. И особенно повезло, что нашлась такая женщина, как Ивон Мармелл, защитившая меня от невзгод.

— Эти письма, — я показала на конверты с зарубежными адресами, — много значат для вас?

Он отстранился от машинки, задумался на несколько мгновений и сказал с лукавой немецкой улыбкой:

— Когда в «Таймс» появилась резкая рецензия профессора Стрейберта — та, которую вы с Эммой восприняли довольно болезненно, вы спросили меня, как я отреагировал. Я сказал, что не читал ее и никак не отреагировал даже тогда, когда Эмма прочла ее мне. —

Улыбка на его лице превратилась в хитрую усмешку. — Миссис Гарланд...

— Ради Бога, зовите меня Джейн. Мы же практически партнеры в колледже.

— Так вот, Джейн, когда человек почти каждый день получает такую почту, он может позволить себе не обращать на критику никакого внимания. Письма читателей зажигают в душе огонь, который греет его изнутри.

Я покидала его заваленный письмами кабинет человеком, перед которым приоткрылся новый мир литературы. Вернувшись к Эмме на кухню, я сказала:

— Наверное, человек, способный создавать прекрасные картины или писать хорошие книги, обязан продолжать делать свое дело до тех пор, пока внутри него не погас огонь.

— Вы думаете, Лукасу следует попробовать еще раз?

— Да.

— Похоже, что ваше пожелание сбудется, — проговорила она, снимая с плиты кипящий чайник, и, когда обернулась, я не могла не заметить, что вид у нее был довольно усталый. Присев рядом со мной с чашкой лимонного чая в руке, она призналась: — Только накануне Нового года мне стало окончательно ясно, что я не смогу больше удерживать его. Мне не хотелось, чтобы он в таком возрасте брался за новый большой роман, тем более после такого удачного завершения гренэлерской серии. Но, после того как, встретив у Цолликофферов Новый год, мы вернулись домой, Лукас вместо спальни отправился прямо в свой кабинет. Последнее, что я слышала, засыпая в ту ночь, был стук пишущей машинки. Было, наверное, уже часа два ночи, когда меня что-то разбудило. Услышав, что он все еще стучит на своей машинке, я поднялась в его кабинет и раскричалась: «Лукас! Что ты делаешь?..» Вместо ответа он показал мне аккуратную карту, где собственноручно изобразил местность между фермой Фенштермахеров и вашей усадьбой, включая Ньюмюнстер, Дрезден и берег Ванси, где было найдено орудие убийства. Меня бросило в дрожь при виде этой карты, потому что она означала, что он решил писать роман в совершенно новой манере, смелость которой вызвала бы одобрение у таких критиков, как Стрейберт. Это означало также, что, несмотря на наш преклонный возраст и истощившуюся энергию, опять началась бешеная погоня за фактами, персонажами и осмысление всего этого. Меж тем время приближалось к трем часам, а я сидела и смотрела его наброски к роману. Он уже выбрал название — «Преступление» — и определил главное действующее лицо, чем-то напоминающее Германа Цолликоффера — хранителя старых традиций. Злодеем будет отталкивающий тип, похожий на Повидло, но с менее нелепым провищем. Лукас наметил для него два имени, известных среди амишей, — «Детина Якоб» и «Суетливый Амос», — но ни то, ни другое не вызывает у него восторга. В центре романа находится трагическая фигура такого человека, как Отто Фенштермахер, у которого всегда были благие намерения, но который сбился с пути, растерял свои земли и не смог удержать своего непослушного сына от наркотиков. Я видела, что это будет сильный роман, но в половине четвертого все же спросила: «Ты имеешь представление, сколько сейчас времени?» Когда он поднял глаза, было ясно, что он давно уже потерял счет времени, блуждая в мыслях по проселочным дорогам в окрестностях Дрездена. «Пора спать», — сказала я, и он обнял меня по пути в спальню. «Спасибо тебе. У меня с этой книгой связаны большие надежды. И знаешь почему? — спросил он и, как всегда, рассмеялся, облегчая мою участь. — Помнишь, как мы, бывало, отмахивались от Стрейберта с его помпезным «Императивом настоящего времени», который никто не понимал? Так вот, он был прав. Мною движет как раз то, про что он говорил. Теперь я хочу писать не о том, какой была наша замечательная немецкая колония раньше, а о том, что она представляет собой сейчас. О том, как сочетание неправильного выбора и упрямства может привести к преступлению». Несмотря на то что мне не хотелось, чтобы он снова засел за очередной крупный роман, я была рада слышать в его голосе такую убежденность. Она звучала, когда он садился писать свои первые романы, так что это был хороший знак. И, несмотря на усталость, накопившуюся за все эти беспокойные дни перед Рождеством, я все же запомнила сказанные им слова: «Я должен писать — это моя жизнь».

Когда он забрался в кровать, я наклонилась над ним и поправила его одеяло.

СОДЕРЖАНИЕ

Миченер Джеймс

ДМ 70   Роман. — Роман. — Пер. с англ. Ю.Е. Галкиной и В.Г. Пурескина— М.: АО „Издательство «Новости»", 1998. — 512 с.

(Серия «Мировой бестселлер»)

Книга издана в суперобложке

Главный герой — немолодой писатель, рассказывающий, как он пишет роман. Вокруг него много людей и множество поводов для сюжетных осложнений. Книга написана не просто завлекательно, но со знанием человеческой натуры, с юмором и с глубокой верой в разум человека.

ББК 84.7 (США)
УДК 820 (73)-31

Джеймс Миченер
РОМАН
Серия «Мировой бестселлер»

Заведующий редакцией *Т.Ю.Савинова*
Редактор *И.П.Полякова*
Младший редактор *Н.В.Потатуева*
Художественный редактор *А.И.Хисиминдинов*
Технический редактор *Н.А.Федорова*
Корректор *Е.В.Клокова*
Технолог *В.Н.Каткова*

ЛР № 040676 от 28 февраля 1994 года

Подписано в печать 15.04.97.
Формат издания 84×108/32. Усл. печ. л. 26,88.
Уч.-изд. л. 27,0. Тираж 5 000 экз. Заказ № 0714.
Изд. № 9251.

АО „Издательство «Новости»"
107082, Москва, Б.Почтовая ул., 7.

Отпечатано с готовых диапозитивов
на Книжной фабрике № 1 Госкомпечати России.
144003, г. Электросталь Московской обл., ул. Тевосяна, 25.